2025
NEW

과외식 기출 분석서

국어

나 없이 기출 풀지마라

1 콘텐츠가 강하다!
실전 국어 전형태

메가스터디 **전형태**

Contents | 이 책의 순서

I ∘ 인문

II ∘ 사회

Contents | 이 책의 순서

V ﾟ 예술

VI ﾟ 독서

| 과외식 기출 분석서, 나기출 |

나 없이
기출
풀지마라

독서

I

인문

01 ⅠＩ. 인문

2018학년도 6월

지문분석

율곡 이이

(①) → 천도와 합일(=성인)

이기론 : 만물을 '(②)'와 '(③)'로 설명

'(②)' : 만물의 법칙이자 원리. 형체·시공간 제약 ×
↕ 이기지묘 : 구별되면서도 분리됨 없이 존재
'(③)' : 변화하는 물질적 요소. 시공간 제약 ○

수양론 : 인간에게 내재된 천도 실현. '수기'

(④)
: 만물은 동일한 '이', 다양한 '기'로 서로 다른 모습

기질 변화론 : 탁한 기질을 정화('이' 회복)

경세론 : 사회의 폐단을 제거하여 천도 실현. '치인'

(⑤) 개혁론

왕도, 어진 정치, 삼강, 오륜 : 변할 수 없는 '이'

(⑤) : 변할 수 있는 '기'

조선의 법전 :
수교(=법령) → 록 → 대전(=양법미의, 조종성헌)
└ 개혁의 대상   └ 녹왕도

형태쌤 Comment

지문의 길이가 길기에 단락별로 무엇을 말하는지 체크를 하며 독해를 진행해야 한다. 특히 2문단과 3문단에서 설명하는 이기론은 이후의 내용을 설명하기 위한 전제에 해당되는 개념이기에 반드시 제대로 독해를 진행해야 한다. 그래야 긴 지문에서 방향을 상실하지 않고, 마지막까지 유기적으로 읽어갈 수 있다.

문제분석 01-06번

번호	정답	정답률(%)	선지별 선택비율(%)				
			①	②	③	④	⑤
1	⑤	88	2	2	3	5	88
2	②	75	8	75	11	3	3
3	③	72	13	3	72	9	3
4	①	69	69	6	5	12	8
5	②	58	5	58	14	17	6
6	①	69	69	3	9	12	7

01

정답설명

⑤ 6문단에 ≪경국대전≫은 조선 왕조가 끝날 때까지 국가 기본 법전의 역할을 수행했으며 그 안에 실린 규정들은 개정되지 않았다는 것이 명시되어 있다. 단순한 일치 문제로도 볼 수 있는 쉬운 문제지만 사실 이 문제는 지문의 핵심을 담고 있는 문제다. 율곡은 부당한 법령을 개혁하기 위해 이기론을 가져왔다. ≪경국대전≫은 변하지 않아야 할 '이'에 해당하지만, '부당한 법령'은 변화 가능한 '기'에 해당하기에 개혁을 해야 한다는 것이다. ≪경국대전≫이 '이'라는 것이 머릿속에 확실하게 잡혀있었다면, 지문으로 돌아가지 않더라도 바로 지워낼 수 있는 선지이다.

오답설명

① 지문에 있는 단어 바꾸기로 선지를 구성한 패턴이다. 1문단에서 성학(= 유학)은 성인이 되기 위한 학문이라 하였으며, 성인이란 수기치인을 통해 하늘의 도리와 합일되는 경지에 도달한 사람을 이르는 것이라고 하였다.

② 1문단에 의하면 율곡은 수기치인의 도리를 밝힌 『성학집요』를 지어 유학의 이상 사회가 구현되기를 소망하였다.

③ 5문단에 의하면, 매우 중대한 사건에 대해 국왕이 만든 처리 지침이 사건을 해결하고, 이 지침이 같은 종류의 사건을 해결하는 데 적합하다고 판단되면 국왕의 하명 형식을 갖는 법령으로 만들어지는데 이를 '수교'라고 하였다. 따라서 '수교'는 특정한 사안을 해결하는 과정을 거쳐 제정되는 것임을 알 수 있다.

④ 5문단에서 폐단이 없고 유용성이 확인된 '수교'가 다시 다듬어지고 정리되어 '록'이 되고, 지속적인 적용을 거쳐 영구히 시행될 만한 것으로 판정된 것이 '대전'에 실린다고 하였으므로, '대전'의 규정은 지속적으로 시행되면서 폐단이 없었다는 요건을 갖추어야 한다.

02

정답설명

② 지문의 핵심 개념인 '이'와 '기'를 얼마나 정확히 구분할 수 있는지 보기 위한 문제다. 공통점과 차이점은 늘 출제 포인트라고 했지? 쌤 강의를 잘 듣고 체화한 학생이라면, 어렵지 않게 맞혔을 것이다. 만물에 내재된 법칙은 '기'가 아니라 '이'이다. 2문단에 의하면, '이'는 시공을 초월하여 존재하는, 만물에 내재된 법칙이자 원리이다.

오답설명

① 2문단에 의하면 '기'는 천재지변과 같이 끊임없이 변화하며 작동하는 물질적 요소이며, 항상 '이'와 더불어 실제로 존재한다.

③ 4문단에서 율곡은 법제를 때에 따라 변할 수 있는 것으로, 왕도나 오륜을 변할 수 없는 '이'로 규정하였으며, '이'를 구현하기 위해서 법제의 개혁이 필요하다고 하였다.

④ 3문단에서 율곡은 일반인도 탁한 기질을 정화하면 '이'의 선한 본성이 회복되어 성인이 될 수 있다고 하였다.

⑤ 3문단을 보면 만물이 동일하게 갖고 있는 것은 '이'이며 서로 다른 모습으로 나타나는 이유는 다양한 '기'의 성질 때문임을 알 수 있다.

03

정답설명

③ 자, 차근차근 정보를 정리해 보자. 일부분만 봐서는 쉽게 정답 선지를 찾기 어려웠을 수 있다. '수기를 위한 수양론과 치인을 위한 경세론'은 2문단 첫머리에 제시되어 있다. 또한 1문단에서, 수기치인의 목적은 하늘의 도리인 천도와 합일되는 경지에 도달한 성인이 되는 것이라고 했다. 일단 여기서 '수기치인'이 '천도'를 지향하는 것을 알 수 있다. 그리고 3문단에 인간에게 내재된 천도를 실현하려는 수양론이 사회의 폐단을 제거하여 천도를 실현하려는 경세론으로 이어진다는 것이 명시되어 있잖니. 혹시라도 놓칠까봐 '천도를 실현'을 두 번이나 적어 주었다. 평가원 밑줄 문제는 부분만 봐서는 답이 나오지 않는 경우가 많다는 것을 명심하자.

오답설명

① 개념어는 반드시 밑줄! 3문단에 의하면 '수기'는 탁해진 '기'를 정화하여 만물이 동일하게 가진 선한 본성인 '이'를 회복하기 위한 것이다.
② '이기지묘'란 구별되지만 분리됨이 없이 존재하는 '이'와 '기'의 관계를 이르는 말로, 2문단에 명시되어 있다. 또한 1문단에 따르면 '수기'와 '치인'은 모두 천도의 실현을 목적으로 하는 것이니 상호 대립되는 개념이라고 보는 것은 무리가 있겠다.
④ '성인이 지닌 기질적 병폐'에서 일단 지웠어야 한다. '수기'와 '치인'은 '성인'이 아니라 '일반인'이 성인에 이르고자 하여 행하는 것이다.
⑤ 오답이니 어서 지워버리라고 평가원이 선물로 준 선지다. 3문단을 보면, 독서와 공부를 통해 시비를 분별하는 것은 '역행'이 아니라 '궁리'임을 알 수 있다.

04

정답설명

① 지문과 〈보기〉를 대응하여 선지의 정보를 하나씩 확인해 줘야 한다. 2문단에서 율곡은 '이'와 '기'의 관계를 '이기지묘'로 설명하면서 '이'가 '기'와 구별되면서도 분리됨이 없이 존재한다고 하였다. 반면 〈보기〉에서 플라톤은 '이데아'가 물질로부터 떨어져 있다고 하였다.

오답설명

② 2문단과 〈보기〉에 의하면, '이'와 '이데아' 모두 시공간의 제약을 받지 않는다.
③ 1문단에 의하면 '성인'은 수기치인을 통해 도달할 수 있는 경지이며 그 수양의 방법은 3문단에 제시되어 있다. 반면 〈보기〉의 '철학자 왕'은 이데아를 가장 잘 기억하는 사람으로서 그것을 땅에서 구현해 내려는 통치자이다.
④ 2문단에서 '이'는 현실 세계에서 항상 '기'와 더불어 실제로 존재한다고 하였고, 〈보기〉에서 '이데아' 역시 마음속의 추상적 개념이 아니라 실제로 존재하는 것이라 하였으므로 적절하지 않다.
⑤ 1문단에 의하면 율곡은 유학을 통해 이상 사회가 구현되기를 소망하였으나, 〈보기〉의 플라톤은 '이데아'의 완벽함은 현실 세계에서 똑같이 구현되지 않는다고 생각하였다.

05

정답설명

② 7문단을 보면 율곡이, 연산군 때 제정된 부당한 조세 법령을 바꾸자는 법제 개혁론을 주장하였음을 알 수 있다. 따라서 선왕(선대의 임금)의 법을 개혁할 것을 건의한 것은 맞다. 그러나 4문단에서 당시의 국왕이었던 선조가 "'이'는 빈틈없는 완전함이 있고, '기'는 변화하는 움직임이 있다."라고 한 것으로 보아, 선조는 '이'와 '기'에 대해 정확히 알고 있었고, 잘못된 견해를 제시하지 않았다.

오답설명

① 4문단에 의하면 법제 개혁론은 '이(왕도, 어진 정치, 삼강, 오륜)'를 위해 '기(법제)'를 변화시키는 것이다. 따라서 이기론을 바탕으로 하여 사회의 폐단을 제거해 천도를 실현하고자 하는 경세론의 실천으로 볼 수 있다.
③ 7문단에서 율곡은 '조종성헌에 해당하지 않는 부당한 법령을 오래된 선왕의 법이라며 고칠 수 없다고 고집하는 권세가들'에 대해, 그런 법령은 '이'의 영역에 속하는 것이 아니라는 이론적인 공박을 펼쳤다는 것을 알 수 있다.
④ 4문단에서 율곡은 왕도나 삼강을 구현하기 위해서 법제를 개혁해야 한다고 하였으므로 적절한 설명이다.
⑤ 6문단에 의하면 《경국대전》은 성종 때에 확정되었으며, 7문단에서 성종을 이은 연산군 때의 부당한 조세 법령이 백성의 삶을 피폐하게 하므로 법제 개혁의 대상이라고 하였다.

06

정답설명

① 〈보기〉에서 숙종이 '갑'의 처형을 주장한 것으로 보아, (다)를 적용하고자 하였음을 알 수 있다. 간혹 선지를 오독해서 틀린 학생들이 있는데, 주된 질문은 (가)를 적용한 것이 아니냐는 것이다. 숙종의 판단 과정을 다시 따져 보자. (나)를 적용하려는 대신들에게 성스러운 규범인 《경국대전》을 멋대로 적용해서는 안 된다고 꾸짖었으므로 (가)를 고려하였음을 알 수 있다. 그리고 (가)의 내용은 (다)를 적용한다는 것이다. 결국 숙종은 조종성헌을 존중하여 (가)를 고려하였고, 이를 토대로 (다)를 적용한 것이다.

오답설명

② 숙종은 《경국대전》의 (가)를 적용하여 '갑'의 사형을 집행하고자 하므로 《경국대전》의 규정을 적용하지 않으려 한다는 것은 옳지 않다.
③ 숙종이 (다)를 적용하려는 것은 '대전'에서 "《대명률》을 형법으로 적용한다."라고 하였기 때문이다. (나)를 따르지 않았다고 해서 '대전'의 규정을 따르지 않는 태도라고 볼 순 없다.
④ 6문단에서 '대전'에 오른 규정들은 '양법미의'라 하였고, 〈보기〉에서 숙종은 《경국대전》을 성스러운 규범으로 여겼으므로 《경국대전》의 일부인 (나)도 '양법미의'라고 생각하였을 것이다. 〈보기〉에서 숙종이 (나)를 적용하지 않는 이유는 《경국대전》의 규범을 멋대로 적용해서는 안 되기 때문임을 알 수 있다.
⑤ 숙종은 갑의 행위가 정당한 형벌 집행이 아니라 살인이라고 생각하였

다. 따라서 '형벌 집행을 남용'하는 것으로 보아 (나)를 적용해야 한다고 주장한 대신들과 달리 (다)에 따라야 한다고 주장하는 것이다.

구조도 정답

① 수기치인
② 이
③ 기
④ 이통기국
⑤ 법제

양자 역학과 비고전 논리

지문해설

① 고전 역학에 따르면, 물체의 크기에 관계없이 초기 운동 상태를 정확히 알 수 있다면 일정한 시간 후의 물체의 상태는 정확히 측정될 수 있으며, 배타적인 두 개의 상태가 공존할 수 없다. 하지만 20세기에 등장한 양자 역학에 의해 미시 세계에서는 상호 배타적인 상태들이 공존할 수 있음이 알려졌다.

▶ 고전 역학과 양자 역학의 차이점이 제시되었다. 반드시 체크해야 할 내용이지?

▶ 고전 역학 : 물체의 초기 운동 상태 정확히 알고 있다면 일정 시간 후 상태도 정확히 측정 가능, 배타적 상태 공존 불가능

▶ 양자 역학 : 미시 세계에서는 상호 배타적 상태들의 공존이 가능

▶ 두 역학의 차이점은 '상호 배타적 상태'의 공존 여부인데, '상호 배타적 상태'라는 것이 정확히 무엇일까? 좀 더 읽어 보자.

② 미시 세계에서의 상호 배타적인 상태의 공존을 이해하기 위해, 거시 세계에서 회전하고 있는 반지름 5㎝의 팽이를 생각해 보자.

▶ 개념 설명에 앞서 예를 제시해 주었다. 이런 유형의 예시는, 단순히 이해를 돕기 위해 설명 뒤에 이어지는 예시보다 훨씬 중요하니 잘 읽어야 한다. 미시 세계란 말 그대로 아주 작고 미세한 세계, 거시 세계란 우리가 살고 있는 지각 가능한 이 세계를 생각하면 된다.

그 팽이는 시계 방향 또는 반시계 방향 중 한쪽으로 회전하고 있을 것이다. 팽이의 회전 방향은 관찰하기 이전에 이미 정해져 있으며, 다만 관찰을 통해 알게 되는 것뿐이다.

▶ 그렇겠지. 시계 방향으로 돌던 팽이가, 우리가 쳐다본 순간 반대로 돌지는 않으니까!

이와 달리 미시 세계에서 전자만큼 작은 팽이 하나가 회전하고 있다고 상상해 보자. 이 팽이의 회전 방향은 시계 방향과 반시계 방향의 두 상태가 공존하고 있다. 하나의 팽이에 공존하고 있는 두 상태는 관찰을 통해서 한 가지 회전 방향으로 결정된다. 두 개의 방향 중 어떤 쪽이 결정될지는 관찰하기 이전에는 알 수 없다. 거시 세계와 달리 양자 역학이 지배하는 미시 세계에서는, 우리가 관찰하기 이전에는 상호 배타적인 상태가 공존하는 것이다.

▶ 놀랍게도, 미시 세계에서 회전하는 팽이는 우리가 관찰하기 전까지 시계 방향, 반시계 방향의 두 상태(=상호 배타적인 상태)를 동시에 가질 수 있고, 둘 중 어떤 방향으로 결정될지 알 수 없다고 한다. 이해가 안 되지? 그것은 당연하다. 필자가 그 이유를 자세하게 설명해 주지 않기 때문이다. 과학적인 얘기가 나올 때는 제한된 지문에서 많은 정보를 쏟아내기에 필자가 깔고 들어가는 전제들(일종의 약속들)이 있다. 이 전제에 대한 자세한 설명이 없을 때는 전제에 대한 이해 여부를 물어보지 않으니, 하나의 약속이라고 생각하고 독해를 진행하면 된다. 개념에 대한 자세한 설명을 하고, 이에 대한 완벽한 이해를 요구하는 지문과는 분명 다르게 접근을 해야 한다.

배타적인 상태의 공존과 관찰 자체가 물체의 상태를 결정한다는 개념을 받아들이기 힘들었기 때문에, 아인슈타인은 "당신이 달을 보기 전에는 달이 존재하지 않는 것인가?"라는 말로 양자 역학의 해석에 회의적인 태도를 취하였다.

▶ 우리가 달을 보기 전에도 달은 존재하고 있지. 즉, 관찰 여부에 따라 물체의 존

재 여부는 달라지지 않는다. 아인슈타인은 이를 바탕으로 하여 관찰 여부가 물체의 상태를 결정할 수는 없다고 생각한 것이다. 아인슈타인도 쉽게 믿을 수 없었던 것이 양자 역학의 해석이었다.

③ 최근에는 상호 배타적인 상태의 공존을 적용함으로써 초고속 연산을 수행하는 양자 컴퓨터에 대한 연구가 진행되고 있다. 이는 양자 역학에서 말하는 상호 배타적인 상태의 공존이 현실에서 실제로 구현될 수 있음을 잘 보여 주는 예라 할 수 있다. 미시 세계에 대한 이러한 연구 성과는 거시 세계에 대해 우리가 자연스럽게 지니게 된 상식적인 생각들에 근본적인 의문을 던진다. 이와 비슷한 의문은 논리학에서도 볼 수 있다.

▶ 양자 역학에서 말하는 상호 배타적인 상태의 공존이 현실에서 구현된 것이 양자 컴퓨터이다. 상호 배타적인 상태가 실제로 공존할 수 있다는 것이지. 그것이 어떻게 가능한 건지는 지문에서 언급된 바가 없으니, '미시 세계에서는 가능한 거구나' 정도로 이해하고 넘어가면 되겠다. 그보다 우리가 신경 써야 할 것은, '우리가 자연스럽게 지니게 된 상식적인 생각들에 근본적인 의문을 던진다. 이와 비슷한 의문은 논리학에서도 볼 수 있다.' 부분이다. 갑자기 과학 지문에서 인문 지문으로 탈바꿈되는 대단한 융합 지문이다. 하지만 필자의 관심사를 따라가며 글의 구조를 파악하다 보면 핵심 내용만 골라낼 수 있으니 쫄지 마라. 오히려, 다음 문단에서 '논리학에서의 상식에 대한 근본적인 의문'에 대한 설명이 이어질 것을 예측할 수 있고, 핵심 내용에 대한 힌트도 얻었구나.

④ 고전 논리는 '참'과 '거짓'이라는 두 개의 진리치만 있는 이치 논리이다. 그리고 고전 논리에서는 어떠한 진술이든 '참' 또는 '거짓'이다. 이는 우리의 상식적인 생각과 잘 들어맞는다. 그러나 프리스트에 따르면, '참'인 진술과 '거짓'인 진술 이외에 '참인 동시에 거짓'인 진술이 있다.

▶ 쉽게 말해 고전 논리는 우리의 상식과 같이 (O) / (X)이고, 프리스트의 논리는 (O) / (X)뿐 아니라 (O + X)도 있다는 얘기다. '참인 동시에 거짓', 그러니까 (O + X) 진술은 양자 역학에서 말하는 '상호 배타적인 상태의 공존'과 같은 의미이겠지. 어떻게 논리학에서도 이것이 가능한지, 설명을 읽어 보자.

이를 설명하기 위해 그는 '거짓말쟁이 문장'을 제시한다. 거짓말쟁이 문장을 이해하기 위해 자기 지시적 문장과 자기 지시적이지 않은 문장을 구분해 보자. 자기 지시적 문장은 말 그대로 자기 자신을 가리키는 문장을 말한다. 예를 들어 "이 문장은 모두 열여덟 음절로 이루어져 있다."라는 '참'인 문장은 자기 자신을 가리키며 그것이 몇 음절로 이루어져 있는지 말하고 있다. 반면 "페루의 수도는 리마이다."라는 '참'인 문장은 페루의 수도가 어디인지 말할 뿐 자기 자신을 가리키는 문장은 아니다.

▶ '자기 지시적 문장'의 정의가 설명되어 있다. 본격적으로 말하고자 하는 A(거짓말쟁이 문장 = O + X)를 얘기하기 위해 개념인 B(자기 지시적 문장)를 깔고 있는 중이다. 개념을 탑재했다면, 본격적으로 A(거짓말쟁이 문장)를 만나러 가 보자.

⑤ "이 문장은 거짓이다."는 거짓말쟁이 문장이다. 이는 '이 문장'이라는 표현이 문장 자체를 가리키며 그것이 '거짓'이라고 말하는 자기 지시적 문장이다. 그렇다면 프리스트는 왜 거짓말쟁이 문장에 '참인 동시에 거짓'을 부여해야 한다고 생각할까? 이에 답하기 위해 우선 거짓말쟁이 문장이 '참'이라고 가정해 보자. 그렇다면 거짓말쟁이 문장은 '거짓'이다. 왜냐하면 거짓말쟁이 문장은 자기 자신을 가리키며 그것이 '거짓'이라고 말하는 문장이기 때문이다. 반면 거짓말쟁이 문장이 '거짓'이라고 가정해 보자. 그렇다면 거짓말쟁이 문장은 '참'이다. 왜냐하

면 그것이 바로 그 문장이 말하는 바이기 때문이다. 프리스트에 따르면 어떤 경우에도 거짓말쟁이 문장은 '참인 동시에 거짓'인 문장이다. 따라서 그는 거짓말쟁이 문장에 '참인 동시에 거짓'을 부여해야 한다고 본다. 그는 거짓말쟁이 문장 이외에 '참인 동시에 거짓'인 진리치가 존재함을 뒷받침하는 다양한 사례를 제시한다. 특히 그는 양자 역학에서 상호 배타적인 상태의 공존은 이 점을 시사하고 있다고 본다.

"이 문장은 거짓이다."	가정	결론
	'참'	이 문장은 거짓이어야 하므로 '거짓'
	'거짓'	이 문장은 거짓이 아니어야 하므로 '참'

⇓

'거짓말쟁이 문장' = '참인 동시에 거짓'

▶ 따라서, "이 문장은 거짓이다."는 어떤 경우에도 '참인 동시에 거짓'이 되므로 동시에 두 가지의 진리치를 부여받을 수 있다는 것이다.

⑥ 고전 논리에서는 '참인 동시에 거짓'인 진리치를 지닌 문장을 다룰 수 없기 때문에 프리스트는 그것도 다룰 수 있는 비고전 논리 중 하나인 LP를 제시하였다. 그런데 LP에서는 직관적으로 호소력 있는 몇몇 추론 규칙이 성립하지 않는다.

▶ 고전 논리와 비고전 논리의 차이점이 제시되겠지? 평가원이 집요하게 출제하는 중요한 포인트다. 신경 쓰면서 읽을 준비되었겠지? 가 보자.

전건 긍정 규칙을 예로 들어 생각해 보자. 고전 논리에서는 전건 긍정 규칙이 성립한다. 이는 "P이면 Q이다."라는 조건문과 그것의 전건인 P가 '참'이라면 그것의 후건인 Q도 반드시 '참'이 된다는 것이다. 이와 비슷한 방식으로 LP에서 전건 긍정 규칙이 성립하려면, 조건문과 그것의 전건인 P가 모두 '참' 또는 '참인 동시에 거짓'이라면 그것의 후건인 Q도 반드시 '참' 또는 '참인 동시에 거짓'이어야 한다. 그러나 LP에서 조건문의 전건은 '참인 동시에 거짓'이고 후건은 '거짓'인 경우,

▶ 여기서 조심해야 한다. 출제자가 '~경우, ~면' 등의 표현을 지문이나 선지에서 제시할 때는 출제자의 전제를 바탕으로 생각을 끊어서 가야 한다. 추가적인 변수를 본인이 생각하면서 가는 것이 아니라, 철저하게 출제자의 전제 속에서만 생각을 하면 되는 것이다.

조건문과 전건은 모두 '참인 동시에 거짓'이지만 후건은 '거짓'이 된다. 비록 전건 긍정 규칙이 성립하지는 않지만, LP는 고전 논리에 대한 근본적인 의문들에 답하기 위한 하나의 시도로서 의의가 있다.

▶ 전건 긍정 규칙이란, 조건문과 그것의 전건이 '참'이면 후건도 반드시 '참'이 된다는 것이다. 고전 논리에서는 전건 긍정 규칙이 성립하지만 LP에서는 성립하지 않는 경우가 있다고 한다. LP설명이 복잡해서 감이 안 잡히지? 아래 표를 보자. 당연히 시험장에서는 이렇게 메모를 그릴 필요가 없다. 증감이나 비례 관계에 해당하는 핵심 개념이 아니기 때문이다. 시험장이라면 간단하게 읽어 두고 "물어보면 돌아와야지."라는 생각으로 가볍게 처리해야 한다.

고전 논리				비고전 논리 (LP)			
조건문	전건	⇒	후건	조건문	전건	⇒	후건
"P이면 Q이다."	P		Q	"P이면 Q이다."	P		Q
'참'	=		'참'	'참' or '참인 동시에 거짓'	=		'거짓'

	⇓				⇓		
전건 긍정 규칙 성립				전건 긍정 규칙 성립 ×			

지문분석

양자 역학과 비고전 논리

↳ **고전 역학 (거시 세계)**

　초기 운동 상태 정확히 알면, 일정 시간 후의 물체 상태도 정확히 측정 가능

　배타적인 두 개의 상태가 (①)할 수는 없음

↳ **양자 역학 (미시 세계)**

　상호 배타적인 상태들이 (①) 가능

　관찰 자체가 물질의 상태를 결정

↳ **논리학**

　(②)

　　'참' or '거짓'

　　(③) 성립
　　(조건문과 전건이 '참'이면 후건도 반드시 '참')

　(④)(LP)

　　'참' or '거짓' or '참과 동시에 거짓'
　　ex) (⑤) 문장

　　(③) 성립×
　　(조건문, 전건이 '참인 동시에 거짓'인 경우)

　　고전 논리의 의문에 대한 시도로서 의의 O

형태쌤 Comment

　초반부엔 과학 얘기가 나오더니 중반부터는 인문에 대한 얘기가 나온다. 인문과 과학이 융합된 지문인데, 편의상 인문으로 분류를 하였다. 지문이 인문 지문의 특성을 많이 보여 주고 있기 때문이다. 지문에 정보가 많은 듯하지만, 핵심을 관통하는 이분법적 논리에 따라 접근하면 흔들리지 않을 수 있다.

문제분석 01-06번

번호	정답	정답률 (%)	선지별 선택비율(%)				
			①	②	③	④	⑤
1	③	76	2	4	76	15	3
2	④	58	9	8	16	58	9
3	②	65	5	65	8	13	9
4	⑤	51	9	13	22	5	51
5	⑤	36	6	19	30	9	36
6	③	89	4	3	89	2	2

01

정답설명

형태쌤의 과외시간

비문학 추론 문제를 풀 때 잊지 말아야 것은, **절대 필요 이상의 추론을 하면 안 된다**는 것이다! 철저히 지문(또는 〈보기〉)에 근거하여 일치 수준의 근거를 찾고, 지문의 맥락에 의거하여 사고를 제한해야 한다.

③ 2문단에서 ㉠을 둘러싼 지문의 맥락을 보자. 아인슈타인은 배타적인 상태의 공존과 관찰 자체가 물체의 상태를 결정한다는 개념을 받아들이기 힘들었기 때문에 ㉠을 말한 것이다. 따라서 ㉠은 관찰 여부와 무관하게 물체의 상태가 존재할 것이라는 의미로 해석할 수 있다.

오답설명

① 관찰이 존재를 결정한다는 의미이므로, 아인슈타인의 태도와 완전히 상반되는 해석이다.

② 양자 역학은 거시 세계가 아닌 미시 세계를 설명하는 물리학이다. 그런데 아인슈타인은 거시·미시 세계를 구분하지 않고, 거시 세계(달)를 토대로 양자 역학을 비판한 것이다. ②는 오히려 이러한 아인슈타인을 비판하기에 좋은 문장이다. 따라서 양자 역학에 대한 아인슈타인의 회의적인 태도를 보여 주는 ㉠의 의미로 볼 수 없다.

④ 관찰이 존재의 상태를 결정한다는 것은 양자 역학을 긍정하는 진술 아니냐. 양자 역학에 대한 아인슈타인의 회의적 태도와는 어울리지 않는 해석이다.

⑤ 관찰하기 이전에 존재 여부를 확정할 수 없다는 것은 양자 역학의 입장이므로, 이 역시 아인슈타인의 의도로 보기에 적절하지 않다.

02

정답설명

④ 〈보기〉에 의하면 n자리 이진수는 2^n개가 존재한다. 똑똑한 양자 컴퓨터는 0과 1을 하나의 비트에 동시에 담아 처리할 수 있으니, 두 자리 이진수를 2비트로 연산한다면 단 한 번에 처리가 가능하다. 따라서 네 자리 이진수를 4비트로 연산할 때도 한 방에 처리할 수 있을 것이다. 그리고 네 자리 이진수의 개수는 2^4개이니 16개일 것이다.

오답설명

① 양자 컴퓨터가 상호 배타적인 상태의 공존을 적용하여 초고속 연산을 수행한다는 것은 3문단에 언급되어 있다. 그러나 〈보기〉에서 2비트인 일반 컴퓨터가 4번에 걸쳐 처리할 연산을 똑같은 2비트 양자 컴퓨터가 1번 처리하는 것으로 보아, 양자 컴퓨터가 연산 결과를 빨리 얻을 수 있는 것은 비트의 수가 늘어나서가 아니라 하나의 비트에 0과 1 모두를 담을 수 있어서 이진수를 처리하는 횟수가 적어졌기 때문이다.

② 일반 컴퓨터로 3비트를 사용하여 세 자리 이진수를 모두 처리하려면 2^3(=8)번의 횟수가 필요한데, 양자 컴퓨터는 한 번에 처리가 가능하므로 일반 컴퓨터보다 8배 빠르다.

③ 한 자리 이진수인 0과 1을 모두 처리하기 위해 1비트를 사용한다고 하면 일반 컴퓨터는 두 번, 양자 컴퓨터는 한 번의 정보 처리를 거치므로 둘의 정보 처리 횟수는 다르다.

⑤ 3비트의 양자 컴퓨터가 세 자리 이진수를 모두 처리하는 속도와 6비트의 양자 컴퓨터가 여섯 자리 이진수를 모두 처리하는 속도는 모두 한 번의 정보 처리로 동일하다.

03

정답설명

② 의외로 쉽게 찾을 수 있는 정답 선지다. 4문단에 의하면 자기 지시적 문장은 자기 자신을 가리키는 문장이다. "이 문장은 자기 지시적이다."라는 문장은 자기 자신을 가리키는 문장이잖니. 그러니 이 문장은 '거짓'이 아니지.

오답설명

① "붕어빵에는 붕어가 없다."는 자기 자신을 가리키는 문장이 아니라 붕어빵에 붕어가 없다는 단순 진술이므로 자기 지시적 문장이라고 할 수 없다.

③ 4문단에 따르면 이치 논리(=고전 논리)는 '참'과 '거짓'이라는 두 개의 진리치만 있으므로 무조건 둘 중 하나로만 판단된다. 5문단을 보면 "이 문장은 거짓이다."는 자기 지시적 문장이면서 거짓말쟁이 문장임이 친절하게 설명되어 있다. 따라서 "이 문장은 거짓이다."의 진리치는 '참인 동시에 거짓'이므로 이치 논리에서 진리치를 부여받을 수 없을 뿐, 이치 논리에서도 자기 지시적 문장이 되는 것이다.

④ 이 선지 역시 쉽게 지울 수 있다. 4문단에서 "이 문장은 모두 열여덟 음절로 이루어져 있다."라는 자기 지시적 문장이 '참'의 진리치를 부여받았다는 것을 대놓고 알려주었다.

⑤ 4, 5문단에 의하면, 프리스트는 거짓말쟁이 문장을 포함해 '참인 동시에 거짓'인 진리치가 존재함을 뒷받침하는 다양한 사례를 제시하였으나, 모든 자기 지시적 문장에 '참인 동시에 거짓'을 부여해야 한다고 주장하지는 않았다.

04

정답설명

⑤ 문제에서 추론을 요구했지만 그냥 일치 차원의 문제로 보고 들어가도 된다. 고전 논리는 '참', '거짓' 둘 중 하나로만 판단된다고 했지? 그리고 6문단에 의하면 고전 논리에서는 전건 긍정 규칙이 성립한다고 했다. 그러므로 고전 논리에서 조건문(㉡)과 전건(P)이 '참'이라면? 후건(Q)도 '참'이어야만 한다. 따라서 고전 논리에서 조건문(㉡)과 전건(P)이 '참'이면서 후건(Q)이 '거짓'인 것은 불가능하다.

오답설명

① 6문단을 봐라. LP에서 전건(P)이 '참인 동시에 거짓'이고 후건(Q)이 '거짓'인 상태에서 조건문(㉡)은 '참인 동시에 거짓'임이 제시되어 있다.

② 6문단을 봐라. LP에서 조건문(㉡)과 전건(P)이 '참인 동시에 거짓'이고, 후건(Q)이 '거짓'인 경우를 전제로 논지가 전개되었다.

③ LP에서 조건문(㉡)과 전건(P)이 '참' 또는 '참인 동시에 거짓'일 때 후건

(Q)도 반드시 '참' 또는 '참인 동시에 거짓'이 된다는 것은 LP에서 전건 긍정 규칙이 성립한다는 의미이다. 그러나 6문단에 의하면 LP에서는 전건 긍정 규칙이 성립하지 않는다고 하였으므로 이는 적절하지 않은 추론이다.

④ 고전 논리는 '참'과 '거짓' 두 개의 진리치만 가지며 전건 긍정 규칙이 성립한다. 조건문(ⓒ)과 전건(P)이 각각 '거짓'이 아닐 때는 조건문(ⓒ)과 전건(P)이 각각 '참'일 때이므로 후건(Q)은 '참'이어야 한다.

05
정답설명

형태쌤의 과외시간

평가원 비문학의 〈보기〉 문제에는 2가지 유형이 있다.

하나는 **지문을 통해 〈보기〉를 바라보는 유형**으로, 지문의 정보와 〈보기〉의 정보를 1:1로 대응시키는 것이 우선이다. 비문학 〈보기〉 문제의 대부분을 차지한다.

또 하나는 **〈보기〉를 통해 지문을 바라보는 유형**으로, 보통 〈보기〉의 정보를 통해 지문의 정보를 반박하거나 비판하는 유형으로 제시가 된다. 문학과 비슷한 유형이라고 보면 된다.

⑤ 이 문제는 첫 번째 유형으로 '고전(거시)'과 '양자(미시)'의 대립 구도를 그대로 〈보기〉에 투영하면 끝난다. 즉, 〈보기〉에서 새로운 정보를 찾아내거나 이해하는 것에 주력하는 것이 아니라, 철저하게 지문에 나온 개념을 〈보기〉에 적용하는 것이다.

(ㄱ)과 (ㄴ)은 전자의 상태를 나타내므로 미시 세계, (ㄷ)과 (ㄹ)은 반지름 $5cm$ 팽이의 운동을 나타내므로 거시 세계에 속한다. 일단 이렇게 둘씩 짝지어 주고 생각하자. A는 고전 논리를 받아들이므로 (ㄱ)과 (ㄴ), (ㄷ)과 (ㄹ)에 서로 배타적인 진리치만을 인정하겠지. 예를 들어 (ㄱ)이 '참'이라면 (ㄴ)은 '거짓', (ㄱ)이 '거짓'이라면 (ㄴ)은 '참'이라고 생각하겠지. 반면 B는 양자 역학과 프리스트의 입장을 수용하니까 (ㄱ)과 (ㄴ)에 각각 '참인 동시에 거짓'의 상태를 허용할 것이다.

여기서 주의할 점! B는 (ㄷ)과 (ㄹ)에 대해서도 '참인 동시에 거짓'의 진리치를 부여할까? '네!'라고 한 학생들은 지문을 다시 읽고 와라. 상호 배타적인 상태들이 공존할 수 있는 것은 '미시 세계'뿐이다. (ㄷ)과 (ㄹ)은 거시 세계의 팽이 운동이야. 2문단에 의하면 (ㄷ)과 (ㄹ)과 같은 팽이의 회전은 거시 세계에 해당하며, 관찰과 무관하게 팽이의 회전 방향이 정해져 있는 상태라는 것이다. 이는 미시 세계에서 이루어지는 상호 배타적인 상태의 공존과는 무관하므로 B도 (ㄹ)에 대해 '참' 또는 '거짓' 두 개의 진리치 중 하나만 부여할 것이다. 따라서 A와 B 모두 (ㄹ)이 '참'이 아니라면 '거짓'이라고 주장할 것이다.

오답설명

① 〈보기〉에서 A는 고전 논리를 받아들였다고 하였고 4문단에서 고전 논리는 '참'과 '거짓' 두 개의 진리치만 부여한다고 하였다. 따라서 A는 (ㄱ)이 '참'이 아니라면 '거짓'이고, '참', '거짓' 외에 다른 진리치를 가

질 수 없다고 주장할 것이다.

② 〈보기〉에서 B는 양자 역학과 프리스트의 입장을 받아들였다고 하였으므로 미시 세계의 (ㄱ)에 상호 배타적인 상태의 공존을 인정하여 '참인 동시에 거짓'일 수 있다고 주장할 것이다. 그러나 (ㄷ)은 거시 세계의 운동이므로 '참'이 아니라면 '거짓'이라고 주장할 것이다.

③ (ㄷ)과 (ㄹ)은 모두 거시 세계에 해당하므로 상호 배타적인 상태가 공존할 수 없다. 따라서 A와 B 모두 (ㄷ)이 '참'일 때 (ㄹ)도 '참'이 되는 것은 불가능하다고 주장할 것이다.

④ B는 양자 역학을 바탕으로 관찰 이전의 전자에 대해 상호 배타적인 상태의 공존을 긍정하므로 미시 세계의 (ㄴ)이 '참인 동시에 거짓'일 수 있다고 생각할 것이다. 이와 달리 A는 고전 논리를 바탕으로 하므로 '참인 동시에 거짓'이라는 진리치를 받아들이지 않을 것이다.

06
정답설명

③ '소지하다'는 '물건을 지니고 있다.'의 의미로, '상식적인 생각'은 물건이 아니므로 ⓒ를 '소지하다'로 바꾸어 쓸 수 없다. ⓒ의 '지니게'는 '바탕으로 갖추고 있다.'의 의미이므로, '가지고 있거나 간직하고 있다.'의 의미를 갖는 '보유하다'와 바꾸어 쓸 수 있다.

오답설명

① ⓐ의 '따르면'은 '어떤 경우, 사실이나 기준 따위에 의거하다.'의 의미로 쓰였으므로 '어떤 사실이나 원리 따위에 근거하다.'라는 의미의 '의거하다'와 바꾸어 쓸 수 있다.

② ⓑ의 '알게'는 '어떤 사실이나 존재, 상태에 대해 의식이나 감각으로 깨닫거나 느끼다.'의 의미로 쓰였다. '인지하다'는 '어떤 사실을 인정하여 알다.'의 의미이므로 문맥상 바꾸어 쓸 수 있다.

④ ⓓ의 '던진다'와 '제기하다'는 모두 '의견이나 문제를 내어놓다.'의 의미이므로 바꾸어 쓸 수 있다.

⑤ ⓔ의 '들어맞는다'는 '정확히 맞다.'라는 의미로, '사물이나 현상이 서로 꼭 들어맞다.'라는 의미의 '부합하다'와 바꾸어 쓸 수 있다.

구조도 정답

① 공존
② 고전 논리
③ 전건 긍정 규칙
④ 비고전 논리
⑤ 거짓말쟁이

03 2018학년도 11월

지문분석

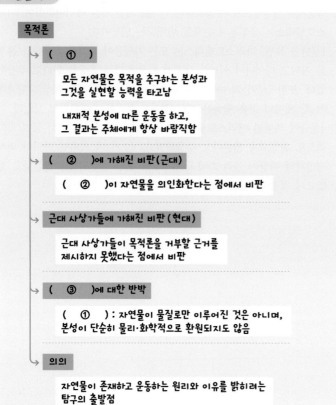

목적론

→ (①)

모든 자연물은 목적을 추구하는 본성과
그것을 실현할 능력을 타고남

내재적 본성에 따른 운동을 하고,
그 결과는 주체에게 항상 바람직함

→ (②)에 가해진 비판(근대)

(②)이 자연물을 의인화한다는 점에서 비판

→ 근대 사상가들에 가해진 비판 (현대)

근대 사상가들이 목적론을 거부할 근거를
제시하지 못했다는 점에서 비판

→ (③)에 대한 반박

(①) : 자연물이 물질로만 이루어진 것은 아니며,
본성이 단순히 물리·화학적으로 환원되지도 않음

→ 의의

자연물이 존재하고 운동하는 원리와 이유를 밝히려는
탐구의 출발점

형태쌤 Comment

지문의 길이에 비해 은근히 정보가 많다. 아리스토텔레스와 근대를 큰 축으로 이분화하며 읽어가되, 다양한 학자들이 등장하니, 공통점에 신경 쓰며 독해를 해야 한다.

문제분석 01-04번

번호	정답	정답률 (%)	선지별 선택비율(%)				
			①	②	③	④	⑤
1	⑤	82	2	2	5	9	82
2	③	94	2	1	94	2	1
3	②	95	2	95	1	1	1
4	③	84	2	6	84	3	5

01

정답설명

⑤ 이 지문은 아리스토텔레스의 목적론에 대한 근대 학자들의 비판과, 이러한 비판들에 대한 일부 현대 학자들의 반박 의견이 제시되고 있다. 또한 아리스토텔레스의 목적론을 설명하면서, 자연물의 구성 요소에 대한 아리스토텔레스의 탐구가 자연물이 존재하고 운동하는 원리와 이유

를 밝히는 과학적 탐구의 출발점이라는 의의를 밝히고 있구나.

오답설명

① 목적론에 대한 근대 학자들의 비판과 이에 대한 현대 학자들의 반론이 제시된 것이지, 대립되는 '두 이론'을 소개한 것이 아니다. 또한 각 이론의 장단점에 대한 비교 역시 제시되어 있지 않다.

② 근대 학자들의 목적론 비판과, 그에 대한 일부 현대 학자들의 반박을 목적론에 대한 상반된 주장이라고 볼 수는 있다. 하지만 이를 절충하기 위한 방안을 모색하고 있지는 않다.

③ 근대 학자들의 목적론 비판과, 그에 대한 일부 현대 학자들의 반박이 제시되므로 비판의 타당성을 검토하였다고 볼 수도 있지만, 이를 바탕으로 새로운 이론을 도출하고 있지 않다.

④ 지문의 흐름이 근대의 학자들-현대의 학자들로 이어지고 있어 언뜻 보면 정답으로 생각할 수 있으나, 선지를 꼼꼼히 봐야 한다. 근대의 학자들은 목적론을, 현대의 학자들은 근대 사상가들이 기계론적 모형에 대한 믿음에 의존하기만 했다는 점을 비판하였다. 시대별로 비판의 주체와 대상이 다르므로 '특정 이론'에 대한 비판들을 시대 순으로 제시한 것은 아니라는 거야. 또한 목적론이 지닌 의의로 글을 끝맺고 있기 때문에 목적론의 부당성을 주장하기 위한 글이라고 볼 수도 없다.

02

정답설명

③ 1문단에 의하면, 아리스토텔레스는 모든 자연물이 목적을 추구하는 본성을 타고나고, 그러한 내재적 본성에 따라 운동을 한다고 하였다. 심지어 단순히 목적을 갖는 데 그치는 것이 아니라 목적을 실현할 능력도 타고난다고 하였으므로 적절한 선지이다.

오답설명

① 2문단에 의하면 아리스토텔레스는 자연물을 생물·무생물로, 생물을 식물·동물·인간으로 분류하였으며 이 중 인간만이 이성을 지닌다고 생각하였다. 따라서 아리스토텔레스는 개미는 이성을 지니지 못한 존재라고 생각했을 것이다. 쌤이 항상 지문을 제대로 파악한 뒤에 문제로 가라고 했다. 1문단만 보고 성급하게 정답으로 고른 학생은 없겠지?

② 1문단을 보면 아리스토텔레스가 본성적 목적의 실현은 운동 주체에 항상 바람직한 결과를 가져온다고 믿었다는 것을 알 수 있다.

④ 1문단에 의하면 아리스토텔레스는 모든 자연물이 목적을 추구하는 본성을 타고나며 내재적 본성에 따른 운동을 한다고 하였다. 낙엽은 자연물이지? 따라서 낙엽의 운동도 본성적 목적으로 설명할 수 있다고 생각했을 것이다.

⑤ 1문단에서, 아리스토텔레스는 자연물은 '외적 원인이 아니라 내재적 본성에 따른 운동을 한다'고 생각하였다.

03

정답설명

② 선지별로 학자가 두 명씩 나온다. 각각의 입장을 잘 살펴봐야 하는 문제

지만, 함정 따위 없이 명확하게 정답이 보이는 문제이니 공통점만 잡았다면 무난하게 풀었을 거야. 2문단에 의하면, 갈릴레이는 목적론적 설명이 과학적 설명으로 사용될 수 없다고 주장하였다. 한편 3문단에 의하면 우드필드는 목적론적 설명이 과학적 설명은 아니지만 목적론의 옳고 그름을 확인할 수는 없기 때문에 목적론이 거짓이라 할 수도 없다고 하였지. 따라서 갈릴레이와 우드필드는 '목적론적 설명이 과학적 설명이 아니라는' 점에는 동의하고 있는 것이다.

오답설명

① 비판 내용 자체가 틀렸다. 목적론은 근대 과학에 기초한 기계론적 모형이 아니다. 오히려 비과학적이라는 이유로 근대의 학자들에 의해 비판을 받았잖니.

③ 목적론이 교조적 신념에 의존했다는 비판은 지문에 없다. 근대 사상가들의 기계론적 모형에 대한 교조적 믿음을 일부 현대 학자들이 비판하였다는 내용이 3문단에 제시되어 있다. 이런 맥락에서 우드필드는 목적론의 옳고 그름을 확인할 수 없기 때문에 목적론이 거짓이라고 할 수도 없다고 지적하며 베이컨 등 근대 학자들의 목적론 비판을 반박하였다. 또한 2문단에서, 베이컨이 목적에 대한 탐구가 과학에 무익하다고 평가하며 목적론을 비판하였다는 것을 알 수 있다. 그러나 베이컨은 목적론이 교조적 신념에 의존했다는 비판을 가하지는 않았다.

④ 2문단에 의하면, 스피노자는 목적론이 자연에 대한 이해를 확장한다고 주장한 것이 아니라 자연에 대한 이해를 왜곡한다고 비판하였다. 또한, 볼로틴이 '목적론이 자연에 대한 이해를 확장한다'는 주장을 펼쳤다는 내용은 지문에 제시되어 있지 않다.

⑤ 2문단의 '스피노자는 목적론이 자연에 대한 이해를~이성을 갖는 것으로 의인화한다는 것이다.'를 통해, 스피노자가 '목적론이 사물을 의인화하기 때문에 거짓'이라고 주장하였음을 확인할 수 있다. 그러나 3문단에 의하면 우드필드는 목적론의 옳고 그름을 확인할 수 없기 때문에 목적론이 거짓이라 할 수는 없다고 지적하였다.

04

정답설명

③ 두 학자의 견해를 잘 비교하면서 선지를 읽어나가면 명확하게 답이 보이는 문제다. 4문단에서 아리스토텔레스는 자연물의 물질적 구성 요소를 알면 그것의 본성을 모두 설명할 수 있다는 엠페도클레스의 물질론적 견해를 반박하였다고 하였다. 〈보기〉의 마이어도 창발론을 통해 생명체의 구성 요소에 관한 지식만으로는 예측할 수 없는 특성들이 나타난다고 하였으니 적절한 설명이다.

오답설명

① 〈보기〉와 4문단에 의하면 마이어와 엠페도클레스 모두, 생명체가 물질만으로 구성된다고 생각하였다. 그러나 마이어가 엠페도클레스의 물질론적 견해를 적절하다고 보지는 않았을 거야. 왜냐하면 엠페도클레스는 자연물의 물질적 구성 요소를 알면 그것의 본성을 모두 설명할 수 있다고 주장했는데, 마이어는 생명체의 구성 요소에 대한 지식만으로는 예측할 수 없는 특성들이 나타난다고 생각하였기 때문이지. 아리스토텔레스 역시 4문단에서 엠페도클레스의 물질론적 견해를 반박하였으니, '마

이어는 아리스토텔레스처럼, 엠페도클레스의 물질론적 견해가 적절하지 않다고 보았다'고 해야 적절하다.

② 생명체가 물질만으로 구성된다는 견해를 지닌 것은 마이어뿐이며, 아리스토텔레스는 물질론적 견해를 반대하는 입장이다.

④ 1문단을 보면, 아리스토텔레스는 모든 자연물이 목적을 추구하는 본성을 지니고 태어나며 이러한 내재적 본성에 따른 운동을 한다고 주장하였다. 또한 〈보기〉의 마이어는 창발론을 제시하며, 세포 이상의 단계에서 각 체계의 고유 활동은 미리 정해진 목적을 수행한다고 보았다.

⑤ 4문단에 의하면 아리스토텔레스는 자연물의 본성이 단순히 물리·화학적으로 환원되지 않는다고 주장하였고, 〈보기〉에 의하면 마이어 역시 생명체의 특성이 물리·화학적 법칙으로 모두 설명되지는 않는다고 보았으니 적절하지 않은 선지다.

구조도 정답

① 아리스토텔레스
② 목적론
③ 환원론

04 2019학년도 6월

지문분석

이익과 최한기의 인체관

이익(18c)

『서국의』에서 아담 샬의 『주제군징』에 대해 논평

『주제군징』: "뇌가 몸의 운동과 (①)주관"

뇌가 몸의 운동을 주관한다는 내용에는 동의
But 지각 활동은 (②)이 주관한다는 심주지각설 고수

최한기(19c)

인체를 '몸기계'로 형상화

생명력 有, 자발적 운동 (기독교적 세계관 부정)

홉슨의 『전체신론』 접한 후 문제의식 본격화

홉슨 : 뇌주지각설 주장
"뇌가 지각을 주관하는 것은 창조주의 섭리"

(③)을 주관하는 뇌의 역할과 중요성 인정
But 뇌주지각설은 완전하지 않다는 입장

'심'이 지각 운용을 주관한다는 심주지각설 주장

기존의 심주지각설 : '심' = 심장
최한기의 심주지각설 : '심' = (④)

'신기'

형체 無, 한 몸을 주관하며 몸속을 두루 돌아다님

신기의 (⑤)→ 생명 활동, 지각 가능

감각 기관 통한 지각 활동
→ 외부 세계 정보를 수용, 저장

스스로의 사유 → 지각 내용 (⑥)
→ 세계의 변화에 대응

의의

서양 의학 맹신X, (⑦) 수용

형태쌤 Comment

지문은 통시적으로 서술되어 있기에 시간의 흐름에 따른 변화 양상(공통점과 차이점)에 주목해야 한다. 또한 전체적으로 동양과 서양의 대조 있기에 이 부분도 비교하며 읽어야 한다. 다만 지문 전반적으로 정보량이 많지 않고, 어려운 내용이 아니기에 독해에는 큰 무리가 없었다.

문제분석 01-06번

번호	정답	정답률 (%)	선지별 선택비율(%)				
			①	②	③	④	⑤
1	②	84	6	84	2	3	5
2	④	78	5	4	8	78	5
3	③	84	5	4	84	4	3
4	③	74	9	9	74	6	2
5	②	59	5	59	5	10	21
6	⑤	92	2	1	2	3	92

01

정답설명

② 17세기부터 유입된 서학의 수용으로 일어난 인체관의 변화를 조선 시대 학자 '이익'과 '최한기'의 견해를 통해 제시하고 있다.

오답설명

① '이익'의 심주지각설에서 '최한기'의 심주지각설로 서술의 변화가 드러났지만, 이를 심주지각설에 대한 어떤 하나의 견해에서 분화되는 과정을 서술한 것이라고는 볼 수는 없다. 또한 단계적 서술도 드러나지 않았다.

③ 인체관과 관련된 유학자 '이익'과 '최한기'의 주장은 드러나지만 이에 대한 문제점을 열거하며 비판하고 있지 않다.

④ '최한기'의 심주지각설은 '이익'의 심주지각설을 그대로 수용하지 않고, 기존의 심주지각설이 '심'을 심장으로 보았던 것과 달리 신기의 '심'으로 파악하였으므로 두 학자의 견해가 서로 충돌되는 지점이 있다고 볼 수 있다. 하지만 견해를 절충하여 새로운 결론을 도출하고 있지는 않다.

⑤ 우리나라에 유입된 서양 의학에 대한 유학자들의 의견에 대해 제시하고 있을 뿐, 동양과 서양의 지식인들이 서로 영향을 주고받았다는 내용은 찾을 수 없다.

02

정답설명

④ 2문단에서 아담 샬의 『주제군징』에는 당대 서양 의학의 대변동을 이끈 근대 해부학 및 생리학의 성과나 그에 따른 기계론적 인체관은 담기지 않았다고 하였다.

오답설명

① 4문단의 '최한기의 인체관을~몸기계로 형상화하면서도'에서 홉슨의 저서를 접하기 전부터 최한기가 인체를 일종의 기계로 파악하고 있었음을 확인할 수 있다.

② 2문단의 '뇌가 몸의 운동과 지각 활동을~전통적인 심주지각설을 고수하였다.'에서 뇌가 지각 활동을 주관한다고 주장한 아담 샬과 달리 이익은 심장이 지각 활동을 주관한다고 이해하였음을 확인할 수 있다.

③ 2문단의 '이익은 몸의 운동을 뇌가 주관한다는 것은 긍정하였지만'과 5

문단의 '뇌가 운동뿐만 아니라 지각을 주관한다는 홉슨의 뇌주지각설'에서 확인할 수 있다.

⑤ 2문단의 『주제군징』에는 당대 서양 의학의~중세의 해부 지식 등이 실려 있었다.'와 5문단의 '뇌가 지각을 주관하는 과정을 창조주의 섭리로 보고 지각 작용과 기독교적 영혼 사이의 연관성을 부각하려 한 『전체신론』에서 확인할 수 있다.

03

정답설명

③ 3문단에서 서양 의학이 조선 사회에 끼친 영향이 두드러지지 않았던 이유를 밝히고 있으나, 의원들이 서양 의학의 한계를 지적했다는 내용은 확인할 수 없다.

오답설명

① 3문단의 '서학에 대한 조정의 금지 조치'에서 확인할 수 있다.

② 3문단의 '당시에 전해진 서양 의학 지식은 내용 면에서도 부족했을 뿐 아니라'에서 확인할 수 있다.

④ 3문단의 '서양 해부학이 야기하는 윤리적 문제도 서양 의학의 영향력을 제한하는 요인으로 작용하였으며'에서 확인할 수 있다.

⑤ 3문단의 '지구가 둥글다거나 움직인다는 주장만큼 충격적이지는 않았다.'에서 확인할 수 있다.

04

정답설명

③ ㄴ. 6문단에서 '신기는 한 몸을 주관하며 그 자체가 하나로 통합되어 있기 때문에 감각을 통합할 수 있'다고 하였다. 따라서 귀로 들은 것과 눈으로 본 것을 합하여 하나로 만들 수 있다는 진술은 최한기의 견해와 부합한다.

ㄷ. 6문단에서 '신기는 신체와 함께 생성되고 소멸되는 것'이며 '지각 내용의 종합과 확장, 곧 스스로의 사유를 통해 지각 내용을 조정하고, 그러한 작용에 적응하여 온갖 세계의 변화에 대응'한다고 하였으므로 해당 진술은 최한기의 견해와 부합한다.

오답설명

ㄱ. 심장이 지각 활동을 주관한다는 것은 최한기의 견해가 아니라 이익의 견해에 해당한다.

ㄹ. 최한기는 신기가 대소로 구분되어 있다고 보지 않았다. 6문단에서 그 자체가 하나로 통합되어 있다고 하였으므로 적절하지 않다.

05

정답설명

② 데카르트는 사유라는 특징을 갖는 정신이 두뇌에 깃들어 있다고 하였다. 하지만 6문단에서 최한기는 신기의 '심'이 지각 운용을 주관하며, 신기는 뇌나 심장 같은 인체 기관이 아니라 몸을 구성하면서 형체가 없이 몸속을 두루 돌아다니는 것이라 하였다.

오답설명

① 데카르트는 정신과 물질은 서로 독립적이라고 주장하였다. 하지만 6문단에서 최한기는 신기가 신체와 함께 생성되고 소멸되는 것으로, 몸을 구성하고 주관하는 것이라 하였다.

③ 〈보기〉의 '데카르트는 물질과 정신을 구분하여, 물질은 공간을 차지한다는 특징을 갖는 반면 정신은 사유라는 특징을 갖는다고 보았다.'를 통해, 데카르트의 '정신'이 형체가 없음을 알 수 있다. 또한 6문단에서 최한기는 신기가 뇌나 심장 같은 인체 기관이 아니라 몸을 구성하면서 형체가 없이 몸속을 두루 돌아다니는 것이라고 보았다.

④ 데카르트는 물질과 정신을 구분하여 서로 독립적이라고 주장했기 때문에 정신과 물질이 영향을 주고받음을 설명할 수 없다는 비판을 받았다. 반면 최한기는 4문단에서 인체를 신기와 결부하여, 지각 운용을 주관하는 신기가 신체 운동의 원인이라고 규정하였다.

⑤ 4문단에서 기계적 운동의 인과 관계를 설명하려면 원인을 찾는 과정이 꼬리에 꼬리를 물고 이어지게 되며, 이러한 무한 소급을 끝맺으려면 운동의 최초 원인을 상정해야만 한다고 하였다. 최한기는 기계적 운동의 최초 원인으로 '신기'를 상정하여 무한 소급의 문제를 해결하였다. 데카르트는 정신과 물질이 서로 독립적이어서 서로 영향을 주고받지 못한다고 주장하므로, 기계적 운동의 인과 관계를 밝히기 위해 원인을 찾는 과정이 계속 이어지게 된다. 따라서 데카르트가 최한기에서처럼 기계적 운동의 최초 원인을 상정한다면 무한 소급의 문제를 해결할 수 있을 것이다.

06

정답설명

⑤ ⑩의 '맹신하다'는 '옳고 그름을 가리지 않고 덮어놓고 믿다.'라는 의미로 사용되었다. 따라서 이를 '가리다'라는 단어로 대체할 수 없다.

오답설명

① ⓐ의 '유입되다'는 '문화, 지식, 사상 따위가 들어오게 되다.'라는 의미로 사용되었다. 따라서 이를 '들어오다'라는 단어로 대체할 수 있다.

② ⓑ의 '제시하다'는 '어떠한 의사를 말이나 글로 나타내어 보이게 하다.'라는 의미로 사용되었다. 따라서 이를 '드러내다'라는 단어로 대체할 수 있다.

③ ⓒ의 '전파하다'는 '전하여 널리 퍼뜨리다.'라는 의미로 사용되었다. 따라서 이를 '퍼뜨리다'라는 단어로 대체할 수 있다.

④ ⓓ의 '수록되다'는 '책이나 잡지에 실리다.'라는 의미로 사용되었다. 따라서 이를 '실리다'라는 단어로 대체할 수 있다.

구조도 정답

① 지각 활동　　② 심장　　③ 신체 운동
④ 신기의 '심'　　⑤ 균형　　⑥ 조정
⑦ 주체적

05 2019학년도 11월

가능세계

지문해설

① 두 명제가 모두 참인 것도 모두 거짓인 것도 가능하지 않은 관계를 모순 관계라고 한다. 예를 들어, 임의의 명제를 P라고 하면 P와 ~P는 모순 관계이다.(기호 '~'은 부정을 나타낸다.) P와 ~P가 모두 참인 것은 가능하지 않다는 법칙을 무모순율이라고 한다. 그런데 "다보탑은 경주에 있다."와 "다보탑은 개성에 있을 수도 있었다."는 모순 관계가 아니다. 현실과 다르게 다보탑을 경주가 아닌 곳에 세웠다면 다보탑의 소재지는 지금과 달라졌을 것이다. 철학자들은 이를 두고, P와 ~P가 모두 참인 혹은 모두 거짓인 가능세계는 없지만 다보탑이 개성에 있는 가능세계는 있다고 표현한다.

▶ 글의 1~2문단에서 필자의 관심사를 찾아야 한다고 했다. 필자는 모순 관계, 무모순율이라는 개념을 정의한 뒤, 예를 들어 가능세계를 언급하였다. 아직은 필자의 관심사가 명확히 드러나지 않았으니, 벌써부터 다보탑이 경주에 있는지, 개성에 있을 수도 있는지 고민하지 말고 2문단을 읽어 보자.

② '가능세계'의 개념은 일상 언어에서 흔히 쓰이는 필연성과 가능성에 관한 진술을 분석하는 데 중요한 역할을 한다. 'P는 가능하다'는 P가 적어도 하나의 가능세계에서 성립한다는 뜻이며, 'P는 필연적이다'는 P가 모든 가능세계에서 성립한다는 뜻이다. "만약 Q이면 Q이다."를 비롯한 필연적인 명제들은 모든 가능세계에서 성립한다. "다보탑은 경주에 있다."와 같이 가능하지만 필연적이지는 않은 명제는 우리의 현실세계를 비롯한 어떤 가능세계에서는 성립하고 또 어떤 가능세계에서는 성립하지 않는다.

▶ 가능세계와 언어·명제의 필연성·가능성에 대해 설명하고 있구나. 필자는 가능세계에 대해 관심을 가지고 있어. 차이점은 아주 중요한 출제 포인트이니, 가능한 명제와 필연적인 명제의 차이를 반드시 체크해 두어야겠지. 시험장에서는 중요 내용을 머릿속에 구조화하기 쉽지 않으니, 간단히 메모를 하거나 밑줄을 그어두는 것이 좋다.

명제	성립하는 가능세계	예문
P는 가능하다	하나 이상의 가능세계	다보탑은 경주에 있다.
P는 필연적이다	모든 가능세계	만약 Q이면 Q이다.

③ 가능세계를 통한 담론은 우리의 일상적인 몇몇 표현들을 보다 잘 이해하는 데 도움이 된다. 다음 상황을 생각해 보자. 나는 현실에서 아침 8시에 출발하는 기차를 놓쳤고, 지각을 했으며, 내가 놓친 기차는 제시간에 목적지에 도착했다. 그리고 나는 "만약 내가 8시 기차를 탔다면, 나는 지각을 하지 않았다."라고 주장한다. 그런데 전통 논리학에서는 "만약 A이면 B이다."라는 형식의 명제는 A가 거짓인 경우에는 B의 참 거짓에 상관없이 참이라고 규정한다. 그럼에도 내가 만약 그 기차를 탔다면 여전히 지각을 했을 것이라고 주장하지는 않는 이유는 무엇일까?

▶ 전통 논리학에서는, "[A] 만약 내가 8시 기차를 탔다면 / [B] 나는 지각을 하지 않았다."의 형식을 갖는 명제는 A가 거짓일 경우 무조건 참이 된다. 즉, "만약 내가 8시 기차를 탔다면 / 나는 지각을 하지 않았다. or 나는 지각을 하였다." 모두 참이 되는 것이지. 필자는 '나'가 8시 기차를 탔더라도 지각을 했을 수도 있는데, 왜 지각을 하지 않았다고만 주장하는 것인지 묻고 있다.

내가 그 기차를 탄 가능세계들을 생각해 보면 그 이유를 알 수 있다. 그 가능세계 중 어떤 세계에서 나는 여전히 지각을 한다. 가령 내가 탄 그 기차가 고장으로 선로에 멈춰 운행이 오랫동안 지연된 세계가 그런 예이다. 하지만 내가 기차를 탄 세계들 중에서, 내가 기차를 타고 별다른 이변 없이 제시간에 도착한 세계가 그렇지 않은 세계보다 우리의 현실세계와의 유사성이 더 높다. 일반적으로, A가 참인 가능세계들 중에 비교할 때, B도 참인 가능세계가 B가 거짓인 가능세계보다 현실세계와 더 유사하다면, 현실세계의 나는 A가 실현되지 않은 경우에, 만약 A라면 ~B가 아닌 B라고 말할 수 있다.

▶ 가능세계와 현실세계의 유사성이 기준이었구나. 즉, 시간에 맞춰 8시 기차를 탔다면, '지각을 하지 않는 가능세계'가 '지각을 하는 가능세계'보다 현실세계와 더 유사하다는 거야. 그래서 "만약 내가 8시 기차를 탔다면 나는 지각을 하지 않았다."와 같이 주장하게 된다는 것이다.

▶ 아까 2문단에서, 가능세계는 일상 언어에서의 필연성·가능성에 관한 진술을 분석하는 데 중요한 역할을 한다고 하였는데, 이에 대한 구체적인 설명이 3문단에 제시된 것이다. 현실세계에서, 전통 논리학으로는 충분히 '참'이 되는 명제를 주장하지 않는 이유를 가능세계 개념으로 설명한 것이지.

④ 가능세계는 다음의 네 가지 성질을 갖는다. 첫째는 가능세계의 일관성이다. 가능세계는 명칭 그대로 가능한 세계이므로 어떤 것이 가능하지 않다면 그것이 성립하는 가능세계는 없다. 둘째는 가능세계의 포괄성이다. 이것은 어떤 것이 가능하다면 그것이 성립하는 가능세계는 존재한다는 것이다. 셋째는 가능세계의 완결성이다. 어느 세계에서든 임의의 명제 P에 대해 "P이거나 ~P이다."라는 배중률이 성립한다. 즉 P와 ~P 중 하나는 반드시 참이라는 것이다. 넷째는 가능세계의 독립성이다. 한 가능세계는 모든 시간과 공간을 포함해야만 하며, 연속된 시간과 공간에 포함된 존재들은 모두 동일한 하나의 세계에만 속한다. 한 가능세계 W1의 시간과 공간이, 다른 가능세계 W2의 시간과 공간으로 이어질 수는 없다. W1과 W2는 서로 시간과 공간이 전혀 다른 세계이다.

▶ 가능세계의 4가지 성질이 설명되었구나. 각각의 개념에 밑줄 그으면서 읽고, 문제를 풀 때 돌아오면 되겠다. 간단히 정리하면 아래와 같겠지. (물론 너희들의 이해를 돕기 위한 것일 뿐, 시험장에서 정갈하게 표를 그릴 필요는 없다!)

일관성	포괄성	완결성	독립성
'어떤 것이 가능하지 않다' → 성립하는 가능세계 존재x	'어떤 것이 가능하다' → 성립하는 가능세계 존재	어느 세계든 배중률 (P or ~P 중 하나는 반드시 참) 성립	연속된 시·공간의 존재 → 모두 동일한 세계에 존재

⑤ 가능세계의 개념은 철학에서 갖가지 흥미로운 질문과 통찰을 이끌어 내며, 그에 관한 연구 역시 활발히 진행되고 있다. 나아가 가능세계를 활용한 논의는 오늘날 인지 과학, 언어학, 공학 등의 분야로 그 응용의 폭을 넓히고 있다.

▶ 가능세계의 응용 분야에 대해 언급하며 글이 마무리되었다. 이제 문제로 가 보자.

지문분석

가능세계

> **모순 관계**
>> 두 명제가 모두 참 or 모두 거짓일 수 X
>> → 모순 관계의 두 명제가 모두 참 or 모두 거짓인 가능세계 無

> **"다보탑은 경주에 있다."와
> "다보탑은 개성에 있을 수도 있었다."**
>> 현실과 다르게 다보탑이 개성에 있을 가능성 有
>> → 다보탑이 개성에 있는 가능세계 有

> **일상 언어에서의 가능세계 개념**
>> 'P는 (①)' : 모든 가능세계에서 성립
>>
>> 'P는 (②)'
>> : 어떤 가능세계에서는 성립O, 어떤 가능세계에서는 성립X

> **가능세계 담론을 통한 일상적 표현 이해**
>> 현실 : 8시 기차 놓쳐 지각, 놓친 기차는 제시간에 도착
>> "만약 내가 8시 기차를 탔다면, 나는 지각을 하지 않았다." 주장
>>
>> A(8시 기차를 탐)가 참인 가능세계 중 B(제시간에 도착)도
>> 참인 가능세계가 B가 거짓인 가능세계보다 (③)와 더 유사
>> → A가 실현되지 않은 경우
>> "만약 A라면 B이다."라고 말할 수 있음

> **가능세계의 성질**
>> (④) : 어떤 것이 가능 X
>> → 그것이 성립하는 가능세계 존재 X
>>
>> (⑤) : 어떤 것이 가능 O
>> → 그것이 성립하는 가능세계 존재 O
>>
>> (⑥) : 어느 세계에서든 P와 ~P 중 하나는 반드시 참
>>
>> (⑦) : 한 가능세계는 모든 시간, 공간을 포함
>> 연속된 시공간에 포함된 존재들은 모두 하나의 세계에만 속함
>>
>> W1의 시공간이 W2의 시공간으로 이어질 수 없음
>> W1과 W2는 서로 시공간이 전혀 다른 세계

형태쌤 Comment

  지문의 내용을 천천히 읽어보면 손도 못 댈 정도로 어려운 지문은 아니지만, 수능 시험장이라는 특수한 상황에서는, 게다가 고난도의 화작문과 문학이라는 엄청난 변수로 인해 시간이 부족한 상황에서는 상당한 난도로 다가왔을 지문이다. 개념을 초반부에 깔고 들어가는 지문은 중·후반부에 개념 적용을 통한 사례 설명이 나오기 때문에, 무조건 초반부에 힘을 줘서 읽어야 한다. 그래야 중·후반부의 내용을 제대로 이해하며 독해를 진행할 수 있기 때문이다.

문제분석 01-04번

번호	정답	정답률(%)	선지별 선택비율(%)				
			①	②	③	④	⑤
1	①	59	59	9	17	9	6
2	②	48	5	48	12	21	14
3	③	53	7	18	53	18	4
4	④	34	14	13	31	34	8

01

정답설명

① 4문단에서 가능세계의 완결성을 언급하며, '어느 세계에서든 임의의 명제 P에 대해 "P이거나 ~P이다."라는 배중률이 성립한다'고 하였다.

오답설명

② 2문단에서 'P는 가능하다'는 P가 적어도 하나의 가능세계에서 성립한다는 뜻이라고 하였다. 하지만 그 가능세계가 반드시 현실세계라고 볼 근거가 제시되지 않았다.

③ 2문단에서 필연적인 명제들은 모든 가능세계에서 성립한다고 하였다.

④ 1문단에서 확인할 수 있듯, 무모순율은 P와 ~P가 모두 참인 것은 가능하지 않다는 법칙을 뜻한다.

⑤ 3문단에서 확인할 수 있듯, 전통 논리학에서는 "만약 A이면 B이다."라는 명제가 있을 때, A가 거짓이라면 해당 명제는 B의 참 거짓에 상관없이 참이라고 하였다.

02

정답설명

② 2문단에서 "만약 Q이면 Q이다."는 필연적인 명제이며, 필연적인 명제는 모든 가능세계에서 성립한다고 하였다. 즉, 해당 선지는 모든 가능세계 중 "다보탑은 경주에 있다."가 거짓인 가능세계는 없냐고 묻고 있는 것이다. 2문단에서 "다보탑은 경주에 있다."는 가능하지만 필연적이지는 않은 명제이며, 이러한 명제는 성립하지 않는 가능세계가 있다고 하였으므로 적절하지 않은 진술이다.

오답설명

① 2문단에서 "다보탑은 경주에 있다."는 가능하지만 필연적이지는 않은 명제이며, 이러한 명제가 성립하지 않는 가능세계가 있다고 하였다.

③ 모순 관계란 두 명제가 모두 참인 것도 모두 거짓인 것도 가능하지 않은 관계를 뜻한다. 1문단에 따르면, "다보탑은 개성에 있을 수도 있었다."와 "다보탑은 개성에 있지 않다."는 모순 관계라고 볼 수 없다. 현실세계에서 다보탑이 개성에 있지 않은 것은 맞지만, 현실과 다르게 다보탑을 경주가 아닌 곳에 세웠다면 다보탑의 소재지는 지금과 달라졌을 것이기 때문이다.

④ "다보탑은 개성에 있을 수도 있었다."가 거짓이라면, 가능세계의 완결성(배중률)에 따라 ~P에 해당하는 "다보탑은 개성에 있을 수 없다."가 반드시 참이 된다. 다보탑이 개성에 있는 것이 가능하지 않으므로 가능세

계의 일관성에 따라 그것이 성립하는 가능세계는 존재하지 않는다.

⑤ "다보탑은 경주에 있다."와 "다보탑은 개성에 있을 수도 있었다."는 모순 관계가 아니므로 현실세계에서 둘 다 참인 것이 가능하다. 다보탑이 현재 경주에 있지만, 다보탑이 개성에 지어졌을 수도 있다는 가능성을 배제할 수 없다.

03

정답설명

③ 3문단에 따르면, 8시 기차를 탄 세계들끼리 비교할 때, 내가 제시간에 도착한 세계가 그렇지 않은 세계보다 현실세계와 더 유사하다. 이러한 경우 8시 기차를 타지 못했을 때 "만약 8시 기차를 탔어도 지각했을 것이다."가 아닌 "만약 8시 기차를 탔다면 제시간에 도착했을 것이다."라고 이야기할 수 있는 것이다. 이를 조금 바꿔 말하면 선지와 같이 기차를 탔을 경우 '지각한 가능세계가 지각하지 않은 가능세계보다 현실과의 유사성이 더 낮기 때문'이 된다.

오답설명

①, ② 3문단에 따르면, "만약 8시 기차를 탔다면 제시간에 도착했을 것이다."라고 이야기할 수 있는 경우는 8시 기차를 탄 가능세계들끼리 비교할 때를 전제로 한다.

④ 밑줄만 보고 생각하면, 매력적인 선지가 될 수 있다. '밑줄만 보면' 수능 국어는 주관식이 아닌 객관식이다. 밑줄의 의미도 지문을 통해 답이 나온 상태로 출제가 된다. 따라서 밑줄을 보며 '생각하는 것'이 아니라, 밑줄의 주변을 보고 의미를 확정한 다음에 해당하는 선지를 '찾으러 가는 것'이 중요하다. 그래야 이런 매력적인 오답에 낚이지 않는다. 필자는 밑줄의 이유로 '현실세계와의 유사성'을 제시하였다. 따라서 기차를 탄 가능세계들끼리 비교했을 때, 지각을 하지 않은 가능세계의 수가 많아서가 아닌, 지각을 하지 않은 가능세계가 현실세계와 더 유사하다고 판단되기 때문에 "만약 8시 기차를 탔다면 제시간에 도착했을 것이다."라고 이야기할 수 있는 것이다.

⑤ 가능세계 안에서 현실세계와의 유사성을 따지는 것이지, 현실세계에서의 참 거짓을 따지는 것이 아니다.

04

정답설명

④ 〈보기〉에서 "모든 학생은 연필을 쓴다."와 "어떤 학생도 연필을 쓰지 않는다."는 반대 관계의 명제들이어서 둘 중 하나만 참인 것이 가능하다고 하였다. 4문단에 따르면 가능세계의 포괄성은 어떤 것이 가능하다면 그것이 성립하는 가능세계는 존재한다는 것을 뜻하므로, "모든 학생은 연필을 쓴다."나 "어떤 학생도 연필을 쓰지 않는다." 둘 중 하나가 참인 가능세계는 존재한다.

오답설명

① 가능세계의 완결성은 어느 세계에서든 '모순 관계'를 갖는 P와 ~P 중 하나는 반드시 참이라는 것을 의미한다. "모든 학생은 연필을 쓴다."와 "어떤 학생도 연필을 쓰지 않는다."는 P와 ~P 관계, 즉 모순 관계가 아

니라 '반대 관계'이므로 '모든 학생이 연필을 쓰는 가능세계가 존재한다는 것과 어떤 학생도 연필을 쓰지 않는 가능세계가 존재한다는 것 중 하나는 반드시 참'이라고 이야기할 수 없는 것이다.

② 가능세계의 포괄성은 어떤 것이 가능하다면 그것이 성립하는 가능세계는 존재한다는 것을 뜻한다. "어떤 학생도 연필을 쓰지 않는다."는 가능한 명제이므로 그것이 성립하는 가능세계, 즉 어떤 학생도 연필을 쓰지 않는 가능세계는 존재한다. 하지만 그 세계에 속한 어떠한 학생도 연필을 쓰지 않으므로 이 경우 '그 세계에 속한 한 명의 학생이 연필을 쓰는 가능세계'가 존재한다고 볼 수 없다.

③ 가능세계의 완결성은 어느 세계에서든 모순 관계를 갖는 P와 ~P 중 하나는 반드시 참이라는 것을 의미한다. 그리고 '모순 관계'는 1문단에 나온 것처럼 모두 참도, 모두 거짓도 가능하지 않은 관계다. "어떤 학생은 연필을 쓴다."와 "어떤 학생은 연필을 쓰지 않는다."는 둘 다 참이 될 수가 있는 명제들이므로 서로 모순 관계에 있다고 볼 수 없다. 따라서 가능세계의 완결성과는 관련이 없다.

⑤ 가능세계의 일관성은 어떤 것이 가능하지 않다면 그것이 성립하는 가능세계가 존재하지 않는 경우에 대해 이야기하는 것이다. 해당 선지는 어떠한 가능세계가 존재하는 경우에 대해 이야기하고 있으므로 가능세계의 일관성에 따른 것이라고 볼 수 없다. 반대 관계의 명제들인 "모든 학생은 연필을 쓴다."와 "어떤 학생도 연필을 쓰지 않는다."가 둘 다 거짓인 경우, 어떤 학생들은 연필을 쓰고 어떤 학생들은 연필을 쓰지 않는 것이 가능하므로 가능세계가 존재한다는 진술은 가능세계의 포괄성에 따른 진술이다.

구조도 정답

① 필연적이다
② 가능하다
③ 현실세계
④ 일관성
⑤ 포괄성
⑥ 완결성
⑦ 독립성

06 2020학년도 6월

지문분석

에피쿠로스 사상

고대 그리스 시대

(①) 세계관

신에 의해 우주가 운행됨 ⇒ 두려움 O

에피쿠로스

비결정론적 세계관

→ 이신론적 관점

신 : 존재O , 인간 세계 개입X

인간의 행복 : (②)인 인간에 의해 완성

→ 영혼, 육체 : 모두 미세한 입자로 구성, 서로 상호작용

육체 소멸→영혼 소멸⇒사후 (③)X ⇒ 두려움X

원자 운동 : 우연적 / 우주 : 우연의 산물, 신의 섭리X

쾌락주의적 윤리학

자유로운 삶의 근본을 규명

인생의 궁극적 목표 : (④)

형태쌤 Comment

길이도 길지 않고, 무난한 지문이다. 고대 그리스의 사상과 에피쿠로스 사상의 차이점을 신경 쓰면서, 에피쿠로스 사상의 특징을 읽어나가면 된다.

문제분석 01-04번

번호	정답	정답률 (%)	선지별 선택비율(%)				
			①	②	③	④	⑤
1	②	89	6	89	1	2	2
2	④	89	4	2	3	89	2
3	⑤	57	3	3	30	7	57
4	⑤	78	3	7	7	5	78

01

정답설명

② 윗글은 신, 인간, 우주에 대한 이해를 바탕으로 에피쿠로스 사상을 설명하고 있다. 또한 이를 바탕으로 인간이 자신의 삶을 주체적으로 살아갈 수 있게 하는 자유 의지, 행복 실현을 위한 방안을 제시하는 에피쿠로스 사상의 목적과 의의를 다루고 있다.

오답설명

① 1문단에 설명된 고대 그리스 시대 사람들의 '잘못된 믿음'이 에피쿠로스 사상의 성립 배경이라 볼 수도 있으나, 인간과 자연의 관계를 중심으로 설명하지 않았다.

③ 에피쿠로스 사상에 대한 비판과 옹호에 대해 설명하지 않았다.

④ 에피쿠로스 사상을 둘러싼 논쟁에 대해 설명하지 않았다.

⑤ 에피쿠로스 사상의 현대적 수용, 효용성에 대해 설명하지 않았다.

02

정답설명

④ ㉠(이신론적 관점)에 따르면 신은 중간 세계에 사는 존재이며 인간 세계에 개입하지 않는다. 따라서 인간의 행복은 신이 아니라, 자율적 존재인 인간 자신에 의해 완성된다. ㉡(자연학)은 원자의 운동이 우연성에 의한 것이므로, 원자로 이루어진 우주 역시 우연의 산물이며 '신의 섭리'라는 것은 없다고 보는 입장이다. 따라서 인간은 자신의 삶을 주체적으로 살아갈 수 있게 하는 자유 의지를 가진다고 하였다. 즉, ㉠과 ㉡은 인간이 잘못된 믿음(신에 대한 두려움, 자연재해나 천체 현상에 대한 두려움)에서 벗어날 수 있는 근거를 제시하는 것이다.

㉢(윤리학)은 자유 의지를 가진 주체적 존재인 인간이, 인생의 궁극적 목표인 '행복'을 영혼이 안정된 상태에서 실현할 수 있는 방안을 제시하는 쾌락주의적 윤리학이다.

03

정답설명

⑤ ㄴ : 4문단에서 에피쿠로스는 우연성을 자유 의지의 근거로 삼았는데, 우연이라는 것은 의지와 무관한 것이라 볼 수 있으므로 이에 대한 비판으로 적절하다.

ㄷ : 3문단에 의하면 에피쿠로스는 인간이 사후에 신의 심판을 받지 않으므로 죽음에 대한 모든 두려움에서 벗어나게 된다고 말하는데, 인간이 죽음을 두려워하는 원인이 사후에 받을 신의 재판뿐이라고 볼 수는 없으므로, 적절한 비판이다.

ㄹ : 1문단에서 에피쿠로스는 '신이 야기한다고 생각되는 자연재해'에 대한 당대 사람들의 두려움만을 고려하였을 뿐, 자연재해 자체에 대한 두려움은 고려하지 않았으므로, 이에 대한 비판으로 적절하다.

오답설명

ㄱ : 신의 섭리에 따라 인간의 삶을 이해하려는 입장을 비판하고 있다. 4문단에서 에피쿠로스는 인간의 삶에서 신의 섭리는 찾을 수 없다고 하였으므로, 이는 적절하지 않은 비판이다.

04

정답설명

⑤ 〈보기〉에서 신이 인간의 세계에 속해 있지 않다고 한 것은 에피쿠로스 사상과 같다. 그러나 에피쿠로스는 신의 영향력이 인간 세계에 미치지

않는다고 보는 입장이므로, 에피쿠로스 사상과 〈보기〉의 생각에 '신의 영향력이 인간 세계의 외부에서 온다고 보는 공통점'이 있다는 선지는 적절하지 않다. 또한 〈보기〉는 '신은 인간의 세계에 속해 있지는 않으나' '모든 것들을 바르고 행복한 상태에 이르도록 이끈다'고 생각하기에 '신의 영향력이 인간 세계의 외부에서 온다'는 입장에 해당한다.

오답설명

① 신이 모든 것의 원인이자 목적이라고 보는 〈보기〉와 달리, 2문단에서 에피쿠로스는 신이 인간 세계에 개입하지 않는다고 보았다.

② 신이 모든 것을 이끈다고 보는 〈보기〉와 달리, 4문단에서 에피쿠로스는 우주가 우연의 산물이며 우주와 인간의 세계에 신의 관여는 없다고 하였다.

③ 2문단에서 '에피쿠로스는 신의 존재는 인정하나'라고 했으므로, 〈보기〉와 에피쿠로스 모두 신의 존재를 인정한다는 것을 알 수 있다.

④ 〈보기〉가 신이 모든 것들을 행복으로 이끈다고 한 것과 달리, 에피쿠로스는 2문단에서 인간의 행복은 인간 자신에 의해 완성된다고 보았다.

memo

구조도 정답

① 결정론적

② 자율적 존재

③ 신의 심판

④ 행복

2020학년도 11월

지문분석

베이즈주의

　임의의 명제에 대한 믿음의 태도

　　→ **전통적 인식론자**

　　　'참/거짓/참도 거짓도 아님' 중 반드시 하나만 가짐

　　→ **베이즈주의자**

　　　(①)(가장 강한 믿음~가장 약한 믿음)를 포함

　　　명제의 참/거짓 여부 새롭게 앎
　　　= 명제의 참/거짓 여부에 대해 가장 강한 믿음의 정도를
　　　　새롭게 가짐

　　　　(②) : 믿음의 정도의 변화에 관한 원리

　　　　'명제 A=참'을 새롭게 앎
　　　　→ 명제 B에 대한 기존 믿음의 정도 변화

　　　　　↳ 'B=참'에 대한 믿음의 정도
　　　　　　→ 'A=참일 경우 B=참'에 대한 믿음의 정도

　　　　새로 알게 된 명제가 둘 이상인 경우도 적용 O

　　　　믿음의 정도에만 적용, 행위와는 무관

　　　　서로(③) 명제 사이에는 적용 X

　　　　　특별한 이유 X → 믿음의 정도(④)
　　　　　= 실용적 효율성

형태쌤 Comment

얼핏 무난하게 읽히는 것 같은 지문이지만, 문제 풀이는 만만하지 않았을 것이다. 전통적 인식론자와 베이즈주의자 사이의 차이점을 파악하는 것은 기본이고, '조건화 원리'라는 핵심 개념을 정확히 이해했어야 문제 풀이가 가능한 지문이다.

문제분석　01-05번

번호	정답	정답률 (%)	선지별 선택비율(%)				
			①	②	③	④	⑤
1	②	84	4	84	4	6	2
2	②	76	4	76	6	8	6
3	④	82	2	5	6	82	5
4	⑤	57	2	4	21	16	57
5	②	91	2	91	1	3	3

01

정답설명

② 3문단에 따르면 베이즈주의자의 관점에서는 특별한 이유가 없다면 믿음의 정도를 유지하는 것이 합리적이므로 '특별한 이유 없이 믿음의 정도를 바꿔야 하는 이유'는 지문에서 찾을 수 없다.

오답설명

① 2, 4문단에서 답을 찾을 수 있다. 베이즈주의자는 믿음의 정도와 관련하여 상식적으로 당연하게 여겨지는 생각을 '조건화 원리'를 이용해 '정교한 설명을 제공(2문단)'하였다. 이를 통해 '상식적으로 당연하게 여겨지는 생각을 정당화하기 위해 기존의 믿음의 정도를 유지함으로써 얻을 수 있는 실용적 효율성에 호소(4문단)'하였음을 확인할 수 있다.

③ 3문단에서 어떤 명제가 참이라는 것을 새롭게 알게 되더라도 그 명제와 관련 없는 명제에 대한 믿음의 정도는 변하지 않아야 함을 설명하였다. 즉, 어떤 명제에 대한 믿음의 정도를 바꿀지의 여부는, 참이라는 것을 새롭게 알게 된 명제와의 '연관 여부'에 달려 있다.

④ 믿음의 정도가 어떤 방식으로 달라져야 하는지는 2문단에서 답을 찾을 수 있다. A가 참이라는 것을 새롭게 알게 되면, B가 참일 것이라는 믿음의 정도는 [A=참 → B=참이라는 것에 대한 믿음의 정도가 되어야 한다는 것이다. 2문단에서는 B가 참이라는 것을 약하게 믿는 갑은, A가 참일 경우 B가 참이라는 것을 강하게 믿는다는 조건하의 경우를 사례로 들어 설명하고 있다.

⑤ 1문단에서 답을 찾을 수 있다. 전통적 인식론자는 임의의 명제에 대해 '참/거짓/참도 거짓도 아님' 중 하나의 태도만을 가진다고 본다. 반면 베이즈주의자는 임의의 명제가 '참/거짓'이라는 것에 대해 가장 강한 믿음의 정도에서 가장 약한 믿음의 정도를 가질 수 있다고 보는 입장이다.

02

정답설명

② 일단 ㉠과 ㉡의 입장을 간단히 짚고 가자.
㉠은 전통적 인식론자로, 임의의 명제에 대해 '참/거짓/참도 거짓도 아님' 세 가지 중 하나의 태도만을 가진다고 보는 입장이다. ㉡은 베이즈주의자로, 임의의 명제가 '참/거짓'이라는 것에 대해 가장 강한 믿음의 정도에서 가장 약한 믿음의 정도를 가질 수 있다고 본다.
"을이 '내일 눈이 온다.'가 거짓이라 믿는 것은 그 명제가 거짓임을 강한 정도로 믿는다는 의미라고 주장"하는 것은 ㉠이 아니라 ㉡이다.

오답설명

① ㉠과 ㉡은 믿음의 태도에 대한 입장이 전혀 다르므로, ㉠이면서 ㉡일 수 없다.

③ ㉠은 임의의 명제에 대해 '참/거짓/참도 거짓도 아님' 중에서 하나의 태도만을 가질 수 있다고 보는 입장이다. 따라서 참이라고 믿는 명제에 대해 거짓이라고 믿을 수는 없다고 주장할 것이다.

④ ㉡은 임의의 명제의 참/거짓 여부를 명확히 가리지 않고, '믿음의 정도'를 믿음의 태도에 포함시키는 입장이다. 이에 따르면 임의의 명제가 참

혹은 거짓이라는 것에 대한 믿음의 정도가 같을 수도 있다.

⑤ 1문단에서, ㉡은 믿음의 정도를 믿음의 태도에 포함함으로써 믿음의 태도를 풍부하게 표현하였음을 알 수 있다. 따라서 거짓이라고 믿는 서로 다른 두 명제에 대한 믿음의 정도는 다를 수 있다.

03

정답설명

④ 조건화 원리는 새롭게 알게 된 명제의 참/거짓 여부를 알게 될 경우, 이와 관련한 명제에 대한 믿음의 정도가 달라진다는 원리이다. 2문단에서 조건화 원리는 새롭게 알게 된 명제가 동시에 둘 이상인 경우에도 마찬가지로 적용됨을 알 수 있다. 참고로, 새롭게 알게 된 명제들의 참/거짓 여부가 반드시 동일해야 한다는 설명은 없으므로, 이에 대해 고민할 필요는 없다.

오답설명

① 특별한 이유 없이 믿음의 정도를 바꾸는 것은 에너지를 불필요하게 소모하는 것이므로, 특별한 이유가 없다면 기존의 믿음의 정도를 유지하는 것이 합리적이라는 것을 4문단에서 설명하고 있다.

② 조건화 원리는 믿음의 정도에 관한 것일 뿐, 행위에 관한 것이 아님을 2문단에서 확인할 수 있다. 즉, 조건화 원리는 '어떤 행위를 할~행위를 해서는 안 된다고 말해 준다.'는 설명과 부합하지 않는다.

③ 3문단의 '어떤 명제가 참인지 거짓인지 새롭게 알게 되더라도 그 명제와 관련 없는 명제에 대한 믿음의 정도는 변하지 않아야 한다.'에서 새롭게 알게 된 명제와 관련 없는 명제일 경우, 믿음의 정도를 유지해야 한다는 내용을 설명하고 있다.

⑤ 조건화 원리가 믿음의 정도에 따른 제약이 있다는 설명은 윗글에 제시되어 있지 않다.

04

정답설명

⑤ 병과 정의 '㉮가 참이라는 것에 대한 믿음의 정도'가 서로 다를 수는 있으나, ㉯가 참이라는 것을 알게 된 후에 ㉮가 참이라는 것에 대한 믿음의 정도까지 다를 것이라고 단정할 근거는 윗글과 〈보기〉에서 찾을 수 없다.

오답설명

① 3문단에서 어떤 명제에 대해 새롭게 알게 되더라도 그 명제와 무관한 명제에 대한 믿음의 정도는 바뀌지 않는다고 하였고, 〈보기〉에서 병은 조건화 원리에 의해서만 믿음의 정도를 바꾼다고 하였다. 따라서 병이 ㉮와 관련이 없는 다른 명제만을 새롭게 알게 된다면, ㉮에 대한 병의 믿음의 정도는 변하지 않을 것이다.

②, ③ 〈보기〉에 제시된 ㉯, ㉰는 '참이라고 새롭게 알게 될 수 있는 명제'이다. ㉯, ㉰ 중에서 ㉯만 알게 된 경우, ㉮가 참일 가능성은 높아진다. 따라서 병이 ㉯만이 참이라는 것을 알게 된다면, ㉮가 참이라는 것에 대한 믿음의 정도가 더 강해질 수 있다.

반면, ㉰를 알게 될 경우 ㉮가 참일 가능성이 낮아진다고 볼 수 있다.

따라서 ㉰를 알게 된 후에 ㉯를 추가로 알게 된다면, ㉮가 참이라는 것에 대한 믿음의 정도는 ㉯를 알기 전보다 약해질 수 있다.

④ 조건화 원리에 의하면, 어떤 명제 A가 참이라는 것을 새롭게 알게 된 상태에서 그와 연관된 명제 B가 참일 것이라는 믿음의 정도는 'A가 참이라는 조건 하에 B가 참일 경우'에 대한 믿음의 정도가 되어야 한다. 또한 이는 새롭게 알게 된 명제가 둘 이상일 경우에도 마찬가지로 적용된다. 따라서 병이 ㉯, ㉰가 참이라는 것을 동시에 알게 된다면, ㉮가 참이라는 것에 대한 믿음의 정도는 '㉯와 ㉰가 참이라는 조건하에 ㉮가 참이라는 것에 대한 믿음의 정도'로 변하게 된다.

05

정답설명

② ⓑ와 ②의 '따르다'는 모두 '어떤 경우, 사실이나 기준 따위에 의거하다.'의 의미로 쓰였다.

오답설명

① ⓐ의 '가지다'는 '생각, 태도, 사상 따위를 마음에 품다.'의 의미이지만, ①의 '가지다'는 '모임을 치르다.'의 의미이다.

③ ⓒ의 '보다'는 '고려의 대상이나 판단의 기초로 삼다.'의 의미이지만, ③의 '보다'는 '맡아서 보살피거나 지키다.'의 의미이다.

④ ⓓ의 '얻다'는 '권리나 결과·재산 따위를 차지하거나 획득하다.'의 의미로 쓰였지만, ④의 '얻다'는 '병을 앓게 되다.'의 의미로 쓰였다.

⑤ ⓔ의 '바꾸다'는 '원래의 내용이나 상태를 다르게 고치다.'의 의미로 쓰였지만, ⑤의 '바꾸다'는 '원래 있던 것을 없애고 다른 것으로 채워 넣거나 대신하게 하다.'의 의미로 쓰였다.

구조도 정답

① 믿음의 정도
② 조건화 원리
③ 관련 없는
④ 유지

지문분석

(가) 과거제의 의의

↳ **합리성**

(①) 시험으로 관료 선발

신분, 추천 〈 시험 성적

↳ **공정성**

(②) 제고 : 사회적 유동성 ↑

익명성 확보를 위한 장치 도입

↳ **사회적 효과**

학습 동기 부여

(③) 확대, 지식의 보급 → 지식인 집단 ↑

고전, 유교 경전 학습 → 도덕적인 가치 기준 공유

최종 통과 X : 국가가 특권 부여 → 경쟁적 선발 제도의 부작용 완화

↳ **사회적 안정에 기여**

(④) 엘리트층의 연속성

관료 선발 과정의 안정성, 통치의 안정성

↳ **(⑤)에 영향**

사상적 : 학자의 지식 〉 귀족의 세습적 지위

→ 정치적인 합리성으로 봄

제도적 : 관료 선발에 시험 도입

(나) 과거제의 부작용

↳ **개혁론**

유형원의 (①) 구상

17C 중국 개혁론 – 봉건적 요소 부분적 재도입

고염무, 황종희

↳ **부작용**

치열한 경쟁

깊이 있는 학습 X, (②) 학습 O

장기간 수험 생활로 재능 낭비

시험의 (③)에 대한 회의

인성이나 실무 능력 평가 X

↳ **임용 후**

(④)가 공공성과 상충

가시적, 단기적인 결과 중시

(⑤) 의식의 약화

(⑤) 소속감 ↓ 충성심 ↓

↳ **과거제 보완 주장**

(⑥) 요소 도입해 소속감과 충성심 확보

형태쌤 Comment

(가)는 과거제의 의의, (나)는 과거제의 부작용에 대한 지문이다. 둘의 대립적 시각과 과거제가 사회에 가져온 영향에 집중하여 읽어야 한다.

문제분석 **01-06번**

번호	정답	정답률 (%)	선지별 선택비율(%)				
			①	②	③	④	⑤
1	①	77	77	3	3	11	6
2	④	67	25	4	2	67	2
3	②	73	12	73	8	4	3
4	④	85	6	2	5	85	2
5	⑤	81	2	6	7	4	81
6	④	92	1	4	1	92	2

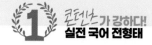

01

정답설명

① (가)는 과거제가 합리성과 공정성을 가지고 있었기 때문에 여러 가지 사회적 효과를 가져왔다고 설명하고 있다. 또한 (나)에서는 많은 인재들이 수험 생활에만 매달림으로써 재능을 낭비했다는 점, 과거제로 등용된 관리들이 단기적인 성과만 중시했다는 점 등 과거제가 사회에 끼친 부정적인 영향에 대해 설명하고 있으므로 두 지문 모두 특정 제도인 과거제가 사회에 미친 영향을 인과적으로 서술하고 있음을 알 수 있다.

오답설명

② (가)에서는 과거제를 분석하는 두 이론이 구분되어 제시되지 않았다. (나)에서는 과거제에 대한 여러 개혁론이 제시되었으나, 두 가지 이론을 구분하여 소개하고 있지는 않다.

③ 구체적 사상가들의 견해를 언급하며 과거제에 대한 관점을 드러내는 것은 (가)가 아니라 (나)이다.

④ (나)는 과거제에 대한 문제점과 함께 비판의 근거가 제시된 것으로 볼 수 있으나, 이를 선호의 근거와 비교하고 있지는 않으므로 적절하지 않다.

⑤ (가)는 과거제의 발전을 통시적으로 설명하지 않았고, (나)에서는 과거제에 대한 학자들의 개혁론을 설명하고 있을 뿐 과거제에 대한 학자들의 상반된 입장을 공시적으로 설명하지 않았다.

02

정답설명

④ (가)의 3문단 '최종 단계까지 통과하지 못한 사람들에게도 국가가 여러 특권을 부여하고 그들이 지방 사회에 기여하도록 하여'에서 국가가 과거에 합격하지 못한 사람들로 하여금 지방 사회에 기여하도록 하였다는 것은 알 수 있다. 한편 선지의 '지방의 관료에 의해 초빙될 기회를 주었다.'라는 내용은 (나)의 1문단에서 제시되었는데 이는 과거제를 보완하려는 황종희가 언급한 '벽소'라는 옛 제도에 대한 설명이므로 (가)의 내용과 일치하지 않는다.

오답설명

① (가)의 5문단의 '과거제에 대한 정보는 선교사들을 통해 유럽에 전해져 많은 관심을 불러일으켰다.'와 '이러한 관심은 사상적 동향뿐 아니라 실질적인 사회 제도에까지 영향을 미쳐서, 관료 선발에 시험을 통한 경쟁이 도입되기도 했다.'에서 시험을 통한 관료 선발 제도가 동아시아뿐 아니라 유럽에서도 실시되었음을 알 수 있다.

② (가)의 3문단의 '과거제는 여러 가지 사회적 효과를 가져왔는데~그 결과 통치에 참여할 능력을 갖춘 지식인 집단이 폭넓게 형성되었다.'와 4문단의 '관료제에 기초한 통치의 안정성에도 기여했다.'에서 과거제가 폭넓은 지식인 집단을 형성하여 관료제에 기초한 통치에 기여했다는 것을 알 수 있다.

③ (가)의 3문단의 '또한 최종 단계까지 통과하지 못한 사람들에게도 국가가 여러 특권을 부여하고 그들이 지방 사회에 기여하도록 하여'에서 최종 단계까지 통과하지 못한 사람들도 국가로부터 혜택을 받을 수 있었

음을 알 수 있다.

⑤ (가)의 5문단의 '일군의 유럽 계몽사상가들은 학자의 지식이 귀족의 세습적 지위보다 우위에 있는 체제를 정치적인 합리성을 갖춘 것으로 보았다.'에서 귀족의 지위보다 학자의 지식이 우위에 있는 체제가 합리적이라고 여긴 계몽사상가들이 있었음을 알 수 있다.

03

정답설명

② (나)의 3문단 '지역 사회를 위해 장기적인 전망을 가지고 정책을 추진하기보다 가시적이고 단기적인 결과만을 중시하는 부작용을 가져왔다. 개인적 동기가 공공성과 상충되는 현상이 나타났던 것이다.'에서 알 수 있듯이 과거제로 등용된 관리들의 개인적 동기(승진 등)가 공공성과 상충되는 세태를 보였다. 그리고 이것에 대한 해결로 '봉건적 요소(세습)를 도입'하자는 주장이 제시되었다. 따라서 봉건적 요소에 대한 지향이 공공성과 상충되는 세태로 나타났다고 할 수 없다.

오답설명

① 3문단에서 '세습적이지 않으면서 몇 년의 임기마다 다른 지역으로 이동하는' 과거제 출신의 관리들은 '공동체에 대한 소속감이 낮'다고 하였으므로 과거제로 등용된 관리들은 근무지를 자주 바꾸게 되어 근무지에 대한 소속감이 약했을 것임을 알 수 있다.

③ 3문단에서 과거제로 선발한 관료들은 '개인적 동기가 공공성과 상충되는 현상'을 보였다고 하였다. 즉 세습 엘리트에 비해 개인적 동기가 강해서 공동체 의식이 높지 않았음을 알 수 있다.

④ 3문단에서 '과거제 출신의 관리들이~출세 지향적이기 때문에'라고 하였고 '지역 사회를 위해 장기적인 전망을 가지고 정책을 추진하기보다 가시적이고 단기적인 결과만을 중시'한다고 하였으므로 과거제를 통해 배출된 관료들이 출세 지향적이어서 장기적 안목보다는 근시안적인 결과에 치중했다는 것을 알 수 있다.

⑤ 3문단에서 '능력주의적 태도는~관리의 업무에 대한 평가에도 적용'되어 관리들이 '승진을 위해서 빨리 성과를 낼 필요가 있었기에~가시적이고 단기적인 결과만을 중시'하였다고 하였으므로, 과거제가 낳은 능력주의적인 태도로 관리들이 승진을 위해 가시적인 성과만을 내려는 경향이 강해졌음을 알 수 있다.

04

정답설명

④ ㉠은 공정성의 강화를 위한 것이며 이는 보다 많은 사람들에게 사회적 지위 획득의 기회를 준 것임을 (가)의 2문단에서 알 수 있다. ㉡은 (나)의 2문단에서 과거제가 '학습 능력 이외의 인성이나 실무 능력을 평가할 수 없'어 발생하였다고 하였으므로, 관리 선발 시 됨됨이 검증의 곤란함에서 비롯되었음을 알 수 있다.

오답설명

① ㉠은 공정성을 강화하기 위한 것으로 이와 같은 공정성을 바탕으로 보다 많은 사람에게 사회적 지위 획득의 기회를 주었음을 알 수 있다. 하지만 '응시 자격에 일부 제한이 있었다'고 하였으므로, ㉠이 모든 사람

에게 응시 기회를 보장하지는 않았다. ⓛ은 과거제가 학습 능력 이외의 인성이나 실무 능력을 평가할 수 없다는 이유에서 비롯되었지 결과주의의 지나친 확산에서 비롯되었다고 할 수 없다.

② 'ㄱ의 합리성'이 사회적 안정에 기여했다고는 할 수 있으나, ㄱ 자체가 사회적 안정을 보장한다고 보기는 어렵다. ⓛ은 대대로 관직을 물려받는 문제인 세습제에서 비롯된 것이 아니라 과거제가 학습 능력 이외의 것을 평가할 수 없음에서 비롯되었다.

③ ㄱ이 지역 공동체의 전체 이익을 증진시켰다는 내용은 제시되지 않았으며 ⓛ은 지나친 경쟁이 유발한 국가 전체의 비효율성에서 비롯된 것은 아니다. 지나친 경쟁이 유발한 국가 전체의 비효율성은 과거제의 문제점으로 제시되었다.

⑤ ㄱ은 관료들이 지닌 도덕적 가치 기준의 다양성을 확대하지 않았다. 과거제는 도덕적인 가치 기준에 대한 광범위한 공유를 이끌어 냈으나 이는 ㄱ으로 인한 것이 아니라 고전과 유교 경전이 주가 되는 학습 내용 때문이다. 또한 (나)의 4문단에서 '사적이고 정서적인 관계에서 볼 수 있는 소속감과 충성심을 과거제로 확보하기 어렵'다고 하였으므로 사적이고 정서적인 관계 확보의 어려움이 과거제의 문제점으로 제시된 것은 맞으나 ⓛ이 여기에서 비롯되었다고 할 수 없다.

05

정답설명

⑤ '병'은 과거제로 인해 많은 사람들이 공부하려는 생각을 가지게 된 점을 긍정적으로 보았는데, 이러한 과거제로 인한 학습 동기 강화는 (가)의 3문단 '특히 학습에 강력한 동기를 제공함으로써'에서 알 수 있다. 그러나 그는 과거제가 학습에 동기를 부여한 것에 주목하였을 뿐 실무 능력을 중심으로 평가하는 시험 방식에 주목한 것이 아니며, 과거제가 실무 능력을 평가할 수 없다는 내용은 (나)의 2문단에서 찾아볼 수 있다.

오답설명

① '갑'은 과거제로 인해 사회적 지위 획득의 기회가 열려 사회적 유동성이 증가했다는 점을 긍정적으로 보았다. 이는 (가)의 2문단 '공정성을 바탕으로~개방성을 제고하여 사회적 유동성 역시 증대시켰다.'를 고려할 때, 능력주의에 따른 공정성과 개방성이라는 시험의 성격에 주목한 것임을 알 수 있다.

② '을'은 과거제로 인해 많은 선비들이 재능을 낭비하는 것을 부정적으로 보았는데, 이는 (나)의 2문단 '치열한 경쟁은~많은 인재들이 수험 생활에 장기간 매달리면서 재능을 낭비하는 현상도 낳았다.'로 보아 치열한 경쟁을 유발하는 시험의 성격에 주목한 것임을 알 수 있다.

③ '을'은 과거제를 통해 조선 사회에 유교적 가치가 광범위하게 자리를 잡은 것을 긍정적으로 보았다. 이는 (가)의 3문단 '시험에 필요한 고전과 유교 경전이 주가 되는 학습의 내용은 도덕적인 가치 기준에 대한 광범위한 공유를 이끌어 냈다.'를 고려할 때, 고전과 유교 경전 위주의 시험 내용에 주목한 것임을 알 수 있다.

④ '병'은 과거 시험 준비를 위해 나오는 책들은 학습의 깊이가 없어 문제라고 하며 과거제로 인해 심화된 공부를 하기 어렵다는 점을 부정적으로 보았다. 이는 (나)의 2문단 '치열한 경쟁은 학문에 대한 깊이 있는 학습이 아니라 합격만을 목적으로 하는 형식적 학습을 하게 만들었고'를 고

려할 때, 형식적인 학습을 유발한 시험 방식에 주목한 것임을 알 수 있다.

06

정답설명

④ 지문의 'ⓓ 매달리면서'는 '어떤 일에 관계하여 거기에만 몸과 마음이 쏠려 있다.'라는 의미이다. 이는 선지의 '사소한 일에만 매달리면'의 '매달리다'와 같은 의미임을 알 수 있다.

오답설명

① 지문의 'ⓐ 두고'는 '행위의 준거점, 목표, 근거 따위를 설정하다.'라는 의미로 쓰였으나, 선지의 '두고'는 '일정한 곳에 놓다.'라는 뜻으로 쓰였다.

② 지문의 'ⓑ 되살리는'은 '죽거나 없어졌던 것을 다시 살리다.'라는 뜻으로 쓰였으나 선지의 '되살렸다'는 '잊었던 감정이나 기억, 기분 따위를 다시 떠올리거나 살려 내다.'라는 뜻으로 쓰였다.

③ 지문의 'ⓒ 걸쳐'는 '일정한 횟수나 시간, 공간을 거쳐 이어지다.'라는 뜻으로 쓰였으나 선지의 '걸쳐'는 '가로질러 걸리다.'라는 뜻으로 쓰였다.

⑤ 지문의 'ⓔ 어려웠던'은 '가능성이 거의 없다.'라는 뜻으로 쓰였으나 선지의 '어려울수록'은 '가난하여 살아가기가 고생스럽다.'라는 뜻으로 쓰였다.

구조도 정답

(가)

① 능력주의적   ② 개방성   ③ 교육
④ 동질적   ⑤ 유럽

(나)

① 공거제   ② 형식적   ③ 익명성
④ 개인적 동기   ⑤ 공동체   ⑥ 봉건적

09 2021학년도 12월

지문분석

(가) 북학론

↳ 18세기 북학파 : 청 다녀온 경험 연행록 기록 → (①) 구체화

박제가

청의 현실 : 조선이 지향할 가치 기준

『(②)』: 중화가 보존된 것이자, 조선의 발전 방향

명에 대한 의리 문제는 소멸된 것, 청 문물 수용의 이익 주장

양반도 이익을 추구하자는 (③) 입장

(④)

「입연기」: 청의 현실 객관적 기록

청 문물의 효용과 이용후생 관심

(⑤) : 이분법 시각 X, 청과 조선 모두의 가치 인정

명에 대한 의리 중시

→ 자신이 제시한 인식 태도에서 벗어나는 모습

(나) 18세기 후반 청의 현실

↳ **청의 번영**

여러 단계의 시장 그물처럼 연결 → 국내 교역↑

일상적 물건도 (①) 상품

상인 조직의 발전, (②)의 확대

대외 무역의 발전, (③)의 유입 → (③)으로 과세 → 상품 경제 발전

↳ **청의 위기의 징후**

(④) 증가

새로운 작물 재배, 개간, 이주, 농경 집약화 등 민간의 노력에도 해결 X

이주 및 도시화 → 사회적 유대 약화
→ 결사 조직 성행 → 불법적 활동, 반란 기반

인맥에 기초한 관료 사회의 (⑤) 심화

조정의 조치

외국과의 접촉 차단 → 서양에 대한 무역 개방 축소

형태쌤 Comment

18세기 북학론을 주장한 두 학자의 견해를 설명하는 글인 (가)와, 18세기 청의 사회상을 설명하는 글인 (나)로 나누어져 있다. 구조도 깔끔하고 내용도 단순하여 주장을 잘 비교하였다면 쉽게 풀 수 있는 문제였다.

문제분석 01-06번

번호	정답	정답률 (%)	선지별 선택비율(%)				
			①	②	③	④	⑤
1	①	80	80	4	6	8	2
2	④	73	2	9	11	73	5
3	⑤	46	4	2	44	4	46
4	③	76	1	2	76	4	17
5	④	71	3	7	12	71	7
6	③	93	1	2	93	1	3

01

정답설명

① (가)에서는 18세기 중국(청)에 대한 조선 학자 박제가, 이덕무의 견해인 '북학론'을 제시하면서, 북학론의 형성 배경과 두 학자가 주장한 북학론의 차이를 설명하고 있다.

오답설명

② (가)에서는 18세기 중국(청)을 바라보는 사상적 관점인 '북학론'을 제시하고 있으나, 두 학자의 북학론이 지닌 역사적 의의와 한계를 비교하고 있지는 않다.

③ (나)에서는 18세기 중국(청)의 사회상을 제시하고 있으나, 다양한 사회상을 시대별 기준에 따라 분류하여 서술하고 있지는 않다.

④ (나)에서는 18세기 중국(청)의 사상적 변화를 언급하고 있지 않다.

⑤ (가)는 18세기 후반 중국을 다녀온 박제가와 이덕무의 북학론을, (나)는 18세기 후반의 중국의 현실을 제시하고 있을 뿐, (가)와 (나) 모두 중국의 현실이 다른 나라에 미친 영향을 예를 들어 설명하고 있지 않다.

02

정답설명

④ (가)의 3문단에 따르면 이덕무는 '청 문물의 효용을 도외시하지 않고 박제가와 마찬가지로 물질적 삶을 중시하는 이용후생에 관심을 보였'으므로 청 문물의 효용성은 긍정했다고 볼 수 있다. 하지만 '중국인들의 외양이 만주족처럼 변화된 것을 보고 비통한 감정을 토로하며 중화의 중심이라 여겼던 명에 대한 의리를 중시하는 등'에서 청이 중화를 보존하고 있지 않다고 여겼음을 알 수 있다. 즉, 이덕무는 중화의 중심은 명나라라고 생각하였고 이를 청나라가 보존하고 있지 않음을 슬퍼했으므로 선지 뒷부분의 설명은 적절하지 않다.

오답설명

① (가)의 2문단 '청의 현실은 그에게 중화가 손상 없이 보존된 것이자~그의 북학론의 밑바탕이 되었다.'에서 박제가는 청의 현실은 중화가 보존된 것이고 이러한 청의 문물을 도입하는 북학론이야말로 중화와 합치되는 방향이라고 생각하였음을 알 수 있다.

② (가)의 2문단 '박제가가 인식한 청의 현실은~조선이 지향할 가치 기준이었다.'에서 박제가는 자신이 파악한 청의 현실이 조선을 평가하는 기준이라고 생각하였음을 알 수 있다.

③ (가)의 3문단 '이덕무는~민생과 무관하다고 지적하였다.'에서 이덕무는 청의 현실을 관찰하면서 황제의 행차와 관련된 조치가 민생의 문제와 무관하다고 지적하는 등 그 이면에 있는 민생의 문제를 간과하지 않았음을 알 수 있다.

⑤ (가)의 2문단 '중화 관념의 절대성을 인정하였기 때문에~그의 북학론의 밑바탕이 되었다.'와 3문단 '중화의 중심이라 여겼던 명에 대한 의리를 중시하는 등'에서 박제가와 이덕무 모두 중화 관념에 대해서는 긍정적인 태도를 보였음을 알 수 있다.

03

정답설명

⑤ 평등견이란 이덕무의 인식 태도로, (가)의 3문단에 따르면 그는 평등견을 통해 '청에 대한 찬반의 이분법에서 벗어나 청과 조선의 현실적 차이뿐만 아니라 양쪽 모두의 가치를 인정'하고, 청과 조선은 구분되지만 배타적이지는 않다고 보았다. 즉, 이는 청에 대한 배타적 태도를 지양하고, 청과 구분되는 조선의 독자성을 유지하는 인식 태도라고 할 수 있다.

오답설명

① 이덕무는 평등견을 통해 청과 조선 양쪽 모두의 가치를 인정하였지, 조선의 풍토를 기준으로 삼아 청의 제도를 개선하자고 인식하지는 않았다.

② 이덕무는 평등견을 통해 청과 조선 양쪽 모두의 가치를 인정하였지, 조선의 고유한 삶의 방식을 청의 방식에 따라 개혁해야 한다고 인식하지는 않았다.

③ 이덕무는 평등견을 통해 청과 조선 양쪽 모두의 가치를 인정하고 청을 배우는 것과 조선 사람이 조선 풍토에 맞게 살아가는 것이 모순되지 않다고 하였을 뿐, 풍토로 인한 차이를 해소하려고 하지는 않았다. 풍토로 인한 차이를 인정하는 것과 이를 해소하는 것은 다르다.

④ 이덕무는 평등견을 통해 청과 조선 양쪽 모두의 가치를 인정하였다. 또한 이덕무가 중국인들의 외양이 변화된 모습을 통해 비통한 감정을 토로하며 명에 대한 의리를 중시한 것은 맞으나 이는 평등견의 태도에서 벗어난 한계를 보여 주는 것이다.

04

정답설명

③ ㉠은 18세기 청의 번영 이면에 위기의 징후들이 나타나고 있었다는 설명이다. (나)의 2문단 '급격한 인구 증가로~반란의 조직적 기반이 되었다.'에서 이러한 위기의 징후들은 인구 증가로 인한 사회적 유대 약화,

불법적인 활동과 반란의 기반이 되는 결사 조직의 성행들로 나타나기 시작했다는 것을 알 수 있다.

오답설명

① 새로운 작물의 보급 증가로 경제적 번영이 이루어졌다는 언급은 (나)에 나타나 있지 않으며 ㉠은 위기 상황에 대한 언급이므로 적절하지 않다.

② 신용 기관이 확대되고 교역의 질과 양이 급변하고 있음을 (나)의 1문단에서 언급하였으나 ㉠은 위기 상황에 대한 언급이므로 적절하지 않다.

④ (나)의 2문단에서 인구 증가로 이주 및 도시화가 진행되었던 것과 인구 증가로 인한 문제를 막기 위해 새로운 작물 재배, 개간, 이주, 농경 집약화 등과 같은 노력을 하였음을 알 수 있다. 그러나 이는 인구 증가로 인한 민간의 노력이며 이는 조정에서 추진한 정책이라고 볼 수 없다.

⑤ (나)의 2문단에 따르면 인구 증가로 인한 이주 및 도시화가 진행되면서 전통적인 사회적 유대가 약화되었으나, 이 때문에 관료 사회의 부정부패가 심화되지는 않았다. 관료 사회의 부정부패는 인구 증가와 무관하지 않다고 하였을 뿐, 사회적 유대의 약화 때문이 아니다.

05

정답설명

④ (나)의 1문단에서 은의 유입과 이를 통해 은을 매개로 한 과세가 가능해져 중국의 상품 경제가 발전했다고 하였다. 〈보기〉에서는 '은이란 천년이 지나도~썩어 없어진다.'라고 하며 은에 대해 높게 평가하고 있으며 '우리나라는 해마다~바꿔 오는 일은 없다.'라고 하며 우리나라, 즉 조선에서 은에 대한 효용적 측면을 간과하고 있음을 비판적으로 바라보고 있다. 따라서 〈보기〉에서는 은의 효용적 측면을 간과하지 않았음을 알 수 있다.

오답설명

① [A]는 이익 추구를 인간의 자연스러운 욕망으로 긍정하고 양반도 이익을 추구하자는 실용적 입장을 제시한 부분이다. 〈보기〉에서 제시된 중국인들의 상업에 대한 인식은 '중국 사람은~골동품을 산다.'에서 나와 있듯 이익을 추구하는 실용적 입장이므로, 이에 부합하는 것임을 알 수 있다.

② [A]에서 박제가는 청 문물제도의 수용이 가져다주는 이익을 논하며 북학론의 당위성을 설파하였는데 〈보기〉에서 '우리나라에서는~힘이 미치지 못한다.'라고 하며 조선에 산물 유통을 필요로 하는 백성들이 많다고 언급하였으므로 이는 북학론의 당위성을 뒷받침하는 근거임을 알 수 있다.

③ (나)의 1문단에서는 18세기 청의 국내 교역이 활발하게 이루어졌음을 제시하였는데 이는 〈보기〉에서 언급하고 있는 중국인들의 상행위에 대한 서술 '중국 사람은~골동품을 산다.'와 상충되지 않는다.

⑤ (나)의 2문단에서는 인맥에 기초한 관료 사회의 부정부패 심화에 대해 언급하고 있다. 이는 〈보기〉에서의 중국의 관료에 대한 묘사 '재상조차도 직접~골동품을 산다.'에서는 드러나지 않는 진술에 해당한다.

06

정답설명

③ ⓒ의 '한정되다'는 '수량이나 범위 따위가 제한되어 정해지다.'라는 뜻으로 '더 이상의 진전이 없이 어떤 상태에 머무르다.'라는 뜻의 '그치다'와 바꾸어 '사치품에 그치지 않고'로 쓰기에 적절하다.

오답설명

① ⓐ의 '보존되다'는 '잘 보호되고 간수되어 남겨지다.'라는 뜻으로 '가려 있거나 보이지 않던 것이 보이게 되다.'라는 뜻의 '드러나다'와 바꾸어 쓰기에 적절하지 않다.

② ⓑ의 '도외시하다'는 '상관하지 아니하거나 무시하다.'라는 뜻으로 '사물을 헤아리고 판단하다.'라는 뜻의 '생각하다'와 바꾸어 쓰기에 적절하지 않다.

④ ⓓ의 '자극하다'는 '외부에서 작용을 주어 감각이나 마음에 반응이 일어나게 하다.'라는 뜻으로 '앞서 있는 것의 정도나 수준에 이를 만큼 가까이 가다.'라는 뜻의 '따라가다'와 바꾸어 쓰기에 적절하지 않다.

⑤ ⓔ의 '성행하다'는 '매우 성하게 유행하다.'라는 뜻으로 '어떤 일이 생기다.'라는 뜻의 '일어나다'와 바꾸어 쓰기에 적절하지 않다.

memo

구조도 정답

(가)

① 북학론
② 북학의
③ 실용적
④ 이덕무
⑤ 평등견

(나)

① 장거리 교역
② 신용 기관
③ 은
④ 인구
⑤ 부정부패

2022학년도 6월

과정 이론

지문해설

(가)

① 근대 이후 서양의 철학자들은 과학적 세계관이 대두하면서 이전과는 달리 인과를 물리적 작용 사이의 관계로 국한하려는 경향을 보였다. 문제는 흄이 지적했듯이 인과 관계 그 자체는 직접 관찰할 수 없다는 것이다. 원인과 결과에 해당하는 사건만을 관찰할 수 있을 뿐이다. 가령 "추위 때문에 강물이 얼었다."는 직접 관찰한 물리적 사실을 진술한 것이 아니다. 그래서 인과가 과학적 개념인지에 대한 의심이 철학자들 사이에 제기되었다. 이에 인과를 과학적 세계관에 입각하여 이해하려는 시도가 새먼의 과정 이론이다.

▶ 1문단에서는 글의 화제를 찾아야 한다. '문제'나 '의심'에 집중하면서 내용을 따라가 보자. <과학적 세계관이 대두했다 → 인과를 물리적 작용 사이의 관계로 국한하자 → 인과는 관찰할 수 없는데? → 인과가 과학적 개념이 맞을까?>라는 근대 이후 철학자들의 사고 과정을 따라가며, 새먼이 인과를 어떻게 과학적 세계관에 입각하여 파악했는지를 중심으로 글을 읽어보자.

② 야구공을 던지면 땅 위의 공 그림자도 따라 움직인다. 공이 움직여서 그림자가 움직인 것이지 그림자 자체가 움직여서 그림자의 위치가 변한 것은 아니다. 과정 이론은 이 차이를 다음과 같이 설명한다. 과정은 대상의 시공간적 궤적이다. 날아가는 야구공은 물론이고 땅에 멈추어 있는 공도 시간은 흘러가고 있기에 시공간적 궤적을 그리고 있다. 공이 멈추어 있는 상태도 과정인 것이다. 그런데 모든 과정이 인과적 과정은 아니다. 어떤 과정은 다른 과정과 한 시공간적 지점에서 만난다. 즉, 두 과정이 교차한다. 만약 교차에서 표지, 즉 대상의 변화된 물리적 속성이 도입되면 이후의 모든 지점에서 그 표지를 전달할 수 있는 과정이 인과적 과정이다.

▶ 일단 2문단 처음 부분에 주목해야 한다. [공의 움직임 → 그림자의 움직임 O / 그림자 자체의 움직임 → 그림자의 위치 변화 X] 당연한 얘기 같지만, 이 문장에서 구분하고 있는 차이점을 밝히는 것이 과정 이론의 핵심이다. 천천히 내용을 따라가 보자. 1) 과정은 대상의 시공간적 궤적이다. 2) 모든 대상은 시공간적 궤적을 그린다. 3) 즉 모든 대상은 과정을 가진다. (멈춰 있든, 움직이든) 4) 모든 과정이 인과적 과정은 아니다. 5) 두 과정이 교차할 때 대상의 변화된 물리적 속성이 도입된 표지를 교차 이후 모든 지점에서 전달할 수 있는 과정이 인과적 과정이다. 필자의 관심사에 해당하는 내용이기에 뒤에 예시까지 써서 확실하게 추가 설명을 한다.

③ 가령 바나나가 a 지점에서 b 지점까지 이동하는 과정을 과정 1이라고 하자. a와 b의 중간 지점에서 바나나를 한 입 베어 내는 과정 2가 과정 1과 교차했다. 이 교차로 표지가 과정 1에 도입되었고 이 표지는 b까지 전달될 수 있다. 즉, 바나나는 베어 낸 만큼이 없어진 채로 줄곧 b까지 이동할 수 있다. 따라서 과정 1은 인과적 과정이다. 바나나가 이동한 것이 바나나가 b에 위치한 결과의 원인인 것이다.

▶ 과정 1 : 바나나 a 지점 → b 지점 이동
과정 2 : a와 b의 중간 지점에서 바나나 한 입 베어 냄

▶ 과정 1과 과정 2가 교차하면, 과정 1에서 멀쩡히 잘 가던 바나나가 과정 2와 교차하는 순간 일부 없어진 상태가 되겠지? 그렇게 대상의 변화된 물리적 속성이 도입된 채로(한 입이 없어진 채로) 바나나는 b 지점까지 이동할 것이다. 즉, 앞서 말했듯이 표지가 과정 1에 도입되었고, b 지점까지 표지가 전달되었으므로 과정 1은 교차된 이후의 모든 지점에서 표지를 전달할 수 있는 인과적

과정이 되는 것이지.

한편, 바나나의 그림자가 스크린에 생긴다고 하자. 바나나의 그림자가 스크린상의 a′지점에서 b′지점까지 움직이는 과정을 과정 3이라 하자. 과정 1과 과정 2의 교차 이후 스크린상의 그림자 역시 변한다. 그런데 a′과 b′사이의 스크린 표면의 한 지점에 울퉁불퉁한 스티로폼이 부착되는 과정 4가 과정 3과 교차했다고 하자. 그림자가 그 지점과 겹치면서 일그러짐이라는 표지가 과정 3에 도입되지만, 그 지점을 지나가면 그림자는 다시 원래대로 돌아오고 스티로폼은 그대로이다. 이처럼 과정 3은 다른 과정과의 교차로 도입된 표지를 전달할 수 없다.

▶ 과정 3 : 바나나의 그림자 스크린상의 a′ 지점 → b′ 지점 이동
과정 4 : a′와 b′ 사이 스크린 표면 한 지점에 스티로폼 부착

▶ 과정 3과 과정 4가 교차하면, 바나나의 그림자가 스티로폼이 부착된 지점에서 일그러지는데, 이때 그림자라는 대상의 물리적 속성이 변화하는 것이 과정 3에 도입되므로 표지가 두 과정의 교차에 도입되는 것은 맞다. 그러나 스티로폼이 부착된 지점을 지나게 되면 더 이상 그림자는 일그러지지 않는다. 즉, 해당 표지는 스티로폼이 부착된 지점을 지나면 사라지므로, 과정 3은 다른 과정과의 교차로 도입된 표지를 전달할 수 없게 된다. 따라서, 과정 3은 인과적 과정이 아니라는 것이지.

④ 과정 이론은 규범이나 마음과 같은, 물리적 세계 바깥의 측면을 해명하기 어렵다는 한계를 지닌다. 예컨대 내가 사회 규범을 어긴 것과 내가 벌을 받아야 하는 것 사이에는 인과 관계가 있지만 과정 이론은 이를 잘 다루지 못한다.

▶ 과정 이론은 대상의 변화라는 물리적 속성의 도입을 이후 모든 지점에서 전달할 수 있는지를 기준으로 인과적 과정을 설정해서, 과학적으로 인과를 설명한 것은 맞아. 그러나 물리적 세계의 바깥에 존재하는, 규범이나 마음 등을 설명하기는 어렵다고 하네. 사회 규범을 어기면 벌을 받는 결과가 생기지? 둘 사이에는 인과 관계가 존재하긴 하지만 과정 이론을 통해서는 이를 설명할 수 없다는 거야. 이 지문에선 인과를 과학적으로 설명하는 과정 이론의 내용을 파악해야 해.

지문분석

(가) 과정 이론

↳ 배경

근대 이후 서양 철학자들
: 인과를 (①) 작용 사이의 관계로 국한 (∵과학적 세계관 대두)
But, 인과 관계 자체를 관찰할 수 없음 (by.흄)
→ 인과가 과학적 개념인가에 대한 의심

↳ 내용

인과를 (②)에 입각하여 이해하려는 시도

과정 : 대상의 (③) 궤적
모든 과정이 (④)은 아님
(④) : 두 과정이 교차하면서 표지(대상의 변화된 물리적 속성)가
도입되면 이후 모든 지점에서 그 표지를 전달할 수 있는 과정

ex)
과정 1 : 바나나 a → b 이동
과정 2 : a와 b 중간 지점에서 바나나 한 입 베어 냄
⇒과정 1에 도입된 표지(베어 낸 바나나)가 b까지 전달되므로,
　과정 1은 인과적 과정 (⑤)
과정 3 : 바나나 그림자 스크린 상의 a′ → b′ 이동
과정 4 : a′와 b′ 사이 스크린 표면 한 지점에 스티로폼 부착
⇒과정 3에 도입된 표지(일그러진 그림자)가 b′까지 전달되지
　못하므로, 과정 3은 인과적 과정 (⑥)

↳ 한계

물리적 세계 바깥의 측면(규범, 마음) 해명 어려움
　→ 사회 규범을 어긴 것과 벌을 받는 것의 인과 관계 잘 다루지 못함

(나) 재이론

↳ 자연 현상과 인간사를 (①)로 설명하는 동아시아 대표적 논의

↳ 한대 동중서

천견설(하늘이 덕을 잃은 군주에게 재이를 내려 견책)과
(②)(공통된 음양의 기를 통해 하늘과 인간이 서로 감응) 결합

군주가 실정 저지름 → 음양의 기가 변화됨 → 감응한 하늘이 재이로 경고
재이 : 가뭄과 홍수, 일식과 월식 등 → 군주권이 하늘로부터 비롯된 것
입증, 군주의 실정에 대한 경고

양면적 성격

신하가 정치적 논의에 참여할 수 있는 (③) 제공
재이 발생 시 군주가 (④)을 구하고 신하가 이에 응하는 전통

원인으로서의 인간사와 결과로서의 재이 일대일 대응시키는 (⑤)
: 억지가 심하다는 평가
→ 예언화 경향
: 재이를 인간사의 징조로, 인간사를 재이의 결과로 대응시킴
: 군주가 직언하는 신하를 탄압하는 빌미가 됨

↳ 송대 주희

예측 가능한 (⑥) → 재이로 간주하지 않는 경향 수용
재이를 이치에 의해 설명되기 어려운 자연 현상으로 간주

재이론 고수

군주를 경계하는 적절한 방법이자 유용한 정치적 기제
(⑦) 제시 : 군주의 허물과 잘못 쌓임 → 하늘 감응
→ 변칙적 자연 현상 발생
재이를 군주의 심성 수양 문제로 귀결시킴

형태쌤 Comment

'인과'에 대한 동서양의 이론을 소개하는 글로, 구조는 어렵지 않지만 내용을
꼼꼼히 이해해야 문제를 풀 수 있는 지문이었다. 특히 (가) 지문에서, 인과적 과
정을 사례를 통해 설명하는 부분을 정확하게 이해했어야 한다.

문제분석　01-06번

번호	정답	정답률 (%)	선지별 선택비율(%)				
			①	②	③	④	⑤
1	③	77	3	4	77	8	8
2	④	72	2	3	12	72	11
3	④	37	15	7	14	37	27
4	②	76	9	76	4	8	3
5	②	51	2	51	27	13	7
6	①	96	96	1	1	1	1

01

정답설명

③ (가)에서는 '인과'를 과학적 세계관으로 이해하려는 시도인 '과정 이론'을 정의하고 있고, 사회 규범을 어긴 것과 벌을 받아야 하는 것의 인과 관계라는 구체적인 사례를 들며 이를 설명하지 못하는 '과정 이론'의 한계를 제시하면서 글의 내용을 전개하고 있다. 그러나 '과정 이론'의 전망을 제시하지는 않았다.

오답설명

① (가)에서는 '인과'에 대한 특정 이론인 '과정 이론'이 등장하게 된 배경을, 과학적 세계관이 대두함에 따라 근대 이후 서양의 철학자들이 이전과는 달리 인과를 물리적 작용 사이의 관계로 국한하려는 경향을 보였다는 것과 관련지어 제시하고 있다.

② (나)에서는 '인과'와 연관된 특정 이론인 '재이론'이 자연 현상과 인간사를 인과 관계로 설명하는 이론임을 설명하며, 그 배경 사상으로 천견설과 천인감응론을 제시하고 있다.

④ (나)에서는 '인과'와 연관된 특정 이론인 '재이론'을 제시하였으며, '재이론'의 개별적 대응 방식이 예언화 경향으로 이어지다가 송대에 이르러 전반적 대응설로 변용되는 양상을 제시하고 있으므로 적절하다.

⑤ (가)는 '인과'를 과학적으로 설명하려는 서양의 '과정 이론'을, (나)는 자연 현상과 인간사를 '인과'로 설명하려는 동양의 '재이론'을 제시하고 있다. 따라서 '인과'와 관련하여 동서양의 특정 이론들에 나타나는 관점을 비교하는 것은 두 글을 통합적으로 이해하는 학습이므로 적절하다.

02

정답설명

④ (나)의 1문단에서 '한대의 동중서는 하늘이 덕을 잃은 군주에게 재이를 내려 견책한다는 천견설과, 인간과 하늘에 공통된 음양의 기를 통해 하늘과 인간이 서로 감응한다는 천인감응론을 결합하여 재이론을 체계화하였다.'라고 하였으므로 한대의 재이론에서는 하늘을 음양의 변화에 반응하고, 경고를 하는 의지를 가진 존재로 전제하였음을 알 수 있다.

오답설명

① (가)의 1문단에서 '인과를 물리적 작용 사이의 관계로 국한하려는 경향'에 따라 '인과가 과학적 개념인지에 대한 의심이 철학자들 사이에 제기'되자 '이에 인과를 과학적 세계관에 입각하여 이해하려는 시도가 새면의 과정 이론'이라고 하였으므로, '과정 이론'은 과학적 세계관으로 인과를 이해하려는 이론임을 알 수 있다. 또한 (가)의 4문단에서 '과정 이론은 규범이나 마음과 같은, 물리적 세계 바깥의 측면을 해명하기 어렵다는 한계를 지닌다.'라고 하였으므로 과정 이론은 물리적 세계의 테두리 안에서 인과를 해명하는 이론임을 알 수 있다.

② (가)의 2문단에서는 과정이 교차하며 대상의 변화된 물리적 속성이 도입되면 이후의 모든 지점에서 그 표지를 전달할 수 있는 과정이 인과적 과정이라고 과정 이론을 설명하고 있는데, (가)의 4문단에서 '내가 사회 규범을 어긴 것과 내가 벌을 받아야 하는 것 사이에는 인과 관계가 있지만 과정 이론은 이를 잘 다루지 못한다.'라고 하였으므로 사회 규범

위반과 처벌 당위성 사이의 인과 관계는 과정 이론에서의 표지 전달로 설명되기 어려움을 알 수 있다.

③ (가)의 1문단에서 '근대 이후 서양의 철학자들은 과학적 세계관이 대두하면서 이전과는 달리 인과를 물리적 작용 사이의 관계로 국한하려는 경향'을 보였으나 인과 관계 그 자체를 직접 관찰할 수 없어 '인과가 과학적 개념인지에 대한 의심이 철학자들 사이에 제기되었다.'라고 하였으므로 적절하다.

⑤ (나)의 3문단에서 '송대에 이르러, 주희는 천문학의 발달로 예측 가능하게 된 일월식을 재이로 간주하지 않는 경향을 수용하였고, 재이를 근본적으로 이치에 의해 설명되기 어려운 자연 현상으로 간주하였다.'라고 하였으므로 적절하다.

03

정답설명

④ 과정 2는 a와 b의 중간 지점에서 바나나를 한 입 베어 내는 과정이고, 과정 3은 바나나의 그림자가 스크린상의 a′지점에서 b′지점까지 움직이는 과정이다. 그러나 [A]에서 '과정 1과 과정 2의 교차 이후 스크린상의 그림자 역시 변한다.'라고 하였으므로, 변화된 바나나 그림자의 모양은 과정 3과 과정 2가 교차함으로써 도입된 표지가 아니라 과정 1과 과정 2가 교차함으로써 도입된 표지이다. 또한 (가)의 2문단에서 '어떤 과정은 다른 과정과 한 시공간적 지점에서 만'나는 것이 두 과정의 교차라고 하였는데, 스크린에 생기는 그림자와 실제의 바나나는 서로 다른 시공간적 지점에 있으므로 교차하지 않을 것임을 알 수 있다.

오답설명

① [A]에서 바나나가 a 지점에서 b 지점으로 이동하는 과정 1은 인과적 과정이라고 하였으나, 바나나의 그림자가 a′지점에서 b′지점으로 이동하는 과정 3은 다른 과정과의 교차로 도입된 표지를 전달할 수 없다고 하였으므로 과정 3은 인과적 과정이 아님을 알 수 있다. (가)의 2문단에서 '과정은 대상의 시공간적 궤적이다.'라고 하였으므로, 서로 다른 과정을 가진 바나나와 그 그림자는 서로 다른 시공간적 궤적을 가지고 있음을 알 수 있다.

② 과정 1과 과정 2가 교차하기 이전에는 바나나가 온전했으나, 과정 1과 과정 2가 교차하면서 바나나가 한 입 베어 낸 상태가 되었다. [A]에 따르면 이 표지는 b까지 전달될 수 있으므로 과정 1은 인과적 과정이며, 두 과정이 교차하면서 '대상의 변화된 물리적 속성'이 도입되었으므로 바나나는 과정 1과 과정 2가 교차하기 이전과 이후에 물리적 속성이 변화했음을 알 수 있다.

③ [A]에서 과정 1은 인과적 과정이라고 하였으며, 과정 3은 다른 과정과의 교차로 도입된 표지를 전달할 수 없다고 하였으므로 인과적 과정이 아님을 알 수 있다.

⑤ 과정 3과 과정 4의 교차로 도입된 표지는 울퉁불퉁한 스티로폼이 부착된 스크린의 한 지점에서 바나나의 그림자가 일그러지는 것인데, 그 지점을 지나가면 그림자는 다시 원래대로 돌아온다고 하였으므로 과정 3에는 이 표지가 전달되지 않음을 알 수 있다. 또한 과정 4에도 일그러진 바나나의 그림자라는 표지는 전달되지 않으므로 해당 선지는 적절하다.

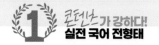

04

정답설명

② (나)의 2문단에서, '원인으로서의 인간사와 결과로서의 재이를 일대일로 대응시켜 설명하는' 개별적 대응 방식은 '예언화 경향(㉠)'으로 이어져 '재이를 인간사의 징조로, 인간사를 재이의 결과로 대응시키는 풍조를 낳기도 하였'다고 설명하고 있다. 즉 인간사가 원인이고 재이가 결과라는 이전의 방식과 달리 '예언화 경향(㉠)'은 인간사를 결과로, 재이를 원인으로 보아 인간사와 재이의 인과 관계를 역전시키는 것에 해당하므로 적절하다.

오답설명

① (나)의 2문단에 따르면 군주의 과거 실정에 대한 경고로서 재이의 의미가 강조되어 신하의 직언이 활성화된 것은 동중서 이후 개별적 대응 방식이 억지가 심하다는 평가를 받아 '예언화 경향(㉠)'으로 이어지기 전의 일이다.

③ (나)의 3문단에서 '재이론은 여전히 정치 현장에서 사라지지 않았'다고 하였으며, 주희는 군주를 경계하는 적절한 방법을 찾고자 재이론을 고수하며 군주의 잘못이 쌓이면 하늘이 감응하여 변칙적인 자연 현상이 일어날 것이라는 '전반적 대응설(㉡)'을 제시하였다고 하였으므로, 적절하지 않다.

④ 군주에게 허물과 잘못이 쌓이면 이에 하늘이 감응하여 변칙적인 자연 현상이 일어날 것이라는 '전반적 대응설(㉡)'은, 군주의 허물과 잘못으로 인해 재이가 발생할 것이라고 설명하므로 누적된 실정과 특정한 재이 현상을 연결 짓는 방식이라고는 볼 수 있으나, (나)의 3문단에 따르면 군주의 권력을 강화시키는 것이 아닌 군주를 경계하는 방식으로 활용되었을 것임을 알 수 있다.

⑤ (나)의 3문단에 따르면 '전반적 대응설(㉡)'은 군주의 허물과 잘못을 재이로 연결 짓고 있으므로, 군주의 지배력과 변칙적인 자연 현상이 무관하다는 인식을 강화하지 않는다.

05

정답설명

② ㉯는 '인과 관계란 서로 다른 대상들이 물리적 성질들을 서로 주고받는 관계일 수밖에 없다.'라고 하였으므로, 인과 관계를 대상 간의 물리적 상호 작용으로 국한하고 있음을 알 수 있다. 그러나 (나)의 1문단에 따르면 동중서의 재이론은 자연 현상과 인간사를 인과 관계로 설명한다고 하였고 하늘과 인간의 감응을 기반으로 하였으므로, 대상 간의 물리적 상호 작용에 국한되지 않는다. 따라서 ㉯의 입장은 동중서의 재이론이 보여준 입장과 부합하지 않음을 알 수 있다.

오답설명

① (가)의 1문단에서 흄은 '인과 관계 그 자체는 직접 관찰할 수 없다'라는 문제를 제기하였고 〈보기〉의 ㉮는 인과 관계가 직접 관찰될 수 없다면 관찰 가능한 현상을 탐구하는 것을 통해 인과 개념을 과학적으로 규명할 수 있다고 하였으므로, 과정의 교차에서 대상의 변화된 물리적 속성이 도입되었을 때, 그 표지를 이후의 모든 지점에서 전달할 수 있는 것을 인과적 과정으로 보는 과정 이론은 인과 개념을 과학적으로 규명하려는 시도의 하나임을 알 수 있다.

③ ㉰는 치세에서는 재이가 없었고 난세에서는 재이가 있었으므로 하늘과 인간이 서로 통한다고 설명하고 있는데, (나)에서 동중서와 주희는 모두 자연 현상과 인간사를 인과 관계로 설명하여 군주의 실정을 재이로 연결 짓는 재이론을 고수하고 있으므로 적절하다.

④ ㉰는 치세에서는 재이가 없었고 난세에서는 재이가 있었으므로 하늘과 인간이 서로 통한다고 설명하고 있으므로, 덕과 세상의 변화 사이에 인과 관계가 있다고 보았음을 알 수 있다. 이때 덕이 물리적 세계 바깥의 현상에 해당한다면, (가)의 4문단에 따라 덕은 새먼의 과정 이론으로 설명될 수 없으므로 적절하다.

⑤ ㉱는 홍수와 지방관의 실정이 관련이 없다고 본다. 새먼의 과정 이론은 두 과정이 교차할 때 교차에서 대상의 변화된 물리적 속성이 도입되면 이후의 모든 지점에서 그 표지를 전달할 수 있는 과정을 인과적 과정으로 보는데, 지방관의 실정에서 도입된 표지가 홍수로 이어지는 과정으로 전달될 수 없다면 이는 인과적 과정이 아니며, 이에 따라 새먼은 실정을 홍수의 원인으로 보지 않을 것이므로 적절하다.

06

정답설명

① ⓐ와 선지 모두 '모르는 것을 알아내고 밝혀내려고 애쓰다. 또는 그것을 알아내고 밝혀내다.'라는 의미로 쓰였다.

오답설명

② '모르는 것을 알아내기 위하여 책 따위를 뒤지거나 컴퓨터를 검색하다.'라는 의미로 쓰였다.

③ '어떤 것을 구하다.'라는 의미로 쓰였다.

④ '원상태를 회복하다.'라는 의미로 쓰였다.

⑤ '잃거나 빼앗기거나 맡기거나 빌려주었던 것을 돌려받아 가지게 되다.'라는 의미로 쓰였다.

구조도 정답

(가)

① 물리적   ② 과학적 세계관

③ 시공간적   ④ 인과적 과정

⑤ O   ⑥ X

(나)

① 인과 관계   ② 천인감응론

③ 명분   ④ 직언

⑤ 개별적 대응 방식 ⑥ 일월식

⑦ 전반적 대응설

자유의지

지문해설

① 인간의 본성에 관한 서로 다른 두 관점이 있다.

▶ 필자는 서로 다른 두 관점을 제시하며 글을 시작하고 있구나.

종교적 인간관에 따르면, 인간에게는 물리적 실체인 몸 이외에 비물리적 실체인 영혼이 있다. 영혼은 물리적 몸과 완전히 구별되며 인간의 결정의 원천이다. 반면 유물론적 인간관에 따르면, 인간은 물리적 몸에 지나지 않는다. 물리적 몸 이외에 영혼은 존재하지 않는다. 따라서 인간의 결정은 단지 뇌에서 일어나는 신경 사건이다.

▶ 공통점과 차이점이 제시되었다! 종교적 인간관은 영혼의 존재를 인정하고, 인간의 결정이 영혼으로부터 비롯된다고 보지만 유물론적 인간관에서는 영혼의 존재를 인정하지 않고, 인간의 결정을 뇌에서 일어나는 물리적 사건으로 보는구나. 영혼의 존재 인정 여부 외에 '인간의 결정'을 어떻게 해석하는지에 대해서도 주목하고 있어.

이러한 두 관점 중 유물론적 인간관을 가정할 때, 인간은 자유롭게 선택할 수 있을까? 즉 인간에게 자유의지가 있을까?

▶ 필자는 유물론적 인간관을 바탕으로 '자유의지'를 설명하고자 하는구나.

가령 갑이 냉장고 문을 여니 딸기 우유와 초코 우유만 있다고 해 보자. 갑은 이것들 중 하나를 자유의지로 선택할 수 있을까?

② 이러한 질문과 관련하여 반자유의지 논증은 갑에게 자유의지가 없다고 결론 내린다.

▶ 반자유의지 논증에서는 자유의지의 존재를 인정하지 않아.

우선 임의의 선택은 이전 사건들에 의해 선결정되거나 무작위로 일어난다.

▶ 반자유의지 논증에서 사용할 두 가지 전제가 제시되었다.

여기서 무작위로 일어난다는 것은 선결정되지 않는다는 것을 의미한다.

▶ 무작위 = 선결정되지 않음! 같은 말을 다르게 표현하여 혼동을 주려고 하겠구나.

이러한 전제하에 반자유의지 논증은 선결정 가정과 무작위 가정을 모두 고려한다. 첫 번째로 임의의 선택이 그 이전 사건들에 의해 선결정된다고 가정해 보자.

▶ 첫 번째 가정은 어떤 선택이 선결정된 경우이다.

반자유의지 논증에서는 이 경우 우리에게 자유의지가 없다고 결론 내린다. 가령 갑의 딸기 우유 선택이 심지어 갑이 태어나기도 전에 선결정된 것이라면 갑이 자유의지로 그것을 선택한 것이라고 보기 어려울 것이다.

▶ 어찌 보면 당연하다. 이미 결정된 것을 고르는 것은 인간의 자유의지에 의한 선택으로 보기는 어렵겠지.

두 번째로 임의의 선택이 무작위로 일어난 것이라 가정해 보자.

▶ 두 번째 가정은 어떤 선택이 선결정되어 있지 않은 경우이다.

반자유의지 논증에서는 이 경우에도 우리에게 자유의지가 없다고 결론 내린다. 가령 갑의 딸기 우유 선택이 단지 갑의 뇌에서 무작위로 일어난 신경 사건이라고 한다면, 그것은 자유의지의 산물이라고 보기 어려울 것이다.

▶ 어떤 사건이 무작위로 일어난 신경 사건이라면, 이는 어떤 의지가 개입되었다고 보기 어려우므로 첫 번째 가정과 마찬가지로 자유의지에 의한 선택으로는 보기 어렵다는 것이지.

③ 그러나 이 논증에 관한 다양한 비판이 가능하다.

▶ 2문단과는 반대되는 주장이 제기되겠구나.

반자유의지 논증을 비판하는 한 입장에 따르면 반자유의지 논증의 선결정 가정을 고려할 때의 결론은 받아들여야 하지만, 무작위 가정을 고려할 때의 결론은 받아들일 필요가 없다.

▶ 주의하자. 2문단에서 반자유의지 논증이 제기한 두 가지 가정-결론을 모두 부정하는 것이 아니다! 선결정 가정에 따른 결론은 인정하지만 무작위 가정에 따른 결론만을 인정하지 않는 것이다.

따라서 반자유의지 논증의 결론도 받아들일 필요가 없다고 주장한다.

▶ 반자유의지 논증이 제시한 두 가지 중 하나를 인정할 수 없으니 그들의 주장은 결국 받아들일 필요가 없다는 것이지. 그러니 '반자유의지 논증을 비판하는' 입장인 것이다.

그 이유는 아래와 같다.

▶ 이제 왜 선결정 가정에 따른 결론은 인정하지만 무작위 가정에 따른 결론을 인정하지 않는지를 설명하려나 보다.

④ 임의의 선택이 나의 자유의지의 산물이 되기 위해서는 다음 두 가지 조건을 모두 충족해야 한다.

▶ 임의의 선택이 자유의지인지, 그렇지 않은지를 구별해야 하니 먼저 이들이 생각한 '자유의지'의 조건은 무엇인지를 설명하고 있다.

첫째, 내가 그 선택의 주체여야 한다.

▶ (1) 선택의 주체 = 나!

둘째, 나의 선택은 그 이전 사건들에 의해 선결정되지 않아야 한다.

▶ (2) 임의의 선택 = 선결정 X일 것!

그런데 어떤 선택이 그 이전 사건들에 의해 선결정되어 있다면,

▶ 4문단에서는 먼저 선택이 선결정된 경우를 따져보고 있어.

이것은 자유의지를 위한 둘째 조건과 충돌한다. 따라서 반자유의지 논증의 선결정 가정을 고려할 때의 결론인 우리에게 자유의지가 없다는 점을 받아들여야 한다.

▶ 3문단에서 말했듯이 이 입장은 반자유의지 논증에서 '선결정 가정을 고려할 때의 결론'은 인정한다. 나의 선택이 선결정되어 있다면, 자유의지에 따른 선택이기 위한 두 번째 조건인 선결정 X를 만족하지 못하므로 해당 선택이 자유의지에 의한 것이라고 보기는 어렵다는 거야.

물론 이러한 자유의지와 다른 의미를 지닌 자유의지가 있을 수 있다.

▶ '이러한 자유의지'는 앞선 (1), (2)번 조건을 모두 만족하는 자유의지겠지. 자유의지도 여러 종류가 있나 보다.

만약 '내가 자유롭게 선택했다'는 말이 단지 '내가 하고자 원했던 것을 했다'는 욕구 충족적 자유의지를 의미한다면, 나의 선택이 그 이전 사건들에 의해 선결정되어 있든 그렇지 않든 그것은 내 자유의지의 산

물일 수 있다.

▶ 욕구 충족적 자유의지의 경우에는 선결정 여부와는 상관없이 자유의지에 의한 선택으로 볼 수 있는 것이구나.

그러나 이러한 자유의지는 여기서 염두에 두는 두 가지 조건을 모두 충족하는 자유의지와 다르다.

▶ 어쨌든 이 입장에서 따지는 것은 (1), (2)를 만족시키는 자유의지를 기준으로 하는 것이니 욕구 충족적 자유의지와 혼동하면 안 된다는 거야.

⑤ 다음으로, 어떤 선택이 무작위로 일어난 것이라고 하더라도

▶ 이번엔 무작위 가정에 따른 결론을 검증해 보려고 하네. 3문단에서 이 입장은 무작위 가정을 고려했을 때의 결론은 받아들일 필요가 없다고 했지?

그 선택의 주체는 나일 수 있다.

▶ 그 이유가 제시되었다. 무작위 가정이라면 일단 4문단에 제시된 조건 중 (2)는 만족하지. 무작위라는 것은 선결정되지 않았다는 것이니까. 이때 그 선택의 주체가 '나'라면? 조건 (1)까지 만족해 버리지! 결국 이 선택은 자유의지에 따른 선택이 되는 것이야. 반자유의지 논증과는 다른 결론이 도출되었어.

유물론적 인간관에 따르면 '갑이 딸기 우유를 선택했다'는 것은 '선택 시점에 갑의 뇌에서 신경 사건이 발생했다'는 것을 의미한다.

▶ 1문단에서 나왔던 유물론적 인간관의 주장이 다시 제시되었다. 이 지문이 전체적으로 유물론적 인간관에 따라 자유의지를 설명하는 구조를 가지고 있다는 것을 파악하지 못했다면 꽤 당황했을 것이다. 어쨌든, 이 관점에서는 '선택했다'는 것을 '뇌'에서 신경 사건이 발생했다는 물리적 사건으로 설명한다.

갑의 이러한 신경 사건이 이전 사건들에 의해 선결정되지 않은 것으로 가정해 보자.

▶ 5문단에서는 계속 선택이 무작위로 일어난 경우를 가정하고 있다.

이러한 가정 아래에서도 갑은 그 선택의 주체일 수 있다. 왜냐하면 이 가정은 선택 시점에 발생한 뇌의 신경 사건으로서 '갑이 딸기 우유를 선택했다'는 사실을 바꾸지 않기 때문이다.

▶ 계속 언급했듯이 선택이 무작위로 일어난 것임을 가정한다면, 갑이 딸기 우유를 선택한 것은 이전 사건의 영향을 받아 이미 결정되었던 것이 아니라, 어쨌든 갑이 그 선택의 주체라는 것을 의미하지. 딸기 우유를 고른 것은 다른 사람이 아닌 갑이니까. 이 사실은 변하지 않으니 (1)번 조건이 충족되어 버리는구나.

결국 반자유의지 논증의 무작위 가정을 고려할 때의 결론은 받아들일 필요가 없다.

▶ (1)번과 (2)번 조건이 모두 만족되었으니 이 경우의 선택은 '자유의지'에 따른 것이 되는구나. 이를 통해 반자유의지 논증 중 무작위 가정을 고려할 때의 결론을 반박할 수 있겠어.

자유의지
└ 유물론적 인간관

: 인간 → 물리적 몸(영혼X) ↔ 종교적 인간관
인간의 결정: 뇌에서 일어나는 (①)

반자유의지 논증 : 자유의지 X

If) 임의의 선택 → 그 이전 사건들에 의해 (②)됨
⇒ 자유의지 X

If) 임의의 선택 → 무작위로 일어남
⇒ 자유의지 X (뇌에서 무작위로 일어난 신경 사건)

반자유의지 논증을 비판하는 한 입장
: 선결정 가정을 고려할 때의 결론 → 받아들임
(③) 가정을 고려할 때의 결론 → 받아들일 필요 X

임의의 선택이 자유의지의 산물이기 위한 조건
(1) 그 선택의 주체 → 나
(2) 선택 → 그 이전 사건들에 의해 (②) X

If) 어떤 선택이 그 이전 사건들에 의해 선결정 O
→ 조건 (2)와 충돌
∴ 자유의지 X

(④) 자유의지 ((1)+(2) 조건 충족 자유의지와는 다름)
내가 하고자 원했던 것을 했다는 자유의지
이전 사건들에 의한 선결정 여부와 관계 X 자유의지의 산물

If) 어떤 선택이 무작위로 일어난 경우
(= 선결정되지 않은 경우, (2) 조건 만족)
→ 그 선택의 주체는 (⑤)일 수 있음
유물론적 인간관 : 선택 시점에 '나'의 뇌에서 (①)이 발생함
→ '나'가 선택했다는 사실을 바꾸지는 않음 ((1) 조건 만족)
∴ 자유의지 O ((1)+(2) 조건 충족)

형태쌤 Comment

　특정 주제에 대한 입장이 다소 추상적으로 서술되어 있어 이해하는 데 어려움을 겪을 수 있는 지문이었다. 그러나 쌤이 늘 강조했듯이 전체적인 구조를 잡고 갔다면 충분히 문제를 풀 수 있었을 것이다. 단순하게 문단별 내용만 확인한 학생들은 마지막 문단에 다시 등장한 유물론적 인간관에 따른 해석에 당황했을 수도 있겠다. 지문의 구조를 파악하고 독해하는 것의 중요성을 잘 생각하면서 문제를 풀어보도록 하자.

문제분석 01-04번

번호	정답	정답률 (%)	선지별 선택비율(%)				
			①	②	③	④	⑤
1	⑤	93	1	3	1	2	93
2	④	86	1	6	6	86	1
3	⑤	73	2	8	8	9	73
4	④	68	9	9	10	68	4

01

정답설명

⑤ 2문단에서 '반자유의지 논증은 선결정 가정과 무작위 가정을 모두 고려한다.'라고 하였고, 이때 무작위로 일어난다는 것은 선결정되지 않는다는 것을 의미한다고 하였으므로, 반자유의지 논증은 임의의 선택이 선결정되지 않을 가능성을 고려함을 알 수 있다.

오답설명

① 1문단에서 '유물론적 인간관'은 '물리적 몸 이외에 영혼은 존재하지 않는' 것으로 보았음을 알 수 있다.
② 1문단에서 '유물론적 인간관'은 인간의 선택, 즉 결정을 물리적 몸인 '뇌'에서 일어나는 신경 사건이라고 본다는 점을 확인할 수 있다.
③ 1문단에서 '종교적 인간관'은 인간에게 '물리적 실체인 몸 이외에 비물리적 실체인 영혼'이 있다고 보았음을 확인할 수 있다.
④ 1문단에서 '종교적 인간관'은 인간의 선택에서 비물리적 실체인 영혼을 '인간의 결정의 원천'으로 보았음을 확인할 수 있다.

02

정답설명

④ 4문단에서 ⓐ의 경우 나의 선택이 그 이전 사건들에 의해 선결정되어 있든 그렇지 않든 그것은 내 자유의지의 산물일 수도 있다고 하였다. 그에 반해 ⓑ는 (1) 내가 그 선택의 주체이고, (2) 나의 선택이 그 이전 사건들에 의해 선결정되지 않아야 한다는 조건을 모두 충족하는 자유의지이다. 이를 통해 판단했을 때, '어떤 선택이 선결정되어 있다'면, (2)번 조건을 충족하지 않는 것이므로 그 선택을 한 사람에게 ⓑ는 있을 수 없다는 것을 추론할 수 있다.

오답설명

① 어떤 선택을 원해서 한다는 것, 즉 '내가 하고자 원했던 것을 했다'라는 것은 ⓐ에 해당하는 자유의지이므로, 이와 같은 선택을 한 사람에게 ⓐ가 있을 수 없다고 판단할 수 없다.
② 어떤 선택을 원해서 한다는 것은 ⓐ에 해당하는 것이다. 그러나 이는 ⓑ와는 다른 자유의지로, 선결정과는 무관하다고 하였으므로 그 선택을 한 사람이 ⓑ를 충족할 수 있다. 따라서 이와 같은 선택을 한 사람에게 ⓑ가 없다고 단언할 수는 없다.
③ ⓐ에서는 나의 선택이 그 이전 사건들에 의해 선결정되어 있든 그렇지 않든 그것은 내 자유의지의 산물일 수도 있다고 하였으므로 이와 같은 선택을 한 사람에게 ⓐ가 있을 수 없다고 판단할 수는 없다.
⑤ 어떤 선택을 원해서 한 경우에는 ⓐ가 있는 것으로 간주할 수 있으며, 이는 그 선택이 선결정되어 있는가의 여부에 영향을 받지 않는다. 또한 선결정되어 있지 않다면 (2)번 조건을 만족하는 것이므로, 이것이 '나'의 주체적인 선택일 경우 ⓑ가 있을 수 있다.

03

정답설명

⑤ 반자유의지 논증을 비판하는 입장에 따르면 어떤 선택이 무작위로 일어났다고 하더라도, 그 선택의 주체는 '나'일 수 있다고 하였다. 유물론적 인간관에 따르면 어떤 선택은 선택을 한 시점에 선택을 한 주체(나)의 뇌에서 신경 사건이 발생했다는 것을 의미한다. 만약 이 사건을 선결정되지 않은 것, 즉 무작위로 일어난 것으로 가정한다고 하더라도, 내가 그 선택을 했다는 사실 자체가 바뀌지는 않는다. 이에 따라 어떤 선택이 '그 이전 사건들에 의해 선결정되지 않아야 한다'라는 조건을 만족하며, '내가 그 선택의 주체여야 한다'라는 조건 또한 충족할 수 있음을 알 수 있다.

오답설명

① 비물리적 실체인 영혼이 존재하지 않는다는 것은 유물론적 인간관에 따른 주장이나, 이것을 ⓛ의 근거로 보기는 어렵다.
②, ③, ④ ⓛ은 '무작위 가정을 고려할 때'를 전제로 하고 있으므로 적절하지 않다.

04

형태쌤의 과외시간

비문학의 〈보기〉 문제에는 2가지 유형이 있다.

하나는 **지문을 통해 〈보기〉를 바라보는 유형**으로, 지문의 정보와 〈보기〉의 정보를 1:1로 대응시키는 것이 우선이다. 비문학 〈보기〉 문제의 대부분을 차지한다.

또 하나는 **〈보기〉를 통해 지문을 바라보는 유형**으로, 보통 〈보기〉의 정보를 통해 지문의 정보를 반박하거나 비판하는 유형으로 제시가 된다. 문학과 비슷한 유형이라고 보면 된다.

이 지문은 지문을 통해 〈보기〉를 바라보는 첫 번째 유형에 해당한다. H는 ⓗ에 입각하여 탐구 활동을 진행하였으므로, 반자유의지 논증의 선결정 가정을 고려할 때의 결론은 인정하나, 무작위 가정을 고려할 때의 결론은 인정하지 않는다는 점을 분명히 알아 두고 가자.

정답설명

④ H는 인간이 어떤 결정을 내릴 때, 그가 어떤 선택을 할지 알게 해 주는 다른 신경 사건이 매번 발생한다고 가정하였는데, 이는 이전 사건들에 의해 임의의 선택이 선결정된다는 것을 의미한다. 만약 H의 가설이 실

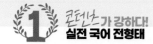

험 결과에 의해 입증되지 않는다면, 이는 마지막 문단에서 다루는 '어떤 선택이 무작위로 일어난 것(=선결정되지 않은 것)'에 해당한다. 그러나 마지막 문단에서 이러한 경우에도 '결국 반자유의지 논증의 무작위 가정을 고려할 때의 결론은 받아들일 필요가 없다.'라고 하였으므로, ④번 선지가 적절함을 알 수 있다.

오답설명
① H의 가설이 입증되었다는 것은 선결정 가정을 고려했을 때의 결론이 입증된 것과 같으므로 적절하지 않다.
② H의 가설이 입증되었다는 것은 선결정 가정을 고려했을 때의 결론이 입증된 것과 같다. ㉠에 의하면 무작위 가정을 고려할 때의 결론은 받아들일 필요가 없다고 하였으므로 적절하지 않다.
③ H의 가설이 입증되지 않는다면, 이는 임의의 선택이 이전 사건들에 의해 선결정되는 것이 아닌 것이므로, 선결정 가정이 참일 수밖에 없다는 선지는 적절하지 않다.
⑤ H는 ㉠에 입각하여 탐구 활동을 진행하였는데, ㉠과 같은 입장에서는 결국 '반자유의지 논증의 결론도 받아들일 필요가 없다'고 주장한다하였으므로 적절하지 않다.

구조도 정답

① 신경 사건
② 선결정
③ 무작위
④ 욕구 충족적
⑤ 나

헤겔의 변증법

지문해설

(가)

① 정립-반정립-종합. 변증법의 논리적 구조를 일컫는 말이다. 변증법에 따라 철학적 논증을 수행한 인물로는 단연 헤겔이 거명된다. 변증법은 대등한 위상을 지니는 세 범주의 병렬이 아니라, 대립적인 두 범주가 조화로운 통일을 이루어 가는 수렴적 상향성을 구조적 특징으로 한다.

▶ 글의 첫머리부터 필자의 관심사가 대놓고 제시되었다. 필자는 '정립-반정립-종합'이라는 변증법의 논리적 구조에 관심이 있구나. 우리에겐 다소 낯선 개념이다. 예를 들어 살펴보도록 할까?

▶ 신분 제도가 존재했던 조선 시대에 노비는 과거 시험을 볼 수 없었지. 이것을 '정립'이라고 하자. 그런데, 어느 날 어떤 사람이 "노비라도 과거 시험을 볼 수 있도록 해야 하지 않느냐."라는 대립하는 의견을 제기한다. 이것이 '반정립'에 해당하는 것이다. 이후 두 대립적인 의견을 종합하여 '노비라도 능력이 있다면 특정 분야의 과거 시험 응시는 가능하다.'라는 법이 만들어진다면, 이것이 '종합'이 되는 것이다. 대립적인 두 범주가 조화로운 통일을 이루어 좀 더 나은 방향이 제시되었지? 이를 '수렴적 상향성'이라고 한다는구나.

헤겔에게서 변증법은 논증의 방식임을 넘어, 논증 대상 자체의 존재 방식이기도 하다. 즉 세계의 근원적 질서인 '이념'의 내적 구조도, 이념이 시·공간적 현실로서 드러나는 방식도 변증법적이기에, 이념과 현실은 하나의 체계를 이루며, 이 두 차원의 원리를 밝히는 철학적 논증도 변증법적 체계성을 지녀야 한다.

▶ 또 헤겔에게 변증법은 '논증의 방식 + 논증 대상 자체의 존재 방식'이야. 헤겔은 세계의 근원적 질서인 '이념'의 내적 구조와 이념이 드러나는 방식은 모두 변증법적이니, 두 차원의 원리를 밝히는 철학적 논증 또한 변증법적 체계성을 지니고 있어야 한다고 본 것이지. '논증 대상 자체'가 변증법으로 존재한다는 얘기가 나왔는데, 일단 이해가 안 되는 것은 당연하다. 첫머리에서 얘기한 '정립-반정립-종합'을 통해 이 내용을 이후에 풀어줄 것이니, 뒤에서 읽고 이해하면 된다.

② 헤겔은 미학도 철저히 변증법적으로 구성된 체계 안에서 다루고자 한다. 그에게서 미학의 대상인 예술은 종교, 철학과 마찬가지로 '절대정신'의 한 형태이다. 절대정신은 절대적 진리인 '이념'을 인식하는 인간 정신의 영역을 가리킨다. 예술·종교·철학은 절대적 진리를 동일한 내용으로 하며, 다만 인식 형식의 차이에 따라 구분된다. 절대정신의 세 형태에 각각 대응하는 형식은 직관·표상·사유이다. '직관'은 주어진 물질적 대상을 감각적으로 지각하는 지성이고, '표상'은 물질적 대상의 유무와 무관하게 내면에서 심상을 떠올리는 지성이며, '사유'는 대상을 개념을 통해 파악하는 순수한 논리적 지성이다. 이에 세 형태는 각각 '직관하는 절대정신', '표상하는 절대정신', '사유하는 절대정신'으로 규정된다. 헤겔에 따르면 직관의 외면성과 표상의 내면성은 사유에서 종합되고, 이에 맞춰 예술의 객관성과 종교의 주관성은 철학에서 종합된다.

▶ 1문단에서 변증법의 기본적인 구조를 살펴보았다면, 이를 바탕으로 헤겔이 '미학'을 어떻게 다루었는지를 이어서 살펴보자. 헤겔에게 미학의 대상인 예술은 종교, 철학과 함께 절대적 진리(이념)를 인식하는 인간 정신의 영역인 '절대정신'의 한 형태이다. 여기에 대응하는 형식은 '직관·표상·사유'이지. [예술-종교-철학] / [직관·표상·사유] 짝을 잘 맞춰두도록 하자! 다음의 표는

이와 같은 대응 내용을 정리한 것이다. 시험장에서는 이렇게 깔끔한 표를 그릴 필요는 없지만, 간단한 메모를 통해 정리하면 문제를 풀 때 이용하기 좋겠지.

절대정신의 형태		인식 형식		
예술	객관성	직관	물질적 대상 감각적으로 지각	외면성
종교	주관성	표상	심상을 떠올림. 물질적 대상 유무 무관	내면성
철학	(객관성+주관성) 종합	사유	대상을 개념을 통해 파악	(외면성+내면성) 종합

③ 형식 간의 차이로 인해 내용의 인식 수준에는 중대한 차이가 발생한다. 헤겔에게서 절대정신의 내용인 절대적 진리는 본질적으로 논리적이고 이성적인 것이다. 이러한 내용을 예술은 직관하고 종교는 표상하며 철학은 사유하기에, 이 세 형태 간에는 단계적 등급이 매겨진다. 즉 예술은 초보 단계의, 종교는 성장 단계의, 철학은 완숙 단계의 절대정신이다. 이에 따라 예술-종교-철학 순의 진행에서 명실상부한 절대정신은 최고의 지성에 의거하는 것, 즉 철학뿐이며, 예술이 절대정신으로 기능할 수 있는 것은 인류의 보편적 지성이 미발달된 머나먼 과거로 한정된다.

▶ 형식 간의 차이는 인식 수준의 차이를 발생시키고, 세 형태 간의 단계적 등급을 만든다. 예술 → 종교 → 철학 순으로 가며 점차 완숙 단계의 절대정신이 된다는 것이지. 즉, 헤겔은 철학을 가장 높은 단계로 인식하고 있는 것이구나.

(나)

① 변증법의 매력은 '종합'에 있다. 종합의 범주는 두 대립적 범주 중 하나의 일방적 승리로 끝나도 안 되고, 두 범주의 고유한 본질적 규정이 소멸되는 중화 상태로 나타나도 안 된다. 종합은 양자의 본질적 규정이 유기적 조화를 이루어 질적으로 고양된 최상의 범주가 생성됨으로써 성립하는 것이다.

▶ (나)에서 주목하는 것은 변증법의 '종합' 단계이다. 바람직한 종합 단계가 되기 위한 조건은 다음과 같다.
(1) 두 대립적 범주 중 하나의 일방적 승리 X
(2) 두 범주의 중화 X
(3) 두 범주가 유기적 조화 → 질적으로 고양된 최상의 범주 생성

▶ 앞서 봤던 예에 적용해 볼까? '노비라도 능력이 있다면 특정 분야의 과거 시험 응시는 가능하다.'라는 것은, 반정립의 주장을 무시한 것도 아니고 신분 제도가 사라진 것도 아니니 (1)과 (2)의 조건이 만족된다. 또 두 범주가 조화를 이루어 노비에게도 기회가 생기는 더 나은 상황이 나타났으니 (3)도 만족하지.

② 헤겔이 강조한 변증법의 탁월성도 바로 이것이다. 그러기에 변증법의 원칙에 최적화된 엄밀하고도 정합적인 학문 체계를 조탁하는 것이 바로 그의 철학적 기획이 아니었던가. 그런데 그가 내놓은 성과물들은 과연 그 기획을 어떤 흠결도 없이 완수한 것으로 평가될 수 있을까? 미학에 관한 한 '그렇다'는 답변은 쉽지 않을 것이다.

▶ (나)의 필자도 이와 같은 변증법의 우수성은 인정하고 있어. 그러나 '예술-종교-철학'과 같이 단계를 나누어 미학의 대상들을 변증법적으로 설명한 헤겔의 주장에 대해서는 비판점이 존재하나 보다.

지성의 형식을 직관-표상-사유 순으로 구성하고 이에 맞춰 절대정신

을 예술-종교-철학 순으로 편성한 전략은 외관상으로는 변증법 모델에 따른 전형적 구성으로 보인다. 그러나 실질적 내용을 보면 직관으로부터 사유에 이르는 과정에서는 외면성이 점차 지워지고 내면성이 점증적으로 강화·완성되고 있음이, 예술로부터 철학에 이르는 과정에서는 객관성이 점차 지워지고 주관성이 점증적으로 강화·완성되고 있음이 확연히 드러날 뿐, 진정한 변증법적 종합은 이루어지지 않는다. 직관의 외면성 및 예술의 객관성의 본질은 무엇보다도 감각적 지각성인데, 이러한 핵심 요소가 그가 말하는 종합의 단계에서는 완전히 소거되고 만다.

▶ 실질적 내용 측면에서, 외면성을 가진 직관은 사유에 이르면서 점차 외면성이 지워지고 내면성이 강화된대. 마찬가지로 예술 → 철학에서는 객관성이 지워지고 주관성이 강화된다는군. 아까 예술은 직관의 형식과 대응하고, 직관은 물질적 대상을 감각적으로 지각한다고 했지? 그러니 예술은 본래 외면성과 객관성을 가졌고, 이것을 감각적 지각성이라고 표현한 거야. 그런데 (나)에 따르면 종합 단계에서 이러한 속성이 '완전히 소거'되어 버린다는데? 1문단에서 이야기했던 조건과 맞지 않는구나! 그래서 헤겔의 미학 변증법을 비판한 건가 봐. 문제 상황이 제시되었으니 이어질 문단에서는 그 해결 방안을 소개하겠지.

③ 변증법에 충실하려면 헤겔은 철학에서 성취된 완전한 주관성이 재객관화되는 단계의 절대정신을 추가했어야 할 것이다. 예술은 '철학 이후'의 자리를 차지할 수 있는 유력한 후보이다. 실제로 많은 예술 작품은 '사유'를 매개로 해서만 설명되지 않는가. 게다가 이는 누구보다도 풍부한 예술적 체험을 한 헤겔 스스로가 잘 알고 있지 않은가. 이 때문에 방법과 철학 체계 간의 이러한 불일치는 더욱 아쉬움을 준다.

▶ 그러면 이상적인 변증법이 되려면 어떻게 해야 할까? (나)의 필자는 '철학 이후'의 자리라는 추가 단계의 절대정신이 필요하다고 한다. 그리고 그 자리를 차지할 수 있는 유력 후보는 바로 '예술'이래. 철학에서 객관성의 본질인 감각적 지각성이 소거되고 주관성만 드러나게 되었으니, 그 본질을 다시 찾기 위해서는 이를 '재객관화'하여 객관성을 추가해야겠지. 이것을 바로 '완전한 주관성이 재객관화되는 단계의 절대정신'으로 볼 수 있겠다. 이에 대해 필자는 실제로 많은 예술 작품은 '사유'를 매개로 해서만 설명된다는 점을 근거로 들고 있지.

▶ 이 지문의 <보기>를 예로 살펴보자. '괴테와 실러'의 작품은 '인생의 완숙기'에 '최고의 지성적 통찰', 즉 철학 단계에 이르러서야 진정한 예술성을 가질 수 있었다고 하지? 예술은 분명 철학보다 낮은 단계였는데 말이야. 이를 통해 (나)의 필자가 문제 상황에 대한 해결 방안으로 "철학 이후'의 자리를 차지"할 '예술'을 제시하고 있음을 알 수 있겠다.

지문분석

(가) 헤겔의 변증법

변증법

변증법의 논리적 구조 : 정립-반정립-종합
(①) : 대립적인 두 범주 → 조화로운 통일

논증의 방식 + 논증 대상 자체의 존재 방식
이념의 내적 구조, 이념이 시·공간적 현실로서 드러나는 방식
→ 변증법적 이념과 현실 두 차원의 원리 밝히는 (②)
→ 변증법적 체계성 필요

절대정신의 형태 (예술·종교·철학)

절대정신 :
절대적 진리인 이념 인식하는 인간 정신의 영역 (예술·종교·철학)
예술·종교·철학 → 동일한 내용(절대적 진리) / (③)의 차이에 따라 구분

인식 형식 (직관·표상·사유)

직관 → 예술에 대응
 - 물질적 대상을 감각적으로 지각하는 지성

표상 → 종교에 대응
 - 물질적 대상 유무와 무관, 내면에서 심상을 떠올리는 지성

사유 → 철학에 대응
 - 대상을 개념을 통해 파악하는 순수한 논리적 지성

직관의 외면성-표상의 (④) → 사유에서 종합
예술의 (⑤)-종교의 주관성 → 철학에서 종합

(⑥) 간의 차이 → 내용 인식 수준의 차이 유발

단계적 등급 : 예술 < 종교 < 철학(명실상부한 절대정신)

(나) 헤겔의 미학 변증법 비판

변증법의 종합

 - 두 대립적 범주 중 하나의 일방적 승리 X
 - 두 범주의 (①) X
 - 두 범주의 본질적 규정이 유기적 조화, 질↑ 최상의 범주 생성

비판점

 - 외관상 : 변증법 모델에 따른 전형적 구성 O

 - 실질적 내용
   직관 → 사유 : (②) 지워짐, 내면성 점증적 강화·완성
   예술 → 철학 : 객관성 지워짐, (③) 점증적 강화·완성
   ⇒ 변증법적 종합 X
   직관의 외면성, 예술의 객관성의 본질인 (④)이 종합 단계에서 완전히 소거됨

 - 철학에서 성취된 완전한 주관성이 재객관화되는 단계의 절대정신 추가 필요
 - 철학 이후의 자리 → 예술
 ∵ 실제로 많은 예술 작품이 (⑤)를 매개로 해서만 설명 가능

형태쌤 Comment

학생들에게 다소 어려울 수 있는 개념인 '변증법적 논리적 구조'에 관한 지문들이다. (가)에서는 미학에 대한 헤겔의 변증법적 이론을 소개하고 (나)에서는 그에 대한 비판을 제시하고 있다. 제시된 정보를 단편적으로만 정리하지 않고, 두 입장의 공통점과 차이점, 비판 지점을 정확하게 이해하고 있어야 이어지는 문제를 수월하게 풀 수 있었을 것이다. 공통된 소재를 다룬 두 글에 제시된 공통점과 차이점 찾기는 쌤이 늘 강조했던 출제 포인트이지.

문제분석   01-06번

번호	정답	정답률 (%)	선지별 선택비율(%)				
			①	②	③	④	⑤
1	①	59	59	9	25	5	2
2	③	64	14	12	64	5	5
3	④	78	3	6	6	78	7
4	③	62	10	10	62	12	6
5	②	35	14	35	8	32	11
6	③	78	5	2	78	3	12

01

정답설명

① (가)는 변증법적 체계를 바탕으로 '예술-종교-철학'의 단계적 등급을 매긴 헤겔의 이론을 제시하고 있다. (나)는 변증법적 체계를 바탕으로 헤겔의 미학 이론을 비판하며, 예술을 '철학 이후'의 자리를 차지할 수 있는 유력한 후보로 제시하고 있다.

오답설명

② (가)에서는 헤겔의 변증법을 바탕으로 한 미학 이론만을 제시하고 있으며 철학적 방법에 대한 상반된 평가가 나타나 있지 않다. (나)에서는 헤겔의 미학 이론에 대한 비판을 제시하고 단계를 추가해야 한다고 하였으나, 특정한 철학적 방법에 대한 상반된 평가가 나타나지 않았다.

③ (가)와 (나) 모두 특정한 철학적 방법의 시대적 한계를 지적하고, 그와 맞서는 혁신적 방법을 제안하고 있지 않다. (나)에 제시된 것은 '헤겔'의 주장이 가진 한계점이다. 이것을 '철학적 방법의 시대적 한계'로 보기는 어렵지. 생소한 개념에 당황했던 학생들이 이 선지에 많이 낚였다. 대충 보고 넘겨서는 안 되는 선지인 것이지.

④ (가)와 (나) 모두 특정한 철학적 방법에서 파생된 미학 이론을 바탕으로 예술 장르의 범주를 나누어 이를 유형화하는 부분은 제시되어 있지 않다.

⑤ (가)와 (나) 모두 특정한 철학적 방법의 통시적인 변화 과정이 드러나 있지 않으며, 이를 적용하여 철학사를 단계적으로 설명한 부분 또한 찾을 수 없다.

02

정답설명

③ (가)에서 헤겔이 제시한 절대정신의 세 가지 형태는 예술, 종교, 철학에 해당하며, 지성의 세 가지 형식은 직관, 표상, 사유에 해당한다. 3문단에서 헤겔은 '절대정신의 내용인 절대적 진리'를 '예술은 직관하고 종교는 표상하며 철학은 사유'한다고 하였으므로, 지성의 세 가지 형식이 인식하는 대상이 절대정신의 세 가지 형태라고 보기는 어렵다.

오답설명

① 2문단에서 '예술·종교·철학은 절대적 진리를 동일한 내용으로 하며, 다만 인식 형식의 차이에 따라 구분된다.'라고 하였으므로 적절하다.

② 1문단에서 "세계의 근원적 질서인 '이념'의 내적 구조도, 이념이 시·공간적 현실로서 드러나는 방식도 변증법적이기에, 이념과 현실은 하나의 체계를 이루며, 이 두 차원의 원리를 밝히는 철학적 논증도 변증법적 체계성을 지녀야 한다."라고 하였으므로 적절하다.

④ 1문단에서 '헤겔에게서 변증법은 논증의 방식임을 넘어, 논증 대상 자체의 존재 방식이기도 하다.'라고 하였으므로 적절하다.

⑤ 3문단의 '헤겔에게서 절대정신의 내용인 절대적 진리는 본질적으로 논리적이고 이성적인 것이다.'에서 확인할 수 있다.

03

정답설명

④ '예술의 새로운 개념을 설정하는 것'을 기존의 개념을 바탕으로 새로운 개념을 설정하는 것으로 이해한다면 '사유'의 개념을 적용한 것으로 허용할 수 있다. 그러나, '새로운 개념'을 바탕으로 새로운 감각을 일깨우는 작품의 창작을 기획하는 것은 물질적 대상을 감각적으로 지각하는 지성인 '직관'을 적용한 것으로 보기 어렵다.

오답설명

① '먼 타향에서 밤하늘의 별들을 바라보는 것'은 물질적 대상인 '별'을 시각적으로 지각한 것이므로 '직관'을 적용한 것으로 볼 수 있다. 또한 '같은 곳에서 고향의 하늘을 상기하는 것'은 내면에서 심상을 떠올리는 '표상'을 적용한 것으로 볼 수 있다.

② '타임머신을 타고 미래로 가는 자신의 모습을 상상하는 것'과 '판타지 영화의 장면을 떠올려 보는 것'은 모두 물질적 대상의 유무와는 무관하게 내면에서 심상을 떠올리는 것이므로 '표상'을 통해 이루어지는 것이다.

③ '초현실적 세계가 묘사된 그림'이라는 물질적 대상을 시각적으로 보는 것은 '직관'에 해당하며, 상상력 '개념'에 의거한 이론에 따라 대상을 분석하는 것은 '사유'를 통해 이루어진다.

⑤ '도덕적 배려의 대상'을 특정 '개념'에 따라 규정하여 이해하는 것은 '사유'를 통해 이루어진다. 또한 '이에 맞서 감수성 소유 여부를 새로운 기준으로 제시하는 것'은 다른 개념을 바탕으로 대상을 이해하는 것이므로 '사유'를 통해 이루어질 것으로 추론할 수 있다.

04

정답설명

③ (나)의 글쓴이의 관점에 따르면 ㉠의 '종합'은 두 대립적 범주의 본질적 규정이 유기적 조화를 이루어 질적으로 고양된 최상의 범주가 생성됨으로써 성립하는 것이다. 그런데, 이때 '질적으로 고양된 최상의 범주'가 형성되는 과정에서 첫 번째 범주의 특성 자체가 갈수록 강해진다고 볼 것인지는 지문을 통해 확인할 수 없다. 또한 (나)의 글쓴이는 2문단에서 헤겔의 미학 이론에서 '예술'의 객관성의 본질인 '감각적 지각성'이 그가 말하는 종합의 단계에서는 '완전히 소거'되어 버린다고 하였으므로 해당 선지는 적절하지 않다.

오답설명

① (나)의 1문단에서 세 번째 범주인 '종합'을 제외한 두 범주를 '두 대립적 범주'라고 표현하였다. 또, (나)의 글쓴이는 이와 같은 관점에 따라 '예술-종교'의 관계를 파악할 것이므로 적절하다.

② (나)의 1문단에서 '종합'은 두 범주의 본질적 규정이 유기적 조화를 이루어 '질적으로 고양된 최상의 범주'가 생성됨으로써 성립하는 것이라고 하였다. 따라서 ㉠에 대한 분석은 적절하다. 또한 ㉡에 대하여, 2문단에서 예술로부터 철학에 이르는 과정에서 두 번째 범주의 성질인 '주관성이 점증적으로 강화·완성되고 있음이 확연히 드러'난다고 하였으므로 해당 분석 역시 적절하다.

④, ⑤ (나)의 글쓴이는 헤겔이 주장한 ㉠의 탁월성은 인정하였으나, 미학의 측면에서는 어떤 흠결도 없는 것으로 보기는 어렵다고 보았다. 따라서 ㉠에서는 세 번째 범주인 '종합'에서 첫 번째와 두 번째 범주의 조화로운 통일이 이루어질 것으로 볼 것이며, 범주 간 이행에서 두 범주가 조화로운 통일을 이루어 가는 '수렴적 상향성' 또한 나타난다고 볼 것이다. 그러나 ㉡의 경우, (나)의 글쓴이는 직관의 외면성 및 예술의 객관성의 본질인 '감각적 지각성'이 '종합' 단계에서 완전히 소거되어 버리는 문제점을 지적하고 있으므로 ㉡에서는 두 범주의 조화로운 통일이 이루어지거나 수렴적 상향성이 드러난다고 보지 않을 것이다.

05

정답설명

② 〈보기〉의 헤겔은 괴테와 실러가 인생의 완숙기에 이르러서야 최고의 지성적 통찰을 진정한 예술미로 승화시킬 수 있었다고 하였다. 이는 그들이 '철학-사유' 단계에 도달함에 따라 미적으로 세련된 작품을 창작했다고 본 것이다. 그러나 이는 (나)의 2문단에 따르면 괴테와 실러가 '외면성이 점차 지워지고 내면성이 점증적으로 강화·완성'된 단계에 도달한 후 이를 바탕으로 '예술' 단계에 진입했음을 나타내는 것으로 볼 수 있다. 헤겔은 분명 이론에서는 '예술'이 외면성을 지니는 직관과 대응한다고 하였는데, 현실에서는 그와 다른 주장을 했구나. 이는 (나)의 글쓴이가 3문단에서 '실제로 많은 예술 작품은~헤겔 스스로가 잘 알고 있지 않은가.'라며 아쉬움을 표했던 지점이다. (나)의 글쓴이는 이와 같은 문제를 해결하기 위해 '철학에서 성취된 완전한 주관성이 재객관화되는 단계의 절대정신'이 추가되어야 하며 "'철학 이후'의 자리"를 차지할 수 있는 유력한 후보로 예술을 제시하고 있다. 따라서 (나)의 글쓴이는 헤겔의 발언에 대하여 이론에서는 외면성에 대응하는 예술이 현실에서는 내면성을 바탕으로 하는 절대정신일 수 있다는 말이 될 것이라고 반응할 것이다.

오답설명

① '중화'는 두 범주의 고유한 본질적 규정이 소멸되는 상태를 의미한다. 그런데 〈보기〉에 제시된 헤겔의 발언에서 대립적 범주들이 종합을 이룰 때, 각 범주들이 중화되는 부분은 찾을 수 없다.

③ 헤겔은 '정립-반정립-종합'이라는 변증법적 논리적 구조를 '예술-종교-철학'으로 대응시켰으므로, 이론에서 '예술'이 반정립 단계에 위치한다고 보기는 어렵다.

④ 헤겔의 이론에서 '예술'이 객관성을 본질로 하는 것은 맞다. 그러나 〈보기〉에 제시된 헤겔의 발언은 (나)에 따르면 '철학에서 성취된 완전한 주관성이 재객관화되는 단계'에 해당하는 것이므로 (나)의 글쓴이는 〈보기〉의 헤겔의 발언이 '객관성이 사라진 주관성을 지닌다'는 내용이 된다고 보지는 않았을 것이다.

⑤ 헤겔의 이론에서는 '명실상부한 절대정신'은 최고의 지성에 의거하는 '철학'뿐이고, '예술'은 초보 단계의 절대정신이라고 하면서 예술이 절대정신으로 기능할 수 있는 것은 머나먼 과거로 한정된다고 하였다. 선지에서 '절대정신으로 규정되는 예술'이라고 하였으나 이는 초보 단계인지 명실상부한 절대정신인지 수식어를 언급하고 있지 않으므로 허용할 여지가 있다. 또한 예술이 현실에서 진리의 인식을 수행할 수 없다고 진술한 것도 헤겔의 견해에 따르면 허용할 수 있다. 그러나 이 문제는 〈보기〉의 헤겔의 발언에 따른 (나)의 글쓴이가 할 대답으로 옳은 것을 고르는 문제이다. 〈보기〉에서 헤겔의 발언은 예술이 외면성을 지닌 것으로 보았던 (가)에서의 주장과 반대되지만, 예술의 절대정신 여부와는 관련이 없는 이야기이다. 또한 괴테와 실러의 예술이 현실에 있기 때문에 진리의 인식을 수행할 수 없다고 말한 것도 아니므로 적절하지 않다.

06

정답설명

③ ⓒ의 '끝나도'는 '종합'이 이루어질 때 두 대립적 범주 중 하나의 일방적인 승리로 결과가 마무리되면 안 된다는 맥락에서 쓰인 것이므로, '어떤 결말이나 결과에 이르게 되다.'라는 의미인 '귀결(歸結)되어도'로 바꾸어 쓸 수 있다.

오답설명

① ⓐ의 '지녀야'는 '바탕으로 갖추고 있다.'라는 의미로 쓰인 것이므로, '물건을 지니고 있다.'라는 의미의 '소지(所持)하여야'로 바꾸어 쓸 수 없다.

② ⓑ의 '가리킨다'는 '어떤 대상을 특별히 집어서 두드러지게 나타낸다.'라는 의미로 쓰인 것이므로, '요점이나 요령을 얻다, 어떤 기회나 정세를 알아차리다.'라는 의미의 '포착(捕捉)한다'로 바꾸어 쓸 수 없다.

④ ⓓ의 '보면'은 '대상의 내용이나 상태를 알기 위하여 살피다.'라는 의미로 쓰인 것이므로, '상태, 모양, 성질 따위가 그와 같다고 보거나 그렇다고 여기다.'라는 의미의 '간주(看做)하면'으로 바꾸어 쓸 수 없다.

⑤ ⓔ의 '이루어지지'는 '어떤 대상에 의하여 일정한 상태나 결과가 생기거

나 만들어지다.'라는 의미로 쓰인 것이므로, '조직이나 단체 따위가 짜여 만들어지다.'라는 의미의 '결성(結成)되지'로 바꾸어 쓸 수 없다.

memo

구조도 정답

(가)

① 수렴적 상향성   ② 철학적 논증   ③ 인식 형식
④ 내면성   ⑤ 객관성   ⑥ 형식

(나)

① 중화   ② 외면성   ③ 주관성
④ 감각적 지각성   ⑤ 사유

지문분석

(가) 육가의 사상

↳ **사회적 배경**

진나라 이사 : 역사 지식과 학문 폄하 → 『순자』와 같은 통합 학문 ↓

한 초기 사상가들의 과제

진의 멸망 원인 분석

안정적 통치 방안 제시, 힘의 지배 숭상하던 지배 세력의 태도 극복

↳ **육가**

(①) 저술 : 한 고조의 치국 계책 요구에 부응

진의 단명 원인 지적 : 가혹한 형벌 남용, 법률에만 의거한 통치, 군주의 교만과 사치, 현명하지 못한 인재 등용

진의 (②)가 낳은 폐해 거론
→ 지식과 학문이 중요함을 설득하고자 함

지식의 핵심 : 현실 정치에 도움을 주는 (③)

통물 : 역사 관통하는 자연의 이치에 따라 천문·지리·인사 등 천하의 모든 일 포괄

(④) : 역사 변화 과정에 대한 통찰, 상황에 맞는 조치 취하고 기존 규정 고수 X

인의 : 통물과 (④)이 정치 세계에 드러나는 것

인의의 실현

유교 이념과 현실 정치 결합 시도

예, 질서, 교화의 정치 강조하는 유교 중심으로 도가의 (⑤)와 (⑥)의 권세 수용

(⑤) : 형벌 ↓, 군주 수양 강조 → 평온한 통치 결과

권세 : 현명한 신하 임용 → 정치권력 안정 도모

평가

과도한 융통성 → 사상적 정체성이 문제가 됨

통합의 사상 : 군주의 정치 행위에 따라 천명이 결정됨을 지적, 인의의 실현 강조

한 무제 이후 유교의 독존에 기여

(나) 조선 초기 고려 역사서 편찬

↳ **목적**

고려 멸망의 (①)과 조선 건국의 정당성 표출

↳ **태조대** : 편찬자의 주관 개입에 대한 비판 有

↳ **태종대** : 고려의 용어 사용에 대한 논란

↳ **세종**

(②) : 학문의 근본
역사서 : 학문을 현실에서 구현

(③) 편찬 지시

원까지의 중국 역사와 고려까지의 우리 역사 정리

『자치통감강목』에 따라 역대 국가를 (④)과 비(④)으로 구분

편찬 형식 : (⑤)체 따르지 않음

올바른 정치 여부에 따라 천명이 옮겨 간다는 내용
→ 전쟁, 외교 문제, 국가 말 혼란과 새 국가 초기 혼란 수습 부각

「국조」 : 새 국가의 토대 마련 의도 집중 반영

유교적 시각에 의거한 고려 정치 해석

(⑥)의 폐단 등 문제점 → 유교 사회로의 변화 주장

『용비어천가』 편찬 지시

역사적 사실을 배경으로 조선 왕조 우수성 부각

↳ **문종대** : 『고려사』 편찬 완성

형태쌤 Comment

지문 자체는 평이하였으나 내용 일치 측면에서 헷갈리는 문제가 많았던 지문이었다. 지문의 구조를 전체적으로 파악하고, (가)와 (나)를 관통하는 '유교적 역사서'와 그 목적을 이해한 뒤 차이점을 중심으로 읽어 가며 문제에 접근했다면, 어렵지 않게 풀이할 수 있었을 것이다.

문제분석 01-06번

번호	정답	정답률(%)	선지별 선택비율(%)				
			①	②	③	④	⑤
1	①	88	88	2	5	4	1
2	③	62	2	24	62	7	5
3	④	65	4	7	7	65	17
4	①	35	35	3	4	55	3
5	②	53	3	53	12	14	18
6	③	54	23	4	54	18	1

01

정답설명

① (가)는 한 초기 사상가인 육가가 저술한 책 『신어』를, (나)는 조선에서 쓰인 고려 관련 역사서 『치평요람』 등을 설명하고 있다. (가)에 따르면 『신어』는 육가가 한 고조의 치국 계책 요구에 부응하여 낸 책으로 지식과 학문이 중요하다는 그의 사상이 반영되었으며, (나)에 따르면 『치평요람』은 조선 초기 조선 건국의 정당성을 드러내고 국가의 토대를 마련하려는 의도가 반영되었음을 알 수 있다. 따라서 이를 통해 당시 시대 상황과 사상이 각각의 책에 반영된 양상을 비교할 수 있으므로 적절하다.

오답설명

② (가)에서 언급한 『신어』는 육가가 한 고조의 치국 계책 요구에 부응하여 낸 책이라고 하였으므로, 피지배 계층을 대상으로 한 책이라고 볼 수 없다.

③ (나)의 『고려사』와 『치평요람』 등은 서로 다른 시대에 쓰여진 책이 맞으나, (가)는 한 초기 사상가인 육가에 의해 쓰여진 『신어』와, 전국 시대의 『순자』를 언급하였으므로 동일한 시대가 아닌 서로 다른 시대에 쓰인 책들을 설명하였음을 알 수 있다.

④ (가)와 (나)에서 설명한 책은 모두 학문적이면서도 실용적 성격의 책이라고 할 수 있다. (가)에서 『신어』를 저술한 육가는 한 고조에게 '지식과 학문이 중요함'을 설득하고자 하였으며, 육가에게 '지식의 핵심은 현실 정치에 도움을 주는 역사 지식이었다'고 하였으므로, 『신어』는 학문적 성격을 지녔으면서도 현실 정치에 도움을 주는 실용적 책이기도 함을 알 수 있다. (나)에서도 세종은 역사서를 '학문을 현실에서 구현하는 것으로 파악'하였으므로, 세종의 지시로 편찬한 역사서들은 학문적이면서 실용적 성격을 갖추었을 것임을 알 수 있다.

⑤ (가)의 『신어』는 한 고조의 치국 계책 요구에 부응해 육가 개인이 저술한 것이고, (나)의 『치평요람』, 『고려사』, 『용비어천가』 또한 왕이 편찬을 지시한 책이므로, 모두 국가 주도로 편찬된 책에 해당한다.

02

정답설명

③ (나)의 3문단에서 『치평요람』은 '정리 과정에서 주자학적 역사관이 담긴 『자치통감강목』에 따라 역대 국가를 정통과 비정통으로 구분했지만, 편찬 형식 측면에서는 강목체를 따르지 않았'다고 하였으므로, 역대 국가를 정통과 비정통으로 구분하여 정리한 것은 『자치통감강목』의 '편찬 형식'에 따른 것이 아님을 알 수 있다.

오답설명

① (가)의 1문단에서 '이사에게 역사 지식은 전통만 따지는 허언이었고, 학문은 법과 제도에 대해 논란을 일으키는 원인에 불과했다.'라고 하였으므로 적절하다.

② (가)의 1문단에서 '전국 시대의 『순자』처럼 다른 사상을 비판적으로 흡수하여 통합 학문의 틀을 보여 준 분위기'라고 하였으므로 적절하다.

④ (나)의 4문단에서 「국조(國朝)」 부분의 편찬자들이 '유교적 시각에서 고려 정치를 바라보며 불교 사상의 폐단을 비롯한 문제점들을 다각도로 드러냈고, 이를 통해 유교적 사회로의 변화를 주장하였다.'라고 하였으므로 적절하다.

⑤ (나)의 4문단에서 세종은 역사적 사실을 바탕으로 조선 왕조의 우수성을 부각하기 위해 『용비어천가』의 편찬을 지시하였다고 하였으므로 적절하다.

03

정답설명

④ ㉠~㉢은 육가가 제시한 개념으로, ㉢은 '인의'이다. (가)의 3문단에 따르면 육가는 인의가 실현되는 정치를 위해 '교화의 정치를 강조하는 유교를 중심으로 도가의 무위와 법가의 권세를 끌어들였'는데, 무위는 군주의 수양을 강조하는 것이며 권세는 정치권력의 안정을 도모하는 방향성을 가진 것이다. 즉, 육가는 군주의 부단한 수양과 안정된 권력을 바탕으로 교화의 정치를 펼쳐야 인의가 실현되는 것으로 보았음을 알 수 있다.

오답설명

① (가)의 2문단에 따르면 ㉠ '통물'은, '역사를 관통하는 자연의 이치에 따라 천문·지리·인사 등 천하의 모든 일을 포괄'한다고 하였다. 따라서 '통물'은 천하의 모든 일을 포괄하는 것이지 학문 분야들의 개별적 특징을 이해한 것은 아니다.

② (가)의 2~3문단에 따르면 ㉡ '통변'은, '역사 변화 과정에 대한 통찰로서 상황에 맞는 조치를 취하고 기존 규정을 고수하지 않는다'는 것으로, 육가는 통물과 통변이 정치의 세계에 드러나는 것이 인의라고 파악하였으나, 유교를 중심 이념으로 삼아 도가와 법가 사상을 수용하였으므로 도가나 법가 사상을 중심 이념으로 삼았다는 선지는 적절하지 않다.

③ (가)의 2~3문단에 따르면 ㉢ '인의'는 통물과 통변이 정치의 세계에 드러나는 것이며 인의가 실현되는 정치를 위해 육가는 유교를 중심으로 도가의 무위와 법가의 권세를 끌어들였다. 권세는 현명한 신하의 임용을 통해 정치권력의 안정을 도모하는 것이라고 하였으나, 무위는 형벌을 가벼이 하고 군주의 수양을 강조하는 것이라고 하였으므로 선지의 '엄한 형벌의 집행'이 적절하지 않음을 알 수 있다.

⑤ (가)의 2문단에 따르면 육가는 현실 정치에 도움을 주는 것을 역사 지식으로 보았으며, ㉢ '인의'의 실현을 위해 유교 이념과 현실 정치의 결합을 시도하였다. 즉 ㉠과 ㉡이 아닌, ㉠과 ㉡이 정치의 세계에 드러나는 것인 ㉢을 역사 지식과 현실 정치를 긴밀히 연결하여 실현될 수 있는 것으로 보았음을 알 수 있다. 또한 육가는 '힘에 의한 권력 창출을 긍정'하였으나 이를 ㉠~㉢과 관련짓지는 않았다.

04

정답설명

① ㄱ : '육가'와 '집현전 학자들'은 각각 '진'과 '고려'의 역사를 거울삼아, 새 국가를 안정적으로 통치하려는 내용을 책에 담았다. '육가'는 『신어』에 진의 단명 원인을 지적하고 진의 사상 통제가 낳은 폐해를 거론하며

지식과 학문의 중요함을 강조하여 새 국가 '한'을 안정적으로 통치하고자 하였다. 한편 '집현전 학자들'은 고려 관련 역사서를 편찬하면서 고려의 정치를 유교적 시각에서 바라보며 불교 사상의 폐단을 비롯한 문제점들을 부각하였고, 이를 통해 조선 건국의 정당성을 드러내어 새 국가 '조선'을 안정적으로 통치하고자 하였다.

오답설명

ㄴ : '육가'는 '진'의 멸망 원인을 '가혹한 형벌의 남용, 법률에만 의거한 통치, 군주의 교만과 사치, 그리고 현명하지 못한 인재 등용' 등으로 보며 '진'의 잘못된 정치 운영에서 멸망 원인을 찾았다. '집현전 학자들'의 경우 『치평요람』을 편찬할 때 '올바른 정치의 여부에 따라 국가의 운명이 다하고 천명이 옮겨 간다는 내용'을 드러내었고 유교적 시각에 따라 고려 정치를 바라보며 비판하였으므로, 옛 국가 '고려'의 멸망 원인을 역시 잘못된 정치 운영에서 찾았음을 알 수 있다.

ㄷ : 사상을 통제하면 사상적 공백이 생길 수 있다. '육가'는 '진'의 사상 통제를 비판하였으므로 옛 국가 '진'에서의 사상적 공백을 채우기 위해 새 국가 '한'에서 유교적 이념의 중요성을 역설하였다고 볼 수 있다. 그러나 '집현전 학자들'은 '유교적 시각에서 고려 정치를 바라보며 불교 사상의 폐단을 비롯한 문제점들을 다각도로 드러냄'다고 하였으므로, 옛 국가 '고려'의 불교 사상을 비판하고 유교적 사회로의 변화를 주장한 것이지, 사상적 공백을 채우기 위해 유교 사상을 내세운 것이 아님을 알 수 있다.

05

정답설명

② ㄱ의 관점은 역사 서술의 근원인 자료를 바르게 파악하여야 한다는 것이다. (나)의 2문단에 따르면 『고려사』 편찬 과정에서 '고려의 용어들을 그대로 싣자는 주장과 유교적 사대주의에 따른 명분에 맞추어 고쳐 쓰자는 주장이 맞'섰다고 하였는데, 고려의 용어가 '가짜'인 것은 아니므로 이는 진위를 판별하는 것과는 거리가 멀다. 즉, 고려의 용어를 고쳐 쓰자는 것은 유교적 사대주의에 따른 명분에 맞춘 것이지, 진위를 분명히 파악하여 자료를 바로잡고 깨끗하게 하고자 한 것이 아니므로 선지의 이해는 적절하지 않다.

오답설명

① (가)에 따르면 『신어』에서는 '진'의 멸망 원인을 지적하였다. ㄱ에서는 '진위를 분명히 한 후에야 성패가 어긋나지 않을 수 있'다고 하였으므로, 이에 따르면 『신어』에 제시된 진의 멸망 원인에 대한 지적은 관련 내용의 진위에 대한 명확한 판별 이후에 이루어져야 하는 것임을 알 수 있다.

③ (나)에서 『치평요람』에는 고려와 조선의 흥망이 기록되어 있다고 하였다. ㄴ에서는 '고금의 흥망은 현실의 객관적 형세인 시세의 흐름에 따르는 것이며, 사림의 재주와 덕행으로 말미암은 것은 아니'라고 하였으므로, 이에 따르면 선지의 내용은 적절하다.

④ ㄷ에서는 '역사란 선을 높이고 악을 낮추며 선을 권면하고 악을 징계하는 것'이라고 하였다. 이에 따르면 『신어』에 제시된 진에 대한 비판은 악을 낮추고 징계하는 것으로 볼 수 있다.

⑤ (나)의 2문단에 따르면 세종은 '경서가 학문의 근본이라면 역사서는 학문을 현실에서 구현하는 것으로 파악하'였고, ㄷ에서는 '도의 본체는 경서에 있지만 그것의 큰 쓰임은 역사서에 담겨 있다.'라고 하였으므로 ㄷ의 관점에 따르면 세종의 생각에서 학문의 근본인 경서는 도의 본체에, 학문의 현실 구현인 역사서는 도의 큰 쓰임에 대응함을 알 수 있다.

06

정답설명

③ '숭상하다'는 '높여 소중히 여기다.'라는 의미로 사용되었으므로, '절대자나 종교적 이념 따위를 받들고 따르다.'라는 의미의 '믿다'와 바꾸어 쓸 수 없다.

오답설명

① '기도하다'는 '어떤 일을 이루도록 꾀하다.'라는 의미로 사용되었으므로, '꾀하다'와 바꿔 쓸 수 있다.

② '흡수하다'는 '외부에 있는 사람이나 사물 따위를 내부로 모아들이다.'라는 의미로 사용되었으므로, '받아들이다'와 바꿔 쓸 수 있다.

④ '개입되다'는 '자신과 직접적인 관계가 없는 일에 끼어들게 되다.'라는 의미로 사용되었으므로, '끼어들다'와 바꿔 쓸 수 있다.

⑤ '계속되다'는 '끊이지 않고 이어져 나가다.'라는 의미로 사용되었으므로, '이어지다'와 바꿔 쓸 수 있다.

구조도 정답

(가)

① 『신어』   ② 사상 통제
③ 역사 지식   ④ 통변
⑤ 무위   ⑥ 법가

(나)

① 필연성   ② 경서
③ 『치평요람』   ④ 정통
⑤ 강목   ⑥ 불교 사상

지문분석

(가) 아도르노의 예술관

> **대중 예술**
>
>> 이윤 극대화를 위한 (①)으로 전락 → 예술의 본질 상실
>>
>> 현대 사회의 모순과 부조리 은폐
>>
>> 창작의 구성에서 표현까지 표준화되어 생산되는 상품에 불과
>>
>> 대중 예술의 규격성 → 개인의 감상 능력도 표준화됨.
>>
>> 개인의 정체성마저 (①)으로 전락시키는 기제

> **예술의 조건**
>
>> 하나의 가치 체계로의 환원을 거부하는 (②)을 지녀야 함.
>>
>> 대중이 원하는 아름다운 상품이 되기를 거부
>> → 그 자체로 추하고 불쾌한 것이 되어야 함.
>>
>> 예술가가 직시한 세계의 본질을 감상자들에게 체험하게 해야 함.
>>
>> 일정한 형식이 없는 (③)된 모습으로 나타나야 함.
>> → 현대 사회의 부조리를 체험하게 하는 매개
>>
>> 비동일성을 체험하게 함 → (④)의 폭력에 저항해야 함.

> **(⑤) 예술 ex) 쇤베르크의 음악**
>
>> 그 자체로 동일화에 저항
>>
>> 저항이나 계몽을 직접적으로 드러내지 않음.

(나) 아도르노 미학에 대한 비판

> **아도르노의 미학의 의의**
>
>> 예술과 (①)의 관계를 통해 예술의 자율성을 추구
>>
>> 기존의 예술에 대한 비판적 관점을 제공

> **(②)의 작품**
>
>> 아도르노의 관점에서는 사회의 본질과 유리된
>> '아름다운 가상'을 표현한 것에 불과
>>
>> but 예술가의 주관적 인상을 붉은색과 회색 등의 색채와
>> 기하학적 형태로 표현한 (③)일 수 있음.
>>
>> (③) : 세계를 바라보는 주체의 관념을 재현하는 것
>> → 감각될 수 없는 것을 감각 가능한 것으로 구현하는 것

> **아도르노 미학의 한계**
>
>> 미적 체험을 현대 사회의 부조리에 국한
>> → 진정한 예술을 형태 그 자체의 (④)에 대한 체험으로 한정
>>
>> 주관의 재현이라는 미메시스 부정
>>
>> 예술의 영역을 극도로 축소
>>
>> (⑤)의 관점에서 예술의 동일화를 시도
>>
>> 현실 속 다양한 예술의 가치가 발견될 기회를 박탈

> **아도르노 미학에 대한 반박**
>
>> 전위 예술이 아닌 예술에서도 미적 가치를 발견할 수 있음.
>>
>> 베냐민: 실수로 찍혀 작가의 어떠한 주관도 결여된 사진에서조차
>> 새로운 예술 정신을 발견하는 것이 가능
>>
>> (⑥)이라 하더라도 사회에 대한 비판적 기능을 수행하는 경우도 있음.

형태쌤 Comment

(가), (나)로 나뉜 지문 치고는 다소 평이한 수준의 지문이었다. (가)에서는 아도르노가 대중 예술을 어떻게 바라보는지에 대해서 글을 시작하며 그의 예술관을 제시하고 있다. (나)에서는 아도르노 미학의 의의를 밝히며 글을 시작하지만, 그의 미학의 한계점을 지적하고 비판하는 것이 글의 주된 내용이다. 각 글이 말하고자 하는 바와 근거를 파악하며 읽는다면 여섯 문제 모두 쉽게 맞힐 수 있었을 것이다.

문제분석 01-06번

번호	정답	정답률 (%)	선지별 선택비율(%)				
			①	②	③	④	⑤
1	③	90	0	3	90	5	2
2	①	78	78	3	2	15	2
3	⑤	56	13	5	9	17	56
4	⑤	84	1	5	5	5	84
5	③	70	3	7	70	14	6
6	①	92	92	4	1	2	1

01

정답설명

③ (가)에서는 화제와 관련된 개념인 '동일성'과 '비동일성'을 정의하였으나, 개념의 변화 과정은 제시하지 않았다. (나) 또한 화제와 관련된 개념인 '미메시스'를 정의하였으나, 개념의 변화 과정은 제시하지 않았다.

오답설명

① 두 글은 공통적으로 '아도르노의 예술관'을 중심 화제로 삼아 글을 전개하고 있다.

② (가)에서는 '쇤베르크'의 음악을 전위 예술의 예로 제시하여, 전위 예술이 '그 자체로 동일화에 저항하면서도, 저항이나 계몽을 직접적으로 드러내지 않는다는 것'에 의미가 있다고 서술하고 있다. (나)에서는 '세잔'의 작품을 예로 들어서, 아도르노의 미학에서는 부정적으로 평가될 수 있는 작품도 '미메시스'일 수 있다는 의미를 제시하고 있다.

④ (가)에서는 논지를 강화하기 위해 다른 이의 견해를 제시하고 있지 않으나, (나)에서는 '베냐민'의 견해를 인용하여 논지를 강화하고 있다.

⑤ (가)에서 소개한 아도르노의 이론에 대해 (나)에서 '예술과 사회의 관계를 통해 예술의 자율성을 추구했다'라는 의의를 밝힌 후 한계를 지적하고 있다.

02

정답설명

① (가)의 1문단에서 아도르노는 '대중 예술은 개인의 정체성마저 상품으로 전락시키는 기제로 작용한다'라고 하였으므로 아도르노가 보는 대중 예술은 문화 산업을 통해 상품화된 개인의 정체성과 대립적 관계를 형성한다고 볼 수 없다.

오답설명

② (가)의 1문단의 '대중 예술의 규격성으로 인해 개인의 감상 능력 역시 표준화되고'를 통해 알 수 있다.

③ (가)의 1문단의 '모든 것을 상품의 교환 가치로 환원하려는 자본주의 사회', '대중 예술이 이윤 극대화를 위한 상품으로 전락함'을 통해 알 수 있다.

④ (가)의 1문단의 '모든 것을 상품의 교환 가치로 환원하려는 자본주의 사회에서', '현대 사회의 모순과 부조리를 은폐하고 있다'를 통해 알 수 있다.

⑤ (가)의 1문단의 '대중 예술이 이윤 극대화를 위한 상품으로 전락함', '대중 예술의 규격성으로 인해~개인의 개성은 다른 개인의 그것과 다르지 않게 된다고 보았다.'를 통해 알 수 있다.

03

정답설명

⑤ (나)의 3문단의 '그는 이러한 미적 체험을 현대 사회의 부조리에 국한시킴으로써, 진정한 예술을 감각적 대상인 형태 그 자체의 비정형성에 대한 체험으로 한정한다. 결국 아도르노의 미학에서는 주관의 재현이라는 미메시스가 부정되고 있다.'에서 확인할 수 있다.

오답설명

① 아도르노의 미학은 비정형적 형태에 대한 체험으로 한정하는 것이며, 그의 미학에서 정형적 형태가 재현된다는 내용은 윗글에서 찾을 수 없다.

② 아도르노의 미학에서 재현의 주체가 전환된다는 내용은 찾을 수 없다.

③ 아도르노의 미학에서는 미적 체험의 대상이 사회의 부조리에만 국한되므로 선지의 진술은 적절하지 않다.

④ ㉠의 이유는 아도르노의 미학이 예술가의 주관을 배제한 채 비정형적인 형태에 대한 체험으로 한정하기 때문이므로 선지의 진술은 이를 반대로 이해한 것이다.

04

정답설명

⑤ (가)의 3문단에서 아도르노는 '전위 예술이 그 자체로 동일화에 저항'하는 것으로 보았고, 이와 같은 예술은 '비동일성을 체험하게 함으로써 동일화의 폭력에 저항해야 한다'고 보았다. 따라서 그의 관점에서 아도르노가 전위 예술의 관점에서 예술의 동일화를 시도하고 있다고 말하는 ㉡을 이와 같이 반박할 수 있을 것이다.

오답설명

① (가)의 1문단에 따르면 아도르노는 대중 예술이 창작의 구성에서 표현까지 표준화되고, 이러한 규격성으로 인해 개인의 감상 능력 또한 표준화되며, 개인의 개성이 상실된다고 보았다. 이것은 예술의 동일화가 실현된 것으로 볼 수 있다. 또한 (가)의 3문단에 따르면 전위 예술은 동일화에 저항하는 것이기 때문에 동일화가 애초에 예술과 무관하다는 선지는 적절하지 않다.

② 아도르노는 전위 예술이 동일성으로 귀결된다고 보지 않았다. 또한 선지의 내용은 ㉡을 반박할 수 있는 내용이 아니라 ㉡을 보완하는 내용이다.

③ 아도르노가 대중 예술에서 비동일성을 발견할 수 있다고 보지는 않았다. 또한 예술이 동일화에 저항해야 한다고 보았기 때문에 예술의 동일화가 무의미하다고 생각하지는 않았음을 알 수 있다.

④ 전위 예술이 동일성과 비동일성의 구분을 거부하는 것은 아니다. 또한 아도르노는 전위 예술이 동일화에 저항한다고 보았으므로 그의 관점에서 '전위 예술로의 동일화'라는 표현은 적절하지 않다.

05

정답설명

③ (가)의 3문단에서 아도르노는 '전위 예술이 그 자체로 동일화에 저항하면서도, 저항이나 계몽을 직접적으로 드러내지 않는다는 것을 높게 평가한다.'라고 하였다. 따라서 사회에 대한 저항을 직접적으로 드러낸 예술이어야 진정한 예술이라고 할 수 있다는 선지의 내용은 적절하지 않다.

오답설명

① (가)의 2문단에 따르면, 아도르노는 '예술은 대중이 원하는 아름다운 상품이 되기를 거부하고, 그 자체로 추하고 불쾌한 것이 되어야 한다.'고 보았다. 또한 예술이 '현대 사회의 부조리를 체험하게 하는 매개여야 한다'고 보았으므로 선지와 같이 설명할 수 있다.

② 두 번째 작품은 아도르노가 보는 대중 예술의 하나라고 할 수 있다. (가)의 1문단에 따르면 이때 대중 예술을 보는 개인의 감상 능력은 표준화되고 개인의 정체성마저 상품으로 전락한다고 했으므로 선지와 같이 설명할 수 있다.

④ (나)의 글쓴이는 '미메시스', 즉 '세계를 바라보는 주체의 관념을 재현하는 것, 즉 감각될 수 없는 것을 감각 가능한 것으로 구현하는 것'이 있다면 예술 작품의 의미가 있다고 보았으므로, 첫 번째 작품이 예술가의 표현 의도를 담고 있지 않더라도 그 형태와 색채가 '미메시스'일 수 있다고 볼 것이다. 또한 4문단에서 '전위 예술이 아닌 예술에서도 미적 가치를 발견할 수 있다.'라고 했으므로 선지와 같이 설명할 수 있다.

⑤ (나)의 글쓴이는 마지막 문단에서 '대중 예술이라 하더라도 사회에 대한 비판적 기능을 수행하는 경우도 있다.'라고 보았다. 두 번째 작품에서 얼굴이 묘사된 유명 연예인이 사회에 비판적이라는 점에서 선지와 같이 설명할 수 있다.

06

정답설명

① ⓐ '전락시키다'는 '전락'에 사동의 의미를 가진 접사 '-시키다'가 결합한 말로, '나쁜 상태나 타락한 상태에 빠지게 하다.'라는 의미이다. 이는 '더 보태거나 빼지 아니하고 어떤 것을 주고 다른 것을 받다.'라는 뜻의 '맞바꾸다'로 바꿔 쓸 수 없다.

오답설명

② ⓑ '유리되다'는 '따로 떨어지게 되다.'라는 의미이다. 이는 '둘 사이에 관련성이 거의 없다.'라는 뜻의 '동떨어지다'와 바꿔 쓸 수 있다.

③ ⓒ '응시하다'는 '눈길을 모아 한 곳을 똑바로 바라보다.'라는 의미이다. 이는 '어떤 현상이나 사태를 자신의 시각으로 관찰하다.'라는 뜻의 '바라보다'와 바꿔 쓸 수 있다.

④ ⓓ '박탈하다'는 '남의 재물이나 권리, 자격 따위를 빼앗다.'라는 의미이다. 이는 '남이 가지고 있는 자격이나 권리를 잃게 하다.'라는 뜻의 '빼앗다'와 바꿔 쓸 수 있다.

⑤ ⓔ '발견하다'는 '미처 찾아내지 못하였거나 아직 알려지지 아니한 사물이나 현상, 사실 따위를 찾아내다.'라는 의미이다. 이는 '모르는 것을 알아서 드러내다.'라는 뜻의 '찾아내다'와 바꿔 쓸 수 있다.

구조도 정답

(가)

① 상품   ② 비동일성

③ 비정형화   ④ 동일화

⑤ 전위

(나)

① 사회   ② 세잔

③ 미메시스   ④ 비정형성

⑤ 전위 예술   ⑥ 대중 예술

유서 편찬 방식

지문해설

(가)

[1] 중국에서 비롯된 유서(類書)는 고금의 서적에서 자료를 수집하고 항목별로 분류, 정리하여 이용에 편리하도록 편찬한 서적이다. 일반적으로 유서는 기존 서적에서 필요한 부분을 뽑아 배열할 뿐 상호 비교하거나 편찬자의 해석을 가하지 않았다. 유서는 모든 주제를 망라한 일반 유서와 특정 주제를 다룬 전문 유서로 나눌 수 있으며, 편찬 방식은 책에 따라 다른 경우가 많았다. 중국에서는 대체로 왕조 초기에 많은 학자를 동원하여 국가 주도로 대규모 유서를 편찬하여 간행하였다. 이를 통해 이전까지의 지식을 집성하고 왕조의 위엄을 과시할 수 있었다.

▶ 처음부터 '유서'의 개념이 제시되고 있다. 필자가 말하고자 하는 주요 제재이겠구나. 일반 유서와 전문 유서라는 유서의 종류를 제시하고, 중국에서의 유서에 대해 설명하고 있다.

▶ 중국 유서 : 왕조 초기, 많은 학자, 국가 주도, 대규모, 왕조 위엄 과시

[2] 고려 때 중국 유서를 수용한 이후, 조선에서는 중국 유서를 활용하는 한편, 중국 유서의 편찬 방식에 따라 필요에 맞게 유서를 편찬하였다. 조선의 유서는 대체로 국가보다 개인이 소규모로 편찬하는 경우가 많았고, 목적에 따른 특정 주제의 전문 유서가 집중적으로 편찬되었다. 전문 유서 가운데 편찬자가 미상인 유서가 많은데, 대체로 간행을 염두에 두지 않고 기존 서적에서 필요한 부분을 발췌, 기록하여 시문 창작, 과거 시험 등 개인적 목적으로 유서를 활용하고자 하였기 때문이었다.

▶ 조선에서는 중국의 유서 편찬 방식을 활용하여 우리의 필요에 맞게 유서를 편찬하였다고 한다. 앞서 나왔던 중국의 유서 편찬 방식과는 다른 조선의 유서 편찬 방식이 제시되고 있다. '유서 → 중국의 유서 → 조선의 유서'의 제시 순서를 보면, 필자가 무엇을 말하려는지 보이지?

▶ 조선 유서 : 개인, 소규모, 전문 유서(편찬자 미상 많음.), 개인적 목적

[3] 이 같은 유서 편찬 경향이 지속되는 가운데 17세기부터 실학의 학풍이 하나의 조류를 형성하면서 유서 편찬에 변화가 나타났다. 실학자들의 유서는 현실 개혁의 뜻을 담았고, 편찬 의도를 지식의 제공과 확산에 두었다. 또한 단순 정리를 넘어 지식을 재분류하여 범주화하고 평가를 더하는 등 저술의 성격을 드러냈다. 독서와 견문을 통해 주자학에서 중시되지 않았던 지식을 집적했고, 증거를 세워 이론적으로 밝히는 고증과 이에 대한 의견 등 '안설'을 덧붙이는 경우가 많았다. 주자학의 지식을 이어받는 한편, 주자학이 아닌 새로운 지식을 수용하는 유연성과 개방성을 보였다. 광범위하게 정리한 지식을 식자층이 쉽게 접할 수 있어야 한다고 생각했고, 객관적 사실 탐구를 중시하여 박물학과 자연 과학에 관심을 기울였다.

▶ 17세기부터 나타난 실학자들의 유서 편찬 방식에 대해 설명하고 있다. 조선의 실학자들은 주자학의 지식을 이어받기도 하고 주자학이 아닌 새로운 지식을 수용하기도 하였구나.

▶ 실학자들의 유서 : 현실 개혁, 지식 제공·확산, 지식 재분류·범주화·평가, 고증

과 안설, 유연성과 개방성, 객관적 사실 탐구

[4] 조선 후기 실학자들이 편찬한 유서가 주자학의 관념적 사유에 국한되지 않고 새로운 지식의 축적과 확산을 촉진한 것은 지식의 역사에서 적지 않은 의미를 지닌다.

▶ 조선 후기 실학자들이 편찬한 유서가 새로운 지식의 축적과 확산을 촉진했다는 의의를 지닌다고 하며 마무리된다.

(나)

[1] 예수회 선교사들이 중국에 소개한 서양의 학문, 곧 서학은 조선 후기 유서(類書)의 지적 자원 중 하나로 활용되었다. 조선 후기 실학자들 가운데 이수광, 이익, 이규경 등이 편찬한 백과전서식 유서는 주자학의 지적 영역 내에서 서학의 지식을 어떻게 수용하였는지를 보여 주는 대표적인 사례이다.

▶ 서학이 조선 후기 유서의 지적 자원 중 하나로 활용되었다고 하며, 그 대표적인 사례로 실학자들의 백과전서식 유서를 들고 있다. (가) 지문에서는 유서의 특성, 실학자들의 유서 편찬 방식에 대해 개괄적으로 설명했다면, (나) 지문에서는 조선 후기 실학자들이 유서를 편찬할 때 서학을 어떻게 받아들였는지 구체적으로 설명할 것인가 보다.

[2] 17세기의 이수광은 주자학뿐 아니라 다른 학문에 대해서도 열린 태도를 가지고 있었다. 주자학에 기초하여 도덕에 관한 학문과 경전에 관한 학문 등이 주류였던 당시 상황에서, 그는 『지봉유설』을 통해 당대 조선의 지식을 망라하여 항목화하고 자신의 견해를 덧붙였을 뿐 아니라 사신의 일원으로 중국에서 접한 서양 관련 지식을 객관적으로 소개했다. 이에 대해 심성 수양에 절실하지 않을뿐더러 주자학이 아닌 것이 뒤섞여 순수하지 않다는 일부 주자학자의 비판이 있었지만, 그가 소개한 서양 관련 지식은 중국과 큰 시간 차이 없이 주변에 알려졌다.

▶ '17세기의 이수광'이라고 하며 구체적인 시기와 학자를 제시했다. 혹시 시기별로 학자들의 유서를 설명할 것인가? 아직 확실하진 않으니 계속 읽어가 보자. 이수광의 『지봉유설』은 일부 주자학자의 비판을 받기도 했지만 그가 소개한 서양 관련 지식은 주변에 알려졌다고 한다.

[3] 18세기의 이익은 서학 지식 자체를 『성호사설』의 표제어로 삼았고, 기존의 학설을 정당화하거나 배제하는 근거로 서학을 수용하는 등 서학을 지적 자원으로 활용하였다. 특히 그는 서학의 세부 내용을 다른 분야로 확대하며 상호 참조하는 방식으로 지식을 심화하고 확장하여 소개하였다. 서학의 해부학과 생리학을 그 자체로 수용하지 않고 주자학 심성론의 하위 이론으로 재분류하는 등 지식의 범주를 바꾸어 수용하였다. 또한 서학의 수학을 주자학의 지식 영역 안에서 재구성하기도 하였다.

▶ '18세기의 이익', 시기별로 학자들의 유서를 설명하는 방식이 맞는 것 같구나. 이익은 서학을 다른 분야로 확대하기도 하고 주자학의 하위 이론으로 재분류하거나 주자학의 지식 영역 안에서 재구성하기도 하였다.

[4] 19세기의 이규경도 『오주연문장전산고』를 편찬하면서 서학을 적극 활용하였다. 그는 『성호사설』의 분류 체계를 적용하였고 이익과 마찬가지로 서학의 천문학, 우주론 등의 내용을 수록하였다. 그가 주로 유서의 지적 자원으로 활용한 중국의 서학 연구서들은 서학을 소화하여 중국의 학문과 절충한 것이었고, 서학이 가지는 진보성의 토대가 중국이라는 서학 중국 원류설을 반영한 것이었다. 이에 따라 이규경은

이 책들에 담긴 중국화한 서학 지식과 서학 중국 원류설을 받아들였고, 문명의 척도로 여겨진 기존의 중화 관념에서 탈피하지 않으면 서도 서학 수용의 이질감과 부담감에서 자유로울 수 있었다. 이렇듯 이규경은 중국의 서학 연구서들을 활용해 매개적 방식으로 서학을 수용하였다.

▶ '19세기의 이규경' 역시 서학을 지적 자원으로 적극 활용하였다. 이규경은 서학 중국 원류설을 반영해 기존의 중화 관념에서 탈피하지 않으면서 서학과 중국의 학문을 절충하는 매개적 방식을 따랐구나.

지문분석

(가) 조선의 유서 편찬 방식

↳ 유서 : 고금의 서적에서 자료를 수집, 분류, 정리해 이용에 편리하도록 편찬한 서적

(①) 유서 : 모든 주제
전문 유서 : (②) 주제

↳ 중국의 유서

대체로 왕조 초기, 많은 학자, (③) 주도(대규모),
왕조 위엄 과시 목적

↳ 조선의 유서

− 대체로 개인(소규모), 전문 유서
− 간행 염두에 두지 X, (④) 목적 → 전문 유서 중 편찬자 미상 ↑

↳ 실학자들의 유서

현실 개혁의 뜻, 지식 제공·확산

지식 재분류·범주화·평가

고증(증거를 세워 이론적으로 밝힘), (⑤)(자신의 의견)

유연성과 개방성 보임. 객관적 사실 탐구 중시

(⑥)에 국한 X, 새로운 지식의 축적과 확산 촉진

(나) 조선 실학자들의 서학 수용 양상

↳ 17C 이수광 『지봉유설』

1) 당대 조선의 지식 망라하여 (①) + 자신의 견해
2) 서양 관련 지식 객관적 소개
→ 일부 (②)의 비판 : 심성 수양 절실 X, 주자학 아닌 것 뒤섞임.

↳ 18C 이익 『성호사설』

1) 지식 심화, 확장
: 다른 분야로 확대하며 (③) 방식
2) 지식의 범주 바꾸어 수용
: 주자학의 하위 이론으로 재분류, 주자학의 지식 영역 안에서 (④)

↳ 19C 이규경 『오주연문장전산고』

1) 『성호사설』 분류 체계 적용
2) (⑤) 방식으로 서학 수용
: 서학 중국 (⑥) 반영(서학이 가지는 진보성 토대 = 중국)
→ 기존 중화 관념 탈피 X, 서학 수용 이질감과 부담감 X

형태쌤 Comment

동일한 제재에 대한 두 글이 하나의 지문으로 이루어진 구성이다. 이러한 경우에는 각 지문의 전개 방식이 주요 출제 요소이므로, 거시적인 관점에서 이를 파악해야 한다. (가)와 (나) 모두 지문의 내용 자체가 어렵지 않으며 각 문단의 핵심 내용을 잘 파악했다면 무난하게 풀이할 수 있었을 것이다.

문제분석 01-06번

번호	정답	정답률 (%)	선지별 선택비율(%)				
			①	②	③	④	⑤
1	④	89	1	2	3	89	5
2	⑤	94	1	2	2	1	94
3	③	86	2	5	86	4	3
4	②	89	3	89	3	2	3
5	⑤	60	3	10	14	13	60
6	②	87	2	87	6	3	2

01

정답설명

④ (가) O (나) O / (가)는 1~3문단에서 전체적으로 유서의 특성에 대해 설명하고 있으며 4문단에서 '조선 후기 실학자들이 편찬한 유서'가 '지식의 역사에서 적지 않은 의미'를 지닌다며 그 의의를 설명하였다. (나)는 유서 편찬에서 '서학'이라는 특정 학문의 수용 양상을 '17세기, 18세기, 19세기'로 나누어 시기별로 소개하였다.

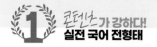
오답설명

① (가) O (나) X / (가)는 1문단 '유서는 모든 주제를 망라한 일반 유서와~전문 유서로 나눌 수 있으며'에서 유서의 유형을 일반 유서와 전문 유서로 분류하였다. 그러나 (나)는 유서의 분류 기준과 적절성 여부를 평가하지 않았다.

② (가) O (나) X / (가)는 1문단 '유서는 고금의 서적에서~편리하도록 편찬한 서적이다.'에서 유서의 개념과 유용성을 소개하였다. 그러나 (나)는 국가별로 유서의 변천 과정을 설명한 것이 아니라 모두 조선 후기 실학자들의 유서에 대해 설명했다.

③ (가) X (나) O / (가)는 유서가 중국에서 비롯되었다고 언급했을 뿐, 다양한 학설을 검토하지는 않았다. (나)는 유서 편찬자들 간의 견해 차이를 분석하였다고 볼 수 있다.

⑤ (가) X (나) O / (가)에서 유서에 대한 평가는 제시하지만, 이것이 시대별로 달라진 원인을 분석하진 않았다. (나)는 조선 후기 실학자들의 유서에 대해 설명하며 역사적으로 대표적인 유서의 특징을 제시하였다.

02

정답설명

⑤ (가)의 1문단에 따르면 중국에서 비롯된 유서는 일반적으로 '기존 서적에서 필요한 부분을 뽑아 배열할 뿐 상호 비교하거나 편찬자의 해석을 가하지 않았다.'고 하였다.

오답설명

①, ② (가) 2문단의 '전문 유서 가운데 편찬자가 미상인 유서가 많은데~시문 창작, 과거 시험 등 개인적 목적으로 유서를 활용하고자 하였기 때문이었다.'에서 알 수 있다.

③ (가) 2문단의 '중국 유서의 편찬 방식에 따라', '조선의 유서는 대체로 국가보다 개인이 소규모로 편찬하는 경우가 많았고'에서 알 수 있다.

④ (가) 1문단의 '중국에서는 대체로 왕조 초기에 많은 학자를 동원하여~왕조의 위엄을 과시할 수 있었다.'에서 알 수 있다.

03

정답설명

③ (가)의 3문단에 따르면 ㉮는 '평가를 더하는 등 저술의 성격'을 드러냈다. 그러나 (나)의 4문단에 따르면 ㉡은 '서학이 가지는 진보성의 토대가 중국이라는 서학 중국 원류설'을 반영한 것이지, 중국 학문의 진보성을 확인하고자 서학을 활용한 것은 아니다.

오답설명

① (가)의 3문단에 따르면 ㉮는 '편찬 의도를 지식의 제공과 확산'에 두었다. 또한 (나)의 3문단에서 ㉠은 '상호 참조하는 방식으로 지식을 심화하고 확장하여 소개'하였다고 했으므로 적절하다.

② (가)의 3문단에 따르면 ㉮는 '지식을 재분류하여 범주화하고 평가를 더하는 등 저술의 성격'을 드러냈다. (나)의 3문단에서 ㉠은 '서학의 해부학과 생리학을 그 자체로 수용하지 않고 주자학 심성론의 하위 이론으로 재분류'하였다고 했으므로 적절하다.

④ (가)의 3문단에 따르면 ㉮는 '객관적 사실 탐구를 중시하여 박물학과 자연 과학'에 관심을 기울였다. (나)의 4문단에서 ㉡은 '서학의 천문학, 우주론 등의 내용'을 수록하였다고 했으므로 적절하다.

⑤ (가)의 3문단에 따르면 ㉮는 '새로운 지식을 수용하는 유연성과 개방성'을 보였다. (나)의 3문단에서 '서학 지식 자체를 『성호사설』의 표제어로 삼았'다고 했고, 4문단에서 ㉡을 편찬하면서 '서학을 적극 활용'하였다고 했으므로 적절하다.

04

정답설명

② (나)의 2문단에 따르면 이수광은 '심성 수양에 절실하지 않을뿐더러 주자학이 아닌 것이 뒤섞여 순수하지 않다'는 일부 주자학자의 비판을 받았다. 이수광은 '주자학뿐 아니라 다른 학문에 대해서도 열린 태도'를 가지고, '서양 관련 지식을 객관적으로 소개'하기도 했다. 따라서 '주자학에 매몰되어 세상의 여러 이치를 연구하지 않는 것은 널리 배우고 익히는 앎의 바른 방법이 아닐 것이다.'는 일부 주자학자의 비판을 반박하는 말로 적절하다.

오답설명

①, ③, ④, ⑤ 모두 지문에 제시되지 않은 내용이고 이수광의 입장과 관련이 있다고 볼 수 없다.

05

정답설명

⑤ (나)의 4문단에서 『오주연문장전산고』는 '문명의 척도로 여겨진 기존의 중화 관념에서 탈피하지 않'았다고 했으므로 중국을 문명의 척도로 받아들였다고 볼 수 있다. 〈보기〉에서 『임원경제지』에는 서학이 가지는 진보성의 토대가 중국이라는 서학 중국 원류설, 중국과 비교한 조선의 현실 등이 반영되었다고 하였으므로, '중국의 현실과 조선의 현실을 비교한 내용이 확인'된다고 볼 순 있지만 '중화 관념에 구애되지 않'는다는 것은 적절하지 않다.

오답설명

① (가)의 3문단에서 '실학자들의 유서는 현실 개혁의 뜻'을 담았다고 했다. 〈보기〉의 『임원경제지』에는 '국가를 위한다는 목적의식'이 명시되어 있으며 '향촌 구성원 전체의 삶의 조건을 개선할 수 있는 방안'이 실렸고, '향촌 실생활에서 활용할 수 있는 내용이 집성'되었으므로 (가)의 실학자들의 유서와 마찬가지로 현실의 문제를 개선하려는 목적의식을 확인할 수 있다.

② (가)의 3문단에 따르면 실학자들은 '증거를 세워 이론적으로 밝히는 고증'을 덧붙이는 경우가 많았다고 했다. 〈보기〉의 『임원경제지』는 '중국 서적들에서 향촌 관련 부분을 발췌, 분류하고 고증'했으며 '안설을 부기'하였다고 했으므로 편찬자의 고증과 의견이 반영된 것을 확인할 수 있다. (부기하다 : 원문에 덧붙이어 적다.)

③ (나)의 2문단에서 『지봉유설』은 '당대 조선의 지식을 망라'하고 '서양 관련 지식을 객관적으로 소개'하였다고 했으므로 일반 유서의 성격을

띤다고 볼 수 있다. 이에 비해 〈보기〉의 『임원경제지』는 '중국 서적들에서 향촌 관련 부분을 발췌, 분류하고 고증한 유서'라고 했으므로 특정한 주제(향촌)를 중심으로 편찬되는 전문 유서의 성격이 두드러진다고 할 수 있다.

④ (나)의 3문단에서 『성호사설』은 '기존의 학설을 정당화하거나 배제하는 근거로 서학을 수용'하였다고 했다. 〈보기〉의 『임원경제지』는 '향촌 구성원 전체의 삶의 조건을 개선할 수 있는 방안이 실렸고, 향촌 실생활에서 활용할 수 있는 내용이 집성'되었다고 했으므로 향촌 사회 구성원의 삶에 필요한 실용적인 지식의 활용에 대한 관심이 드러날 것이라 볼 수 있다.

06

정답설명

② '계몽하다'는 '지식수준이 낮거나 인습에 젖은 사람을 가르쳐서 깨우치다.'라는 뜻이다. 'ⓑ 이어받다'는 '이미 이루어진 일의 결과나, 해 오던 일 또는 그 정신 따위를 전하여 받다.'라는 뜻이므로 이 둘을 바꾸어 쓰는 것은 적절하지 않다.

오답설명

① '의거하다'는 '어떤 사실이나 원리 따위에 근거하다.'라는 뜻이므로 'ⓐ 따르다'와 바꾸어 쓰기에 적절하다.
③ '용이하다'는 '어렵지 아니하고 매우 쉽다.'라는 뜻이므로 'ⓒ 쉽다'와 바꾸어 쓰기에 적절하다.
④ '혼재되다'는 '뒤섞이어 있다.'라는 뜻이므로 'ⓓ 뒤섞이다'와 바꾸어 쓰기에 적절하다.
⑤ '변경하다'는 '다르게 바꾸어 새롭게 고치다.'라는 뜻이므로 'ⓔ 바꾸다'와 바꾸어 쓰기에 적절하다.

구조도 정답

(가)
① 일반
② 특정
③ 국가
④ 개인적
⑤ 안설
⑥ 주자학의 관념적 사유

(나)
① 항목화
② 주자학자
③ 상호 참조
④ 재구성
⑤ 매개적
⑥ 원류설

2024학년도 6월

지식의 구분

지문해설

(가)

1 심리 철학에서 동일론은 의식이 뇌의 물질적 상태와 동일하다고 본다. 이와 달리 기능주의는 의식은 기능이며, 서로 다른 물질에서 같은 기능이 구현될 수 있다고 주장한다. 이때 기능이란 어떤 입력이 주어졌을 때 특정한 출력을 내놓는 함수적 역할로 정의되며, 함수적 역할의 일치는 입력과 출력의 쌍이 일치함을 의미한다. 실리콘 칩으로 구성된 로봇이 찔림이라는 입력에 대해 고통을 출력으로 내놓는 기능을 가진다면, 로봇과 우리는 같은 의식을 가진다는 것이다. 이처럼 기능주의는 의식을 구현하는 물질이 무엇인지는 중요하지 않다고 본다.

▶ 철학적 지문에서는 동일한 개념을 다르게 진술할 때, 동일한 개념끼리 연결하는 것이 중요하다. 기능주의에서 [의식=기능=함수적 역할], [함수적 역할의 일치=입·출력 쌍의 일치] 이 두 개는 꼭 체크해야 한다. 일단 기능주의에서는 동일한 기능을 수행하면 동일한 의식을 가진다고 보는구나.

2 설(Searle)은 기능주의를 반박하는 사고 실험을 제시한다. '중국어 방' 안에 중국어를 모르는 한 사람만 있다고 하자. 그는 중국어로 된 입력이 들어오면 정해진 규칙에 따라 중국어로 된 출력을 내놓는다. 설에 의하면 방 안의 사람은 중국어 사용자와 함수적 역할이 같지만 중국어를 아는 것은 아니다. 기능이 같으면서 의식은 다른 사례가 있다는 것이다.

▶ '설'은 이에 사고 실험(가상 실험)으로 반박을 한다. 동일한 입·출력 쌍을 제시해도 둘의 의식은 다를 수 있다는 것이다.

3 동일론, 기능주의, 설은 모두 의식에 대한 논의를 의식을 구현하는 몸의 내부로만 한정하고 있다.

▶ 필자가 정리를 하거나 공통점을 제시할 때 주목해야 한다. 본격적인 논의가 시작되기 때문이다. 일단 이들의 공통점은 '의식을 몸의 내부에 한정'했다는 것이다.

하지만 **의식의 하나인 '인지' 즉 '무언가를 알게 됨'은 몸 바깥에서 일어나는 일과 맞물려 벌어진다.** 기억나지 않는 정보를 노트북에 저장된 파일을 열람하여 확인하는 것이 한 예이다. 로랜즈의 확장 인지 이론은 이를 설명하는 이론이다.

▶ '로랜즈'는 의식을 몸의 내부에 한정하지 않았다는 것인데, 굵게 체크한 문장이 아직 이해가 안 되는 것은 당연한 것이다. 계속 가 보자.

4 그에 따르면 인지 과정은 주체에게 '심적 상태'가 생겨나게 하는 과정이다. 기억이나 믿음이 심적 상태의 예이다.

▶ 철학적 지문에서 개념은 대화의 약속이다. 개념을 머릿속에 넣지 않고 독해를 진행하는 것은 아무 의미 없는 독해다. '인지 과정'은 '심적 상태(기억)가 생기는 과정'임을 꼭 기억하자.

심적 상태는 어떤 것에도 의존함이 없이 주체에게 의미를 나타낸다. 예를 들어, 무언가를 기억하는 사람은 자기의 기억이 무엇인지 알아보기 위해 아무것에도 의존할 필요가 없다. 이와 달리 '파생적 상태'는 주체의 해석에 의존해서만 또는 사회적 합의에 의존해서만 의미를 나타내는 상태로 정의된다.

▶ 파생적 상태는 해석을 해야 의미를 나타낼 수 있다. 따라서 의존적이다.

앞의 예에서 노트북에 저장된 정보는 전자적 신호가 나열된 상태로서 파생적 상태이다. 주체에 의해 열람된 후에도 노트북의 정보는 여전히 파생적 상태이다. 하지만 열람 후 주체에게는 기억이 생겨난다. 로랜즈에게 인지 과정은 파생적 상태가 심적 상태로 변환되는 과정이 **아니라**, 파생적 상태를 조작함으로써 심적 상태를 생겨나게 하는 과정이다.

▶ 'A가 아닌 B'의 진술은 필자가 강조할 때 주로 쓰는 문장 패턴이다. 파생적 상태는 노트북의 정보다. 노트북에 있는 정보가 심적 상태(기억)로 변환되는 것이 아님을 명심하자. 인지를 하더라도 노트북에는 정보가 파생적 상태로 남아 있다. 오히려 파생적 상태를 조작(열람)함으로써 주체에게 심적 상태(기억)가 생기는 것이 인지 과정이다.

심적 상태가 주체의 몸 외부로 확장되는 것이 **아니라**, 심적 상태를 생겨나게 하는 인지 과정이 확장되는 것이다. 이러한 확장된 인지 과정은 인지 주체의 것일 때에만, 다시 말해 환경의 변화를 탐지하고 그에 맞춰 행위를 조절하는 주체와 통합되어 있을 때에만 성립할 수 있다. 즉 로랜즈에게 주체 없는 인지란 있을 수 없다. 확장 인지 이론은 의식의 문제를 몸 안으로 한정하지 않고 바깥으로까지 넓혀 설명한다는 의의를 지닌다.

▶ 인지 과정에서는 주체의 역할이 중요하다. 주체가 환경 변화를 탐지하고 행위를 조절할 때 인지가 가능한 것이고, 심적 상태가 생겨나면서 인지 과정이 확장된다. 그렇다면 인지 과정이 확장되기 위해선 주체 외부의 대상인 파생적 상태가 필요하겠다. 그래야 새로운 정보를 받아들이고, 인지는 계속 확장될 수 있을 것이다. 3문단의 내용이 드디어 이해가 되는 순간이다. 로랜즈는 의식을 몸 안으로만 한정하지 않고, 몸 밖의 대상과 만나며 확장하는 이론을 제시한 것이다.

(나)

1 일반적으로 '지각'이란 몸의 감각 기관을 통해 사물에 대해 아는 것을 의미한다. 이러한 지각을 분석할 때 두 가지 사실에 직면한다. 첫째, 그 사물과 내 몸은 물질세계에 있다. 둘째, 그 사물에 대한 나의 의식은 물질세계가 아닌 다른 세계에 있다. 즉 몸으로서의 나는 사물과 같은 세계에 속하는 동시에 의식으로서의 나는 사물과 다른 세계에 속한다.

▶ 사물을 감각하는 몸은 물질세계에 있으면서, 사물에 대한 의식은 사물과 다른 세계에 있다. 우리가 쉽게 납득할 수 있는 당연한 얘기로 시작을 하고 있다.

2 이에 대한 객관주의 철학의 입장은 두 가지로 나뉜다. 의식을 포함한 모든 것을 물질로 환원하여 의식은 물질에 불과하다고 주장하거나, 의식을 물질과 구분되는 독자적 실체로 규정함으로써 의식과 물질의 본질적 차이를 주장한다. 전자에 의하면 지각은 사물로부터의 감각 자극에 따른 주체의 물질적 반응으로 이해되며, 후자에 의하면 지각은 감각된 사물에 대한 주체 즉 의식의 판단으로 이해된다.

▶ 객관주의 1은 [의식=물질]이다. '정신'의 개념을 인정하지 않는 이 입장에서는 모든 작용은 물질적인 작용이다. 따라서 '지각'은 감각된 사물에 대한 주체의 물질적 반응이다. 객관주의 2는 [의식≠물질]이다. 따라서 '지각'은 감각된 사물에 대한 주체(의식)의 판단이다.

이처럼 양자 모두 주체와 대상의 분리를 전제하고 지각을 이해한다. 주체와 대상은 지각 이전에 이미 확정되어 각각 존재한다는 것이다.

▶ 둘의 공통점이 나온다. 출제 요소이니 긴장해야 한다. 둘은 모두 지각을 하는 주체와 지각이 되는 대상을 분리하고 있다. 또한 주체와 대상은 모두 지각하기 이전에 존재하고 있다. 우리가 상식적으로 납득할 수 있는 설명이다.

③ 하지만 지각은 주체와 대상이 각자로서 존재하기 이전에 나타나는 얽힘의 체험이다.

▶ 여기부터 우리의 상식적인 판단과 다른 내용이 나온다. 배경지식이 있거나 관련된 내용에 관심이 있어서 쉽게 이해가 되면 좋지만, 그렇지 않을 경우도 있다. 이때는 이해를 못하더라도 사실 관계(주장과 근거)를 정확하게 확인하고, 필자의 전제를 받아들이면서 독해를 진행해야 한다.

예를 들어 다른 사람과 손이 맞닿을 때 내가 누군가의 손을 만지는 동시에 나의 손 역시 누군가에 의해 만져진다. 감각하는 것이 동시에 감각되는 것이 되는 얽힘의 순간에, 나는 나와 대상을 확연히 구분한다.

▶ 감각이 되는 얽힘의 순간에 나와 대상을 구분할 수 있다는 것을 바꿔 생각하면, '얽힘의 순간'이 없다면 구분을 할 수 없다는 얘기다. 철학적인 관점은 우리의 일상적인 생각과는 다르다. 우리는 '나의 존재'를 의심하지 않고 받아들이지만, 철학자들은 '나의 존재'에 대한 의심을 품으며 실존을 탐구한다. 여기도 마찬가지다. 낯선 내용에 당황하지 말고, <'얽힘의 순간 전'에는 나와 대상을 구분할 수 없다>는 필자의 전제를 받아들여야 다음 내용으로 진행할 수 있다.

지각이라는 얽힘의 작용이 있어야 주체와 대상이 분리될 수 있다. 다시 말해 주체와 대상은 지각이 일어난 이후 비로소 확정된다. 따라서 지각과 감각은 서로 구분되지 않는다.

▶ 필자의 전제를 다시 기억하자. '얽힘의 순간 전'에는 나와 대상을 구분할 수 없다. 몸은 있지만 의식을 하는 주체가 확정되지 않은 상태인 것이다. '얽힘의 순간'은 주체와 대상이 만나는 감각의 순간이다. 그리고 이 순간 지각이 일어나며 주체와 대상이 확정된다. 우리는 평소에 마음속으로 어떤 목적을 떠올리며 대상을 감각할 때가 있다. 하지만 여기서는 아예 다르다. 주체가 의식을 하고 감각을 하는 것이 아니다. 감각하는 순간 지각이 동시에 일어나며, 그 후 주체와 대상이 확정되는 것이다.

④ 지각은 물질적 반응이나 의식의 판단이 아니라, 내 몸의 체험이다. 지각은 나의 몸에 의해 이루어지는 것이고, 지각이 이루어지게 하는 것은 모두 나의 몸이다.

▶ 지각과 감각은 동시에 일어나며 이것이 일어나기 전에는 주체가 없는 상태다. 따라서 필자는 '얽힘의 순간'이 일어나는 '몸의 체험'에 주목한다. 좀 더 추가적인 내용이 있다면 필자의 입장을 수월하게 이해할 수 있겠지만, 평가원 독서 지문은 분량의 규격이 있기에 여기서 글은 마무리된다. 지문에 대한 이해도는 각자 다르겠지만, 일단 필자의 입장과 전제를 챙긴 상태로 문제로 가자.

지문분석

(가) 의식에 대한 논의

↳ **몸 내부에서의 논의**

동일론

의식 = 뇌(물질)

기능주의

의식 = (①) = 함수적 역할
함수적 역할의 일치 : 입출력 쌍의 일치
→ 의식을 구현하는 (②)은 중요하지 않음

설

기능주의 반박 / 기능은 같지만 (③)이 다른 사례 있음

↳ **몸 외부로의 확장**

로랜즈의 확장 인지 이론

의식 중 인지는 몸 밖의 일과 맞물려 벌어짐

인지 과정 : 주체에게 (④)가 생기는 과정
= 파생적 상태 조작으로 심적 상태가 생기는 과정

인지 과정의 확장에는 환경 변화를 탐지하는 (⑤)가 필요함
→ 주체가 없는 인지는 없음

(나) 지각에 대한 입장

↳ **지각 : 몸의 감각 기관을 통해 사물에 대해 아는 것**

↳ **객관주의 <1>**

의식 = 물질
지각은 감각 자극에 따른 주체의 (①)

↳ **객관주의 <2>**

의식 ≠ 물질
지각은 감각된 사물에 대한 주체(의식)의 (②)

↳ **→ 공통점 : 주체와 대상의 분리 / 주체와 대상은 (③) 이전에 확정**

↳ **필자의 입장**

지각은 주체와 대상이 각자로 존재하기 전에 나타남
지각이 있어야 주체와 대상이 분리 가능
주체와 대상은 지각 후 확정
→ 지각과 감각은 구분X

지각은 물리적 반응이나 의식의 판단 X, 내 (④)의 체험 O

형태쌤 Comment

철학적 내용이 나오는 지문은 정보 자체의 추상성 때문에, 반복적으로 다른 말로 개념을 풀이한다. 또한 'A가 아니고, B'라고 하면서 개념을 명시한다. 추상적인 내용이 머릿속에 잘 정리가 되지 않더라도, 동일한 대상을 의미하는 개념들을 잘 연결하고, 대립적 진술로 나오는 문장을 잘 체크해야 선지에 바로 적용할 수 있다. 또한 각자의 견해가 나오는 지문은 입장과 근거를 잘 체크해야 한다. 각자의 입장과 근거가 출제의 핵심이기 때문이다.

문제분석 01-06번

번호	정답	정답률 (%)	선지별 선택비율(%)				
			①	②	③	④	⑤
1	①	78	78	3	5	12	2
2	③	79	4	4	79	8	5
3	①	56	56	9	11	12	12
4	②	81	2	81	6	8	3
5	③	70	4	6	70	12	8
6	④	92	2	1	5	92	0

01

정답설명

① 철학적인 지문은 동일한 개념을 다른 표현으로 제시한다. (가)의 1문단을 보면, '기능'을 '함수적 역할'이라고 했다. 또한 2문단을 보면 '설'은 '기능이 같으면서 의식은 다른 사례'가 있다며 기능주의를 반박하였다. 따라서 '설'의 입장은 의식과 기능(=함수적 역할)이 같지 않다는 것이다. 또한 (나)의 마지막 문단에는 '지각'이 '내 몸의 체험'이라고 명시되어 있다.

02

정답설명

③ 4문단을 보면, 로랜즈는 '기억이나 믿음'과 같은 '심적 상태'가 주체의 몸 외부로 확장되는 것이 아니라고 하였다. 따라서 로랜즈에 따르면 '기억'이 주체의 몸 바깥으로 확장될 수 없다.

오답설명

① 1문단에서 동일론은 의식이 뇌의 물질적 상태와 동일하다고 보았다. 따라서 동일론자들은 뇌가 없다면 의식도 없다고 할 것이다.
② 2문단을 보면, '중국어 방' 안의 사람은 중국어를 모르는 사람이다. 다만 중국어 사용자와 동일한 기능(함수적 역할)을 할 뿐이다. 이 둘은 기능이 같으면서 의식이 다른 사례를 나타낸다. 따라서 '설'은 둘의 의식이 다르다고 볼 것이다.
④ 4문단을 보면, 인지 과정은 파생적 상태를 조작함으로써 심적 상태를 생기게 하는 과정이다. 따라서 로랜즈에 의하면, 인지 과정은 파생적 상태를 조작하는 과정을 포함한다.
⑤ 4문단을 보면, 노트북에 저장된 정보는 파생적 상태다. 파생적 상태를

조작해야 심적 상태가 생기는 것이니, 로랜즈는 노트북에 저장된 정보(파생적 상태)가 그 자체로는 심적 상태가 아니라고 볼 것이다.

03

접근이 중요하다. 'A의 견해나 입장에 대한 설명으로 가장 적절한 것'을 고르라는 문제의 핵심은 A에 대한 정확한 판단이다. A의 특징을 정확하게 잡아야 선지에 있는 다양한 사례들을 빠르게 지워나갈 수 있다.

정답설명

① (나)의 필자의 핵심은 '선 지각 후 주체'다. 우리의 상식과는 이질적인 내용이지만, 필자는 감각과 지각 후에 주체와 대상이 확정된다고 하였다. 하지만 ㉠에서는 환경의 변화를 탐지하고 그에 맞춰 행위를 조절하는 주체를 전제하고 있다. 이른바 '선 주체 후 지각'이다. 따라서 (나)의 필자는 이 부분을 타당하지 않다고 볼 것이다.

오답설명

② (나)의 2문단에 따르면 '의식이 세계를 구성하는 독자적 실체'라고 본 것은 필자가 아닌 객관주의다.
③ (나)의 2문단에 따르면 '의식은 물질에 불과'하다고 본 것은 필자가 아닌 객관주의다.
④ 선지의 앞뒤가 연결되지 않는다. '주체와 통합된 경우에만 확장된 인지 과정이 성립'할 수 있다는 것은, '외부 세계에 대한 지각이 이뤄질 수 없다'고 본 것이 아니다.
⑤ 선지의 앞뒤가 연결되지 않는다. '주체와 통합'된 경우에만 확장된 인지 과정이 성립할 수 있다는 것은, '인지 과정과 인지 주체의 통합'을 말하는 것이다. 이를 '주체와 대상의 분리'로 연결 짓는 것은 잘못된 내용이다. 또한 (나)의 필자는 주체와 대상의 분리를 통해서만 지각이 이뤄질 수 있다고 하지 않았다. '지각이 있어야 주체와 대상이 분리'될 수 있다고 하였다.

04

정답설명

형태쌤의 과외시간

밑줄의 이유를 물어보거나 의미를 추론하라는 문제는 문맥적 의미를 파악하라는 것이다. 이런 문제의 경우 선지를 하나씩 지워 나가는 방식이 아니라, 지문에서 근거를 잡은 후에 선지에서 정답을 한 방에 찾는 방식으로 풀어야 매력적인 오답에 낚이지 않는다. 그리고 이런 문제의 경우 오답의 근거를 굳이 찾을 필요가 없다. 명확한 정답을 한 방에 잡아내는 판단력과 독해력이 필요할 뿐이다.

② '얽힘의 순간'은 손이 맞닿는 '감각의 순간'이다. 그리고 필자는 '지각이라는 얽힘의 작용이 있어야 주체와 대상이 분리될 수 있다'고 하였다. 즉, 필자는 감각과 지각이 동시에 일어난다고 보고 있음을 알 수 있다. 따라서 감각하고 감각되는 얽힘의 작용이 지각이기 때문에 둘은 서로 구분되지 않는다고 본 것이다.

05

정답설명

③ (가)의 4문단을 보면, '파생적 상태'는 주체의 해석에 의존해야만 의미를 나타내는 상태다. 지문에서 제시한 사례인 '노트북에 저장된 정보'가 이에 해당하는 것으로 주체가 이를 조작함(감각 기관으로 보고 해석함)으로써 심적 상태가 생기는 것이다. 〈보기〉의 '막대기의 진동'도 A의 해석에 의존해야만 의미를 나타내는 상태다. 따라서 진동 상태는 파생적 상태에 해당된다.

오답설명

① (가)의 1문단에 따르면 기능주의는 의식을 기능으로 본다. 또한 입·출력 쌍이 일치하면 함수적 역할이 일치하고, 의식이 동일하다고 본다. A와 B가 동일한 질문(입력)에 동일한 대답(출력)을 하면, 함수적 역할이 일치하는 것이고, 둘의 의식은 동일한 것이다.

② 4문단에 따르면 (가)의 확장 인지 이론에서는 파생적 상태를 조작함으로써 심적 상태가 생기는 것을 '인지 과정'으로 본다. B가 BCI를 조작하는 것이 인지 과정인 경우, B에게는 사물의 위치에 대한 '심적 상태'가 생겨날 것이다.

④ (나)의 4문단에서 몸에 의한 지각을 주장하는 입장에 따르면, '지각'은 몸의 체험이며, 몸에 의해 이뤄지는 것이다. 그리고 '지각이 이루어지게 하는 것은 모두 나의 몸'이다. 따라서 A가 막대기로 사물의 위치를 지각하는 경우에 막대기는 A의 몸의 일부로 볼 수 있다.

⑤ (나)의 2문단에서 의식을 물질로 환원하는 입장에 따르면, 모든 것은 물질로 환원 가능하고 의식도 물질에 불과하다. 그리고 지각은 감각 자극에 따른 주체의 물질적 반응이다. 따라서 BCI를 통해 입력된 정보로부터 B에게 지각이 일어났다면, B의 뇌에서 해당 자극에 따른 물질적 반응이 일어난 것이다.

06

정답설명

형태쌤의 과외시간

　문맥적 의미를 찾는 것은 밑줄 친 부분보다는 주변을 보면서 밑줄 친 부분의 범주를 제한하는 방식이 효과적이다. 밑줄 친 부분의 어휘를 본인이 아는 가장 쉬운 단어로 바꾼 후 선지에 적용을 하는 방식은 통하지 않을 때도 종종 있고 이 경우 당황해서 틀릴 수도 있기 때문이다.

④ 밑줄의 앞을 살펴보자. '기억'을 알아보는 것이다. '추상적인 어떤 것'을 알아보는 것이니, '단어의 뜻'이 무엇인지 알아보는 것과 유사하다.

구조도 정답

(가)
① 기능
② 물질
③ 의식
④ 심적 상태
⑤ 주체

(나)
① 물질적 반응
② 판단
③ 지각
④ 몸

지문분석

(가) 조선 시대의 신분제

조선 초기

(①) (법적 신분제)

『경국대전』 규정 : (②)과 천인으로 신분을 나눔.

(②) : 과거에 응시할 수 있음. 납세와 군역의 의무를 짐.

천인 : 개인이나 국가에 소속되어 천역 담당

16세기 이후

양반, 중인, 상민, 천인의 사회적 분화(사회적 신분제)

→ (③)이 세습적으로 군역 면제 등의 차별적 특혜를 받는 신분으로 굳어졌기 때문

조선 후기

농업 생산력의 증대 + 상공업의 발달 → 신분제 변화

노비 : 속량과 도망 등의 방식 → 신분적 억압 점차 벗어남.

상민 : (④) 직역 획득 → 제도적으로 양반이 됨.
but 온전한 양반으로 인정 x

(④) : 관료로 진출하지 못한 이들을 가리키는 직역 명칭

(⑤) 현상 → 양반의 하한선과 비(非)양반층의 상한선이 근접

양반들이 비양반층의 진입을 막는 힘 < 비양반층이 양반에 접근하고자 하는 힘

(나) 신분제 개혁론

유형원

(①)의 건설 구상

성리학적 가치와 규범에 따른 국가 공동체 운영

구성원 : (②)의 사민으로 편성

노비제 폐지, 비도덕적 직업인 광대와 같은 직업군 철폐

과거제 대신 (③)로 관료 선발

도덕적 능력이 뛰어난 자 추천 선발 → 여러 단계 교육
→ 최소한의 학식 확인 → 관료 임명

지방에도 관료 선발 인원 적절히 분배

⇒ 향촌 사회의 풍속도 도덕적으로 이끌 수 있음.

정약용

(④) 개편 구상

사농공상별로 구분하여 거주

(⑤) 집단을 재편

(⑥) 선발 → 일정한 교육 → 여러 단계의 시험 → 관료 선발

(⑥) : 도덕적 능력의 여부에 따라 추천된 예비 관료

사 거주지에서 더 많은 선사 선발

노비를 제외한 농민과 상공인에도 선사의 선발 인원 배정
노비제는 사를 뒷받침하기 위해 유지

공통점

(⑦) 능력주의에 의한 신분제 개혁론 제시

사회 지배층으로서의 '사'에 주목

유형원 : 도덕적 능력이 뛰어난 사람들로 지배층인 '사' 구성

정약용 : 도덕적 능력에 따라 사회 지배층 재편

'사' 집단에 정치권력, 경제력 등을 집중

지배층과 피지배층 간의 차등 엄격하게 유지

⇒ 사회 지배층의 재구성을 통한 도덕 국가 체제 추구

형태쌤 Comment

조선 시대의 신분제 변화 과정을 통시적으로 설명하는 글인 (가) 지문과 도덕적 능력주의에 기초한 신분제 개혁론을 주장한 두 학자의 견해를 비교·설명하는 글인 (나) 지문으로 나누어져 있다. 시간의 흐름에 따라 달라지는 신분제의 변화 양상과 신분제 개혁론을 주장한 두 학자의 공통점과 차이점을 잘 비교하며 읽어야 한다.

문제분석 01-06번

번호	정답	정답률(%)	선지별 선택비율(%)				
			①	②	③	④	⑤
1	④	66	3	22	6	66	3
2	⑤	66	2	9	14	9	66
3	③	68	8	10	68	9	5
4	⑤	36	16	6	6	36	36
5	⑤	53	4	9	17	17	53
6	①	97	97	0	1	1	1

01

정답설명

④ 4문단에 따르면 조선 후기 '유학'의 증가 현상은 '비양반층이 양반에 접근하고자 하는 힘은 더 강하게 작동'했음을 보여 준다고 하였다. 이때 양반에 접근하고자 하는 비양반층은 '유학'의 직역을 얻어 제도적으로 양반이 되고자 한 상민층이다. 1문단에 따르면 『경국대전』은 신분 체계를 양인과 천인으로 나누어 규정하고 있으며, 상민과 양반은 모두 양인에 속하므로 조선 후기 '유학'의 증가 현상이 『경국대전』의 신분 체계가 작동하지 않는 현상을 보여 준다는 선지의 설명은 적절하지 않다.

오답설명

① 2문단의 '영조 연간에 편찬된 법전인 『속대전』에서는~그들을 양인 납세자로 전환하는 것이 유리했기 때문이었다.'에서 확인할 수 있다.

② 1문단에 따르면 '조선 왕조의 기본 법전인 『경국대전』에 규정된 신분제는 신분을 양인과 천인으로 나눈 양천제'였으며, 이러한 법적 신분제는 '갑오개혁으로 철폐되기 이전까지 조선 사회의 근간이 되었다.'라고 하였으므로 선지의 설명은 적절하다. 참고로 '양반, 중인, 상민, 천인' 이렇게 4개의 신분이 있다고 오독하면 안 된다. '양반, 중인, 상민'은 '사회적 신분제'이다. 이를 '법적 신분제'로 보면 '양인'으로 묶을 수 있고, '법적 신분제'는 신분을 '양인과 천인'으로 나눈 것이다.

③ 2문단에 따르면 조선 후기 '몰락한 양반들은 노비의 유지가 어려워졌기 때문에 몸값을 받고 속량해 주는 길을 선택했다.'라고 하였다. 이를 통해 조선 후기 양반 중에는 노비를 양인 신분으로 풀어 주고 몸값 즉, 금전적 이익을 얻은 이들이 있었음을 알 수 있으므로 선지의 설명은 적절하다.

⑤ 3문단의 '호적상 유학은 군역 면제라는 특권이 있어서~온전한 양반으로 인정받는 것을 의미하는 것은 아니었다.'에서 확인할 수 있다.

02

정답설명

⑤ 2문단에 따르면 유형원은 '공거제를 통해 도덕적 능력이 뛰어난 자를 추천으로 선발하여 여러 단계의 교육을 한 후, 최소한의 학식을 확인하여 관료로 임명해야 한다고 제안했'음을 알 수 있다. 한편 3문단에 따르면 정약용은 "도덕적 능력의 여부에 따라 추천으로 예비 관료인 '선사'를 선발하고 일정한 교육을 한 후, 여러 단계의 시험을 거쳐 관료를 선발할 것을 제안했"음을 알 수 있다. 즉, 유형원과 정약용 모두 시험으로 도덕적 능력이 우수한 이를 선발하는 것이 아니라, '추천'으로 예비 관료를 선발하는 방안을 제시한 것이다. 또한 정약용은 예비 관료인 선사가 관료가 되기 위해서는 여러 단계의 시험을 거쳐야 한다고 하였으므로, 예비 관료를 선발하여 교육한 후 관료로 임명하는 방안을 제시했다고 볼 수도 없다.

오답설명

① 2문단의 '아울러 비도덕적 직업이라고 생각한 광대와 같은 직업군을 철폐하고, 사농공상의 사민으로 편성하고자 했다.'에서 확인할 수 있다.

② 2문단의 '도덕을 기준으로 관료를 선발하고 지방에도 관료 선발 인원을 적절히 분배하면 향촌 사회의 풍속도 도덕적으로 이끌 수 있다고 본 것이다.'에서 확인할 수 있다.

③ 4문단에 따르면 정약용은 '사회 지배층으로서의 사에 주목'하였으며, '사회 전체의 도덕 실천을 이끌기 위해 사 집단에 정치권력, 경제력 등을 집중시키려 했'다. 이는 지배층인 사 집단이 주도권을 가지고 사회를 운영하는 방안을 구상한 것이므로 선지의 설명은 적절하다.

④ 3문단의 '신분제가 동요하는 상황에서~사농공상별로 구분하여 거주하는 것을 포함한 행정 구역 개편을 구상했다.'에서 확인할 수 있다. 이때, '사농공상'은 '선비, 농부, 공장(工匠), 상인을 이르던 말'이므로 직업별로 신분을 구분했음을 알 수 있다.

03

정답설명

③ (가)의 3, 4문단을 통해 경제적으로 성장한 상민층이 유학 직역을 얻어 제도적으로 양반이 되는 상황이 확대되었음을 알 수 있다. 하지만 상민층은 온전한 양반으로 인정받지 못했으며, 양반들은 비양반층의 진입을 막는 힘을 작동시켰음을 알 수 있다. 상민층이 양반 집단의 일원으로 인정받기 위해 필요한 조건인 ㉠은 양반들이 비양반층, 즉 상민층의 진입을 막는 힘의 측면으로 이해할 수 있으므로, ㉠은 상민층이 양반으로 인정받는 것을 억제하는 장치라 할 수 있다. 한편, (나)의 1, 2문단에 따르면 유형원은 도덕적 능력주의에 기초한 개혁론을 통해 양반 이외의 신분에서는 관료가 되기 어려운 상황을 바꾸고자 했으며, 신분 세습을 비판하고 도덕적 기준으로 관료를 선발해야 함을 제시했다. ㉢은 이러한 유형원의 생각이 반영된 것이므로, 능력주의를 통해 인재 등용에 신분의 벽을 두지 않으려는 방안이라 할 수 있다.

오답설명

① (가)의 3, 4문단을 통해 경제적으로 성장한 상민층이 유학 직역을 얻어 제도적으로 양반이 되는 신분 상승 현상이 나타났음을 알 수 있다. 하지만 상민층은 온전한 양반으로 인정받지 못했으며 양반 집단의 일원으로 인정받기 위해서는 ㉠과 같은 다양한 조건이 요구되었으므로. ㉠은 신분적 정체성을 지키려는 양반층의 노력이라 할 수 있다. 한편, ㉡은 선사를 선발할 때 사 집단에게 기회를 더 주겠다는 정책적 방안이다. 하지만 (나)의 3문단에 따르면 농민과 상공인에게도 선사의 선발 인원을 배정해 사 집단으로 진출할 수 있는 기회를 제공했으므로 ㉡은 양반층의 신분적 정체성을 지키기 위한 정책적 방안이라 할 수 없다.

② 호적상 유학 직역이 증가하는 상황에서 온전한 양반으로 인정받으려는 상민층에게 요구된 ㉠의 '유교적 의례의 준행, 문중과 족보에의 편입'과 같은 다양한 조건들은 법전에 명시된 것이 아니므로 양반 집단이 기득권을 지키기 위해 행한 자율적 노력이라 할 수 있다. 한편, (나)의 3문단을 통해 정약용은 도덕적 능력 여부에 따라 선사를 선발하고자 하였음을 알 수 있다. ㉡에서 사 집단에게 기회를 더 주려는 의도를 확인할 수 있지만, 농민과 상공인에게도 선사의 선발 인원을 배정해 사 집단으로 진출할 수 있는 기회를 제공했으므로 ㉡은 기존의 양반들이 가진 기득권을 제도적으로 강화하기 위한 방안이라 할 수 없다.

④ (가)의 3, 4문단에 따르면 경제적으로 성장한 상민층이 유학 직역을 얻어 제도적으로 양반이 되는 신분 상승 현상이 확대되고 있었으므로 ㉠은 신분 구분을 강화하여 불평등을 심화하는 제도의 역할을 할 수 없다. 한편, (나)의 2문단을 통해 유형원은 도덕적 능력이 뛰어난 자를 선발하여 관료로 임명해야 한다고 제안했음을 알 수 있다. ㉡은 이러한 유형원의 생각을 반영해 도덕적 능력을 중심으로 지배층을 구성하고자 한 방안일 뿐 사회 지배층의 인원을 늘려야 한다는 내용은 아니다. 따라서 ㉡은 사회 지배층의 인원을 늘려 도덕 실천을 이끌기 위한 방안이라 할 수 없다.

⑤ (나)의 3문단을 통해 정약용은 도덕적 능력 여부에 따라 선사를 선발하고자 함을 알 수 있다. ㉡에서 사 집단에게 기회를 더 주려는 의도를 확인할 수 있지만, 농민과 상공인에게도 선사의 선발 인원을 배정해 사 집단으로 진출할 수 있는 기회를 제공했으므로 ㉡은 신분적 구분을 명확하게 하기 위한 장치의 역할을 할 수 없다. 한편, (나)의 2문단을 통해 유형원은 도덕적 능력이 뛰어난 자를 선발하여 관료로 임명해야 한다고 제안했음을 알 수 있다. ㉡은 이러한 유형원의 생각을 반영해 도덕적 능력을 중심으로 지배층을 구성하고자 하는 방안일 뿐 양반층과 비양반층의 신분적 구분을 없애기 위한 방안은 아니다. 또한 (나)의 2문단에 따르면 유형원은 신분을 사농공상의 사민으로 편성하고자 했으므로 양반층('사')과 비양반층의 신분적 구분을 했음을 알 수 있다. 따라서 ㉡은 양반과 비양반층의 신분적 구분을 없애기 위한 방안이라 할 수 없다.

04

정답설명

형태쌤의 과외시간

	유형원	정약용
ㄱ	O	O
ㄴ	O	O
ㄷ	O	X
ㄹ	X	X

ㄱ. 유형원은 신분을 사농공상으로 나누고, 사회 지배층을 사로 구성하고자 하였다. 따라서 유형원은 ㄱ의 내용에 동의했을 것이다. 또한, 정약용 역시 신분을 사농공상으로 구분하고, 사회 지배층을 사로 구성하고자 하였으므로 ㄱ의 내용에 동의했을 것이다.

ㄴ. 유형원은 신분 세습을 비판하고, 도덕적 능력(인의)에 따라 관료를 선발하고자 하였다. 따라서 유형원은 ㄴ의 내용에 동의했을 것이다. 또한, 정약용 역시 양반의 세습을 비판하며 도덕적 능력에 따라 사회 지배층을 재편하고자 하였으므로 ㄴ의 내용에 동의했을 것이다.

ㄷ. 유형원은 노비제를 폐지하고, 비도덕적 직업이라고 생각한 광대와 같은 직업군을 철폐하여 이들을 사농공상의 신분제 안에 편입하고자 하였다. 따라서 유형원은 ㄷ의 내용에 동의했을 것이다. 반면, 정약용은 노비제는 사를 뒷받침하기 위해 유지되어야 한다고 주장했으며, 노비 이외에서 사 집단으로 진출할 수 있도록 했다고 하였으므로 나라 안의 모든 이에게 존귀하게 될 기회가 열린다는 ㄷ의 내용에 동의하지 않았을 것이다.

ㄹ. 유형원은 신분을 사농공상으로 나누었으므로 양반과 상민을 구분했음을 알 수 있다. 하지만 도덕을 기준으로 관료를 선발하고자 하였으므로 양반과 상민의 경계를 넘지 않아야 한다는 ㄹ의 내용에 동의하지 않았을 것이다. 또한, 정약용 역시 신분을 사농공상으로 구분하고, 도덕적 능력에 따라 사회 지배층을 재편하고자 했으므로 양반과 상민의 경계를 넘지 않아야 한다는 ㄹ의 내용에 동의하지 않았을 것이다.

⑤ 정약용은 ㄱ의 내용에는 동의하고, ㄷ의 내용에는 동의하지 않았을 것이므로 선지의 설명은 적절하다.

05

정답설명

⑤ 〈보기〉에 따르면 '학자 계급'이 '노동 계급'으로 환원될 수 있고, '노동 계급'도 '학자 계급'으로 승격될 수 있다고 하였으므로 '노동 계급'과 '학자 계급' 간의 이동이 가능한 것은 알 수 있다. 이때 '승격'은 '지위나 등급 따위가 오름.'의 뜻을 가지므로, '승격'이라는 표현을 통해 두 계급 간의 차등이 전제되어 있음을 알 수 있다. 또한 '학자 계급'은 노동을 면제받지만, '노동 계급'은 노동을 면제받지 못하므로 계급 간 차등은 있음을 알 수 있다. 한편, (나)의 마지막 문단에서 유형원과 정약용은 지배층과 피지배층 간의 차등을 엄격하게 유지하고자 했다고 하였으므로, 유토피아와 (나) 모두 계급 간 차등을 전제했음을 확인할 수 있다. 따라서 유토피아에서 '노동 계급'과 '학자 계급' 간의 이동이 가능한 것은 계급 간 차등이 없음을 전제한다는 선지의 설명은 적절하지 않

다.

오답설명

① 〈보기〉에 따르면 유토피아에서 '학자 계급'은 연구와 공공의 일에 전념하며, 능력 있는 이를 성직자가 추천하고 대표들이 승인하는 절차를 거쳐야 될 수 있다고 하였다. 따라서 유토피아에서 연구와 공공의 일에 전념하는 사람들은 선발의 과정을 거침을 확인할 수 있다. 한편, (가)의 '유학'은 경제적으로 성장한 상민층이 얻는 직역이지만, (나)의 '선사'는 도덕적 능력 여부에 따라 추천을 받아 선발되는 예비 관료이므로 '학자 계급'은 (나)의 '선사'에 가까움을 알 수 있다.

② 〈보기〉에 따르면 유토피아에서 학자 계급은 노동을 면제받지만, '학자 계급'도 성과가 부족하면 '노동 계급'으로 환원될 수 있고 '노동 계급'도 '학자 계급'으로 승격될 수 있다고 하였으므로 그 특권이 세습되지 않음을 확인할 수 있다. 반면, (가)의 1문단에 따르면 16세기 이후의 '양반'은 세습적으로 군역 면제 등의 차별적 특혜를 받는 신분으로 굳어졌다고 하였으므로 〈보기〉의 관료와 차이가 있음을 알 수 있다.

③ 〈보기〉에 따르면 유토피아에서 '학자 계급'은 노동을 면제받으며, 성직자, 관료 등의 권력층은 이 '학자 계급'에서만 나오도록 했음을 알 수 있다. 한편, (나)의 마지막 문단에 따르면 유형원과 정약용은 사회 지배층을 '사 집단'으로 구성하고자 하였으며, 사회 전체의 도덕 실천을 이끌기 위해 '사 집단'에 정치권력, 경제력 등을 집중시키려 했으므로 〈보기〉와 생각이 유사함을 확인할 수 있다.

④ 〈보기〉에 따르면 유토피아에서는 '노동 계급'도 공부에 진전이 있으면 '학자 계급'으로 승격될 수 있다고 하였으므로, 학업 능력을 기준으로 '노동 계급'이 '학자 계급'으로 승격됨을 확인할 수 있다. 반면, (가)의 상민 출신인 '유학'이 '양반'으로 인정받기 위해서는 '유교적 의례의 준행, 문중과 족보에의 편입 등' 다양한 조건이 필요했음을 알 수 있다. 하지만 이러한 조건들은 학업 능력과는 관련이 없으므로 〈보기〉와 차이를 보임을 알 수 있다.

06

정답설명

① 지문의 '굳어졌다(ⓐ)'는 '점점 몸에 배어 아주 자리를 잡게 되다.'라는 의미이다. 이는 선지의 '관용이 우리 집의 가훈으로 확고하게 굳어졌다.'의 '굳어졌다'와 같은 의미임을 알 수 있다.

오답설명

② '어젯밤 적당하게 내린 비로 대지가 더욱 굳어졌다.'의 '굳어졌다'는 '누르는 자국이 나지 아니할 만큼 단단하게 되다.'의 의미이므로, ⓐ와 다르다.

③ '포기하지 않겠다는 결심이 어머니의 격려로 굳어졌다.'의 '굳어졌다'는 '흔들리거나 바뀌지 아니할 만큼 힘이나 뜻이 강하게 되다.'의 의미이므로, ⓐ와 다르다.

④ '길에서 버스를 기다리던 사람들의 몸이 추위로 굳어졌다.'의 '굳어졌다'는 '근육이나 뼈마디가 점점 뻣뻣하게 되다.'의 의미이므로, ⓐ와 다르다.

⑤ '갑작스러운 소식에 나도 모르게 얼굴이 딱딱하게 굳어졌다'는 '표정이나 태도 따위가 긴장으로 딱딱하게 되다.'의 의미이므로, ⓐ와 다르다.

구조도 정답

(가)

① 양천제
② 양인
③ 양반
④ 유학
⑤ 신분 상승

(나)

① 도덕 국가
② 사농공상
③ 공거제
④ 행정 구역
⑤ 사
⑥ 선사
⑦ 도덕적

18

2024학년도 11월

지문분석

(가) 한비자의 『노자』 해석

→ 『노자』
(①)
만물 생성의 근원
영구불변하는 (②)
인간의 (③)
사회 혼란의 원인 → 없애야 함.

→ 한비자
(①)
천지 만물의 존재와 본질의 근거
인간 사회의 흥망성쇠 좌우
(④)(형체 x, 고정 x) :
상황에 따라 유연하게 변화 → 통치술도 고정 x
구체적인 사물과 사건에 내재한 (⑤) 포괄
→ 다양한 개별 사건의 시비 판단 기준
→ (①)에 근거한 입법
인간의 (③)
사회 혼란의 원인 but 필연적 → (③)을 제어할 법 필요

(나) 『노자』에 대한 유학자들의 견해

→ 송나라 이후 유학자들
도 : 인간 삶의 올바른 길
유학의 도 기반 → 도가의 도 주목 『노자』 주석 전개

→ 왕안석(송나라 초기)
유학의 실천적 측면과 결부하여 『노자』 이해 → 『노자주』 저술
1) 도 = (①)(氣)
: 만물의 물질적 (②), 기의 작용에 의해 사물 형성
2) 사회 안정을 위해 인간의 적극적 개입 필요성 주장
: 지혜와 덕이 뛰어난 사람 → (③) 제정
→ 현실 사회의 변화에 따라 새롭게 해야 함. → 사회 안정
3) 유학 이념 (④)으로 사용 주장

→ 오징(원나라)
주술적인 종교에 불과한 도교에 사람들이 빠지는 것 경계
유학 이념과 관련지어 『노자』 일부 내용 교체 및 기존 구성 체제 재편
→ 『도덕진경주』 저술
1) 도 : 근원적이고 (⑤), 모든 이치 내재
2) 도의 (⑥) 결과
: 천지 만물, 유학의 인의예지, 사회 규범과 사회 질서 체계

→ 설혜(명나라)
노자 사상에 대한 오해 불식 주장
다양한 경전 인용하여 『노자』 해석 및 이해 → 『노자집해』 저술
1) 도 : 인간의 (⑦), 천명
2) 노자 사상과 유학 다르지 x
: 노자 사상과 유학 모두 본성과 천명의 이치 탐구
: 『노자』 인의 등 비판 → 도덕을 근본으로 삼게 하기 위한 충고

형태쌤 Comment

『노자』의 도에 대한 한비자의 견해를 설명하는 글인 (가) 지문과 『노자』의 도에 대한 중국 송나라 이후 유학자들의 견해를 시간의 흐름에 따라 설명하는 글인 (나) 지문으로 나누어져 있다. 『노자』의 도를 해석하는 각 유학자들의 차이점에 주목하여 읽어야 한다.

번호	정답	정답률 (%)	선지별 선택비율(%)				
			①	②	③	④	⑤
1	③	86	2	4	86	6	2
2	①	66	66	5	4	15	10
3	④	56	4	28	6	56	6
4	④	42	10	22	8	42	18
5	⑤	49	4	8	17	22	49
6	④	97	1	1	1	97	0

01

정답설명

③ (나)는 '도'라는 특정 개념을 중심으로 『노자』에 대한 여러 학자(왕안석, 오징, 설혜)의 견해를 시간의 흐름(송나라, 원나라, 명나라)에 따라 제시하였으므로 선지의 설명은 적절하다.

오답설명

① (가)는 1문단에서 『한비자』가 중국 전국 시대의 한비자의 사상이 담긴 저작이며, 한비자가 『노자』에 대한 해석을 통해 자신의 법치 사상을 뒷받침했다고 언급하였으므로 이를 철학사적 의의와 연결 지어 생각해볼 수 있다. 하지만 『한비자』와 『노자』의 사회적 파급력을 비교하지는 않았으므로 적절하지 않다.

② (가)는 1문단에서 한비자가 엄격한 법치를 통해 부국강병을 꾀하고자 했다고 밝혔으므로 한비자가 추구한 이상적인 사회를 소개했다고 볼 수 있다. 하지만 이상적인 사회 실현을 위해 『노자』를 수용한 입장의 한계를 설명하고 있지는 않으므로 적절하지 않다.

④ (나)는 왕안석, 오징, 설혜가 『노자』를 해석한 의도를 제시하고 있지만 그 차이로 인해 발생한 학자 간의 이견을 절충하고 있지는 않다.

⑤ (가)는 『노자』에 대한 한비자의 견해만을 제시하였을 뿐 다양한 시각에서 제시된 비판이 심화되는 과정을 구체적 사례와 함께 설명하고 있지 않다. 한편, (나)에서는 『노자』에 대한 왕안석, 오징, 설혜의 견해가 제시되고 있지만, 다양한 시각에서 제시된 비판이 심화되는 과정을 구체적 사례와 함께 설명하고 있지 않으므로 적절하지 않다.

02

정답설명

① (가)의 4문단에 따르면 한비자는 도는 개별 법칙을 포괄하기 때문에 다양한 개별 사건의 시비를 판단하는 기준이 될 수 있다고 설명하였을 뿐, 사건의 시비에 따라 도가 달라진다고 설명하지 않았으므로 선지의 설명은 적절하지 않다.

오답설명

② (가)의 4문단에 따르면 한비자는 인간은 욕망을 필연적으로 가질 수밖에 없다고 지적하였으므로 선지의 설명은 적절하다.

③ (가)의 3문단에 따르면 한비자는 도가 천지와 더불어 영원히 존재하며,

도는 형체가 없을 뿐 아니라 일정하게 고정되어 있지 않기 때문에 때와 상황에 따라 유연하게 변화한다고 하였으므로 선지의 설명은 적절하다.

④ (가)의 2문단에서 '인간 사회의 일은 도에 따라 제대로 행했는가의 여부에 따라 그 성패가 드러나는 것이라고 이해했다.'라고 하였다. 따라서 한비자는 인간 사회의 흥망성쇠(흥하고 망함과 성하고 쇠함.)는 도를 제대로 행했는가의 여부에 따라 좌우된다고 보았음을 알 수 있다.

⑤ (가)의 2문단에 따르면 한비자는 도를 천지 만물의 존재와 본질의 근거라고 보았음을 알 수 있다. 또한 4문단에 따르면 한비자는 도를 구체적인 사물과 사건에 내재한 개별 법칙의 통합으로 보았음을 확인할 수 있으므로 선지의 설명은 적절하다.

03

정답설명

④ (나)의 3문단에 따르면 오징은 노자의 가르침이 유학과 크게 다르지 않음을 밝히고자, 도와 유학 이념을 관련지어 『노자』의 일부 내용을 바꾸고 기존 구성 체제를 재편하였으므로 유학을 노자 사상과 연관 지었음을 알 수 있다. 또한 유학의 인의예지, 사회 규범과 사회 질서 체계를 도가 현실화한 결과로 파악했으므로 ㉠은 유학을 노자 사상과 연관 지어 유교적 사회 질서의 정당성을 확인한 것으로 표출되었음을 알 수 있다. 한편, (나)의 4문단에 따르면 설혜는 본성과 천명의 이치를 탐구한다는 점에서 노자 사상과 유학이 다르지 않음에도, 기존의 주석서가 『노자』의 진정한 의미를 제대로 밝히지 못해 유학자들이 노자 사상을 이단으로 치부했다며 노자 사상에 대한 이러한 오해를 불식해야 한다고 보았다. 따라서 ㉡은 노자 사상이 유학과 다르지 않다는 것을 밝혀 오해를 바로잡으려는 것으로 표출되었다고 볼 수 있다.

오답설명

① (나)의 3문단에 따르면 『노자』는 유학의 인의예지가 도의 쇠퇴 때문에 나타난 것으로 보았으므로, 유학 덕목의 등장을 긍정적으로 평가했다고 볼 수 없다. 또한 오징은 『노자』와 달리 인의예지는 도가 현실화하여 드러난 것이라고 보았으므로 ㉠이 유학 덕목의 등장과 관련한 『노자』의 견해를 수용했다고 볼 수 없다. 반면, (나)의 4문단에 따르면 설혜는 ㉡에 따라 『노자』가 유학 덕목인 인의 등을 비판한 것은 도덕을 근본으로 삼게 하기 위한 충고라고 파악하였다. 이는 ㉡에 따라 유학 덕목에 대한 『노자』의 비판에 담긴 긍정적 의도를 밝히려는 것으로 볼 수 있으므로 선지의 설명은 적절하다.

② (나)의 3문단에 따르면 유학에 주술성이 있는 도교가 유입된 것이 아니라, 주술성이 있는 도교가 유학을 받아들여 체계화되었음을 알 수 있다. 또한 오징은 ㉠의 입장에서 사람들이 주술적 종교인 도교에 빠지는 것을 경계하여 도와 유학 이념을 관련지어 『노자』의 일부 내용을 바꾸고 기존 구성 체제를 재편한 『도덕진경주』를 저술했음을 알 수 있다. 따라서 ㉠이 유학에 유입되고 있는 주술성을 제거하는 것으로 표출되었다는 설명은 적절하지 않다. 반면, (나)의 4문단 '다양한 경전을 인용하여~노자 사상과 유학이 다르지 않다고 보았다.'를 통해 ㉡은 노자 사상이 탐구하는 대상에 대한 이해를 근거로 노자 사상과 유학의 공통점을 제시했음을 알 수 있다.

③ (나)의 3문단에 따르면 오징은 도교가 유학을 받아들여 체계화되었음에도 이를 주술적인 종교로 보고, ㉠의 입장에서 사람들이 도교에 빠지는

것을 경계하여 도와 유학 이념을 관련지어 『노자』의 일부 내용을 바꾸고 기존 구성 체제를 재편한 『도덕진경주』를 저술했음을 알 수 있다. 따라서 ⓐ은 유학의 가르침을 차용한 종교인 도교가 사람들을 현혹하는 상황에 대응하는 것으로 표출되었다고 볼 수 있다. 반면, (나)의 4문단에 따르면 설혜는 ⓛ에 따라 다양한 경전을 인용하여 『노자』를 해석하고 노자 사상과 유학이 다르지 않음을 주장하였을 뿐, 『노자』를 해석한 경전들을 참고하여 유학 이론의 독창성을 밝히지는 않았으므로 선지의 설명은 적절하지 않다.

⑤ (나)의 3문단에 따르면 오징은 도교의 시조로 간주된 노자의 가르침과 공자의 학문인 유학이 크게 다르지 않음을 밝히고자 하였으므로 ⓐ은 특정 종교에서 추앙하는 사상가와 유학 이론의 관련성을 제시하는 것으로 표출되었다고 볼 수 있다. 반면, (나)의 4문단에 따르면 설혜는 ⓛ에 따라 다양한 경전을 인용하여 『노자』를 해석하고 노자 사상과 유학이 다르지 않음을 주장하였을 뿐, 유학의 사상적 우위를 입증하고자 하지는 않았으므로 선지의 설명은 적절하지 않다.

04

정답설명

형태쌤의 과외시간

	왕안석	오징
ㄱ	X	X
ㄴ	X	O
ㄷ	O	O
ㄹ	O	X

ㄱ. 왕안석은 도를 만물의 물질적 근원인 '기'로 보고, 현상 세계에 앞서 기가 존재한다고 보았으므로 도 역시 현상 세계에 앞서 존재한다고 보았을 것이다. 따라서 ㄱ의 내용에 동의하지 않았을 것이다. 또한, 오징 역시 모든 이치를 내재한 도가 현실화하여 천지 만물이 생성된다고 이해했으므로 도는 만물에 앞서서 존재한다고 보았을 것이다. 따라서 ㄱ의 내용에 동의하지 않았을 것이다.

ㄴ. 왕안석은 자연과 달리 인간 사회의 안정을 위해서는 제도와 규범의 제정과 같은 인간의 적극적인 개입이 필요하다고 주장했다. 즉, 인간 사회의 규범은 도가 현실에 드러난 것이 아니라, 지혜와 덕이 뛰어난 사람이 제정하는 것이므로 ㄴ의 내용에 동의하지 않았을 것이다. 반면, 오징은 인간이 마땅히 따라야 할 사회 규범은 도가 현실화한 결과로 파악했으므로, ㄴ의 내용에 동의했을 것이다.

ㄷ. 왕안석은 도와 기를 동일한 것으로 파악하였으며 현상 세계에 앞서 존재하는 기의 작용에 의해 사물이 형성된다고 보았으므로, 도가 세상일과 유기적으로 관련된다고 보았을 것이다. 따라서 ㄷ의 내용에 동의했을 것이다. 또한, 오징은 인간이 마땅히 따라야 할 사회 규범과 사회 질서 체계를 도가 현실화한 결과로 파악했으므로, ㄷ의 내용에 동의했을 것이다.

ㄹ. 왕안석은 기가 시시각각 변화하듯 현상 세계도 변화하며, 사람이 제정한 사회 제도와 규범도 현실 사회의 변화에 따라 새롭게 해야 한다고 주장하였으므로 ㄹ의 내용에 동의했을 것이다. 반면, 오징은 도를 근원적인 불변하는 것으로 보았으므로 ㄹ의 내용에 동의하지 않았을 것이다.

④ 오징은 ㄱ과 ㄹ의 내용에 동의하지 않았을 것이므로 선지의 설명은 적절하다.

05

정답설명

⑤ 〈보기〉에 따르면 왕부지는 노자 사상의 비현실성을 드러내어 유학의 실용적 가치를 부각하고자 하였으므로, 노자 사상을 비판하는 입장을 취했음을 알 수 있다. 한편, (나)의 4문단에 따르면 설혜는 기존의 『노자』 주석서가 『노자』의 진정한 의미를 제대로 밝히지 못해 유학자들이 노자 사상을 이단으로 치부했다며 기존 주석서들을 비판하고, 본성과 천명의 이치를 탐구한다는 점에서 노자 사상과 유학이 다르지 않으므로 노자 사상에 대한 이러한 오해를 불식해야 한다고 주장하였다. 따라서 설혜의 입장은 노자 사상의 비현실성을 드러냄으로써 유학의 실용적 가치를 부각한 왕부지의 입장과는 차이를 보이므로 선지의 설명은 적절하지 않다.

오답설명

① 〈보기〉에 따르면 왕부지는 『노자』에서처럼 단순히 인간의 이기적 욕망을 없애는 것이 아니라 사회 질서 유지를 위해 유학 규범을 활용해야 한다고 강조하였다. 따라서 왕부지는 (가)의 4문단에서 한비자가 『노자』와 달리 인간은 욕망을 필연적으로 가질 수밖에 없음을 지적하며 이를 제어하기 위해 법이 필요하다고 강조한 것을 수긍하였을 것이다.

② 〈보기〉에 따르면 왕부지는 『노자』에서 아무런 행동을 하지 않아도 천하가 다스려진다고 한 것을 비판하였다. 따라서 왕부지는 (나)의 2문단에서 왕안석이 인위적인 것을 제거해야만 도가 드러나고 인간 사회가 안정된다는 『노자』를 비판하고, 유학 이념이 실질적 수단으로 사용되어야 한다고 주장한 것을 긍정하였을 것이다.

③ 〈보기〉에 따르면 왕부지는 『노자』의 본래 뜻을 드러내어 노자 사상을 비판하고자 하였다. 따라서 왕부지는 (나)의 3문단에서 오징이 도와 유학 이념을 관련짓는 구절을 추가하는 등 『노자』의 일부 내용을 바꾸고 기존 구성 체제를 재편한 것을 잘못이라고 볼 것이다.

④ 〈보기〉에 따르면 왕부지는 기존의 『노자』 주석서가 노자 사상이 아닌 사상 즉, 유학을 기준으로 삼았기 때문에 주석자의 사상도 왜곡되었다고 보았다. 따라서 왕부지는 (나)의 3문단에서 오징이 유학을 기준으로 유학의 인의예지를 도가 현실화하여 드러난 것으로 해석한 점에 대해 비판할 것이다.

06

정답설명

④ 지문의 '담기다(ⓐ)'는 '어떤 내용이나 사상이 그림, 글, 말, 표정 따위 속에 포함되거나 반영되다.'라는 의미이다. 이는 '화폭에 봄 경치가 그대로 담겨 있다.'의 '담기다'와 같은 의미이므로 적절하다.

오답설명

①, ② 선지의 '담기다'는 '어떤 물건이 그릇 따위에 넣어지다.'의 의미이므로, ⓐ의 의미와 다르다.

③ '시원한 계곡물에 수박이 담겨 있다.'의 '담기다'는 '액체 속에 넣어지다.'의 의미이므로, ⓐ의 의미와 다르다.

⑤ '매실이 설탕물에 한 달째 담겨 있다.'의 '담기다'는 '김치·술·장·젓갈 따위를 만드는 재료가 버무려지거나 물이 부어져서, 익거나 삭도록 그릇에 보관되다.'의 의미이므로, ⓐ의 의미와 다르다.

구조도 정답

(가)

① 도

② 항상성

③ 욕망

④ 가변성

⑤ 개별 법칙

(나)

① 기

② 근원

③ (사회) 제도와 규범

④ 실질적 수단

⑤ 불변

⑥ 현실화

⑦ 도덕 본성

나 없이

기출

풀지마라

나 없이

나 없이
기출
풀지마라

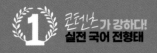

독서

II

사회

지문분석

통화 정책

→ 중앙은행이 경제적 목적 달성을 위해 (①)이나 통화량을 조절

→ **공개 시장 운영**

  금융 시장의 이자율을 (②) 수준으로 접근시키는 것

  채권 매수 → 이자율↓ → 경기 활성화 → 물가 상승률↑
  채권 매도 → 이자율↑ → 경기 위축 → 물가 상승률↓

→ **통화 정책이 의도한 효과를 얻기 위한 요건**

  선제성, 정책 신뢰성

→ **선제성이 필요한 이유**

  (③):
  공개 시장 운영 시점과 효과 발생 시점 사이의 시차

  경제 변동을 예측해 미리 대처해야 부작용이 나타나지 않음

→ **정책 신뢰성을 획득하는 방법**

  → (④)(프리드먼)

    특정 정책 목표나 운용 방식을 준칙으로 삼아
    어떤 상황에서도 준칙을 지키는 것

    민간이 비일관성을 인지하면 중앙은행에 대한 신뢰가 훼손되기
    때문

  → **재량주의**

    경제 여건 변화에 따라 정책을 신축적으로 조정하여 대응하는 것

    준칙주의의 엄격한 실천은 현실적으로 어렵다고 보며
    준칙주의가 최선인지에 대해서도 의문을 가짐

형태쌤 Comment

경제 지문은 수치가 나올 수밖에 없고, 상승과 하락 등의 증감이 반드시 나타난다. 특히 증감이 나오는 부분은 핵심 개념과 직결되는 설명이니, 당연히 출제된다는 생각으로 체크를 하면서 독해를 진행해야 한다. 1문단만 잘 체크하고 독해를 했으면 이후의 문단은 어렵지 않게 읽어갈 수 있다. 다만 〈보기〉 문제 때문에 힘들어한 학생들이 있었다. 이는 이후에 문제 설명에서 얘기해 보자.

문제분석 **01-04번**

번호	정답	정답률(%)	선지별 선택비율(%)				
			①	②	③	④	⑤
1	①	66	66	7	10	11	6
2	⑤	30	18	14	20	18	30
3	①	66	66	6	7	14	7
4	⑤	79	6	10	3	2	79

01

정답설명

① 선지를 흘려 읽지 말고, 제대로 읽자. 1문단에서 통화 정책이 물가 안정과 같은 경제적 목적의 달성을 위한 것이라 밝혔으나, '통화 정책의 목적을 유형별로' 나누어 제시한 것은 아니다. 지문에서 유형별로 나누어 제시한 것은 통화 정책의 목적이 아니라, 통화 정책이 의도한 효과를 얻기 위한 요건이다.

오답설명

② 2문단에서 '정책 외부 시차'로 인한 부작용을 예로 제시하여 선제적 대응이 필요함을 설명하였다.

③ 1문단에서, 중앙은행이 공개 시장에서 채권을 매수·매도하면 물가 상승률이 상승·하락하는 과정을 인과적으로 설명하여 공개 시장 운영의 영향이 경제 전반에 파급된다는 점을 제시하였다.

④ 1문단에서 '통화 정책'을 정의하며, 통화 정책의 대표적 수단인 '공개 시장 운영'을 설명하고 있다.

⑤ 3문단에서는 중앙은행이 어떤 상황에서도 준칙을 지키는 '준칙주의', 4문단에서는 여건 변화에 따른 신축적인 정책 대응을 지지하는 '재량주의'를 설명하여 두 견해의 차이를 드러내고 있다.

02

정답설명

⑤ 오답률이 굉장히 높은 문항이다. 하지만 쌤이, 비문학 지문에서 숫자가 나오더라도 겁먹지 말라고 했다. 평가원은 우리에게 수학적인 사고를 요구하지 않는다. 단순한 증감, 비례 관계만 이해해도 풀 수 있는 '국어' 문제를 출제한다. 그래서 늘 증감, 비례는 간단한 메모를 하거나 밑줄을 쳐 두라고 하는 것이다. 그리고 이 문제에서는 '금리'가 이자율인 것을 기본 개념으로 놓고 출제하였으니, 이 정도는 알아 두도록 하자.

1문단에서 체크한 '채권 매도-이자율↑-물가 상승률↓'의 증감을 기본 전제로 접근해 보자. 〈보기〉에서 경제학자 병은 예측을 통해 미리 대처하는 선제적 통화 정책을 제안하였다. [경제학자 병의 고려 사항]의 정책 외부 시차인 1개 분기를 고려하면, 2분기의 물가 상승률을 낮추기 위해서는 1분기에 미리 기준 금리를 인상해야겠지? 1문단에 의하면 이자율과 물가 상승률은 반비례 관계이며, [경제학자 병의 고려 사항]에 의하면 기준 금리가 1.5%p만큼 변하면 물가 상승률이 1%p만큼 달라진다고 하였다. 여기까지 이해됐으면 고지에 거의 다다른 것이다. 1월 1일에 금리를 1.5%p 인상하여 5.5%가 되면, 정책 외부 시차로 인해 2분기의 물가 상승률이 2%로 낮아질 것이다. 그렇다면 4월 1일의 기준 금리 역시 5.5%를 유지해야 정책 외부 시차에 따라 3분기에도 물가 상승률 2%를 유지하게 되겠지? 따라서 답은 ⑤이다.

오답설명

① 1월 1일의 기준 금리가 2.5%로 인하되면 2분기의 물가 상승률은 4%로 상승할 것이며, 4월 1일에도 기준 금리가 2.5%로 유지된다면 3분기의 물가 상승률 역시 4%가 될 것이다.

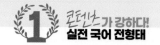
② 1월 1일의 기준 금리를 2.5%로 인하하면 2분기의 물가 상승률은 4%로 상승하며, 4월 1일에 기준 금리를 4%로 인상하면 3분기의 물가 상승률은 3%로 떨어질 것이다.

③ 중앙은행이 기준 금리를 1월 1일에 4%로 유지한다면 2분기 물가 상승률도 변화 없이 3%를 유지할 것이며, 4월 1일에 기준 금리를 5.5%로 인상하면 3분기 물가 상승률은 2%가 될 것이다.

④ 기준 금리를 1월 1일에 5.5%로 인상하면 2분기 물가 상승률은 2%로 조정되지만 4월 1일에 기준 금리를 4%로 인하하면 3분기 물가 상승률은 3%로 오를 것이다.

03

정답설명

① 평가원이 집요하게 묻는 공통점·차이점! 출제 포인트를 다시 한번 알려 주는 문제다. 3문단에 의하면 ㉠(준칙주의)은 중앙은행이 정책 운용의 준칙을 지키지 못해 중앙은행에 대한 민간의 신뢰가 훼손되는 것보다 준칙을 일관되게 지키는 것이 더 바람직하다고 주장하는 입장이다. 따라서 ㉠에서는 중앙은행이 준칙을 지키느라 경제 변동에 신축적인 대응을 못해도 이를 바람직하다고 보겠지.

오답설명

② 4문단에 ㉡(재량주의)은 준칙주의를 엄격히 실천하는 것이 현실적으로 어렵다고 보는 입장임이 드러나 있다.

③ ㉠은 정책 운용에 관한 준칙을 지키지 않으면 민간의 신뢰를 확보할 수 없다고 보았다. 반면, 4문단에 의하면 ㉡은 정책 신뢰성이 중요하긴 하나, 이를 위해 준칙에 얽매일 필요는 없다고 보았다.

④ 이건 둘의 공통점 아니냐. 공통점은 의식적으로 신경을 써야 시험장에서 실수를 하지 않는다. ㉠과 ㉡ 모두, 통화 정책이 민간의 신뢰를 확보하기 위한 방법을 논하는 견해이다.

⑤ ㉡은 경제 상황 변화에 대하여 신축적인 정책 대응이 효과적이라고 보는 입장이다. 따라서 ㉡은 경제 상황 변화에 대한 정책의 탄력적 대응이 효과적이라고 볼 것이다.

04

정답설명

⑤ ⓔ의 '부양'은 '가라앉은 것이 떠오름. 또는 가라앉은 것을 떠오르게 함.'이라는 의미로 쓰였으나, ⑤의 '부양'은 '생활 능력이 없는 사람의 생활을 돌봄.'이라는 의미로 쓰였다.

오답설명

① '파급'은 '어떤 일의 여파나 영향이 차차 다른 데로 미침.'이라는 의미이다.

② '발현'은 '속에 있거나 숨은 것이 밖으로 나타나거나 그렇게 나타나게 함. 또는 그런 결과'라는 의미이다.

③ '수반'은 '어떤 일과 더불어 생김.'이라는 의미이다.

④ '유의'는 '마음에 새겨 두어 조심하며 관심을 가짐.'이라는 의미이다.

구조도 정답

① 이자율

② 기준 금리

③ 정책 외부 시차

④ 준칙주의

지문분석

```
집합 의례

  ▶ 뒤르켐의 공동체 결속 관점

      집합 의례 → 기존 (   ①   ) 재생
      → 생계 활동이 도덕적 의미('성') 지님

      현대 사회의 집합 의례 → 새로운 도덕 공동체 창출
      → 서로 결속할 수 있는 도덕적 의미 제공

  ▶ 파슨스와 스멜서의 (   ②   ) 이론

      '성스러움'을 '가치'라는 말로 바꿔 표현

      잠재되어 있던 가치 → (   ③   )에 보편적 가치로 상승

      집합 의례 → 사회의 통합 회복

  ▶ 알렉산더의 사회적 공연론

      집합 의례는 그 결과가 정해지지 않은 (   ④   )

      사회적 (   ⑤   )의 요소들이 분화, 각 요소 (대본, 배우,
      관객, 미장센, 상징적 생산 수단, 사회적 권력) 자율성 지님
```

 형태쌤 Comment

　　필자의 관심사인 '집합 의례'에 대한 정보가 세 가지로 세분화된다. 이 셋의 공통점과 차이점을 신경 쓰는 것은 당연한 독해법이고, 추상적 개념들이 등장하는 지문에서는 개념의 의미를 디테일하게 물어보는 경우가 많으니 지문의 중심 개념인 '성, 속, 가치, 공연' 등의 의미를 정확하게 처리하고 넘어가야 한다.

문제분석　01-05번

번호	정답	정답률 (%)	선지별 선택비율(%)				
			①	②	③	④	⑤
1	③	75	5	5	75	8	7
2	④	76	4	5	7	76	8
3	①	62	62	14	5	4	15
4	①	84	84	5	4	4	3
5	②	63	6	63	7	16	8

01

정답설명

③ 세분화된 정보들의 관계를 물어보는 문제로, 거시적 시각으로 지문을 읽었다면 맞힐 수 있는 문제다. 중심 화제인 '집합 의례'에 대한 뒤르켐의 설명이 먼저 제시되었지? 뒤르켐의 이론이 파슨스, 스멜서에 의해 구체화되고, 알렉산더에 의해 보완되는 과정이 뒤이어 제시되고 있다.

오답설명

① 학자들이 언제 중심 화제인 '집합 의례'에 대해 합의를 했지?

② 파슨스와 스멜서의 이론과 알렉산더의 의견 일부가 상반됨은 제시되었으나, 두 견해의 절충은 언급된 바가 없다.

④ 오스트레일리아 부족들의 집합 의례, 프랑스 혁명 등 '집합 의례'에 대한 사례들이 제시되었다고 볼 수 있지만 유형별로 분류되지는 않았다.

⑤ '집합 의례'의 역사적 기원과 그에 대한 다양한 가설은 제시되지 않았다.

02

정답설명

④ 2문단에 의하면, 뒤르켐은 집합 의례를 통해 새로 창출된 성스러움이 자기 이해관계를 추구하며 속된 세계에서 살아가는 개인들에게 서로 결속할 수 있는 도덕적 의미를 제공할 것이라 여겼다. 그러니 공동체 성원들이 집합 의례를 거쳐 구체적인 이해관계를 중심으로 묶일 것이라는 말은 뒤르켐이 할 수 있는 말로 적절하지 않지.

오답설명

① 1문단을 보면, 뒤르켐이 오스트레일리아 부족들의 집합 의례를 탐구한 내용이 나와 있지? 공동체 구성원들은 집합 의례를 행하는 과정에서 자신들이 공유하는 성스러움이 무엇인지 새삼 깨닫고 그것을 중심으로 약해진 기존의 도덕 공동체를 재생한다는 것이 설명되어 있다.

② 역시 1문단에서, 집합 의례가 끝나면 생계 활동이 성스러움과 연결된 도덕적 의미를 지니게 된다고 명시되어 있다.

③ 2문단에 의하면, 뒤르켐은 현대 사회의 집합 의례가 기존 도덕 공동체의 재생으로 끝나지 않고 새로운 도덕 공동체를 창출할 것으로 보았다.

⑤ 1문단을 보면 공동체 성원들은 공동체가 공유하는 성과 속의 분류 체계를 활용하여 문제 상황을 판별하는 집합 의례를 행한다는 것을 알 수 있다.

03

정답설명

① 개념들이 남발되는 지문에서 당연히 출제될 만한 문제다. 3문단에서 파슨스와 스펜서는 성스러움을 '가치'라는 말로 바꿔 표현하였다. 이때 일단 주목을 했어야 한다. 독해를 진행할 때, 머릿속에 '성스러움=가치'라는 개념을 정리해 둔 후에 나머지 독해를 진행해야 하는 것이다. 3문단을 보면, 속된 일상에서 사람들은 가치를 추구하기보다는 자기 이해관계를 추구하며 살아가지만 위기 시기에는 보편적인 '가치'에 관심을 둔다고 제시되어 있다. 이는 사람들의 관심이 '속'에서 '성'으로 옮겨진다는 것을 의미한다.

오답설명

② 이 선지를 고른 학생은 지문을 너무 급하게 읽은 학생이다. 누차 강조하지만 최근의 평가원 문제를 보면, 지문에서 제시하는 개념에 대해서는 상당히 디테일한 출제를 하고 있다. 문제로 빨리 넘어갈 생각을 하지 말고, 철저하게 지문을 정독해야 이런 선지로 손이 가는 잘못을 범하지 않는다. 3문단을 봐라. 사람들이 자기 이해관계를 구체화한 목표와 목표 실현을 안내하는 규범에 따라 살아가는 것은 속된 일상에서이다.

'속된 일상'은 '위기 시기'가 나타나기 전의 상황이다.

③ 생계 활동을 위한 최적의 수단을 찾는 것은 사람들이 자신의 특수한 이해관계에 관심을 두는 것이잖니. 이는 성이 아닌 속의 관점에서 행동하는 것이므로, 위기 시기에 일어나는 상황으로 적절하지 않다.

④ 3문단을 보면 위기 시기에 집합 의례를 통해 사회의 통합이 회복되는 것을, 유기체가 항상성의 기능을 생리 작용을 통해 회복하는 것과 유사하다고 하였다. 따라서 항상성을 유지하기 위해 위기 상황을 외면한다는 선지는 적절하지 않지.

⑤ 이 선지를 고른 것은, 충분히 이해할 수 있는 행동이다. '성 = 가치'라는 개념 파악이 안 된 상태에서는 정답이 절대 보이지 않았을 테고, 그런 상황에서 가장 매력적인 선지가 바로 이 선지이기 때문이다.

다시 선지를 보자. '위기 시기에 사람들이 평상시 추구하던 삶의 도덕적 의미를 상실한다.' 문장 자체가 조금 중의적이다. '평상시'와 '도덕적 의미'에 비중을 두고 선지를 읽으면 바로 지울 수 있는 선지가 된다. 사람들은 평상시에 '도덕'이 아니라, '생계 활동, 이해관계'를 추구하기 때문이다. 하지만 '도덕적 의미의 상실'에 비중을 두고 읽었다면 머리가 아팠을 것이다. 3문단에 '그 도덕적 의미가 뿌리부터 뒤흔들리는 위기 시기'라고 명시되어 있기 때문이다. 그럼 이 문장의 의미를 앞뒤 문맥을 고려해서 다시 씹어보자. '가치가 평상시에는 잠재되어 있다가 가치의 도덕적 의미가 흔들리는 위기 시기에는 위로 올라온다.' 그렇다. '도덕적 의미가 흔들리는 것'은 '평상시 추구하던 삶'이 아니라, '가치'다. 따라서 이 선지는 잘못된 선지가 된다. 사람들은 평상시에 가치를 추구하며 살지 않기 때문이다. 길게 설명을 썼지만, 지시어와 수식의 대상을 정확하게 신경 쓰며 지문을 읽었다면 낚이지 않았을 것이다.

04

정답설명

① 이 지문에서 당연히 나올 수밖에 없는 공통점·차이점 비교 문제로구나. 3문단에 의하면 ⓒ(파슨스와 스멜서)은 현대 사회가 집합 의례를 거쳐 사회의 통합이 회복되는 것이 유기체가 항상성의 기능을 회복하는 과정과 유사하다고 여겼다. 즉, 집합 의례의 결과가 정해져 있다고 보는 입장인 것이지. 반면, ⓔ(알렉산더)은 현대 사회의 집합 의례가 결과가 정해지지 않은 과정이라고 여겼다는 것을 4문단에서 알 수 있다.

오답설명

② '달리'에서 지웠어야 한다. ⓒ은 집합 의례를 통해 사회의 통합이 회복될 것으로 보았으므로, 집합 의례가 가치의 일반화를 통해 도덕 공동체를 구성할 것이라 보았을 것이다.

③ 집합 의례가 발생하는 과정에 대한 경험적 탐구를 강조한 것은 ⓒ이 아니라 ⓔ이지.

④ 집합 의례를 유기체의 생리 과정과 유사하다고 본 것은 ⓒ이다.

⑤ 3문단에서 파슨스와 스멜서는 '성'인 '가치'와 '속된 일상'을 구분 지어 설명하였다. 또한, 5문단에서 알렉산더의 사회적 공연 요소 중에 성과 속의 분류 체계를 구체화한 대본이 제시되었지. 이로 미루어 보면 ⓒ과 ⓔ 모두 성과 속의 분류 체계를 바탕으로 집합 의례가 일어난다고 여겼다는 것을 알 수 있다.

05

정답설명

형태쌤의 과외시간

평가원 비문학의 〈보기〉 문제에는 2가지 유형이 있다.

하나는 **지문을 통해 〈보기〉를 바라보는 유형**으로, 지문의 정보와 〈보기〉의 정보를 1:1로 대응시키는 것이 우선이다. 비문학〈보기〉 문제의 대부분을 차지한다.

또 하나는 **〈보기〉를 통해 지문을 바라보는 유형**으로, 보통 〈보기〉의 정보를 통해 지문의 정보를 반박하거나 비판하는 유형으로 제시가 된다. 문학과 비슷한 유형이라고 보면 된다.

② 이 문제는 첫 번째 유형으로 지문과 〈보기〉의 1:1 대응이 시작이자 끝이다. 이 문제에서는 친절하게도 '사회적 공연론'이라고 한정까지 해 주었다. 일단 지문의 개념을 제대로 탑재해야 비교를 하겠지? '사회적 공연론'에 의하면 가치를 전 사회로 일반화하는 집합 의례는 결과가 정해지지 않은 과정이며, 현대 사회에서 분화되어 자율성을 갖고 있는 요소들이 사회적 공연에서 융합함을 알 수 있다. 이것을 〈보기〉에 적용해 보자. 〈보기〉에서는 대본, 배우, 사회적 권력 등의 공연의 요소들이 융합되어 사회적 공연이 수행되고 있기는 하지만, 배우들이 찬반 대립의 상황에 있다는 것이 걸리는구나. 공통된 가치를 공유하고 있지 않다는 것이니, '가치의 일반화'는 허용할 수 없다.

오답설명

① 〈보기〉에서 소각장 논란이 지역 내 현상이라는 이유로 중앙 언론이 보도하지 않은 점, 반대파가 서울 집회 허가를 받지 못해 A시 내에서만 집회를 이어간 점으로 보아 〈보기〉의 미장센은 A시에 한정되어 펼쳐지고 있는 것을 알 수 있다.

③ 〈보기〉에서 토박이와 노인은 반대 입장이고 이주민과 젊은이는 찬성 입장이라고 하였다. 따라서 출신 지역과 나이로 분화된 관객이 배우로 직접 나서고 있다는 설명은 적절하다.

④ 〈보기〉의 상징적 생산 수단은 중앙 언론이고, 사회적 권력은 경찰이다. 중앙 언론은 아예 보도 자체를 하지 않았고 경찰은 서울 집회 허가를 내 주지 않았으니, 상징적 생산 수단과 사회적 권력이 공연의 전국적 전파를 막았다고 볼 수 있다.

⑤ 〈보기〉에 의하면 찬성파, 반대파 모두 지역 경제 발전에는 동의하지만 소각장 유치에 대한 입장이 서로 다르다. 이는 배우들이 서로 다른 대본을 가지고 공연을 수행하는 것이라 할 수 있다.

구조도 정답

① 도덕 공동체   ② 기능주의   ③ 위기 시기

④ 과정   ⑤ 공연

환율과 정부 정책 수단

지문해설

① 정부는 국민 생활에 영향을 미치는 활동의 총체인 정책의 목표를 효과적으로 달성하기 위해 정책 수단의 특성을 고려하여 정책을 수행한다. 정책 수단은 강제성, 직접성, 자동성, 가시성의 네 가지 측면에서 다양한 특성을 갖는다.

▶ 필자는 정책 수단에 관심이 있기 때문에, 네 가지 측면에서 정책 수단의 특성을 분류한 것이다. 세부 분류형에서는 지문의 초반부에 유의하여 구조적으로 접근해야 한다고 했었다. 특히 이런 장문을 읽다 보면 초반부의 내용을 잊어버리기 쉬운데, 그러면 글 전체의 구조가 파악되지 않기 때문에 주의해야 한다!

강제성은 정부가 개인이나 집단의 행위를 제한하는 정도로서, 유해 식품 판매 규제는 강제성이 높다. 직접성은 정부가 공공 활동의 수행과 재원 조달에 직접 관여하는 정도를 의미한다. 정부가 정책을 직접 수행하지 않고 민간에 위탁하여 수행하게 하는 것은 직접성이 낮다. 자동성은 정책을 수행하기 위해 별도의 행정 기구를 설립하지 않고 기존의 조직을 활용하는 정도를 말한다. 전기 자동차 보조금 제도를 기존의 시청 환경과에서 시행하는 것은 자동성이 높다. 가시성은 예산 수립 과정에서 정책을 수행하기 위한 재원이 명시적으로 드러나는 정도이다. 일반적으로 사회 규제의 정도를 조절하는 것은 예산 지출을 수반하지 않으므로 가시성이 낮다.

▶ 강제성, 직접성, 자동성, 가시성에 대한 개념이 제시되어 있다. 그닥 어려운 개념이 아닌데도, 필자가 각각의 예시까지 들어가며 친절하게 설명해 준 이유가 있겠지? 네 가지 측면의 특성에 대해 문제를 냈으니 잘 알아 두라는 배려 아니냐. 심지어 출제자가 밑줄까지 그어 주었으니, 이 정도면 눈치 못 채는 것이 이상하다. 개념어에 밑줄 그어 두었겠지? 이어서 읽어 보자.

② 정책 수단 선택의 사례로 환율과 관련된 경제 현상을 살펴보자.

▶ 필자는 정책 수단 선택의 사례로 환율을 살펴보고자 한다. 앞서 설명된 정책 수단의 특성과 환율이 어떤 연관이 있을지를 신경쓰면서 읽어 보자.

외국 통화에 대한 자국 통화의 교환 비율을 의미하는 환율은 장기적으로 한 국가의 생산성과 물가 등 기초 경제 여건을 반영하는 수준으로 수렴된다. 그러나 단기적으로 환율은 이와 괴리되어 움직이는 경우가 있다.

▶ 환율의 개념을 간단히 짚고 나서, 환율의 변화를 장기적·단기적으로 구분하여 설명하고 있구나. 쌤의 강의를 충실히 들은 학생이라면, '여기서부터는 공통점과 차이점을 반드시 체크하면서 독해해야겠구나!'라고 생각했을 것이다. 쌤이 누누이 강조해 온 평가원의 출제 포인트다.

만약 환율이 예상과는 다른 방향으로 움직이거나 또는 비록 예상과 같은 방향으로 움직이더라도 변동 폭이 예상보다 크게 나타날 경우 경제 주체들은 과도한 위험에 노출될 수 있다. 환율이나 주가 등 경제 변수가 단기에 지나치게 상승 또는 하락하는 현상을 오버슈팅(overshooting)이라고 한다. 이러한 오버슈팅은 물가 경직성 또는 금융 시장 변동에 따른 불안 심리 등에 의해 촉발되는 것으로 알려져 있다. 여기서 물가 경직성은 시장에서 가격이 조정되기 어려운 정도를 의미한다.

▶ 환율은 장기적으로는 기초 경제 여건을 반영한 수준으로 수렴되지만, 단기적으로는 예상 밖으로 변동해 오버슈팅이 발생할 수 있다고 한다. 이러한 차이

점은 물가 경직성, 불안 심리로 인해 발생된다. 문제(오버슈팅)에 대한 원인이니 잘 체크해 두자.

③ 물가 경직성에 따른 환율의 오버슈팅을 이해하기 위해 통화를 금융 자산의 일종으로 보고 경제 충격에 대해 장기와 단기에 환율이 어떻게 조정되는지 알아보자. 경제에 충격이 발생할 때 물가나 환율은 충격을 흡수하는 조정 과정을 거치게 된다. 물가는 단기에는 장기 계약 및 공공요금 규제 등으로 인해 경직적이지만 장기에는 신축적으로 조정된다. 반면 환율은 단기에서도 신축적인 조정이 가능하다. 이러한 물가와 환율의 조정 속도 차이가 오버슈팅을 초래한다.

▶ 비례나 증감, 대조 등의 관계는 간단한 메모로 내용을 쉽게 이해할 수 있다고 했다. 간단히 정리하면 이와 같겠지.

	단기	← 조정 속도 차이 →	장기
물가	경직적	↓ 오버 슈팅 발생	신축적
환율	신축적		신축적

물가와 환율이 모두 신축적으로 조정되는 장기에서의 환율은 구매력 평가설에 의해 설명되는데, 이에 의하면 장기의 환율은 자국 물가 수준을 외국 물가 수준으로 나눈 비율로 나타나며, 이를 균형 환율로 본다.

▶ 장기에서의 환율은 물가, 환율이 모두 신축적으로 조정되며, 구매력 평가설에 의해 설명되는데 이에 의하면 자국 물가 수준을 외국 물가 수준으로 나눈 비율이 '균형 환율'이라고 한다. 별거 아니다. 2문단에서 '외국 통화에 대한 자국 통화의 교환 비율을 의미하는 환율'이라고 했지? 결국 같은 얘기 아니냐.

가령 국내 통화량이 증가하여 유지될 경우 장기에서는 자국 물가도 높아져 장기의 환율은 상승한다. 이때 통화량을 물가로 나눈 실질 통화량은 변하지 않는다.

▶ 또 나왔다. 증감, 비례 관계! 화살표 몇 개면 내용을 깔끔하게 메모할 수 있다. '시험장에서 정갈하고 예쁜 메모를 그려라' 이거 아니라고 했다^^;; 간단한 메모가 내용 이해와 문제 풀이에 크게 도움이 되니, 자기만의 메모를 해 두라는 거다.
[국내 통화량↑ 유지 ⇒ 물가↑ ⇒ 장기 환율↑ (실질 통화량 변화 X)]

④ 그런데 단기에는 물가의 경직성으로 인해 구매력 평가설에 기초한 환율과는 다른 움직임이 나타나면서 오버슈팅이 발생할 수 있다.

▶ 단기와 장기의 차이점이 제시되겠지? 잘 체크해야 한다.

가령 국내 통화량이 증가하여 유지될 경우, 물가가 경직적이어서 실질 통화량은 증가하고 이에 따라 시장 금리는 하락한다. 국가 간 자본 이동이 자유로운 상황에서, 시장 금리 하락은 투자의 기대 수익률 하락으로 이어져, 단기성 외국인 투자 자금이 해외로 빠져나가거나 신규 해외 투자 자금 유입을 위축시키는 결과를 초래한다. 이 과정에서 자국 통화의 가치는 하락하고 환율은 상승한다. 통화량의 증가로 인한 효과는 물가가 신축적인 경우에 예상되는 환율 상승에, 금리 하락에 따른 자금의 해외 유출이 유발하는 추가적인 환율 상승이 더해진 것으로 나타난다. 이러한 추가적인 상승 현상이 환율의 오버슈팅인데, 오버슈팅의 정도 및 지속성은 물가 경직성이 클수록 더 크게 나타난다.

▶ [국내 통화량↑ 유지 ⇒ 물가 경직 ⇒ 실질 통화량↑ ⇒ 시장 금리↓
⇒ 투자 기대 수익률↓ ⇒ 단기성 외국인 투자 자금 유출, 해외 투자 자금 유입
위축 ⇒ 통화 가치↓ ⇒ 단기 환율↑(추가적 환율 상승 = 오버슈팅)]
└ 물가 경직성↑ ⇒ 오버슈팅 정도, 지속성↑

▶ 차이점을 정리해 보자. 2문단에서, '물가 경직성'과 '불안 심리'가 차이점의 원인으로 제시되었던 것을 기억한다면 이해가 쉬울 것이다. 장기에서는 물가도 환율처럼 신축적이니 실질 통화량에 변화가 없어 '균형 환율'로 수렴되었다. 반면 단기에서는 '물가 경직성' 때문에 실질 통화량이 증가하니 금리가 하락하고, 이로 인해 투자에 대한 '불안 심리'가 생겨 단기성 외국인 투자 자금이 유출돼 자국 통화 가치가 하락하고 환율이 급등한 것이다. 필자는 2문단부터 단기, 장기의 환율을 설명하고 있는데, 넘치는 정보 속에서 핵심 개념들만 골라 이해하려면 문단별 정보를 유기적으로 이해하는 거시적 독해가 필요하다.

시간이 경과함에 따라 물가가 상승하여 실질 통화량이 원래 수준으로 돌아오고 해외로 유출되었던 자금이 시장 금리의 반등으로 국내로 복귀하면서, 단기에 과도하게 상승했던 환율은 장기에는 구매력 평가설에 기초한 환율로 수렴된다.

▶ 단기에서의 환율이 장기에서의 환율보다 변동 폭이 큰 이유는 물가 경직성 때문이었다. 즉, 환율에 비해 물가가 신축적으로 조정되지 않았던 것이 문제였던 거다. 시간이 경과하면(=장기) 물가가 상승하여(=물가가 신축적으로 변동) 실질 통화량이 원래 수준으로 돌아오게 되니 문제가 해결되지? 이제 금리가 반등하고, 해외 자금이 다시 유입되면 구매력 평가설에 기초한 환율(=균형 환율)로 수렴되는 것이다.

⑤ 단기의 환율이 기초 경제 여건과 괴리되어 과도하게 급등락하거나 균형 환율 수준으로부터 장기간 이탈하는 등의 문제가 심화되는 경우를 예방하고 이에 대처하기 위해 정부는 다양한 정책 수단을 동원한다.

▶ 뭐? 다양한 정책 수단? 단기·장기에서의 환율 변동에 푹 빠져 있던 학생들에게는 낯선 단어일 수 있다. 그러나 장문 독해에서, 지문의 초반부를 잊으면 안 된다고 했다. 필자는 '환율의 변동' 자체에 관심이 있던 것이 아니라, '정책 수단 선택의 사례'로 환율과 관련된 경제 현상을 제시한 것이다!

오버슈팅의 원인인 물가 경직성을 완화하기 위한 정책 수단 중 강제성이 낮은 사례로는 외환의 수급 불균형 해소를 위해 관련 정보를 신속하고 정확하게 공개하거나, 불필요한 가격 규제를 축소하는 것을 들 수 있다. 한편 오버슈팅에 따른 부정적 파급 효과를 완화하기 위해 정부는 환율 변동으로 가격이 급등한 수입 필수 품목에 대한 세금을 조절함으로써 내수가 급격히 위축되는 것을 방지하려고 하기도 한다. 또한 환율 급등락으로 인한 피해에 대비하여 수출입 기업에 환율 변동 보험을 제공하거나, 외화 차입 시 지급 보증을 제공하기도 한다. 이러한 정책 수단은 직접성이 높은 특성을 가진다. 이와 같이 정부는 기초 경제 여건을 반영한 환율의 추세는 용인하되, 사전적 또는 사후적인 미세 조정 정책 수단을 활용하여 환율의 단기 급등락에 따른 위험으로부터 실물 경제와 금융 시장의 안정을 도모하는 정책을 수행한다.

▶ 강제성↓ : 정보 공개, 가격 규제↓
직접성↑ : 수입 필수 품목 세금 조절, 환율 변동 보험 제공, 외화 차입 시 지급 보증 제공

▶ 정부가 용인한다는 '기초 경제 여건을 반영한 환율의 추세'는 결국 '장기에서의 환율'인 '균형 환율'을 의미하는 것이다. 따라서 정부가 사전적·사후적 미세 조정 정책 수단을 활용하는 것은, 환율 변동 자체를 막기 위함이 아니라 실물 경제와 금융 시장의 안정을 위한 것이다.

지문분석

> 환율과 정부 정책 수단
>> 정책 수단의 특성
>>> 강제성, 직접성, 자동성, (①)
>> (②)
>>> 환율 등 경제 변수가 단기에 지나치게 상승·하락하는 현상
>>> 원인 : 물가 경직성, 금융 시장 변동에 따른 불안 심리 등
>> 장기적 환율 조정 과정 (구매력 평가설)
>>> 물가, 환율 모두 (③)으로 조정
>>> 장기 환율 : 자국 물가 수준/외국 물가 수준 → 균형 환율
>> 단기적 환율 조정 과정
>>> 물가는 경직적, 환율은 신축적으로 조정
>>> (④) → 균형 환율에서 벗어나는 오버슈팅 발생
>>> 오버슈팅의 정도 및 지속성은 물가 경직성과 비례
>>> 시간의 경과 → 물가 상승 → 장기에는 균형 환율로 수렴
>> 오버슈팅에 대처하기 위한 미세 조정 정책 수단
>>> 물가 경직성 완화 수단 (사전적)
>>>> 외환 관련 정보 신속·정확하게 공개, 불필요한 가격 규제 축소
>>> 오버슈팅에 따른 부정적 파급 효과 완화 수단 ((⑤))
>>>> 수입 필수 품목에 대한 세금 조절, 수출입 기업에 환율 변동 보험 제공, 외화 차입 시 지급 보증 제공

형태쌤 Comment

경제 지문이 익숙하지 않은 학생들, 장문 독서 지문이 괴로운 학생들, 증감의 정보 처리에 미숙한 학생들 모두가 힘들어 했던 지문이다. 길이가 긴 만큼 거시적 안목과 미시적 안목을 동시에 발휘해야 한다. 거시적으로는 '오버슈팅'이라는 문제 현상을 필자가 어떤 식으로 설명하고 해결할 것인지 예상해야 하고, 미시적으로는 통화량과 금리에 따른 환율의 변화를 메모하면서 독해를 진행해야 한다. 하나라도 부족하면 당하고 마는 고난도 지문이다.

문제분석 01-06번

번호	정답	정답률 (%)	선지별 선택비율(%)				
			①	②	③	④	⑤
1	①	67	67	9	9	9	6
2	⑤	80	3	5	5	7	80
3	①	35	35	6	17	18	24
4	④	54	6	18	13	54	9
5	③	64	7	6	64	13	10
6	②	87	4	87	1	1	7

01

정답설명

① 3문단을 보면 국내 통화량이 증가하여 유지될 경우 장기적으로 자국 물가가 높아져 장기 환율이 상승하며, 실질 통화량은 변하지 않음을 알 수 있다. 따라서 장기의 환율이 변하지 않을 것이라는 설명은 적절하지 않다.

오답설명

② 2문단에 의하면 오버슈팅은 환율이나 주가 등 경제 변수가 단기에 지나치게 상승 또는 하락하는 현상이며, 물가 경직성에 의해 촉발됨을 알 수 있다. 따라서 물가가 신축적인 경우가 경직적인 경우에 비해 금리 하락의 폭이 작을 것임을 알 수 있다.

③ 3문단을 보면 단기의 환율은 신축적으로 조정되지만 단기의 물가는 신축적이지 않다는 것을 알 수 있다. 이와 같은 물가와 환율의 조정 속도 차이가 오버슈팅을 초래하는 것이다.

④ 4문단을 통해, 시장 금리가 하락하면 외국인 투자 자금이 해외로 유출되고 신규 해외 투자 자금 유입이 위축되어 자국 통화의 가치가 하락하면서 환율이 추가적으로 상승한다는 것을 알 수 있다. 따라서 외국인 투자 자금이 국내 시장 금리에 민감하게 반응할수록 오버슈팅의 정도가 더 커질 것이다.

⑤ '물가 경직성'은 '오버슈팅'이라는 문제 현상의 원인이다. 따라서 원인에 해당하는 것이 증가하면, 문제 현상은 더 커지고 이에 따라 문제 현상이 회복되는 것은 더 오래 걸릴 것이다. 추가 설명을 하자면 4문단에서 시간이 경과하여 물가가 상승하면 실질 통화량이 원래 수준으로 돌아오고, 시장 금리의 상승으로 환율이 구매력 평가설에 기초한 환율로 수렴되며, 오버슈팅의 정도 및 지속성은 물가 경직성이 클수록 더 크게 나타난다고 하였다. 따라서 물가 경직성이 클 경우 물가가 조정되는 시간이 지연되어 실질 통화량의 회복이 더디게 진행되므로, 환율이 구매력 평가설에 기초한 환율로 수렴되는 데까지 걸리는 시간 역시 길어질 것임을 알 수 있다.

02

정답설명

⑤ 1문단에 의하면 자동성은 정책 수행을 위해 별도의 행정 기구를 설립하지 않고 기존의 조직을 활용하는 정도를 말한다. 담당 부서에서 문화

소외 계층에게 제공하던 복지 카드의 혜택을 늘리는 것은 기존 부서에서 이 일을 담당하는 것이므로 자동성이 높지만 전담 부처를 신설하여 상수원 보호 구역을 감독하는 것은 자동성이 높지 않다.

오답설명

① 1문단에서, 강제성은 정부가 개인이나 집단의 행위를 제한하는 정도를 말한다고 하였다. 불법 주차 차량에 과태료를 부과하는 것은 강제성이 높다고 할 수 있으나, 다자녀 가정에 출산 장려금을 지급하는 것은 정부가 행위를 제한하는 것이 아니므로 강제성이 높지 않다.

② 1문단에서, 가시성은 예산 수립 과정에서 정책을 수행하기 위한 재원이 명시적으로 드러나는 정도라고 하였다. 이에 의하면 전기 제품 안전 규제의 강화는 예산 지출을 수반하지 않으므로 가시성이 낮고, 학교 급식 제공을 위한 재원을 정부 예산에 편성하는 것은 가시성이 높지.

③ 문화재 발견 신고에 대한 포상금 지급은 행위를 제한하는 것이 아니므로 강제성이 높지 않지만, 자연 보존 지역에서 개발 행위를 금지하는 것은 강제성이 높다.

④ 1문단에 의하면 직접성은 정부가 공공 활동의 수행과 재원 조달에 직접 관여하는 정도를 의미한다. 쓰레기 처리를 민간 업체에 맡기는 것은 직접성이 낮은 정책으로, 주민등록 관련 행정 업무를 정부 기관에서 직접 수행하는 것은 직접성이 높은 정책으로 볼 수 있다.

03

정답설명

 형태쌤의 과외시간

18학년도 수능 오답률 1위였던 문항이다. 지문의 미시적 내용을 제대로 정리하지 못한 많은 학생들이 이 문제에서 인생무상을 느꼈을 것이다. 지문을 바탕으로 〈보기〉를 추론하는 문제인데, 지문에 있는 개념이 머릿속에 혹은 지문 옆에 메모되어 있지 않다면, 〈보기〉를 아무리 들여다봐도 답은 나오지 않았을 것이다. 반드시 기억하자. 지문의 핵심 화제인 '오버슈팅'에 대한 설명을 필자는 3, 4문단에서 증감과 인과로 제시하였다. 이 부분을 읽을 때 어떻게든 지문의 개념을 정리해야 한다는 생각을 했어야 한다. "일단 문제로 가보자."라는 것은 비문학에서 최악의 판단이다. 핵심 개념을 못 잡았는데 어떻게 문제에 적용할 수 있겠니? 이 지문에서 1문단이나 마지막 문단의 내용은 핵심적인 내용이 아니기에 나중에 돌아와서 봐도 충분히 처리할 수 있다. 하지만 필자의 관심사에 해당하는 핵심 내용은 반드시 처리를 해 놨어야 한다. 지문의 개념을 정리했다는 것을 전제로 〈보기〉를 보자.

① A국에 환율의 오버슈팅이 발생하면 B국에 해외 자금 유입에 따른 통화량 증가로 시장 금리가 변동할 것이고, A국의 환율 급등이 다소 진정될 것이라 하였다. 이때 B국의 시장 금리가 변동한다는 것은 결국 금리의 하락이겠지. 왜냐하면 4문단에서 통화량 증가는 시장 금리를 하락시킨다고 하였으니까. 그런데 금리가 하락하면 투자의 기대 수익률까지 하락하므로 B국의 단기성 외국인 투자 자금은 해외로 빠져나가게 된다. 〈보기〉에서 A국, B국의 금융 의존도가 높다고 하였으니 이 투자 자금은 A국으로 이동할 것이다. '오버슈팅'은 '자금의 해외 유출이 유발하는 추가적인 환율 상승'이야. 그런데 A국으로 투자 자금이 이동하니, 문제

의 원인이 사라진 셈이지. 〈보기〉의 2문단에도 '이에 따라 A국의 환율 급등은 향후 다소 진정될 것'이라고 했으니, '오버슈팅'의 개념만 정확히 알고 있었다면 곧바로 오버슈팅의 정도가 작아질 것이라는 걸 도출하고 ①을 고를 수 있었을 것이다.

오답설명

② 〈보기〉에 의하면 금융 시장 불안의 여파로 A국의 금융 자산의 가격 하락에 대한 우려가 확산되면서 환율이 급등한 것이므로, A국에 환율의 오버슈팅이 발생했다면 이는 금융 시장 변동에 따른 불안 심리에 의해 촉발된 것으로 볼 수 있겠지.

③ A국에 환율의 오버슈팅이 발생하였다는 것은 A국의 환율이 급등하였다는 것이다. 〈보기〉에서 A국의 환율 상승은 수출 증대 효과를 가져와, 환율이 시장 원리에 따라 균형 환율 수준으로 수렴되게 한다고 했다. 이는 4문단의 해외 자금이 국내로 복귀하면서 장기에 균형 환율로 수렴된다는 내용에서도 확인할 수 있다.

④ 이 선지를 고른 학생들은, 아마 '환율 상승이 수출을 증대시키는 긍정적인 효과도 동반하므로'가 틀렸다고 생각했을 것이다. 오버슈팅 때문에 환율 상승이 부정적인 이미지로 생각되었겠지. 그러나 너의 '느낌'대로 선지를 골라서는 안 된다. 출제자는 〈보기〉에 나온 '경제학자 갑의 견해'를 추론하라고 요구하였다. 철저하게 〈보기〉의 경제학자 갑의 입장에서 판단해야 한다.

〈보기〉에서, A국의 환율 상승이 수출의 증대를 가져오므로 정부는 시장 개입을 가능한 한 자제하고 환율이 자율적으로 균형 환율 수준에 수렴되도록 두어야 한다고 하였다. 따라서 A국의 정책 당국이 외환 시장 개입에 신중해야 한다는 추론은 적절하다.

⑤ 가장 많은 학생들이 낚인 선지다. 내수란 '국내에서의 수요'를 말하는데, 여기에는 수입품에 대한 수요, 국산품에 대한 수요가 모두 포함되는 것이다. A국의 환율이 상승하여 B국으로부터 수입하는 상품의 가격이 인상되면 A국에서 수입품을 구입하는 사람이 줄어들겠지. 이는 수요가 줄어드는 것이니 A국의 내수를 위축시킬 수 있을 거다. 게다가 지문의 마지막 문단을 보면, '정부는 환율 변동으로 가격이 급등한 수입 품목에 대한 세금을 조절함으로써 내수가 급격히 위축되는 것을 방지'한다고 친절하게 제시하고 있다.

다만, 여기서 생각이 많은 학생들이 있었다. 수입품에 대한 수요가 감소한 것만큼, 또는 그 이상으로 국산품 수요가 증가한다면 내수는 위축되지 않을 수도 있다는 것이 그들의 생각인데... 안타까울 뿐이다. 출제자는 그러한 여지를 감안해서 선지에 '내수를 위축시키는 결과를 초래할 수 있다.'라고 가능성만 제시한 것이다. '가격 인상 → 수요 감소'는 사실 이해하기 어렵지 않은 내용인데, 너무 많은 생각을 하다가 이걸 놓친 학생들이 많다. 비문학을 풀 때 너무 많은 생각을 하는 것은 오히려 독이 되는 경우가 많다. 평가원은 여러분에게 과한 추론을 요구하지 않고, 지문이나 〈보기〉에서 변수로 주지 않은 상황에 대해서는 물어보지 않기 때문이다. 주어진 범주 안에서만 생각을 하고, "이렇게 보면~, 이런 경우에는~"이라는 가정은 잠시 접어 둬도 괜찮다.

04

정답설명

④ 〈보기〉를 읽고, 〈보기〉와 관련된 문단으로 돌아가 대응하는 답을 찾아야 한다. a, b, c 그래프를 먼저 살펴보자. 국내 통화량이 증가하여 유지될 경우 경제 변수들의 변화 그래프이다. a는 t 시점에서 하락 후 반등해 원래 수준으로 회복되었고, b는 t 시점에서 급등하였다가 다소 안정되었지만 원래의 수준으로 복귀하지는 못했으며, c는 t 시점에서 상승하였다가 원래 수준으로 복귀되었다. 이와 관련된 [가], 즉 4문단으로 돌아가 하나씩 대응시켜 보자. 4문단에 의하면 국내 통화량이 증가하여 유지될 경우, 실질 통화량(㉠)은 단기에 증가하였다가 시간의 경과에 따라 물가가 상승하면 원래 수준으로 돌아오므로 c에 대응한다. 같은 조건에서 시장 금리(㉡)는 단기에 하락하였다가 실질 통화량이 원래 수준으로 돌아오면 반등한다고 하였으므로 a에 대응하며, 환율(㉢)은 단기에 급등하였다가 금리 반등 이후 구매력 평가설에 기초한 균형 환율로 수렴되어 기존 환율보다 다소 상승한 상태에 도달하므로 b에 대응하는 것이 적절하다.

05

정답설명

③ 마지막 문단에 의하면 정부는 기초 경제 여건을 반영한 환율의 추세는 용인한다. 정부가 미세 조정 정책 수단을 활용하는 이유는, 환율의 추세를 바꾸려는 것이 아니라 환율의 단기 급등락에 따른 위험으로부터 실물 경제와 금융 시장의 안정을 도모하기 위함이다. 또한, 지문에서는 강제성이 낮은 미세 조정 정책 수단만 언급하였고 해외 자금의 유출유입 통제와 같이 강제성이 높은 정책은 언급한 바가 없으므로 이를 미세 조정 정책 수단의 사례로 제시하는 것은 무리가 있다.

오답설명

① 마지막 문단에 직접성이 높은 미세 조정 정책 수단의 예로 환율 급등락으로 인한 피해에 대비하여 수출입 기업에 환율 변동 보험을 제공하는 정책이 설명되어 있다.

② 마지막 문단에 환율 변동으로 가격이 급등한 수입 필수 품목에 대한 세금을 조절한다는 내용이 제시되어 있으므로, 수입 의존도가 높은 상품의 세율 조정은 미세 조정 정책 수단의 사례가 될 수 있다.

④ 수입 대금 지급을 위해 외화를 빌리는 수입 업체에 대해 정부가 지급보증을 제공하는 것은, 마지막 문단에 직접성이 높은 미세 조정 정책 수단으로 제시된 외화 차입 시 지급 보증을 제공하는 사례로 제시될 수 있다.

⑤ 마지막 문단에 의하면 정부는 외환의 수급 불균형 해소를 위해 관련 정보를 신속하고 정확하게 공개하므로, 수출입 기업을 대상으로 환율 변동에 영향을 주는 요인들에 대한 정보를 제공하는 것은 미세 조정 정책 수단의 사례가 될 수 있겠지.

06

정답설명

② '노출되다'는 '겉으로 드러나다.'라는 의미이고, '드러내다'는 '드러나다'

의 사동사이다. 따라서 '노출될'은 '드러낼'과 바꿔 쓰기에 적절하지 않
다.

오답설명

① '괴리되다'는 '서로 어그러져 동떨어지다.'라는 의미이므로 '거리나 관계
　가 멀리 떨어지다.'라는 의미를 가지는 '동떨어지다'와 바꿔 쓸 수 있다.

③ '초래하다'는 '어떤 결과를 가져오게 하다.'라는 의미로, '행동·상태·감
　정을 일어나게 하다.'라는 의미의 '불러오다'와 바꿔 쓸 수 있다.

④ '복귀하다'는 '본디의 자리나 상태로 되돌아가다.'라는 의미로 '되돌아오
　다'와 바꿔 쓸 수 있다.

⑤ '도모하다'의 뜻은 '어떤 일을 이루기 위하여 대책과 방법을 세우다.'라
　는 의미므로 '어떤 일을 이루려고 뜻을 두거나 힘을 쓰다.'라는 뜻인
　'꾀하다'와 바꿔 쓸 수 있다.

memo

구조도 정답

① 가시성

② 오버슈팅

③ 신축적

④ 물가 경직성

⑤ 사후적

04

2019학년도 6월

지문분석

계약과 법규

→ **사법 : 개인과 개인 사이의 재산, 가족 관계 등에 적용되는 법**

〔 ① 〕의 원칙 (계약 내용은 당사자들이 정함)' 적용

계약 내용≠사법 규정 →(②) 우선 적용

⎿ **임의 법규**

당사자가 자유롭게 계약 내용을 정할 수 있는 규정

사법은 원칙적으로 (③)
→ 계약으로 달리 정하지 않았다면 사법 규정 적용

ex) 임대인의 수선 의무 조항

임대인이 수선할 의무
But 세입자가 해결한다는 계약 내용 있다면 우선 적용

⎿ **단속 법규**

계약 내용 ≠ 법률
→ 법적 불이익O, (④)O (급부 의무 인정)

ex) 공인 중개사 소유 부동산의 직접 매매를 금지하는 규정

공인 중개사에게 벌금 부과, 계약 자체는 유효

⎿ **강행 법규**

계약 내용 ≠ 법률
→ 법적 불이익O, (④)X (급부 의무 부정)

이미 급부 이행한 경우 '(⑤) 반환 청구권' 인정

ex) 의사와 의사 아닌 사람의 의료 기관 동업을 금지하는 규정

계약 효력 (⑥), 동업 자금 반환 청구 가능

'부당 이득 반환 청구권' 인정 X

급부 내용이 비도덕적·반사회적인 경우

⎿ (⑦) : 계약의 자유를 제한하려면 최소로 제한해야 함

형태쌤 Comment

법 지문이 어렵게 출제될 때는 법률적 개념으로 어떤 현상이나 사례를 설명하는 경우가 많다. 이런 경우 개념에 대한 명확한 이해와 함께 사례에 개념을 정밀하게 적용해야 하기 때문에 어려운 것이다. 이 지문은 사례가 먼저 나오긴 했지만, 화제를 도입하기 위한 사례이기에 어려운 법 지문의 패턴은 아니다. 이 지문은 개념 설명도 어렵지 않고, 설명하는 개념만 명확하게 이해하면 쉽게 독해를 진행할 수 있도록 구성되었다.

문제분석 01-05번

번호	정답	정답률 (%)	선지별 선택비율(%)				
			①	②	③	④	⑤
1	③	77	4	4	77	11	4
2	②	63	5	63	25	5	2
3	①	79	79	3	9	6	3
4	③	62	7	11	62	14	6
5	⑤	91	3	3	2	1	91

01

정답설명

③ 6문단에 의하면 국가는 정당한 입법 목적을 달성하기 위해 개인 간의 계약에 개입하며, 이때는 계약의 자유를 최소로 제한해야 한다는 비례 원칙이 적용된다. 국가가 개인 간의 계약에 개입하는 모든 경우에 비례 원칙이 적용되므로, 단속 법규에서도 비례 원칙이 적용된다.

오답설명

① 2문단의 '당사자들이 사법에 속하는 법률의 규정과 어긋난 내용으로 계약을 체결한 경우에 계약 내용이 우선 적용된다.'에서 확인할 수 있다.

② 2문단에 따르면 임의 법규는 사법에 속하는 법률의 규정보다 그에 어긋난 계약 내용이 우선적으로 적용되는 반면, 3문단에 따르면 단속 법규는 법률로 정해진 내용과 어긋나게 계약하면 법적 불이익이 수반된다. 따라서 임의 법규가 단속 법규에 비해 계약 자유의 원칙에 더 부합한다고 볼 수 있다.

④ 6문단에 의하면 국가가 개인 간의 계약에 개입하는 것은 정당한 입법 목적을 달성하기 위해서이다. 즉, 정당한 입법 목적이 달성되었다면 국가는 더 이상 개인 간의 계약에 개입해서는 안 된다는 것이다. 따라서 단속 법규로 입법 목적을 달성할 수 있다면 국가는 더 이상 개입하지 않아야 한다.

⑤ '급부의 내용이 위조지폐 제작처럼 비도덕적이거나 반사회적인 행동이라면, 계약의 효력이 인정되지 않을 뿐 아니라 이미 넘겨준 이익을 돌려받을 권리도 부정되는 것이 원칙'이라는 5문단의 설명을 통해 확인할 수 있다.

02

정답설명

② ㄱ. 법률의 규정과 계약 내용이 어긋날 때는 계약 내용이 우선적으로 적용되지만, 수선에 관한 내용이 계약서에 없다면 민법전의 법조문에 의해 건물주가 수선할 의무를 진다. 또한 계약의 내용은 '임의 법규'이므로 수선 의무를 계약에 포함하지 않은 것에 대한 법적 불이익은 누구에게도 없다.

ㄷ. 법률의 규정과 계약 내용이 어긋날 때는 계약 내용이 우선적으로 적용되므로 계약서 내용에 따라 세입자가 수선 의무를 진다. 또한 이 계약은 '임의 법규'이므로 법적 불이익은 누구에게도 없다.

오답설명

ㄴ. 수선에 관한 내용이 계약서에 없다면 이는 민법전의 법조문에 의해 건물주가 수선할 의무를 지고, 또한 계약 내용은 '임의 법규'이므로 누구도 법적 불이익을 받지 않는다.

ㄹ. 법률의 규정과 계약 내용이 어긋날 때는 계약 내용이 우선적으로 적용되므로 계약서 내용에 따라 세입자가 수선 의무를 진다. 그러나 이 계약은 '임의 법규'이므로 아무도 법적 불이익을 받지 않는다.

03

정답설명

① ㉠의 '이 규정'은 단속 법규에 해당한다. 3문단에서 '체결된 계약 내용이 법률에 정해진 내용과 어긋날 때 법적 불이익이 있'다고 하였다. ㉡은 강행 법규이다. 4문단에서 '체결된 계약 내용이 법률에 정해진 내용과 어긋날 때 법적 불이익이 있을 뿐 아니라 체결된 계약의 효력 자체도 인정되지 않'는다고 하였다. 따라서 ㉠과 ㉡의 공통점은 법적 불이익을 받는 계약 당사자가 있는 것임을 알 수 있다.

오답설명

② ㉠은 계약 내용에 따른 행동인 급부를 할 의무가 인정된다. 그러나 ㉡은 급부 의무가 부정되는 '강행 법규'이다.

③ ㉠은 급부를 할 의무가 인정되기 때문에 계약에 따라 넘어간 재산적 이익을 반환해야 할 필요가 없다. 한편 ㉡은 급부 내용에 따라 판단이 달라지는데, 만약 급부 내용이 비도덕적이거나 반사회적이라면 계약에 따라 넘어간 재산적 이익을 반환해야 하는 '부당 이득 반환 청구권'이 인정되지 않는다.

④ ㉠은 법적 불이익이 있지만 계약의 효력 자체는 그대로 둔다. 그러나 ㉡은 법적 불이익을 받을 뿐 아니라 체결된 계약의 효력 자체도 인정되지 않는다.

⑤ ㉠과 ㉡ 모두 2문단의 '개인과 개인 사이의 재산, 가족 관계 등에 적용되는 법'인 사법의 영역에 해당한다. 따라서 2문단의 '계약의 구체적인 내용 결정 등은 당사자들 스스로 정할 수 있다는 것이다.'를 통해 ㉠과 ㉡ 모두 해당되지 않는 내용임을 알 수 있다.

04

정답설명

③ 국가가 개인 간의 계약에 개입하는 이유는 정당한 입법 목적을 달성하기 위해서이고 이 경우 비례 원칙이 적용된다. 이를 통해 국가는 정당한 입법 목적을 달성할 때까지 개인 간의 계약에 개입한다는 것을 알 수 있다. B에게 벌금을 부과했음에도 불구하고 계약의 효력을 인정하지 않은 이유는, 벌금을 부과하는 것만으로는 법률의 입법 목적을 실현하기에 부족하다는 점을 고려했기 때문이다.

형태쌤의 과외시간

- 농지를 용도에 맞지 않게 사용하는 것에 합의하여 농지 임대차 계약 체결 → 농지법 위반 → '강행 법규' 적용
- B에게 벌금 부과 → 법적 불이익
- 계약 무효 → 계약의 효력 인정 ×
- B가 A에게 사용료 반환 → 급부 의무 부정, 부당 이득 반환 청구권 인정
- A가 B에게 농지를 빌려 써서 얻은 이익을 반환 → 부당 이득 반환 청구권 인정

오답설명

① 사법은 개인과 개인 사이의 재산, 가족 관계 등에 적용되는 법이므로, A와 B가 농지 임대차 계약을 체결할 때에도 사법의 적용을 받는다.

② 인과 관계를 잘 살펴야 한다. 〈보기〉는 체결된 계약 내용이 법률과 어긋나는 경우, 국가가 개인 간의 계약에 개입하여 (1) 계약을 무효화하고 (2) 법적 불이익을 주는 '강행 법규'를 적용한 상황이다. B가 벌금을 부과 받은 것은 (2)에 해당한다. 법률로 정해진 행동과 어긋나는 계약을 해서 벌금을 부과한 것이지, 효력이 있음을 인정하지 않았기 때문은 안 아니다.

④ 부당 이득 반환 청구권이 인정되지 않는 경우는 급부의 내용이 비도덕적이거나 반사회적인 행동인 경우이다. 이 계약에서는 부당 이득 반환 청구권이 인정되었으므로 급부의 내용이 비도덕적이나 반사회적이라고 할 수 없다.

⑤ B가 A에게서 받은 사용료를 반환하라고 판결한 것은 사용료가 부당 이득에 해당된다고 보아, 부당 이득 반환 청구권이 인정됐기 때문이다.

05

정답설명

⑤ ⓐ(지다)는 '책임이나 의무를 맡다.'라는 의미로 쓰였다. '나는 조장으로서 큰 부담을 지고 있다.'의 '지다' 역시 이와 같은 뜻으로 쓰였다.

오답설명

① '어떤 현상이나 상태가 이루어지다.'라는 의미로 쓰였다.

② '신세나 은혜를 입다.'라는 의미로 쓰였다.

③ '어떤 좋지 아니한 관계가 되다.'라는 의미로 쓰였다.

④ '물건을 짊어서 등에 얹다.'라는 의미로 쓰였다.

구조도 정답

① 계약 자유　　② 계약 내용　　③ 임의 법규
④ 계약 효력　　⑤ 부당 이득　　⑥ 부정
⑦ 비례 원칙

2019학년도 9월

지문분석

채권

- 정부나 기업이 (①) 위해 발행

  발행자 : 일정 이자와 원금을 투자자에게 지급
  투자자 : 채권을 다시 매도하거나 이자를 받아 수익 얻음

- 채권 투자에는 신용 위험이 수반됨

  신용 위험 : 발행자의 (②) 부족 등의 사유로
  이자, 원금이 지급되지 않을 가능성

  채권의 신용 등급을 공시하는
  (③) 제도 도입하여 투자자 보호

  신용 위험↑ → 신용 등급↓ → (④)↓

- CDS 거래 : 보장 매입자와 보장 매도자 사이의 거래

  기초 자산 : 신용 위험의 이전이 일어나는 대상 자산

  기초 자산의 부도 시 (⑤)가 손실을 보상
  → 채권의 (⑥)이 보장 매입자로부터 보장 매도자로 이전

  (⑦)
  : 보장 매도자가 위험 부담의 대가로 받는 보험료의 요율

  기초 자산의 신용 위험↑ → CDS 프리미엄↑

  보장 매도자의 지급 능력↑ → CDS 프리미엄↑

  보장 매도자가 발행한 채권의 신용 등급↑
  → CDS 프리미엄↑

형태쌤 Comment

　　1문단에서 화제(A : CDS 프리미엄)를 제시하고 있고, 2~3문단에서는 화제를 위한 전제(B1 : 신용 위험)를, 4문단에서도 화제를 위한 전제(B2 : CDS)를, 5문단에서는 화제(A : CDS 프리미엄)를 구체화하여 내용을 전개하고 있다. 이른바 ABA 구조의 지문이다. 특히 4문단에서 집중적으로 나오는 개념을 정확하게 이해하고 넘어가야 필자가 본격적으로 화제를 풀어 줄 때 제대로 이해하며 독해를 진행할 수 있다.

문제분석　01-05번

번호	정답	정답률(%)	선지별 선택비율(%)				
			①	②	③	④	⑤
1	②	90	2	90	2	4	2
2	④	83	4	5	5	83	3
3	②	46	6	46	8	20	20
4	③	62	5	8	62	18	7
5	①	91	91	5	2	1	1

01

정답설명

② 3문단에서 '발행자의 지급 능력이 최상급인 채권에 AAA라는 최고 신용 등급이 부여'되며 '신용 위험이 커지는 순서에 따라~점차 낮아지는 등급 범주로 평가된다'고 하였다. 따라서 채권 발행자의 지급 능력이 커지면, 신용 위험은 줄어들 것이다.

오답설명

① 2문단에서 '채권은 정부나 기업이 자금을 조달하기 위해 발행'하는 것이라고 하였다.

③ 2문단에서 '신용 평가 제도를 도입하여 투자자를 보호'한다고 하였다.

④ 3문단에서 채권은 신용 위험이 클수록 신용 등급이 낮아진다고 하였고, 다른 조건이 일정한 가운데 신용 위험이 커지면 채권 시장에서 해당 채권의 가격이 떨어진다고 하였다.

⑤ 2문단에서 '채권의 발행자는 정해진 날에 일정한 이자와 원금을 투자자에게 지급할 것을 약속'하지만 '이자와 원금이 지급되지 않을 가능성인 신용 위험이 수반된다'고 하였다.

02

정답설명

④ 개념에 대한 이해를 직접적으로 물어보는 문제다. ㉠과 ㉢은 CDS 계약을 체결하였으므로, ㉠은 보장 매입자, ㉢은 보장 매도자이다. 4문단에서 'CDS 거래를 통해 채권의 신용 위험은 보장 매입자로부터 보장 매도자로 이전된다.'라고 하였으므로 ④는 적절한 선지다.

오답설명

① 4문단에서 CDS 거래에서 신용 위험의 이전이 일어나는 대상 자산을 '기초 자산'이라고 한다고 하였다. ㉡이 발행하고 ㉠이 매입한 채권은 ㉢과의 CDS 거래에서 신용 위험의 이전이 일어나는 자산이기 때문에, ㉠이 매입하여 보유한 채권은 기초 자산이다.

② 4문단에서 'CDS 거래를 통해 채권의 신용 위험은 보장 매입자로부터 보장 매도자로 이전된다.'라고 하였으므로 기초 자산의 부도 손실을 보상하는 것은 ㉠이 아니라 ㉢이다.

③ [A]에서 ㉡은 채권 투자자가 아니라 채권 발행자임을 알 수 있다. 신용 위험을 피하기 위해 ㉢과 CDS 계약을 체결한 채권 투자자는 ㉠이다.

⑤ 5문단에서 보장 매도자는 기초 자산의 위험 부담에 대한 보상으로 보장 매입자로부터 보험료를 받는다고 하였으므로, ㉢은 기초 자산에 부도가 나지 않아도 일단 이득(=보험료)을 얻게 된다. 만약 기초 자산에 부도가 난다면, ㉢이 보상해야 할 손실이 보험료보다 적을 경우에만 이득을 보게 된다.

03

정답설명

② CDS 프리미엄이 '가장 작은', '가장 큰' 것을 고르는 것이 아니라 '두 번째로 큰' 것을 고르라는 문제로구나. 실수하지 않도록 정신 차려야

한다. 5문단에서 CDS 프리미엄이 큰 경우를 친절히 설명해 줬으니, 차근차근 따라가면 쉽게 풀 수 있는 문제다. CDS 프리미엄은 (1) 기초 자산의 신용 위험이 클수록, (2) 보장 매도자의 지급 능력이 우수할수록, (3) 보장 매도자가 발행한 채권의 신용 등급이 높을수록 크다. 신용 위험이 클수록 신용 등급은 낮아지므로, 결국 CDS 프리미엄 크기의 순서는 〈보기〉의 기초 자산의 신용 등급이 낮고 보장 매도자 발행 채권의 신용 등급이 높은 기초 자산 순서일 것이다. CDS 프리미엄 크기가 큰 순서로 나열하면, '㉮-㉯-㉲-㉰-㉱'가 되겠구나.

04

정답설명

③ 경제 지문에서는 〈보기〉가 복잡할수록 개념의 증감만 정확하게 따지면 된다. 당연히 핵심적인 개념에 대한 이해는 무조건 선행된 상태로 〈보기〉를 봐야겠지? 채권 B_x의 신용 등급은 A-에서 낮아졌다가 다시 올라갔다. 신용 등급이 낮아지면 손실의 가능성이 커지고, 신용 등급이 높아지면 손실의 가능성이 줄어든다.

이젠 시기별로 따져보자. 2011년 10월은 B_x의 신용 위험에 대한 우려가 발생한 2011년 9월 17일 이후이므로 위험도가 높다고 할 수 있다. 2012년 12월 30일에는 X의 지급 능력이 2011년 8월 시점보다 개선되었다고 하였으므로, 2013년 1월은 B_x의 신용 위험으로 Z가 손실을 입을 가능성이 2011년 10월보다 작아졌을 것이다.

오답설명

① X는 채권 발행자이다. 4문단에서 'CDS 거래를 통해 채권의 신용 위험은 보장 매입자로부터 보장 매도자로 이전된다.'라고 하였으므로, 신용 위험을 부담하게 된 것은 Z이다.

② 2011년 11월은, 2011년 9월 17일에 악화된 X의 재무 상황이 개선되기 전이다. 따라서 B_x의 신용 등급은 계약 시점의 A-보다 높을 수 없다. 오히려 A-보다 낮아졌겠지.

④ 보장 매도자인 Z가 발행한 채권의 등급은 2011년 1월 1일에는 AAA였으나, 2013년 9월에 AA+로 하락하였다. 5문단에서, '보장 매도자가 발행한 채권의 신용 등급이 높으면 CDS 프리미엄은 크다.'라고 하였다. 따라서 2013년 10월 2일 B_x의 CDS 프리미엄인 100 bp는 이전에 비해 하락한 수치일 것이다. 2013년 3월은 Z가 발행한 채권의 등급이 하락하기 이전이므로, 이 시점의 CDS 프리미엄은 100 bp보다 높을 것이다.

⑤ B_x의 신용 등급에 대한 정보는 계약 체결 당시 등급인 A-만 제시되어 있다. 그런데 2012년 12월 30일, X의 지급 능력이 2011년 8월 시점보다 개선되었다고 하였으므로 구체적인 B_x의 신용 등급은 알 수 없더라도 A-보다는 높을 것으로 추측이 가능하다.

05

정답설명

① ⓐ와 '기온이 영하로 떨어졌다.'의 '떨어지다'는 모두 '값, 기온, 수준, 형세 따위가 낮아지거나 내려가다.'라는 의미로 쓰였다.

오답설명

② '이익이 남다.'라는 의미이다.
③ '입맛이 없어지다.'라는 의미이다.
④ '옷이나 신발 따위가 해어져서 못 쓰게 되다.'라는 의미이다.
⑤ '말이 입 밖으로 나오다.'라는 의미이다.

구조도 정답

① 자금 조달
② 지급 능력
③ 신용 평가
④ 채권 가격
⑤ 보장 매도자
⑥ 신용 위험
⑦ CDS 프리미엄

지문분석

계약과 법률 행위

계약 : 의사 표시를 필수 요소로 하여
(①)를 발생시키는 (②)의 일종

당사자에게 (③)(채권)과
(④)(채무)를 동시에 발생시킴

매매 계약 : '팔겠다', '사겠다'라는
의사 표시가 합치함으로써 성립

매도인 : 매물 소유권 이전 의무 + 대금 지급 청구권
매수인 : 대금 지급 의무 + 매물 소유권 이전 청구권

의무 불이행시
사적으로 물리력을 행사하여 해결하는 것은 금지

(⑤)로써 채권 존재·내용 확정
+ 국가가 물리력을 행사하는 (⑥) 신청 가능

최초 계약시부터 그 내용이
실현 불가능한 경우 계약 자체가 (⑦)

채무자의 과실로 이행 불능이 된 경우
채무자가 책임져야 함

채권자는 (⑧), (⑨) 행사 가능(단독 행위 가능)

형태쌤 Comment

언뜻 보면 평이한 것 같지만 사실 만만치 않은 지문이다. 특히 초반부에 화제와 연관된 개념(매도인, 매수인, 채권, 채무)을 정확하게 인지하고 중반부로 넘어가야 지문을 제대로 이해하면서 독해를 진행할 수 있다. 2문단까지 읽었을 때, '매도인, 매수인'에 대한 개념이 머릿속에 정확하게 남아 있지 않다면, 반드시 1문단으로 돌아갔어야 한다. 독서 지문에서의 '개념'은 출제자와 수험생의 약속이기 때문에, '개념'에 대한 정확한 이해 없이 이후의 내용을 이해하는 것은 불가능하기 때문이다. 그리고 3문단부터 본격적으로 나오는 문제 상황에 대한 체크도 필수다. 독서 지문에서 '문제-원인-해결'의 구조는 반드시 출제되는 요소임을 인지했다면 무엇이, 왜 문제가 되는지와 어떻게 해결을 하는지를 정확하게 체크하면서 이후의 독해를 진행했어야 한다. 참고로 이 지문과 상당히 유사한 지문 구성으로 2017학년도 9평 〈사단 법인〉 지문이 있으니, 비교하며 다시 풀어 보는 것도 좋겠다.

번호	정답	정답률 (%)	선지별 선택비율(%)				
			①	②	③	④	⑤
1	③	48	23	9	48	15	5
2	⑤	55	5	8	17	15	55
3	①	78	78	5	5	8	4
4	③	49	5	17	49	20	9
5	①	96	96	0	1	1	2

01

정답설명

③ 2문단에 법률 행위는 의사 표시를 필수적 요소로 하여 법률 효과를 발생시킨다고 제시되어 있다. 여기만 보면 [의사 표시 → 법률 행위 → 법률 효과]의 판단이 나오면서 ③을 무심코 넘길 수도 있다. 하지만 독서 지문은 부분이 아닌, 전체적인 내용을 보고 판단을 해야 한다. 게다가 5문단은 문제 상황에 대한 해결이 나온 부분으로 반드시 신경 써서 읽었어야 하는 부분이다. 6문단을 보면, '채무 불이행은 갑이나 을의 의사 표시가 작용한 것이 아니라, 매매 목적물의 소실에 따른 이행 불능으로 말미암은 것이다. 이러한 사건을 통해서도 법률 효과가 발생한다.'라고 나와 있다. 즉, '법률 효과'는 '법률 행위'만으로 발생되는 것이 아니라 '의사 표시가 작용하지 않은 사건'을 통해서도 발생될 수 있다.

오답설명

① 2문단에 따르면 계약은 일정한 청구권과 이행 의무를 발생시킨다. 청구권을 내용으로 하는 권리가 채권이고, 그에 따라 이행을 해야 할 의무가 채무이다. 그리고 4문단에서 채권의 내용은 실체법에서 규정하고 있다고 하였으니 실체법에는 청구권에 관한 규정이 있음을 알 수 있다.

② 4문단에 채권을 강제적으로 실현할 수 있도록 절차법이 갖추어져 있고, 법원에 강제 집행을 신청할 수도 있다고 제시되어 있다. 이를 통해 절차법에 강제 집행 제도가 마련되어 있음을 알 수 있다.

④ 4문단의 '법원에 강제 집행을 신청할 수도 있다. 강제 집행은 국가가 물리적 실력을 행사하여~채권이 실현되도록 하는 제도이다.'에서 확인할 수 있다.

⑤ 5문단의 '그 계약은 실현 불가능한 내용을 담고 있기 때문에 체결할 때부터 계약 자체가 무효이다.'에서 확인할 수 있다.

02

정답설명

⑤ 초반부에 나온 개념에 대한 이해를 정확하게 했는지 물어보는 문제다. 3문단에 '을의 채무는 그림 A의 소유권을 갑에게 이전하는 것'이라고 제시되어 있으므로 ㉠(을의 채무)에는 물건을 인도할 의무가 있다. 또한 7문단에 '갑의 채권은 결국 을에게 매매 대금을 반환해 달라고 청구할 수 있는 권리가 된다.'라고 제시되어 있으므로 ㉡(갑의 채권)에는 금전의 지급을 청구할 권리가 있다.

오답설명

① ㉠은 매도인인 을이 그림 A의 소유권을 매수인인 갑에게 이전해야 할 의무이다. 따라서 이는 매수인의 청구와 매도인의 이행으로 소멸한다.

② ㉡은 갑이 계약을 해제한 후 을에게 매매 대금을 반환해 달라고 청구할 수 있는 '원상회복 청구권'이다. 6문단에 의하면, ㉡을 성립시키는 채무 불이행은 매매 목적물의 소실에 따른 이행 불능으로 말미암은 것이므로 갑과 을의 의사 표시가 작용하여 성립한 것으로 볼 수 없다.

③ 7문단에서 갑이 계약을 해제하여 그 계약으로 발생한 채권과 채무는 없던 것이 되었다고 제시하였다. 따라서 ㉠은 소멸했으며, ㉠이 이행되지 못한 결과로 ㉡이 발생한 것이다.

④ ㉡은 계약의 해제 후 생긴 권리이므로, ㉠과 ㉡은 동일한 계약으로 인한 효과가 아니다. 동전의 양면처럼 서로 다른 방향에서 파악되는 것은 ㉠-갑의 채권(갑이 을에게 그림 A의 소유권을 이전해달라고 청구할 수 있는 권리)이다.

03

정답설명

① 문제 상황에 밑줄을 그어 놓고 물어보고 있다. 무엇을 물어보겠니. 당연히 원인이나 해결을 물어보겠지. 지문에서 원인과 해결을 체크했다면, 바로 정답을 찾을 수 있고, 나머지 선지의 검토 없이 다음 문제로 넘어갈 수 있어야 한다. 시험장에서 시간 관리는 이렇게 하는 것이다. '을'의 과실로 불이 나 그림 A가 타 없어졌기 때문에, 매매 목적물의 소실에 따른 이행 불능 사건으로 '법률 효과'가 발생한다. 이에 따라 '갑'이 계약을 해제할 수 있는 권리를 갖게 되는 것이다.

오답설명

② 5문단에 '결국 채무는 이행 불능이 되었다. 소송을 하더라도 불능의 내용을 이행하라는 판결은 나올 수 없다.'라고 제시되어 있으므로 '갑'은 소를 제기하더라도 매매의 목적이 된 재산권을 이전받을 수 없다.

③ 이와 같은 상황에서 '갑'의 원상회복 청구권은 '갑'이 '을'에게 매매 대금을 반환해 달라고 청구할 수 있는 권리를 뜻한다. 그림 A는 이미 불에 타 없어졌으므로 '갑'이 그림 A의 소유자가 될 수는 없다.

④ 그림 A의 소실이 계약 체결 전이 아니라 계약 체결 후에 일어난 일이므로, '갑'과 '을'의 계약은 실현 불가능한 내용을 담고 있지 않다. 채무가 이행 불능이 된 이유는 계약 체결 이후 '을'의 과실 때문이다.

⑤ '을'의 과실 때문에 '갑'에게 그림 A를 인도하는 것이 불가능해졌으므로 '을'은 채무 불이행에 대한 책임을 져야 한다. 이는 5문단의 '이행 불능이 채무자의 과실 때문에 일어난 것이라면 채무자가 채무 불이행에 대한 책임을 져야 한다.'에서 확인할 수 있다.

04

정답설명

형태쌤의 과외시간

〈보기〉의 내용을 간단하게 정리하면 다음과 같다.

증여	- 당사자 : 의사 표시 O, 이행 의무 O - 상대방 : 승낙(의사 표시) O, 이행 의무 X
유언	- 유언자 : 의사 표시 O - 상대방 : 승낙(의사 표시) X

③ 변제는 채무자가 채무의 내용대로 이행하여 채권을 소멸시키는 것이다. 증여의 경우에 당사자는 상대방에게 자기의 재산을 주어야 할 의무(채무)가 생기고, 상대방은 당사자의 재산을 받을 권리(채권)가 생긴다. 따라서 증여도 변제의 의무를 발생시킨다.

오답설명

① 2문단을 통해 법률 행위는 의사 표시를 필수적 요소로 하고, 법률 효과를 발생시킴을 알 수 있다. 증여와 유언, 매매는 모두 의사를 표시한다고 하였으니 모두 법률 행위로서 의사 표시를 요소로 한다는 것은 적절하다.

② 법률 행위는 법률 효과를 발생시킨다. 증여와 유언은 의사 표시를 필수적 요소로 한 법률 행위이므로 법률 효과를 발생시키려는 목적이 있다는 것은 적절하다.

④ 증여는 당사자 일방만 이행 의무를 지니고 상대방은 이행 의무를 지니지 않는다. 그러나 매매는 양 당사자가 서로 권리를 행사하고 의무를 이행하는 관계에 놓인다.

⑤ 증여는 당사자가 의사를 표시하고, 상대방이 이를 승낙해야 하지만 유언은 유언자가 의사만 표시하면 된다. 상대방의 승낙은 필요하지 않다.

05

정답설명

① '실험 결과가 나왔다.'의 '나오다'는 ⓐ(나오다)와 같이 '처리나 결과로 이루어지거나 생기다.'라는 의미로 사용되었다.

오답설명

② '어떠한 태도를 취하여 겉으로 드러내다.'라는 의미로 사용되었다.

③ '방송을 듣거나 볼 수 있다.'라는 의미로 사용되었다.

④ '책, 신문 따위에 글, 그림 따위가 실리다.'라는 의미로 사용되었다.

⑤ '상품이나 인물 따위가 산출되다.'라는 의미로 사용되었다.

구조도 정답

① 법률 효과	② 법률 행위	③ 청구권
④ 이행 의무	⑤ 판결	⑥ 강제 집행
⑦ 무효	⑧ 계약 해제권	⑨ 원상회복 청구권

지문분석

경제 정책 수단

└─ **글로벌 금융 위기 이전 : 전통적 경제학**

통화 정책 → (①) 안정

경기 과열 : [정책 금리↓]→[시장 금리↓]
→[대출, 신용 공급↑]→[수요↑]⇒물가 안정, 경기 진정

금융감독 정책 → (②) 안정

미시 건전성 정책

효율적 시장 가설에 기인

(③)의 건전성 확보→금융 안정 달성

예방적 규제 : (④) 규제

손실에 대비해
금융 회사의 자기자본 하한 설정

└─ **글로벌 금융 위기 : 기존 방식에 대한 자성**

저금리 정책→자산 가격 버블로 인한 금융 불안 유발

금융 회사의 규모가 새로운 위험 요인으로 등장

└─ **글로벌 금융 위기 이후**

통화 정책 + 금융감독 정책 상호 보완

거시 건전성 정책

개별 금융 회사 차원 X, (⑤) 차원의 건전성 추구

예방적 규제 : (⑥) 제도

경기 과열기 : 완충자본 적립→신용 팽창 억제

경기 침체기
: 완충자본을 대출 재원으로 사용→신용 공급

형태쌤 Comment

글로벌 금융 위기를 기점으로 하여 달라진 경제 정책에 대해 파악하면서 읽어야 한다. 미시 건전성 정책과 거시 건전성 정책의 공통점과 차이점을 파악하고, 문제 풀 때 지문과 선지를 비교하며 차분하게 접근하면 된다.

문제분석 01-05번

번호	정답	정답률 (%)	선지별 선택비율(%)				
			①	②	③	④	⑤
1	④	63	5	6	22	63	4
2	③	62	9	6	62	13	10
3	①	58	58	7	21	8	6
4	③	26	12	9	26	16	37
5	②	91	2	91	3	2	2

01

정답설명

④ 글로벌 금융 위기 이후에는 정책 금리 인하가 경제 안정을 훼손하는 원인이 될 수 있다고 보았다. 이는 3문단의 '중앙은행의 저금리 정책이 자산 가격 버블에 따른 금융 불안을 야기하여 경제 안정이 훼손될 수 있다는 데 공감대가 형성되었다.'를 통해 확인할 수 있다.

오답설명

① 2문단을 통해 글로벌 금융 위기 이전에는 금융이 단기적일 때와는 달리 장기적으로는 경제 성장에 영향을 미치지 못한다고 보았음을 알 수 있다.

② 2문단을 보면 글로벌 금융 위기 이전에는 개별 금융 회사의 건전성 확보를 통해 금융 안정을 달성하고자 하였음을 알 수 있다.

③ 2문단을 통해 글로벌 금융 위기 이전에는 금융을 통화 정책의 전달 경로로만 보았음을 알 수 있다. 또한 3문단을 통해 통화 정책과 금융감독 정책 간의 상호 보완으로 경제 안정을 달성해야 한다는 견해는 글로벌 금융 위기 이후의 정책이라는 것을 알 수 있다.

⑤ 3문단에서 글로벌 금융 위기 이후에 경제 불안이 확산되면서 자산 가격 버블에 따른 금융 불안으로 인해 경제 안정이 훼손될 수 있는 것으로 보았음을 알 수 있다. 따라서 글로벌 금융 위기 이후에는 자산 가격 변동이 경기 변동을 유발하는 것으로 보았다고 할 수 있으므로 선지의 내용은 적절하지 않다.

02

정답설명

③ ㉠(미시 건전성 정책), ㉡(거시 건전성 정책) 모두 금융 안정을 달성하기 위해 예방적 규제 성격의 정책 수단을 사용한다. 2문단의 '미시 건전성 정책은 개별 금융 회사의 건전성에 대한 예방적 규제 성격을 가진 정책 수단을 활용', 4문단의 '거시 건전성 정책은 금융 시스템 위험 요인에 대한 예방적 규제를 통해 금융 시스템의 건전성을 추구'를 통해 이를 확인할 수 있다.

오답설명

① 3문단의 '전통적인 경제학에서는 금융감독 정책을 통해 금융 안정을, 통화 정책을 통해 물가 안정을 달성할 수 있다고 보는 이원적인 접근 방식이 지배적인 견해였다.'에서 확인할 수 있다.

② 5문단에서 ㉡의 목표를 효과적으로 달성하기 위해서는 경기 순응성을 완화할 정책 수단이 필요하다고 설명하면서, 그 수단으로 '경기 대응 완충자본 제도'를 언급하였다.

④ 4문단을 보면, ㉡은 금융 시스템 위험 요인에 대한 예방적 규제를 통해 금융 시스템의 건전성을 추구한다는 점에서 ㉠과 차별화된다는 것을 알 수 있다.

⑤ ㉠과 ㉡ 모두, 금융 안정을 달성하기 위해 금융 회사의 자기자본을 이용한 정책 수단을 사용한다. ㉠은 금융 회사의 자기자본 하한을 설정하는 '최저 자기자본 규제'를, ㉡은 금융 회사가 경기 과열기에 쌓은 추가적

인 자기자본을 침체기에 대출 재원으로 쓰도록 하는 '경기 대응 완충자본 제도'를 시행한다.

03

정답설명

① 미시와 거시 건전성 정책의 공통점은 '자기자본'이다. 따라서 차이점인 '완충자본'에 주목해야 한다. 〈보기〉에서 B 건전성 정책에서는 완충자본을 C하도록 한다고 하였으니, B는 '거시'고 D는 미시다. 여기서 풀이의 출발점이다. 5문단에 의하면, 거시 건전성 정책에서는 경기가 호황일 때 완충자본을 쌓고, 불황일 때는 대출 재원으로 사용하도록 한다. 즉, A가 '호황'이면 C는 '적립', A가 '불황'이면 C는 '사용'이어야 한다. 결국 이를 모두 충족하는 선지는 ①임을 알 수 있.

04

정답설명

③ 경기 대응 완충자본 제도는 금융 회사가 모아 둔 완충자본을 침체기에 대출 재원으로 쓰게 하여, 신용 공급이 팽창되는 효과를 노린 제도이다. 그러나 통화 정책 효과가 경기에 대해 비대칭적이라면, 확대된 신용 공급이 의도치 않은 문제를 일으킬 수 있다는 것을 〈보기〉에서 확인할 수 있다. 따라서 '끈 밀어올리기'가 있을 경우, 경기 침체기에 경기 대응 완충자본 제도를 도입하는 것은 위험하다.

오답설명

① 3문단에서, 글로벌 금융 위기 때 정책 금리를 인하한 결과 자산 가격 버블이 발생했다고 하였다. 〈보기〉에서 '끈 밀어올리기' 현상이 일어나면, 정책 금리를 인하했을 때 오히려 신용 공급이 자산 시장에 과도하게 유입되어 문제가 발생할 수 있다고 하였다. 따라서 '끈 밀어올리기'를 통해 버블 발생을 설명할 수 있다.

② 〈보기〉에서, 경기 침체를 극복하기 위해 중앙은행이 정책 금리 인하를 통해 경기에 대응하려 해도 '경기 주체'인 '가계'의 소비 심리, '기업'의 투자 심리에 따라 그 효과가 달라질 수 있음을 설명하고 있으므로 적절하다.

④ 〈보기〉에 의하면, 통화 정책 효과가 경기에 대해 비대칭적이라는 것은 중앙은행의 정책 금리 조정이 경기 부양을 일으키지 못한다는 것을 의미한다. 따라서 통화 정책 효과가 경기에 대해 비대칭적이라면, 정책 금리 조정 이외의 방안을 도입할 필요가 있다. 이는 3문단의 글로벌 금융 위기에서도 알 수 있는데, 당시 저금리 정책의 실패 이후 금융감독 정책과 통화 정책 간의 상호 보완이 필요하다는 견해가 대두되었다고 하였다.

⑤ 1문단을 보면, 정책 금리 인상은 신용 공급의 축소를 불러온다. 또한 〈보기〉에서 통화 정책 효과는 경기에 대해 비대칭적이므로 경기 침체를 벗어나는 데는 효과가 미미하지만, 경기 과열을 억제하는 데는 효과적이라고 하였다. 따라서 해당 선지의 설명은 적절하다.

05

정답설명

② ⓐ의 '들다', ②의 '들다'는 모두 '설명거나 증명하기 위하여 사실을 가져다 대다.'라는 의미로 쓰였다.

오답설명

① '의식이 회복되거나 어떤 생각이나 느낌이 일다.'라는 의미이다.
③ '어떤 처지에 놓이다.'라는 의미이다.
④ '어떤 때, 철이 되거나 돌아오다.'라는 의미이다.
⑤ '적금이나 보험 따위의 거래를 시작하다.'라는 의미이다.

구조도 정답

① 물가
② 금융
③ 개별 금융 회사
④ 최저 자기자본
⑤ 금융 시스템
⑥ 경기 대응 완충자본

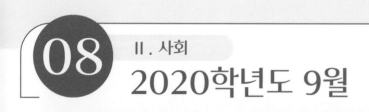
점유와 소유

지문해설

① 물건을 사용하고 있는 사람이 그 물건의 주인일까? 점유란 물건에 대한 사실상의 지배 상태를 뜻한다. 이에 비해 소유란 어떤 물건을 사용·수익·처분할 수 있는 권리를 가진 상태라고 정의된다. 따라서 점유자와 소유자가 항상 일치하지는 않는다.

▶ 1~2문단에서는 필자의 관심사를 찾는 것이 급선무다. 필자는 '물건의 주인'에 관심이 있다. 그리고 '점유'와 '소유'의 개념을 제시하고 있다. 점유자와 소유자. 그럼 물건의 주인은 누구일까? 당연히 '권리'를 가진 '소유자'다. 하지만 점유자와 소유자는 일치하지 않을 수도 있다고 한다. 누군가에게 물건을 빌려 준 경우일 텐데, 계속 가 보자.

② 물건을 빌려 쓰거나 보관하고 있는 것을 포함하여 물건을 물리적으로 지배하는 상태를 직접점유라고 한다. 이에 비해 어떤 물건을 빌려 쓰거나 보관하는 사람에게 그 물건의 반환을 청구할 수 있는 권리를 가진 사람도 사실상의 지배를 한다고 볼 수 있다. 이와 같이 반환청구권을 가진 상태를 간접점유라고 한다. 직접점유와 간접점유는 모두 점유에 해당한다. 점유는 소유자를 공시하는 기능도 수행한다. 공시란 물건에 대해 누가 어떤 권리를 가지고 있는지를 알려 주는 것이다. 물건 중에서 피아노, 금반지, 가방 등과 같은 대부분의 동산은 점유에 의해 소유권이 공시된다.

▶ 개념이 쏟아지고 있다. 일단 천천히 가야 한다. 이렇게 초반부에 개념을 쏟아낼 때는 중후반부에서 이 개념을 디테일하게 적용해야 하는 경우가 있기 때문에, 초반부의 개념은 확실하게 머릿속에 넣고 가야 한다.

▶ 직접점유 : 물건을 물리적으로 지배하는 자. 즉, 물건을 가지고 있는 자다.
간접점유 : '반환청구권'을 가진 자. 즉, 물건은 없지만 '권리'를 가진 자다.
공시 : 물건에 대한 권리를 누가 가지고 있는지 알려 주는 것. 대부분의 동산은 점유에 의해 소유권이 공시된다.

▶ 여기서 대충 넘기지 말고, 잠깐만 생각하자. 필자의 관심사는 '물건의 주인'이다. 그럼 물건의 주인은 어떻게 되어야 하는 것일까? 단순히 '직접점유'만 하면 주인이 될까? 그것은 아니다. 물건의 소유권을 가진 상태에서 '직접점유'를 하거나, '반환청구권'을 가진 상태인 '간접점유'를 해야 한다. 1문단에서 봤던 '권리'에 힘을 줘서 읽어야 이런 판단을 할 수 있다.

③ 물건의 소유권이 양도되려면, 소유자가 양도인이 되어 양수인과 유효한 양도 계약을 하고 이에 더하여 소유권 양도를 공시해야 한다. 점유로 소유권이 공시되는 동산의 소유권 양도는 점유를 넘겨주는 점유 인도로 공시된다. 양수인이 간접점유를 하여 소유권 이전이 공시되는 경우로서 '점유개정'과 '반환청구권 양도'가 있다. 예를 들어 A가 B에게 피아노의 소유권을 양도하기로 계약하되 사흘간 빌려 쓰는 것으로 합의한 경우, B는 A에게 피아노를 사흘 후 돌려 달라고 요구할 수 있는 반환청구권을 가지게 된다. 이처럼 양도인이 직접점유를 유지하지만, 양수인에게 점유 인도가 이루어진 것으로 간주되는 경우를 점유개정이라고 한다. 한편 C가 자신이 소유한 가방을 D에게 맡겨 두어 이에 대한 반환청구권을 가지게 되었는데, 이 가방의 소유권을 E에게 양도하는 계약을 체결하였다고 하자. 이때 C가 D에게 통지하여 가방 주인이 바뀌었으니 가방을 E에게 반환하라고 알려 주면 D가 보관 중인 가방에 대한 반환청구권은 C로부터 E에게로 넘어간다. 이 경우를

반환청구권 양도라고 한다.

▶ 소유권의 양도 : 소유자(양도인)와 양수인 간의 유효한 양도 계약 + 소유권 양도 공시(점유 인도)
이것이 일반적인 양도이다. 즉, '직접점유' 상태의 양도다.
양수인이 '간접점유'를 하여 소유권 이전이 공시되는 경우는 '점유개정'과 '반환청구권 양도' 둘로 나눠지는구나. 이럴 경우 신경 써야 하는 것은? 두 경우 사이의 공통점과 차이점이지. 반드시 확인하고 가야 한다.
시험장에서는 밑줄이나 간단한 메모로도 충분하지만, 이해를 돕기 위해 정리해 보면 아래와 같다.

점유개정	반환청구권 양도
양수인 간접점유, 반환청구권 가짐	
양도인이 직접점유 유지 양수인에게 점유 인도한 것으로 간주	간접점유하던 양도인이 양수인에게 반환청구권을 양도

④ 양도인이 소유자가 아니더라도 양수인이 점유 인도를 받으면 소유권을 취득할 수 있을까? 점유로 공시되는 동산의 경우 양수인이 충분히 주의를 했는데도 양도인이 소유자가 아님을 알지 못한 채 양도인과 유효한 계약을 하고, 점유 인도로 공시를 했다면 양수인은 소유권을 취득한다. 이것을 '선의취득'이라 한다. 다만 간접점유에 의한 인도 방법 중 점유개정으로는 선의취득을 하지 못한다. 선의취득으로 양수인이 소유권을 취득하면 원래 소유자는 원하지 않아도 소유권을 상실하게 된다.

▶ 양도인이 소유자가 아니라면? 이는 3문단 첫 문장과 완전 반대되는 전제다. 구조적으로 확실하게 끊고 가자. '간접점유에 의한 인도 방법 중 점유개정으로는 선의취득을 하지 못한다.' 이 문장의 의미를 파고들어 보자.
"너는 눈은 예뻐." 이 문장은 무슨 의미일까? 보조사에 힘줘서 읽어 보자. 느낌이 안 온다면, "너는 눈만 예뻐." 이 문장의 의미를 생각해 봐라. 보조사 '은/는'은 '대조'의 기능이 있다. "A와 B 중에 A는 하지 못한다."라는 문장이다. 그럼 이 문장은 B는 가능하다는 의미를 내포하고 있는 것이다.

▶ '간접점유에 의한 인도 방법 중 점유개정으로는 선의취득을 하지 못한다.' 즉, 점유개정은 불가능하지만, 반환청구권 양도일 경우는 '선의취득'에 의해 양수인이 소유권을 취득할 수 있다는 의미가 들어 있는 것이다. 단, 여기에는 조건이 있다. '충분히 주의를 했는데도'와, '유효한 계약'이다.

▶ 물론 이 정도의 생각은 학생마다 편차가 클 수 있다. 어떤 학생에게는 당연한 생각이고, 어떤 학생에게는 상당히 힘든 추론이다. 후자의 학생의 경우 시험장에서 빠르게 지문을 읽으며 여기까지 생각하기는 쉽지 않다. 다만 이런 추론은 보통 오답 선지에서 요구하니, 아래 <보기> 문제의 5번 선지처럼 추론을 요구할 때, 이 정도로 생각을 하면 된다.

⑤ 반면에 국가가 관리하는 공적 기록인 등기·등록으로 공시되어야 하는 물건은 아예 선의취득 대상이 아니다. 법률이 등록 대상으로 규정한 자동차, 항공기 등의 동산은 등록으로 공시되는 물건이고, 토지·건물과 같은 부동산은 등기로 공시되는 물건이다. 이러한 고가의 재산에 대해 선의취득을 허용하게 되면 원래 소유자의 의사에 반하는 소유권 박탈이 일어나게 된다. 이것은 거래 안전에만 치중하고 원래 소유자의 권리 보호를 경시한 것이 되어 바람직하지 않다고 볼 수 있다.

▶ 또 끊어주자. 구조적으로 변화가 나타났다.
 ┌ 선의취득 O : 점유로 소유권이 공시되는 동산
 └ 선의취득 X : 국가가 관리하는 공적 기록인 등기·등록으로 공시되어야 하는 물건(법률 등록 대상의 동산, 부동산)

▶ 차이가 나타나는 이유 : 소유자의 권리 보호 → 고가의 재산이니까.

▶ 지문 내용 자체는 그리 어렵지 않은데, 개념이 워낙 여러 개 제시되고, 조건이

나 전제에 따라 해당 개념의 성립 여부가 얽혀 있다 보니 문제에 적용하는 데에는 어려움을 느꼈을 것이다. 선개념 제시 지문은 항상 '개념 파악'에 주력해야 한다는 것을 기억해야 한다. 급하게 달려가지 말고, 개념 간의 관계와 공통점 / 차이점을 중점적으로 파악하며 읽는다면 문제를 풀다가 지문으로 돌아왔을 때 시간을 덜 낭비할 수 있겠지.

지문분석

점유와 소유

점유자 ≠ 소유자

점유 : 물건에 대한 사실상의 지배 상태

- 직접점유 : 물건을 (①)으로 지배하는 상태
- 간접점유 : 반환청구권을 가진 상태

대부분의 (②)은 점유에 의해 소유권이 공시됨

소유 : 어떤 물건을 사용·수익·처분할 수 있는 권리를 가진 상태

소유권의 양도

소유권 양도 조건

(1) 양도인(소유자), 양수인 간 유효한 양도 계약

(2) 소유권 양도 (③)

1) 양도인이 소유자인 경우

점유로 소유권이 공시되는 동산 : (④)로 공시

양수인이 간접점유를 하여 소유권 이전이 공시되는 경우

점유개정 : (⑤)이 직접점유 유지, 양수인에게 점유 인도된 것으로 간주

반환청구권 양도 : 소유권 이전에 따라 양도인의 반환청구권 또한 양수인에게 넘어가는 경우

2) 양도인이 소유자가 아닌 경우

점유로 소유권이 공시되는 동산 : 선의취득에 의해 소유권 취득 but, (⑥)으로는 선의취득 불가

등기·등록으로 공시되는 물건은 선의취득 대상 X 원래 소유자의 의사에 반하는 소유권 박탈이 일어날 수 있기 때문

형태쌤 Comment

점유, 소유, 양도, 공시 등 개념어가 남발되는 지문이다. 각 개념어의 의미와 관계, 공통점과 차이점을 파악하며 읽어야만 지문의 핵심 내용을 제대로 짚어낼 수 있다.

번호	정답	정답률 (%)	선지별 선택비율(%)				
			①	②	③	④	⑤
1	⑤	55	10	5	8	22	55
2	⑤	62	2	5	19	12	62
3	②	49	4	49	25	8	14
4	③	30	8	16	30	24	22
5	①	87	87	2	1	9	1

01

정답설명

⑤ 3문단에서 물건의 소유권이 양도되려면 유효한 양도 계약을 한 뒤에 소유권 양도를 공시해야 한다고 설명하였다. 따라서 공시 방법이 갖춰지지 않아도 소유권이 이전된다는 설명은 옳지 않다.

오답설명

① 1문단에서 점유는 물건에 대한 사실상의 지배 상태를 뜻한다고 하였다. 따라서 가방을 사용하고 있는 사람은 그 가방의 점유자라고 할 수 있다.

② 1문단의 '점유자와 소유자가 항상 일치하지는 않는다.'에서 명시하였다.

③ 3문단에서 동산의 소유권 양도는 점유 인도로 공시된다고 하였다. 따라서 물건의 소유권이 유효한 계약으로 이전되려면 점유 인도가 있어야 한다.

④ 2문단에서 피아노, 금반지, 가방 등과 같은 대부분의 동산은 점유에 의해 소유권이 공시된다고 하였다. 따라서 점유가 소유자를 공시하는 기능을 수행한다고 할 수 있다.

02

정답설명

⑤ 2문단에 따르면 대부분의 동산은 점유에 의해 소유권이 공시되며, 점유에는 직접점유와 간접점유가 있다. 또한 4문단에 따르면 유효한 양도 계약에 의한 소유권 양도는 점유를 넘겨주는 점유 인도로 공시된다. 따라서 동산인 피아노의 소유자가 되기 위해서는 유효한 양도 계약이 있어야 하며, 직접점유나 간접점유 중 하나를 갖춰야 한다.

오답설명

① 물리적 지배를 하면 동산의 '간접점유자'가 아니라 '직접점유자'가 된다는 것을 [A]에서 확인할 수 있다.

② 점유는 소유권 공시의 기능을 하며, 간접점유는 점유에 해당한다. 따라서 간접점유도 소유권에 대한 공시 방법이 된다. 이는 3문단에 설명된 '간접점유를 하여 소유권 이전이 공시되는 경우'를 통해서도 확인할 수 있다.

③ 물건의 소유자가 해당 물건을 물리적으로 지배할 경우, 점유자 자신이 물건을 물리적으로 소유하고 있으므로 반환청구권이 필요 없다. 즉, 이에 따라 반환청구권을 가진 간접점유자가 반드시 필요한 것은 아니다.

④ 간접점유자는 직접점유자가 가진 물건에 대해 반환청구권을 가진 사람으로서 물건에 대해 사실상의 지배를 하는 소유자이다.

03

정답설명

② ㉡은 ㉠과 달리 5문단에서 선의취득을 허용하지 않는 이유가 '거래 안전에만 치중'하여 '소유자의 권리 보호를 경시'하는 것이 바람직하지 않기 때문임을 제시하였다. 이를 통해 ㉠과 달리 ㉡은 원래 소유자의 권리 보호가 거래 안전보다 중시되는 대상임을 알 수 있다.

오답설명

① 국가가 관리하는 공적 기록에 의해 소유권 양도가 공시되는 것은 ㉠이 아니라 ㉢임을 5문단에서 확인할 수 있다.

③ 선지의 구성을 잘 봐야 한다. 'A하므로 B할 수 없다.'에서 A와 B의 연결을 제대로 파악해야 한다. 고난도 선지는 이런 식으로 앞뒤의 인과 관계의 집요한 처리를 요구한다. ㉢은 등기로 공시되고, ㉠은 점유로 공시된다. 그리고 그 이유는 ㉢이 '고가의 재산'이기 때문이다. '물리적 지배의 대상' 여부 때문이 아니다.

④ 양도인이 소유자가 아니더라도 소유권 이전이 가능한 것은 '선의취득'이다. ㉠은 선의취득이 가능하지만, ㉡은 선의취득 대상이 될 수 없다.

⑤ ㉠은 점유로 공시되는 동산을 말하며, ㉠에 대해 점유개정으로 소유권 이전이 이뤄진 사례가 3문단에 제시되어 있다. 그러나 ㉢은 점유가 아니라 등기로 공시되는 물건이다.

04

정답설명

③ 〈보기〉의 상황을 정리해 보자.

갑 : 금반지의 직접점유자

을 : 갑에게서 금반지의 소유권을 양도받은 양수인,
    병에게 금반지의 소유권을 양도한 양도인

병 : 을에게서 금반지의 소유권을 양도받은 양수인

(1) 갑이 소유자일 경우

⇨ 을 : 갑에게서 물리적 지배를 넘겨받지 않아도 소유권을 취득한다. 이는 '양도인이 직접점유를 유지하지만, 양수인에게 점유 인도가 이루어진 것으로 간주되는 경우'인 '점유개정'으로, 3문단의 첫 번째 사례에 해당한다. 3문단에 제시된 바와 같이, 을은 반환청구권을 가짐으로써 소유권을 양도받는다.

⇨ 병 : 자신이 소유권을 양도받기로 계약한 금반지를 갑에게 맡겨두고, 금반지에 대한 반환청구권을 가진 상태인 을과 소유권 양도 계약을 체결하였다. 이는 3문단의 두 번째 사례인 '반환청구권 양도'에 해당한다. 따라서 병은 갑이 직접점유한 금반지에 대해 반환청구권을 가지며, 이는 양수인이 간접점유를 하여 소유권 이전이 공시되는 경우에 해당한다. 즉, 병은 금반지의 점유 인도를 받을 수 있고 소유권을 취득할 수 있다.

(2) 갑이 소유자가 아닐 경우

⇨ 을 : 양도인이 소유자인지 충분히 주의했고, 갑과 유효한 계약을 하였다. 그러나 을은 선의취득을 할 수 없다. 갑과 을은 '갑이 금반지를 보관하다가 을이 요구할 때 넘겨주기로 합의'한 관계로서, 갑이 직접점유한 금반지에 대해 을이 반환청구권을 가지는 점유개정에 해당하기 때문이다. 4문단에서 점유개정으로는 선의취득을 하지 못한다고 하였으므로, 을은 소유권을 취득할 수 없다.

⇨ 병 : 병이 양도인인 을이 소유권자인지 충분히 주의를 기울였다면, 병은 금반지의 소유권을 취득할 수 있다. 4문단에서 양도인이 소유자가 아니라도 양수인이 점유 인도를 받으면 '선의취득'에 의해 소유권을 취득할 수 있다고 하였기 때문이다. 을과 병의 계약은 앞서 설명했듯이 반환청구권 양도에 해당한다. 반환청구권 양도는 점유개정과 달리 선의취득이 가능하므로, 병은 금반지의 소유권을 취득할 수 있는 것이다.

③으로 돌아가 보자.

갑이 금반지 소유자가 아니더라도, 병은 금반지의 소유권을 취득할 수 있다. 다만 을로부터 소유권을 양도받은 것이 아니라, 반환청구권 양도로 점유 인도를 받아 소유권을 얻는 것이다.

오답설명

①, ② 갑이 금반지 소유자라면, 금반지의 물리적 지배를 넘겨받지 않았더라도 을은 점유 인도를 받은 것으로 간주되며, 을에게서 반환청구권을 양도받은 병은 소유권을 취득한다.

④, ⑤ 갑이 금반지 소유자가 아니더라도, 을은 반환청구권 양도로 병에게 점유 인도를 한 것으로 간주되며 병은 소유권을 취득한다.

05

정답설명

① ⓐ의 '일어나다'는 '어떤 일이 생기다.'라는 의미이다. ①의 '일어난' 역시 '어떤 일이 생기다.'라는 의미로 쓰였다.

오답설명

② '소리가 나다.'라는 의미이다.

③ '약하거나 희미하던 것이 성하여지다.'라는 의미이다.

④ '어떤 마음이 생기다.'라는 의미이다.

⑤ '몸과 마음을 모아 나서다.'라는 의미이다.

구조도 정답

① 물리적
② 동산
③ 공시
④ 점유 인도
⑤ 양도인
⑥ 점유개정

국제 협약이 갖는 규범성

지문해설

① 국제법에서 일반적으로 조약은 국가나 국제기구들이 그들 사이에 지켜야 할 구체적인 권리와 의무를 명시적으로 합의하여 창출하는 규범이며, 국제 관습법은 조약 체결과 관계없이 국제 사회 일반이 받아들여 지키고 있는 보편적인 규범이다. 반면에 경제 관련 국제기구에서 어떤 결정을 하였을 경우, 이 결정 사항 자체는 권고적 효력만 있을 뿐 법적 구속력은 없는 것이 일반적이다. 그런데 국제결제은행 산하의 바젤위원회가 결정한 BIS 비율 규제와 같은 것들이 비회원인 국가에서도 엄격히 준수되는 모습을 종종 보게 된다. 이처럼 일종의 규범적 성격이 나타나는 현실을 어떻게 이해할지에 대한 논의가 있다. 이는 위반에 대한 제재를 통해 국제법의 효력을 확보하는 데 주안점을 두는 일반적 경향을 되돌아보게 한다. 곧 신뢰가 형성하는 구속력에 주목하는 것이다.

▶ 첫 문단에서 필자의 관심사가 제시되고 있다. 먼저 국제법에 대해 언급한 후, 국제법과 달리 법적 구속력이 없는 국제기구의 결정 사항에 대해 언급하고 있구나. 둘의 본질적인 차이점이 제시되어 있으니, 이 내용은 반드시 체크해 두자. 마지막 부분에서 국제기구의 결정이 갖는 '신뢰가 형성하는 구속력'에 주목한다고 하였으니, 이 내용이 글의 주제와 직결된다고 생각하면 되겠다.

② BIS 비율은 은행의 재무 건전성을 유지하는 데 필요한 최소한의 자기자본 비율을 설정하여 궁극적으로 예금자와 금융 시스템을 보호하기 위해 바젤위원회에서 도입한 것이다. 바젤위원회에서는 BIS 비율이 적어도 규제 비율인 8%는 되어야 한다는 기준을 제시하였다. 이에 대한 식은 다음과 같다.

$$\text{BIS 비율}(\%) = \frac{\text{자기자본}}{\text{위험가중자산}} \times 100 \geq 8(\%)$$

▶ 1문단에서 언급되었던 국제기구의 결정 사항의 예시로 BIS 비율이 제시되었다. 법적 구속력은 없지만 '신뢰가 형성하는 구속력'을 갖는 사례로 볼 수 있겠지. 중간에 BIS 비율을 산출하는 공식이 제시되어 있는데, 독서 영역은 수학 영역이 아니므로 복잡한 계산을 요구하지 않을 것이니 겁먹지 말자.

여기서 자기자본은 은행의 기본자본, 보완자본 및 단기후순위채무의 합으로, 위험가중자산은 보유 자산에 각 자산의 신용 위험에 대한 위험 가중치를 곱한 값들의 합으로 구하였다. 위험 가중치는 자산 유형별 신용 위험을 반영하는 것인데, OECD 국가의 국채는 0%, 회사채는 100%가 획일적으로 부여되었다. 이후 금융 자산의 가격 변동에 따른 시장 위험도 반영해야 한다는 요구가 커지자, 바젤위원회는 위험가중자산을 신용 위험에 따른 부분과 시장 위험에 따른 부분의 합으로 새로 정의하여 BIS 비율을 산출하도록 하였다. 신용 위험의 경우와 달리 시장 위험의 측정 방식은 감독 기관의 승인하에 은행의 선택에 따라 사용할 수 있게 하여 '바젤 I' 협약이 1996년에 완성되었다.

▶ BIS 비율이 어떻게 산출되는지를 제시한 후, 이를 토대로 완성된 '바젤 I' 협약에 대해 언급하고 있다. 2문단을 읽으면서 자기자본과 위험가중자산을 산출하는 데 필요한 요소들을 간단히 메모해 놓는 것도 괜찮다.

자기자본	기본자본+보완자본+단기후순위채무
위험가중자산	신용 위험에 따른 부분 = 보유 자산×자산의 신용 위험에 대한 위험 가중치
	시장 위험에 따른 부분

③ 금융 혁신의 진전으로 '바젤 I' 협약의 한계가 드러나자 2004년에 '바젤 II' 협약이 도입되었다. 여기에서 BIS 비율의 위험가중자산은 신용 위험에 대한 위험 가중치에 자산의 유형과 신용도를 모두 고려하도록 수정되었다. 신용 위험의 측정 방식은 표준 모형이나 내부 모형 가운데 하나를 은행이 이용할 수 있게 되었다. 표준 모형에서는 OECD 국가의 국채는 0%에서 150%까지, 회사채는 20%에서 150%까지 위험 가중치를 구분하여 신용도가 높을수록 낮게 부과한다. 예를 들어 실제 보유한 회사채가 100억 원인데 신용 위험 가중치가 20%라면 위험가중자산에서 그 회사채는 20억 원으로 계산된다. 내부 모형은 은행이 선택한 위험 측정 방식을 감독 기관의 승인하에 그 은행이 사용할 수 있도록 하는 것이다. 또한 감독 기관은 필요시 위험가중자산에 대한 자기자본의 최저 비율이 규제 비율을 초과하도록 자국 은행에 요구할 수 있게 함으로써 자기자본의 경직된 기준을 보완하고자 했다.

▶ 이번에는 '바젤 II' 협약이 등장했다. '바젤 I' 협약의 내용에서 몇 가지가 보완된 것이라 하니, 달라진 부분을 잘 정리해 놓도록 하자.

	'바젤 I' 협약	'바젤 II' 협약	
신용 위험 가중치	자산 유형만 고려	자산 유형+신용도 고려	
신용 위험 측정 방식 (위험 가중치 부과)	국채 0% 회사채 100% 일괄적으로 부과	표준 모형	국채 0~150% 회사채 20~150% 부과(신용도에 반비례)
		내부 모형	은행 선택
최저 BIS 비율	8%	필요시 8% 초과하도록 요구 가능	

④ 최근에는 '바젤 III' 협약이 발표되면서 자기자본에서 단기후순위채무가 제외되었다. 또한 위험가중자산에 대한 기본자본의 비율이 최소 6%가 되게 보완하여 자기자본의 손실 복원력을 강화하였다. 이처럼 새롭게 발표되는 바젤 협약은 이전 협약에 들어 있는 관련 기준을 개정하는 효과가 있다.

▶ '바젤 II' 협약을 토대로 보완한 '바젤 III' 협약의 내용 역시 잘 정리해 놓아야 하겠지.

	'바젤 II' 협약	'바젤 III' 협약
자기자본 산출 방식	기본자본+보완자본+단기후순위채무	기본자본+보완자본 (단기후순위채무 제외)
위험가중자산에 대한 기본자본 비율	기준 없음	최소 6%

⑤ 바젤 협약은 우리나라를 비롯한 수많은 국가에서 채택하여 제도화하고 있다. 현재 바젤위원회에는 28개국의 금융 당국들이 회원으로 가입되어 있으며, 우리 금융 당국은 2009년에 가입하였다. 하지만 우리나라는 가입하기 훨씬 전부터 BIS 비율을 도입하여 시행하였으며, 현행 법제에도 이것이 반영되어 있다. 바젤 기준을 따름으로써 은행이 믿을 만하다는 징표를 국제 금융 시장에 보여 주어야 했던 것이다. 재

무 건전성을 의심받는 은행은 국제 금융 시장에 자리를 잡지 못하거나, 심하면 아예 발을 들이지 못할 수도 있다.

▶ 바젤 협약은 강제성이 없는 국제기구의 결정 사항일 뿐이지만, 우리나라를 비롯한 여러 나라들에서 채택하고 있다고 하는구나. 다시 1문단으로 돌아가 볼까? 1문단에서 언급했던, 국제기구의 결정 사항이 갖는 일종의 규범적 성격에 대해 다시금 언급하고 있는 것이다.

▶ 위반해도 제재가 가해지지 않는 바젤 기준을 여러 국가에서 자발적으로 따르는 이유가 뭘까? 바로 '재무 건전성', 즉 은행이 믿을 만하다는 징표를 국제 금융 시장에 보여주기 위함이다. 1문단에서 언급했던 '신뢰가 형성하는 구속력'에서 '신뢰'란 국제 사회에서의 신뢰를 뜻하는 것이겠구나.

⑥ 바젤위원회에서는 은행 감독 기준을 협의하여 제정한다. 그 헌장에서는 회원들에게 바젤 기준을 자국에 도입할 의무를 부과한다. 하지만 바젤위원회가 초국가적 감독 권한이 없으며 그의 결정도 법적 구속력이 없다는 것 또한 밝히고 있다. 바젤 기준은 100개가 넘는 국가가 채택하여 따른다. 이는 국제기구의 결정에 형식적으로 구속을 받지 않는 국가에서까지 자발적으로 받아들여 시행하고 있다는 것인데, 이런 현실을 말랑말랑한 법(soft law)의 모습이라 설명하기도 한다. 이때 조약이나 국제 관습법은 그에 대비하여 딱딱한 법(hard law)이라 부르게 된다. 바젤 기준도 장래에 딱딱하게 응고될지 모른다.

▶ 5문단에서 언급했던 이유로 100개가 넘는 국가가 바젤 기준을 채택하여 따른다고 하였다. 이와 같이 형식적으로 구속을 받지 않는 국가에서까지 자발적으로 받아들여 시행하고 있다는 점에서 바젤 협약을 '말랑말랑한 법'으로 설명하고 있고, 이와 대비되는 조약이나 국제 관습법을 '딱딱한 법'으로 설명하고 있다.

▶ 2~4문단의 정보는 1문단에서 설명한 개념을 구체화한 것이었고, 1문단에서 설명했던 내용이 5, 6문단에서 다시 이어지는 구조를 가지고 있다. 즉 지문을 거시적으로 보면 [A-B-A] 구조로 이루어져 있는 것이다. 2~4문단과 같이 정보가 쏟아지는 부분에서 중심을 잃지 말고, 이렇게 지문을 구조화시켜 거시적으로 바라보는 관점이 필요하다.

지문분석

국제 협약이 갖는 규범성

↳ **국제 사회에서 준수되는 사항들**

국제법 : (①) 통해 효력 확보(→ 딱딱한 법)

조약 : 국가 / 국제기구 사이에 지켜야 할 권리·의무를 합의한 규범

국제 관습법 : 국제 사회 일반이 받아들여 지키고 있는 보편적 규범

국제기구의 결정 : (②)가 형성하는 구속력

권고적 효력 O / 초국가적 감독 권한, 법적 구속력 X
But 비회원 국가에서도 준수됨(→ 말랑말랑한 법)

법제화된 규범이 아님에도 규범성을 지님

↳ **바젤위원회의 BIS 비율(=자기자본/위험가중자산×100(%))**

은행의 (③) 유지에 필요한 자기자본의 최소 비율 설정
예금자와 금융 시스템 보호 위해 도입

BIS 규제 비율 : 8 %

↳ **바젤 협약**

바젤 I 협약

자기자본=기본자본+보완자본+단기후순위채무

신용 위험가중자산=신용 위험에 따른 부분+
(④) 위험에 따른 부분

신용 위험에 따른 부분
=보유 자산×자산의 신용 위험에 대한 위험 가중치

시장 위험 측정 방식 : 감독 기관 승인하에 은행이 선택

바젤 II 협약(바젤 I 협약을 토대로 수정)

신용 위험 가중치 부과시 (⑤)도 고려하도록 수정

표준 모형 : 국채는 0~150%, 회사채는 20~150%까지
위험 가중치를 구분

내부 모형 : 감독 기관 승인하에 은행이 선택

[감독 기관 → 은행] 최저 BIS 비율이 8% 넘도록 요구 가능

바젤 III 협약(바젤 II 협약을 토대로 수정)

자기자본에서 (⑥) 제외

위험가중자산에 대한 (⑦)의 비율 최소 6%로 설정

↳ **바젤 기준 도입 이유**

은행의 재무 건전성을 (⑧)에 보여 주기 위함

형태쌤 Comment

1문단에서 국제법과 국제기구의 결정을 나누어 제시하고, 2~4문단에서 국제기구의 결정 중 대표적 사례인 바젤 협약의 BIS 비율에 대해 심층적으로 다룬 후 5, 6문단에서 이를 말랑말랑한 법으로, 국제법을 딱딱한 법으로 규정하여 그 성격을 설명하고 있다. 지문의 구조 자체는 복잡하지 않으나 바젤 협약의 변화 내용을 언급하는 부분에서 정보가 많이 제시되므로, 이를 잘 표시해 두었다가 문제를 풀 때 다시 돌아와 확인해야 한다.

문제분석 01-06번

번호	정답	정답률 (%)	선지별 선택비율(%)				
			①	②	③	④	⑤
1	①	77	77	7	4	5	7
2	③	69	3	7	69	13	8
3	④	53	10	15	10	53	12
4	⑤	29	5	22	19	25	29
5	⑤	46	4	9	11	30	46
6	③	62	3	10	62	15	10

01

정답설명

① 특정한 국제적 기준인 바젤 협약의 내용을 제시한 후 그 변화 양상을 바젤 Ⅰ, 바젤 Ⅱ, 바젤 Ⅲ 협약으로 서술하며 국제 사회에 작용하는 법과 협약의 규범성을 설명하고 있다.

오답설명

② 특정한 국제적 기준인 바젤 협약이 제정된 원인은 2문단에 '예금자와 금융 시스템을 보호하기 위해'라고 제시되어 있으나, 국제 사회의 규범을 감독 권한의 발생 원인에 따라서가 아니라 구속력을 형성하는 근거(제재/신뢰)에 따라 분류하고 있다.

③ 특정한 국제적 기준인 바젤 협약이 예금자나 국제 시장에 은행의 재무 건전성을 보여 줄 수 있음을 언급하고 있으나, 국제 사회에 수용되는 규범의 필요성을 상반된 관점에서 논증하고 있지는 않다.

④ 특정한 국제적 기준과 관련된 국내법의 특징을 서술하고 있지 않으며, 국제 사회에 받아들여지는 규범의 장단점을 설명하고 있지도 않다.

⑤ 특정한 국제적 기준의 설정 주체가 바뀐 사례를 서술하고 있지 않으며, 국제 사회에서 규범 설정 주체가 지닌 특징 역시 분석하고 있지 않다.

02

정답설명

③ '신뢰가 형성하는 구속력'은 딱딱한 법에 해당하는 조약이나 국제 관습법이 아니라 말랑말랑한 법에 해당하는 국제기구의 결정과 관련된 내용이다. 1문단에서 조약이나 국제 관습법에서는 일반적으로 위반에 대한 제재를 통해 국제법의 효력을 확보하는 데 주안점을 둔다고 하였다.

오답설명

① 1문단의 '국제법에서 일반적으로 조약은 국가나 국제기구들이 그들 사이에 지켜야 할 구체적인 권리와 의무를 명시적으로 합의하여 창출하는 규범'에서 확인할 수 있다.

② 4문단의 '새롭게 발표되는 바젤 협약은 이전 협약에 들어 있는 관련 기준을 개정하는 효과가 있다.'에서 확인할 수 있다.

④ 5문단의 '바젤 기준을 따름으로써 은행이 믿을 만하다는 징표를 국제 금융 시장에 보여 주어야 했던 것이다. 재무 건전성을 의심받는 은행은 국제 금융 시장에 자리를 잡지 못하거나, 심하면 아예 발을 들이지 못할 수도 있다.'를 통해, 국제기구의 결정을 지키지 않을 때 입게 될 불이익이 그 결정이 준수되도록 하는 역할을 함을 알 수 있다.

⑤ 5문단의 '바젤 기준을 따름으로써 은행이 믿을 만하다는 징표를 국제 금융 시장에 보여 주어야 했던 것이다. 재무 건전성을 의심받는 은행은 국제 금융 시장에 자리를 잡지 못하거나, 심하면 아예 발을 들이지 못할 수도 있다.'를 통해, 세계 각국에서 바젤 기준을 법제화하는 이유는 자국 은행의 재무 건전성을 대외적으로 드러내어 국제 금융 시장에 자리를 잡기 위함임을 확인할 수 있다.

03

정답설명

④ 2, 3문단의 내용을 통해 바젤 Ⅰ 협약에서 '시장 위험의 측정 방식'은 '감독 기관의 승인 하에 은행의 선택에 따라 할 수 있'게 하였으며 이는 바젤 Ⅱ 협약에서도 유지됨을 알 수 있다. 또한 바젤 Ⅱ 협약의 '신용 위험의 측정 방식' 중 '내부 모형'은 '은행이 선택한 위험 측정 방식을 감독 기관의 승인하에 그 은행이 사용할 수 있도록 하는 것'임을 확인할 수 있다.

오답설명

① 2문단에서 바젤 Ⅰ 협약의 경우 회사채에 위험 가중치 100%를 획일적으로 부여하도록 하였으므로, 보유하고 있는 회사채의 신용도가 낮아지든 높아지든 BIS 비율에는 영향을 미치지 않을 것임을 알 수 있다. 위험 가중치를 부과할 때 신용도까지 고려하도록 한 것은 바젤 Ⅱ 협약의 내용이다.

② 3문단의 내용을 통해, 바젤 Ⅱ 협약의 경우 필요시 감독 기관이 자국 은행에 위험가중자산에 대한 자기자본의 최저 비율이 규제 비율을 초과하도록 요구할 수 있다는 내용을 담고 있음을 확인할 수 있다. 따라서 각국의 은행들이 준수해야 하는 위험가중자산 대비 자기자본의 최저 비율은 동일하지 않을 것이라고 판단할 수 있다.

③ 자기자본이 동일한 상태에서 BIS 비율이 높아지기 위해서는 위험가중자산의 값이 작아져야 한다. 3문단의 내용에 따르면, 바젤 Ⅱ 협약의 경우 위험 가중치를 구할 때 신용 위험을 측정하는 방식으로 표준 모형이나 내부 모형 가운데 하나를 은행이 선택하도록 하였는데, 이 중 표준 모형의 경우 국채에 0~150%의 가중치를, 회사채에 20~150%의 가중치를 부여하였다. 만약 은행이 표준 모형을 선택하고, 위험 가중치가 0%인 국채를 매각한 뒤 이를 위험 가중치가 20%인 회사채에 투자한다면 위험가중자산의 값이 커지게 되므로 BIS 비율은 낮아진다. 이와 같은 경우를 고려할 때 BIS 비율이 '항상' 높아진다고 이야기할 수는 없

다.

⑤ 바젤 III 협약에서는 자기자본에서 단기후순위채무를 제외하고, 위험가중자산에 대한 기본자본의 비율이 최소 6%가 되도록 보완하였다. 즉 자기자본은 기본자본과 보완자본의 합으로만 산출되는 것이다. 이를 기준으로 하여 만약 BIS 규제 비율이 8%라고 할 때, 위험가중자산에 대한 기본자본의 비율이 7%인 경우라면 위험가중자산 대비 보완자본의 비율이 1%밖에 되지 않더라도 BIS 비율 규제를 준수할 수 있으므로 보완자본의 비율이 최소 2%여야 한다는 진술은 적절하지 않다고 판단할 수 있다.

04

정답설명

⑤ 바젤 III 협약에서는 자기자본에서 단기후순위채무가 제외되었다. 그러므로 자기자본은 기본자본과 보완자본의 합으로 산출된다. 이를 기준으로 할 때, 위험가중자산의 변동 없이 보완자본을 10억 원 증액한다면 $(50+30)÷1,000×100=8\%$이므로 바젤위원회의 규제 비율인 8%를 충족한다고 볼 수 있다. 다만 바젤 III 협약에서는 위험가중자산에 대한 기본자본의 비율이 최소 6%가 되어야 한다는 내용을 보충하기도 하였으므로, 이에 대해서도 따져 보아야 한다. 이때 위험가중자산에 대한 기본자본의 비율은 $50÷1,000×100=5\%$이므로 보완된 기준을 충족할 수 없다.

오답설명

① 〈보기〉에서 갑 은행은 바젤 II 협약의 표준 모형에 따라 BIS 비율을 산출하여 공시하였다고 하였다. 바젤 II 협약에 의거한 BIS 비율은 기본자본, 보완자본, 단기후순위채무의 합을 신용 위험과 시장 위험에 따른 위험가중자산으로 나눈 후 100을 곱한 값이다.
즉 $110÷1,000×100=11\%$이므로 바젤위원회가 제시한 규제 비율인 8%보다 높음을 알 수 있다.

② 자기자본이 동일한 상태에서 BIS 비율이 높아지기 위해서는 위험가중자산의 값이 작아져야 한다. 공시된 BIS 비율에서 회사채에 반영된 위험가중치는 50%라고 하였는데, 이것이 20%로 줄어들면 위험가중자산의 값이 작아지므로 BIS 비율은 높아지게 된다.

③ 회사채에 반영된 위험 가중치가 50%인데 위험가중자산이 300억 원으로 제시되어 있으므로, 그 실제 규모는 600억 원이다. 국채와 회사채의 위험가중자산이 300억 원으로 동일한 상황에서 국채의 실제 규모가 600억 원보다 크다면, 곱해진 위험 가중치가 50%보다 낮았을 것임을 알 수 있다. 예를 들어 국채의 실제 규모를 1,000억 원이라고 가정한다면 이때 곱해진 위험 가중치는 30%에 해당한다.

④ 회사채에 반영된 위험 가중치가 50%인데 위험가중자산이 300억 원으로 제시되어 있으므로, 그 실제 규모는 600억 원이다. 바젤 I 협약에서 위험 가중치는 국채의 경우 0%, 회사채의 경우 100%로 획일적으로 부여되었으므로, 바젤 I 협약을 기준으로 신용 위험에 따른 위험가중자산을 산출한다면 회사채는 실제 규모인 600억 원과 동일할 것이다.

05

정답설명

⑤ ㉠은 법적 구속력이 없는 바젤위원회의 결정을 바젤위원회 미가입 국가에서까지 자발적으로 채택하여 따르고 있다는 내용이다. 따라서 바젤위원회 회원이 없는 국가에서 바젤 기준을 제도화하여 국내에서 효력이 발생하도록 한다는 내용은 이에 부합한다고 볼 수 있다.

형태쌤의 과외시간

비문학의 사례 문제

비문학의 사례 문제는 '지우는 방식'이 아니라, '찾아가는 방식'으로 풀어야 한다. 즉, '지문'에서 사례의 조건을 정확하게 파악한 후에 선지에서 해당 내용을 '찾으러 가는 방식'으로 풀이를 진행해야 매력적인 오답으로 손이 가지 않는다는 것이다.
사례 문제에서 틀리는 경우는 항상 '지문의 조건'을 제대로 인지하지 못한 경우가 많다.

오답설명

① 바젤위원회가 국제 금융 현실에 맞지 않게 된 바젤 기준을 개정하는 것은, 법적 구속력이 없는 바젤위원회의 결정을 미가입 국가에서까지 자발적으로 채택하여 따르고 있다는 ㉠의 내용과 부합하는 내용이라고 볼 수 없다.

② 가입 회원이 없는 국가가 자발적으로 바젤위원회의 결정을 채택하여 따르는 것이 아니라, 바젤위원회에서 바젤 기준을 준수하도록 요청한다는 내용은 ㉠과 부합하는 것으로 볼 수 없다.

③ 바젤위원회 회원의 국가가 준수 의무가 있는 바젤 기준을 실제로는 지키지 않는다는 내용은 ㉠과 반대되는 경우이므로 부합하는 내용이라고 볼 수 없다.

④ ㉠은 국제기구의 결정에 구속을 받지 않는 국가가 자발적으로 따르고 있는 것이다. 즉, 바젤위원회 회원 국가가 아닌데도 준수 의무를 이행하는 것이다.

06

정답설명

③ 해당 문맥의 내용은 재무 건전성을 의심받는 은행이 국제 금융 시장에 자리를 잡지 못하거나, 심하면 아예 국제 금융 시장에 발을 들이지 못할 수도 있다는 내용이다. '바젤위원회에 가입'한다는 내용과는 상관이 없으므로 이와 같이 바꿔 쓸 수는 없다.

오답설명

① 해당 문맥의 내용은 바젤 II 협약에서 BIS 비율의 위험가중자산을 산출할 때 자산의 신용도까지 반영하도록 수정되었다는 내용이다. 따라서 '자산의 유형과 신용도를 모두 고려하도록'을 '자산의 유형과 신용도를 모두 반영하여 산출하도록'으로 수정하는 것은 적절하다.

② ⓑ에서 언급한 '규제 비율'은 바젤위원회에서 결정한 8%의 값을 의미한

다. 따라서 '규제 비율을 초과하도록'을 '8%가 넘도록'으로 수정하는 것은 적절하다.

④ 해당 문맥의 내용은 바젤위원회의 결정이 법적 구속력이 없다는 내용이다. 바젤위원회의 결정은 국제기구의 결정에 해당하며, 1문단에서 이 결정 사항 자체는 권고적 효력만 있을 뿐이라고 하였으므로 '법적 구속력이 없다는'을 '권고적 효력이 있을 뿐이라는'으로 수정하는 것은 적절하다.

⑤ '딱딱한 법'은 조약이나 국제 관습법을 의미한다. 따라서 말랑말랑한 법인 바젤 기준이 장래에 '딱딱하게 응고될지' 모른다는 표현을 '조약이나 국제 관습법이 될지' 모른다는 표현으로 수정하는 것은 적절하다.

구조도 정답

① 제재
② 신뢰
③ 재무 건전성
④ 시장
⑤ 신용도
⑥ 단기후순위채무
⑦ 기본자본
⑧ 국제 금융 시장

지문분석

지식 재산

> **ICT 산업 : 지식 재산을 기반으로 창출**
>
> (①) : 특허를 독점적으로 사용할 수 있는 법률상 권리
>
> 영업 비밀 : 생산 방법, 판매 방법, 그 밖에 영업 활동에 유용한 기술상 or 경영상 정보. 일정 조건 만족시 법적 보호 가능

> **ICT 다국적 기업의 지식 재산 수입 과세 문제**
>
> (②) 도입 진행 중
>
> 배경 : 법인세 감소에 대한 각국의 우려
>
> **법인세**
>
> 기업의 이윤(= 수입 - (③))에 대해 부과
>
> ICT 다국적 기업의 회피 사례
>
> 법인세율 (④) 국가에 자회사 설립, 이윤 몰아주는 방식
>
> ICT 주도권 가진 국가 : 디지털세 도입에 방어적

> **지식 재산 보호 문제**
>
> ICT 주도권 가진 국가 : 지식 재산 보호의 국제적 강화 중시
>
> **지식 재산의 보호**
>
> 보호 수준↓ : 유인 비용↑ / 보호 수준↑ : (⑤)↑
>
> 최적의 보호 수준 : 유인 비용 + 접근 비용이 최소일 때
>
> 국민 소득 수준에 따라 보호 정도가 다름

형태쌤 Comment

1문단에서 '지식 재산 보호 문제', '과세 문제' 두 가지의 화제를 언급했으니 그 둘에 대한 정보를 놓치지 말았어야 한다. 법인세, 디지털세만 신경 썼던 학생들은 지식 재산 보호 문제와 관련한 4번 문제에서 고전했을 것이다.

문제분석 01-05번

번호	정답	정답률 (%)	선지별 선택비율(%) ①	②	③	④	⑤
1	②	75	3	75	8	10	4
2	⑤	64	5	13	6	12	64
3	④	62	4	9	17	62	8
4	③	48	9	12	48	20	11
5	③	70	2	10	70	8	10

01

정답설명

② 1문단에서 영업 비밀의 범위와 일정 조건을 갖출 경우 법적으로 보호되는 대상이라는 것만 알 수 있을 뿐, 영업 비밀이 법적 보호 대상으로 인정받기 위한 절차는 확인할 수 없다.

오답설명

① 1문단에서 두 대상의 공통점이 '(1) 법으로 보호받을 수 있는 권리, (2) 지식 재산'임을 알 수 있다.

③ 'ICT 다국적 기업의 수입에 과세하는 제도'는 '디지털세'를 말한다. 2문단을 보면, 국가가 기업으로부터 걷는 세금 중 가장 중요한 '법인세'의 감소에 대한 각국의 우려가 디지털세 도입의 배경이 되었음을 알 수 있다.

④ 로열티를 이용하여 ICT 다국적 기업의 법인세를 줄이는 사례가 3문단에 제시되어 있다. ICT 다국적 기업은 법인세율이 높은 나라에 세운 자회사가 법인세율이 낮은 나라에 세운 자회사에 로열티를 지출하는 방식을 사용하여 법인세를 줄이고 있음을 알 수 있다.

⑤ 유인 비용과 접근 비용의 합이 최소가 될 때가 지식 재산 보호의 최적 수준임이 4문단에 제시되어 있다.

02

정답설명

⑤ 2문단에서 '디지털세는 이를 도입한 국가에서 ICT 다국적 기업이 거둔 수입에 대해 부과되는 세금'이라고 하였다.

오답설명

① 1문단에서 지식 재산 보호 문제와 과세 문제라는 두 가지 화제를 언급했는데, 디지털세는 과세 문제에 대한 내용일 뿐 지식 재산 보호 문제와는 무관하다. 따라서 디지털세가 지식 재산 보호를 강화할 수 있는 수단이라는 내용은 지문에서 찾을 수 없다.

② '디지털세'는 해당 제도를 도입한 국가에서 ICT 다국적 기업이 거둔 수입에 부과되는 세금이며, '법인세'는 '이윤(수입에서 제반 비용을 제외한 금액)'에 부과되는 세금이다. 따라서 디지털세가 이윤에서 제반 비용을 제외한 금액에 부과된다는 내용은 적절하지 않다.

③ 3문단에서, ICT 산업에서 주도적인 국가는 주도권 유지를 위해 디지털세 도입에 방어적이라고 하였다.

④ 여러 국가에 자회사를 설립하는 방식으로 줄이는 것은 디지털세가 아니라 법인세이다. 법인세율이 낮은 국가에 자회사를 추가로 설립하여 법인세 납부액을 줄이는 사례가 3문단에 제시되어 있다.

03

정답설명

④ ㉠과 관련하여 3문단의 내용을 정리해 보자.

형태쌤의 과외시간

㉠ ICT 다국적 기업 : 법인세율이 현저히 낮은 국가에 설립한 자회사에 이윤을 몰아줌 → 법인세 회피

사례)
· ICT 다국적 기업 Z사가 법인세율이 매우 낮은 A국에 자회사 설립, 특허 사용 권한 부여
· A국보다 법인세율이 높은 B국에 설립된 자회사
→ B국 자회사 : A국 자회사에 로열티(= 특허 사용 수수료) 지출 → 이윤(= 수입-제반 비용 = 법인세 부과 대상) 최소화

결국, B국 자회사는 제반 비용이, A국 자회사는 이윤이 높아지는 구조다. 법인세율이 높은 나라에서는 이윤을 최소화하고, 그 이윤을 법인세율이 낮은 나라에 몰아주는 방법으로 법인세 납부를 최소화하는 거지. 이해됐니?

즉, ICT 다국적 기업은 법인세율이 높은 국가의 자회사에서 이윤을 줄여야 법인세 납부를 최소화할 수 있다. 위에서 정리했듯이, 법인세는 이윤에 대해 부과되는 세금이며, 이윤은 수입에서 제반 비용을 뺀 것을 말한다. 따라서 ICT 다국적 기업은 법인세율이 낮은 국가의 자회사에 특허 사용 권한을 부여하여, 법인세율이 높은 국가의 자회사에서 로열티를 지출하게 함으로써 이윤을 최대한 낮추어 법인세를 최소화하는 전략을 쓰는 것이다.

오답설명

① 법인세율이 높은 국가에 세운 자회사가 법인세율이 낮은 국가에 세운 자회사에 특허 사용에 대한 로열티를 지불하므로, 법인세율이 낮은 국가에 세운 자회사의 수입이 늘어날 수는 있으나, 이를 통해 법인세율이 높을수록 국가의 자회사 수입이 많다는 것은 알 수 없다. 법인세는 수입이 아니라, 수입에서 제반 비용을 제외한 '이윤'에 대해서만 부과되는 세금이다.

② ICT 다국적 기업은 법인세율이 낮은 국가의 자회사에 특허 사용 권한을 부여하여 로열티를 받게 한다.

③ 수입 대비 제반 비용의 비율이 높다는 것은 수입에 비해 이윤이 낮다는 의미이다. 3문단의 사례에서 알 수 있듯이, 법인세율이 높은 국가일수록 ICT 다국적 기업 자회사의 수입 대비 제반 비용의 비율이 높다. 왜? 이윤을 낮춰야 법인세를 덜 내니까. ICT 다국적 기업들은 법인세율이 낮은 국가의 자회사에게 이윤(수입-제반 비용)을 몰아주고, 법인세율이 높은 국가의 자회사가 제반 비용(로열티)을 지출하게 하는 방법으로 법인세를 회피한다잖니.

⑤ 법인세율이 높은 국가에 본사가 있는 ICT 다국적 기업 자회사의 수입 대비 이윤의 비율은 법인세율이 낮은 국가일수록 높다. ㉠에서 법인세율이 현저하게 낮은 국가의 자회사에 이윤을 몰아준다고 하였다.

04

정답설명

③ 지문에서 제시된 인과, 대립 관계를 명확히 정리해야 한다.

지식 재산의 보호 약할수록		지식 재산의 보호 강할수록
유용한 지식 창출의 유인 저해 → 지식 진보 정체	↔	지식 접근 제한 → 소수만 혜택 O
유인 비용(-) 발생		접근 비용(-) 발생

접근 비용은 지식 재산의 보호가 강할수록 발생하는 손해를 말한다. S국에서 현재의 특허 제도가 특허권을 과하게 보호한다고 판단할 경우, 지식 재산 보호 수준을 낮춰 접근 비용을 줄이고자 할 것이다.

오답설명

① 4문단에 의하면, ICT 산업에서 주도적인 국가는 지식 재산 보호의 국제적 강화를 중시한다. 따라서 그들은 S국이 유인 비용을 크게 인식하여 지식 재산 보호 수준을 높이길 바랄 것이다.

② '지식 재산 창출 의욕의 저하로 인한 손해'는 '유인 비용'을 말한다. 유인 비용은 지식 재산 보호 수준이 낮을수록 발생하는 비용이므로, 선지의 이해는 적절하다.

④ S국의 국민 소득이 점점 높아진다면, 지식 재산 보호 수준이 낮아졌다가('가장 낮은 소득 수준을 벗어난 국가들은 그들보다 소득 수준이 낮은 국가들보다 오히려 특허 보호가 약한 것으로 나타났다.') 국민 소득이 일정 수준에 도달하면 다시 높아질('국민 소득이 일정 수준 이상인 상태에서는 국민 소득이 증가할수록 특허 보호 정도가 강해지는 경향') 것이다.

⑤ S국이 지식 재산 보호 수준을 높이면, 지식의 발전이 저해되어 발생하는 손해(=유인 비용)는 감소하고, 다수가 지식 재산의 혜택을 누리지 못하여 발생하는 손해(=접근 비용)는 증가할 것이다.

05

정답설명

③ ⓐ는 ICT 다국적 기업이 법인세 납부를 회피하기 위해 사용하는 방법에 해당한다(①). 법인세율이 높은 국가에 설립한 자회사의 제반 비용을 늘림으로써(⑤) 이윤을 줄여 법인세를 최소화하고(④), 법인세율이 낮은 국가의 자회사에 수입과 이윤을 몰아주는(②, ③) 것이다. 아직도 이해를 못한 학생이 있다면 3번 문제 해설을 다시 읽어 보길 바란다.

구조도 정답

① 특허권
② 디지털세
③ 제반 비용
④ 낮은
⑤ 접근 비용

행정 규제

지문해설

① 국가, 지방 자치 단체와 같은 행정 주체가 행정 목적을 실현하기 위해 국민의 권리를 제한하거나 국민에게 의무를 부과하는 '행정 규제'는 국회가 제정한 법률에 근거해야 한다. 그러나 국회가 아니라, 대통령을 수반으로 하는 행정부나 지방 자치 단체와 같은 행정 기관이 제정한 법령인 행정입법에 의한 행정 규제의 비중이 커지고 있다. 드론과 관련된 행정 규제 사항들처럼, 첨단 기술과 관련되거나, 상황 변화에 즉각 대처해야 하거나, 개별적 상황을 반영하여 규제를 달리해야 하는 행정 규제 사항들이 늘어나고 있기 때문이다. 행정 기관은 국회에 비해 이러한 사항들을 다루기에 적합하다.

▶ 글의 도입부에서는 항상 필자의 관심사를 최우선적으로 찾으며 읽어야 한다. 필자는 '행정 규제'에 대해 말하고자 한다. 특히, 국회가 아니라 행정 기관이 제정한 행정입법에 의한 행정 규제의 비중이 커지고 있다는 것과 그 이유를 설명하고 있다는 점에 주목하자.

② 행정입법의 유형에는 위임명령, 행정규칙, 조례 등이 있다. 헌법에 따르면, 국회는 행정 규제 사항에 관한 법률을 제정할 때 특정한 내용에 관한 입법을 행정부에 위임할 수 있다. 이에 따라 제정된 행정입법을 위임명령이라고 한다. 위임명령은 제정 주체에 따라 대통령령, 총리령, 부령으로 나누어진다. 이들은 모두 국민에게 적용되기 때문에 입법예고, 공포 등의 절차를 거쳐야 한다. 위임명령은 입법부인 국회가 자신의 권한의 일부를 행정부에 맡겼기 때문에 정당화될 수 있다. 그래서 특정한 행정 규제의 근거 법률이 위임명령으로 제정할 사항의 범위를 정하지 않은 채 위임하는 포괄적 위임은 헌법상 삼권 분립 원칙에 저촉된다. 위임된 행정 규제 사항의 대강을 위임 근거 법률의 내용으로부터 예측할 수 있어야 한다는 것이다.

▶ 차이점이 제시되었다. 쌤이 항상 강조해 온 출제 포인트이지. 정당화될 수 있는 '위임명령', 헌법에 저촉되는 '포괄적 위임'을 구분해서 읽어야겠지. 법률로 제정할 사항의 범위, 즉 국회가 행정부에 맡기고자 한 권한의 범위를 정하지 않은 채 위임한 포괄적 위임은 ① 삼권 분립의 원칙에 저촉되며, ② 위임된 행정 규제 사항을 근거 법률의 내용으로부터 예측할 수 없으므로 정당화될 수 없는 것이다.

다만 행정 규제 사항의 첨단 기술 관련성이 클수록 위임 근거 법률이 위임할 수 있는 사항의 범위가 넓어진다.

▶ 1문단에서, 행정 기관은 국회에 비해 첨단 기술과 관련된 행정 규제 사항들을 다루기에 적합하다고 했었지.

한편, 위임명령이 법률로부터 위임받은 범위를 벗어나서 제정되거나, 위임 근거 법률이 사용한 어구의 의미를 확대하거나 축소하여 제정되어서는 안 된다. 위임 명령이 이러한 제한을 위반하여 제정되면 효력이 없다.

▶ 위임명령은 어디까지나 법률에 철저히 근거해야 한다는 것이구나.

③ 행정규칙은 원래 행정부의 직제나 사무 처리 절차에 관한 행정입법으로서 고시(告示), 예규 등이 여기에 속한다. 일반 국민에게는 직접 적용되지 않기 때문에, 법률로부터 위임받지 않아도 유효하게 제정될 수 있고 위임명령 제정 시와 동일한 절차를 거칠 필요가 없다.

▶ 위임명령과의 차이점이구나. 체크해 둬야겠지.

그러나 행정 규제 사항에 관하여 행정규칙이 제정되는 예외적인 경우도 있다. 위임된 사항이 첨단 기술과의 관련성이 매우 커서 위임명령으로는 대응하기 어려워 불가피한 경우, 위임 근거 법률이 행정입법의 제정 주체만 지정하고 행정입법의 유형을 지정하지 않았다면 위임된 사항이 고시나 예규로 제정될 수 있다. 이런 경우의 행정규칙은 위임명령과 달리, 입법예고, 공포 등을 거치지 않고 제정된다.

▶ 행정규칙은 원래 행정부의 직제나 사무 처리 절차에 관한 행정입법인데, 예외적으로 행정 규제 사항에 관하여 제정되는 경우도 있다. 위임된 사항이 첨단 기술과의 관련성이 매우 커서 위임명령으로는 대응하기 어려워 불가피한 경우, 위임 근거 법률이 행정입법의 제정 주체만 지정하고 행정입법의 유형을 지정하지 않았을 때에만 해당한다. 어떤 목적으로 제정되든 간에, 행정규칙은 위임명령과 달리 입법예고, 공포 등의 절차를 거칠 필요가 없다는 차이점은 체크해 두는 것이 좋겠지.

④ 조례는 지방 의회가 제정하는 행정입법으로 지역의 특수성을 반영하여 제정되고 지역에서 발생하는 사안에 대해 적용된다. 제정 주체가 지방 자치 단체의 기관인 지방 의회라는 점에서 행정부에서 제정하는 위임명령, 행정규칙과 구별된다.

▶ 조례는 제정 주체에서 다른 행정입법과 차이를 보인다. 거듭 말하지만, 차이점은 중요한 출제 포인트다!

조례도 행정 규제 사항을 규정하려면 법률의 위임에 근거해야 한다. 또한 법률로부터 포괄적 위임을 받을 수 있지만 위임 근거 법률이 사용한 어구의 의미를 다르게 사용할 수 없다. 조례는 입법예고, 공포 등의 절차를 거쳐 제정된다.

▶ 조례 역시 행정 규제에 관해서는 법률의 위임에 근거해야 하고, 위임명령과 같은 절차를 거쳐 제정되는구나. 위임명령과의 공통점이니 체크해 주자. 대상 간의 공통점, 차이점은 중요한 출제 포인트다!

지문분석

행정 규제

→ 행정 주체가 행정 목적을 실현하기 위해 국민 권리 제한 or 의무 부과

→ 국회가 제정한 법률에 근거해야 함
But (①)관련↑, 즉각적 대처·개별적 규제 필요성↑
→ 행정입법에 의한 행정 규제의 비중↑

→ **행정입법**

(②)

국회가 행정 규제 사항에 관한 법률을 제정할 때, 특정한 내용에 관한
입법을 (③)에 위임하여 제정된 행정입법(대통령령, 총리령, 부령)

모두 국민에게 적용 → 입법예고, 공포 등의 절차를 거쳐야 함

(④) 정당화 X
 * 이유 01: 근거 법률이 위임명령으로 제정할 사항의 범위를 정하지
            않은 채 위임 → 헌법의 삼권 분립 원칙에 저촉
 * 이유 02: 위임 근거 법률의 내용으로부터 (⑤) 가능해야 함

행정 규제 사항의 첨단 기술 관련성↑ → 위임 가능한 사항의 범위↑

법률로부터 위임받은 범위를 벗어나서 제정
or 의미를 확대·축소하여 제정 → 효력 X

(⑥)

행정부의 직제·사무 처리 절차에 관한 행정입법(고시, 예규 등)

일반 국민에게 직접 적용 X
→ 법률로부터 위임 필요 X, 입법예고, 공포 등의 절차 X

행정규칙이 제정되는 예외적인 경우
 위임된 사항과 첨단 기술의 관련성이 매우 커서 위임명령으로
 대응이 어려움 + 위임 근거 법률이 행정입법의 제정 주체 지정 O,
 행정입법의 유형 지정 X
 → 위임된 사항이 고시나 예규로 제정
 → 입법예고, 공포 등의 절차 (⑦)

조례

지방 의회가 제정하는 행정입법

지역의 특수성을 반영하여 제정, 지역에서 발생하는 사안에 대해 적용

(④) O, 위임 근거 법률이 사용한 어구의 의미를 다르게 사용 X,
입법예고, 공포 등의 절차 O

형태쌤 Comment

위임명령, 행정규칙, 조례 등 핵심 개념의 특징이 나열되어 있는데, 지문의 길
이에 비해 정보의 양이 많은 편이다. 모든 내용을 한 번에 이해하고 풀기보다는,
거시적 독해로 공통점, 차이점만 잡아내고 문제를 풀 때 돌아와서 체크하는 것
이 시간을 절약하는 방법이다.

문제분석 01-05번

번호	정답	정답률(%)	선지별 선택비율(%)				
			①	②	③	④	⑤
1	⑤	71	2	6	11	10	71
2	①	47	47	35	5	8	5
3	⑤	67	3	3	11	16	67
4	④	45	9	25	13	45	8
5	③	59	11	4	59	10	16

01

정답설명

⑤ 1문단의 '상황 변화에 즉각 대처해야 하거나~행정 기관은 국회에 비해
이러한 사항들을 다루기에 적합하다.'를 통해, 행정부가 국회보다 신속
히 대응할 수 있는 행정 규제 사항은 행정입법의 대상으로 적합하다는
것을 알 수 있다.

오답설명

① 행정입법에 속하는 법령들은 제정 주체가 동일하지 않다. 위임명령, 행
정규칙의 제정 주체는 행정부이고, 조례의 제정 주체는 지방 의회이다.

② 1문단의 '개별적 상황을 반영하여~행정 기관은 국회에 비해 이러한 사
항들을 다루기에 적합하다.'를 통해, 행정입법이 개별적 상황을 반영한
다는 것을 알 수 있다. 그러나 지역의 특수성을 반영하는 것은 행정입
법에 속하는 법령 중 '조례'뿐이다.

③ 3문단에서 행정규칙은 '법률로부터 위임받지 않아도 유효하게 제정될
수 있'다고 하였으므로, 행정입법에 속하는 모든 법령들이 정당성을 확
보하기 위하여 국회의 위임에 근거하는 것은 아님을 알 수 있다.

④ 4문단에서 행정 규제 사항에 적용되는 행정입법 중 조례는 '법률로부터
포괄적 위임을 받을 수 있'다고 하였다.

02

정답설명

① ㉠은 위임명령이 법률로부터 위임받은 범위를 벗어나서 제정되거나, 위
임 근거 법률이 사용한 어구의 의미를 확대하거나 축소하여 제정되는
경우를 말한다. 즉 위임명령이 법률에 근거하지 않고 행정 규제 사항을
규정한 경우를 말하는 것이다. 선지의 '행정 규제 사항을 규정'은 당연
히 적절한 내용이다. 2문단에 설명된 '국회는 행정 규제 사항에 관한
법률을 제정할 때 특정한 내용에 관한 입법을 행정부에 위임할 수 있
다. 이에 따라 제정된 행정입법을 위임명령이라고 한다.'에서 알 수 있
듯이, '위임명령' 자체가 '행정 규제 사항'에 대한 것이잖아.

오답설명

② 포괄적 위임을 받아 제정된 경우는 특정한 행정 규제의 근거 법률이 위
임명령으로 제정할 사항의 범위를 정하지 않은 채 위임한 경우이다. 반
면 ㉠은 제정할 사항의 범위가 정해지지 않은 것이 문제가 아니라, 위임
받는 범위를 벗어난 경우에 해당하므로 포괄적 위임과 다른 경우이다.

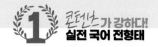
③ 첨단 기술에 대한 내용을 정확히 반영하였는지 여부에 따라 위임명령의 효력이 정해진다는 내용은 지문에서 찾을 수 없다.

④ 윗글은 행정입법에 의한 행정 규제(국가, 지방 자치 단체와 같은 행정 주체가 행정 목적을 실현하기 위해 국민의 권리를 제한하거나 국민에게 의무를 부과하는 것)에 대해 설명하고 있다. 위임명령은 국회가 행정부에 위임한 입법 권한에 따라 제정된 행정입법에 해당한다. 즉, 위임명령이 국민의 권리를 제한하는 권한을 행정 기관에 맡기는 것이 아니라, 국회가 국민의 권리를 제한하는 권한을 행정 기관에 맡겨 제정한 행정입법 중 하나가 위임명령에 해당한다는 것이다.

⑤ 1문단을 통해 알 수 있듯이, 구체적 상황의 특성을 반영한 융통성 있는 대응을 하기 위해 행정입법에 의한 행정 규제가 이뤄지는 것이다. 따라서 위임명령이 구체적 상황의 특성을 반영한 융통성 있는 대응을 하지 못했다면 문제가 있는 것이긴 하지만, ㉠에서 지적한 문제는 이와 거리가 멀다.

03

정답설명

⑤ 행정규칙이 행정 규제 사항을 규정하는 경우는 위임된 사항이 첨단 기술과의 관련성이 매우 커서 위임명령으로는 대응하기 어려워 불가피한 경우에만 해당한다. 즉, 위임명령만으로 규제가 어려운 행정 규제 사항에 대해 행정규칙이 추가적인 역할을 하는 것이므로, 행정규칙이 위임받을 수 있는 사항의 범위는 위임명령과 같지 않을 것임을 알 수 있다.

오답설명

① '행정규칙은 원래 행정부의 직제나 사무 처리 절차에 관한 행정입법으로서~법률로부터 위임받지 않아도 유효하게 제정될 수 있고'에서 확인할 수 있다. 행정규칙은 위임명령과 다르게 법률의 위임이 필요 없다.

② '행정규칙은 원래 행정부의 직제나 사무 처리 절차에 관한 행정입법으로서~일반 국민에게는 직접 적용되지 않기 때문에'에서 확인할 수 있다.

③ '행정 규제 사항에 관하여 행정규칙이 제정되는 예외적인 경우도~행정규칙은 위임명령과 달리, 입법예고, 공포 등을 거치지 않고 제정된다.'를 통해 적절한 설명임을 알 수 있다.

④ '행정 규제 사항에 관하여 행정규칙이 제정되는 예외적인 경우도~위임 근거 법률이 행정입법의 제정 주체만 지정하고'를 통해 행정 규제 사항을 규정하는 행정규칙은 위임 근거 법률의 위임을 받은 제정 주체에 의해 제정된다는 것을 알 수 있다.

04

먼저 ㉮~㉱를 정리하자.

㉮는 국회가 제정한 '법률'에 해당한다.

㉯는 대통령령이므로 '위임명령', 즉 국회가 행정 규제 사항에 관한 법률을 제정할 때 특정한 내용에 관한 입법을 행정부에 위임한 경우에 해당한다.

㉰는 지방 의회에서 제정한 법령이므로 '조례'에 해당한다.

정답설명

④ 2문단에서 위임명령이 위임 근거 법률이 사용한 어구의 의미를 확대하거나 축소하여 제정될 경우 효력이 없다는 것을 알 수 있고, 4문단에서 행정 규제 사항을 규정하는 조례는 위임 근거 법률이 사용한 어구의 의미를 다르게 사용할 수 없다는 것을 알 수 있다. ㉯, ㉰는 모두 「옥외광고물 등의 관리와 옥외광고산업 진흥에 관한 법률」에 근거하고 있으므로, ㉯에 나오는 '광고물'의 의미와 ㉰에 나오는 '광고물'의 의미는 반드시 일치해야 한다.

오답설명

① 2문단을 통해 위임된 행정 규제 사항의 대강을 위임 근거 법률의 내용으로부터 예측할 수 있어야 한다는 것을 알 수 있다. 즉, ㉮의 제3조의 내용에서는 ㉯의 제5조의 신고 대상 광고물에 관한 사항의 '구체적 내용'이 아니라 '대강의 내용'을 '예측'할 수 있을 것이다. 위임된 행정 규제 사항의 '구체적 내용'을 위임 근거 법률의 내용으로부터 '확인'할 수 있다는 설명은 지문에서 찾을 수 없다.

② 2문단에 의하면 특정한 행정 규제의 근거 법률이 위임명령으로 제정할 사항의 범위를 정하지 않은 채 위임할 경우 헌법에 저촉되므로, 위임된 행정 규제 사항의 대강을 위임 근거 법률의 내용으로부터 예측할 수 있어야 한다. 〈보기〉의 회신에 의하면, ㉯의 제5조는 ㉮의 제16조(광고물 실명제)가 아니라 ㉮의 제3조(광고물 등의 허가 또는 신고)의 내용에서 제정할 사항의 범위가 정해져 위임을 받았다고 볼 수 있다.

③ 2문단의 '위임명령은~입법예고, 공포 등의 절차를 거쳐야 한다.', 4문단의 '조례는 입법예고, 공포 등의 절차를 거쳐 제정된다.'를 통해 ㉯, ㉰ 모두 입법예고와 공포 절차를 거쳤을 것임을 알 수 있다.

⑤ 2문단에서 위임명령은 '모두 국민에게 적용'된다고 하였으며, 4문단에서 조례는 '지역에서 발생하는 사안에 대해 적용된다'고 하였으므로, ㉯는 모든 국민에게 적용되고, ㉰는 지방에 한정되어 적용된다는 것을 알 수 있다. 따라서 ㉯를 준수해야 하는 국민 중에는 ㉰를 준수하지 않아도 되는 국민이 있을 것이라고 해야 적절하다.

05

정답설명

③ ⓒ의 '예측하다'는 '미리 헤아려 짐작하다.'의 의미로 쓰였으므로, '짐작하여 가늠하거나 미루어 생각하다.'의 의미인 '헤아리다'와 바꾸어 쓸 수 있다.

오답설명

① ⓐ의 '실현하다'는 '꿈, 기대 따위를 실제로 이루다.'의 의미이므로, '보이지 아니하던 어떤 대상이 모습을 드러내다.'의 의미인 '나타내다'와 바꾸어 쓸 수 없다.

② ⓑ의 '반영하다'는 '다른 것에 영향을 받아 어떤 현상을 나타내다.'의 의미이므로, '가려 있거나 보이지 않던 것을 보이게 하다.'의 의미인 '드러내다'와 바꾸어 쓸 수 없다.

④ ⓓ의 '대응하다'는 '어떤 일이나 사태에 맞추어 태도나 행동을 취하다.'의 의미이므로, '마주 대하다.'의 의미인 '마주하다'와 바꾸어 쓸 수 없다.

⑤ ⓔ의 '구별되다'는 '성질이나 종류에 따라 차이가 나다.'의 의미이므로, '변하여 전과는 다르게 되다.'의 의미인 '달라지다'와 바꾸어 쓸 수 없다.

memo

구조도 정답

① 첨단 기술
② 위임명령
③ 행정부
④ 포괄적 위임
⑤ 예측
⑥ 행정규칙
⑦ X

2021학년도 12월

지문분석

예약의 법적 의미

→ **정의**

당사자들이 합의한 내용대로 권리가 발생하는 계약의 일종

→ **목적**

재화/서비스 제공을 (①)로 하는
본계약을 성립시킬 수 있는 권리 발생

→ **예약의 유형**

채권을 발생시키는 예약

(②)의 본계약 성립 요구에 대해 상대방이 승낙하는 것

예) 급식 업체 선정-예약 성립, 본계약 체결 요구에 응할 의무 O

(③)을 발생시키는 예약

(②)가 본계약 성립시키겠다는 의사 표시만으로 본계약 성립

예) 식당 예약 후 도착하여 예약 완결권 행사-본계약 성립
급부에 대한 채권 발생

→ **급부가 이행되지 않을 시**

채권자에게 손해가 발생한 경우

채무자-자신의 고의/과실 아님 증명 못하는 한 (④) 책임
→ (⑤)로 바뀜

타인이 고의/과실로 (②)의 권리 실현 방해한 경우

방해자가 (⑤)를 짐

예약 상대방과 방해자 둘 중 한명만 손해 배상
→ 다른 한쪽의 배상 의무는 사라짐

형태쌤 Comment

낯설지 않은 개념인 채권, 채무, 계약에 대한 지문이니, 읽는 데에 어려움은 없었을 것이다. 다만 예약의 유형에 따른 공통점·차이점, 급부 불이행에 따른 문제의 양상을 제대로 구분해 가며 읽지 않았다면 문제 풀 때 시간을 많이 빼앗겼을 것이다.

문제분석 01-05번

번호	정답	정답률(%)	선지별 선택비율(%)				
			①	②	③	④	⑤
1	⑤	74	5	4	10	7	74
2	③	43	9	8	43	18	22
3	①	40	40	24	22	8	6
4	④	49	9	9	22	49	11
5	②	87	8	87	2	1	2

01

정답설명

⑤ 불법행위 책임은 계약의 당사자 사이에만 국한되는 개념이 아니다. 5문단에 따르면 '법률에 의하면 누구든 고의나 과실에 의해 타인에게 피해를 끼치는 행위를 하고 그 행위의 위법성이 인정되면 불법행위 책임이 성립'한다고 하였다.

오답설명

① 2문단의 '계약이 성립하면 합의 내용대로 권리 발생 등의 효력이 인정되는 것이 원칙'이라는 설명을 통해, 계약상의 채권은 계약이 성립하면 추가 합의가 없어도 발생하는 것이 원칙임을 알 수 있다.

② 1문단에 따르면 채권은 어떤 사람이 다른 사람에게 특정 행위(급부)를 요구할 수 있는 권리인데, 급부는 재화나 서비스 제공인 경우가 많지만 그 외의 내용일 수도 있다고 하였으므로 적절하다.

③ 3문단에 따르면 채권을 발생시키는 예약의 경우 예약상 권리자는 본계약 성립 요구를 할 수 있다고 하였다. 따라서 예약상 권리자가 본계약 성립 요구를 하는가 여부에 따라 본계약상 권리의 발생 여부가 결정된다. 한편, 예약 완결권을 발생시키는 예약의 경우 예약상 권리자가 본계약을 성립시키겠다는 의사를 표시하는 것만으로 본계약이 성립하므로, 예약상 권리자가 본계약을 성립시키겠다는 의사 표시 유무로 본계약상 권리의 발생 여부가 결정된다. 따라서 예약상 권리자는 본계약상 권리의 발생 여부를 결정할 수 있다는 것을 알 수 있다.

④ 1문단의 '채무자가 채권을 가진 이에게 급부를 이행하면 채권에 대응하는 채무는 소멸한다.'에서 알 수 있듯이, 급부가 이행되면 채무자의 채권자에 대한 채무가 소멸된다.

02

정답설명

③ 2문단에 의하면, ㉠은 '예약에 해당하지 않는 계약'이다. 기차 승차권을 미리 구입해 두고, 기차 탑승을 요구할 수 있는 권리라는 채권의 행사 시점을 미래로 정해두는 것이다.

오답설명

① 1문단을 보자. '채권은 어떤 사람이 다른 사람에게 특정 행위를 요구할 수 있는 권리이다. 이 특정 행위를 급부'라 한다고 설명하였다. ㉠에서

는 기차 탑승을 요구할 수 있는 권리가 채권, 기차 탑승 서비스의 제공이 급부가 된다.

② '채권에 대응하는 의무'는 '채무'이다. ㉠에서 기차 탑승을 요구할 수 있는 권리는 채무가 아니라 채권이다. 따라서 기차를 탑승하지 않는 것은 승차권 구입으로 발생한 채권을 포기하는 것이다.

④ 2문단에서 ㉠이 '예약에 해당하지 않는 계약'임을 명시하였다. 따라서 승차권 구입이 '계약 없이' 권리를 발생시키는 행위라는 이해는 적절하지 않다.

⑤ 미리 돈을 지불하는 것이 미래에 필요한 기차 탑승 서비스 이용이라는 계약을 성립시킬 수 있는 권리를 확보한 것이라는 설명은, ㉠이 '예약'일 경우에만 성립한다. 거듭 말하지만 ㉠은 '예약'이 아니라 '계약'이다.

03

정답설명

① [A]에 설명된 예약의 유형은 (1) 채권을 발생시키는 예약, (2) 예약 완결권을 발생시키는 예약이다. [A]의 설명대로 하나씩 짝지으면 의외로 문제는 쉽게 풀린다.

ㄱ. (1)은 급식 업체를 선정·통지하는 경우 성립한다. [A]에서 '한 업체가 선정되었다고 회사에서 통지하면 예약이 성립한다.'라고 하였으므로 이 예약이 성립하기 위한 급부인 ㄱ은 '급식 계약 승낙'이다.

ㄴ. (2)의 예약은 [A]에 있는 '가족 행사를 위해 식당을 예약'한 경우인데, 이 경우에는 예약상 권리자가 식당에 도착하여 예약 완결권을 행사하면 곧바로 본계약이 성립하므로 예약상 급부는 필요하지 않다.

ㄷ. '선정된 업체가 급식을 제공하고 대금을 받기로 하는 본계약'이라고 하였으므로, ㄷ의 급부는 '급식 대금 지급'임을 알 수 있다.

04

정답설명

먼저 〈보기〉의 상황을 간단히 정리해 보자.

갑 : 을과 예약한 채권자. '오전 10시에 머리 손질'이라는 채권을 가지고 있었으나, 손해를 입음.

을 : 갑과 예약한 채무자. '오전 10시에 머리 손질을 해야 한다'는 급부를 이행하지 않아 손해를 입힘.

병 : 갑과 을의 예약 시간에 고의로 끼어들어 위법성이 있는 행위를 하여 갑에게 손해를 입힘.

④ 4문단의 '채무자는 자신의 고의나 과실에서 비롯된 것이 아님을 증명하지 못하는 한 채무 불이행 책임을 진다.'에 의하면, ㉮가 발생하는 과정에서 을에게 고의나 과실이 있는지 없는지 증명되지 않은 경우 채무 불이행 책임을 지는 것은 을뿐이다. 병은 5문단에 제시된 '법률에 의하면 누구든 고의나 과실에 의해~불법행위 책임이 성립'에 의해 손해 배상 채무를 진다. 다만 병은 채무·채권을 갖는 계약 당사자가 아니므로 채무 불이행 책임과는 무관하다.

오답설명

①, ②, ③ 4문단에서 채무자가 채무 불이행 책임을 면하는 경우는 자신의 고의나 과실에서 비롯된 것이 아님을 증명했을 경우임을 알 수 있다.

㉮가 발생하는 과정에서 을의 과실이 있는 경우, 을은 갑에 대해 채무 불이행 책임이 있다. 이때 채무의 내용은 채권자의 손해를 돈으로 물어야 하는 손해 배상 채무로 바뀐다. 또한 5문단에서 고의나 과실에 의해 타인에게 피해를 끼치는 행위를 하고 그 행위의 위법성이 인정되면 불법행위 책임이 성립하여, 가해자는 피해자에게 손해를 돈으로 배상할 채무를 진다고 하였으므로 병은 갑에 대해 손해 배상 채무가 있다(①). 이때 을과 병의 급부 내용은 동일하다(③).

그런데 5문단에서 '다만 예약상 권리자에게 예약 상대방이나 방해자 중 누구라도 손해 배상을 하면 다른 한쪽의 배상 의무도 사라진다. 급부 내용이 동일하기 때문이다.'라고 하였으므로, 을이 갑에게 배상을 하면 병은 갑에 대한 채무가 사라진다(②).

⑤ 4문단에 의하면, 채무자는 자신의 고의나 과실에서 비롯된 것이 아님을 증명할 경우 채무 불이행 책임을 지지 않는다. 따라서 ㉮가 발생하는 과정에서 을에게 고의나 과실이 없음이 증명된 경우, 을은 갑이 입은 손해를 배상할 책임이 없다. 반면 병의 행위는 '고의나 과실에 의해 타인에게 피해를 끼치는 행위를 하고 그 행위의 위법성이 인정'되는 행위이므로, 병은 갑이 입은 손해에 대해 금전으로 배상할 책임이 있다.

05

정답설명

② ⓑ와 ②의 '받았다'는 '다른 사람이 주거나 보내오는 물건 따위를 가지다.'의 의미로 쓰였다.

오답설명

① ⓐ의 '가지다'는 '자기 것으로 하다.'의 의미로 쓰였으나, ①의 '가지다'는 '생각, 태도, 사상 따위를 마음에 품다.'의 의미로 쓰였다.

③ ⓒ의 '생기다'는 '어떤 일이 일어나다.'의 의미로 쓰였으나, ③의 '생기다'는 '없던 것이 새로 있게 되다.'의 의미로 쓰였다.

④ ⓓ의 '묻다'는 '어떠한 일에 대한 책임을 따지다.'의 의미로 쓰였으나, ④의 '묻다'는 '무엇을 밝히거나 알아내기 위하여 상대편의 대답이나 설명을 요구하는 내용으로 말하다.'의 의미로 쓰였다.

⑤ ⓔ의 '끼치다'는 '영향, 해, 은혜 따위를 당하거나 입게 하다.'의 의미로 쓰였으나, ⑤의 '끼치다'는 '소름이 한꺼번에 돋아나다.'의 의미로 쓰였다.

구조도 정답

① 급부 내용
② 예약상 권리자
③ 예약 완결권
④ 채무 불이행
⑤ 손해 배상 채무

지문분석

베카리아

인간

1) 자유와 행복을 추구하는 이성적 존재 (= 계몽주의 사조)
2) 이익 (①) O, 그에 따라 행동하는 존재
3) 감각적인 존재

형벌

주권 : 저마다 할애한 자유의 총합 → 주권자가 이를 위탁받아 관리
법 : 사회의 형성과 지속을 위한 조건
형벌 : 전체 복리를 위해 법 위반자에게 설정된 것
∴ 형벌권의 행사 → (②)의 범위 벗어날 수 X

목적 : 범죄자가 또다시 피해를 끼치지 못하도록 억제 +
　다른 사람들이 그 같은 행위를 하지 못하도록 (③)
- 목적 달성 : 공익이 입게 되는 손실 < 형벌이 가하는 손해
- 처벌 체계 → 성문법으로 규정, 집행의 확실성 필요
- 처벌 → (④)을 훼손한 정도에 비례 (넘어설 경우 → 폭압, 불필요)
- 인간의 정신에 큰 효과를 끼치는 것 → 형벌의 (⑤) (강도 X)

평가

- 잔혹한 형벌 반대 → 휴머니스트
- 최대 다수의 최대 행복 주장 → 공리주의자
- 자유로운 인간들 사이의 합의 바탕으로 논의 전개 → 사회 계약론자
- 의의 : 응보주의 탈피, 장래의 범죄 발생 방지하는 (⑥)로 나아가는
　토대 마련

형태쌤 Comment

　베카리아가 주장하는 '형벌'에 대하여 그 전제와 목적 등을 차근차근 풀어가는 지문이다. 지문의 구조는 상대적으로 복잡하지 않고, 정보의 양도 많지 않았다. 다만 문제를 풀기 위해 지문의 내용을 전체적으로 고려하여 추론해야 하는 선지가 있으니 하나의 문단에서만 답안의 근거를 찾으려는 학생들은 3번 문제 풀이에 고전했을 것이다.

문제분석 01-04번

번호	정답	정답률 (%)	선지별 선택비율(%)				
			①	②	③	④	⑤
1	③	83	2	7	83	3	5
2	⑤	84	1	2	2	11	84
3	④	54	8	29	6	54	3
4	②	59	24	59	3	3	11

01

정답설명

③ 1문단에서 국민이 저마다 할애한 자유의 총합이 주권을 구성하고, '주권자가 이를 위탁받아 관리한다'고 하였으므로, 주권자는 개개인의 국민이 아니라 개개인의 국민으로부터 주권을 위탁받은 자임을 알 수 있다.

오답설명

① 1문단에서 사람은 끊임없는 전쟁과 같은 상태에서 벗어나기 위하여 자유의 일부를 떼어 주는 합의를 한다고 하였으며, 법은 사회의 형성과 지속을 위한 조건이라고 하였으므로 옳은 진술이다.

② 여러 문단에 제시된 정보를 종합해서 판단해야 하는 선지다. 베카리아는 '이성적인 인간을 상정하는 당시 계몽주의 사조'에 호응하였고, '이익을 저울질할 줄 알고 그에 따라 행동하는 존재로서 인간을 전제'하였다. 따라서 사람을 이성적이고 타산적(자신에게 도움이 되는지를 따져 헤아리는 것)인 존재로 보았겠지. 또한 3문단에서 베카리아가 인간을 '감각적인 존재'로 보았음을 확인할 수 있다.

④ 3문단에서 베카리아는 '가장 잔혹한 형벌도 계속 시행되다 보면 사회 일반은 그에 무디어'지며, '죽는 장면의 목격은~그 기억은 일시적'이라고 하였다. 따라서 잔혹함이 주는 공포의 효과가 처음에는 크더라도 시간이 흐르면서 감소함을 알 수 있다.

⑤ 1문단에서 베카리아는 '형벌권의 행사는 양도의 범위를 벗어날 수 없다는 출발점'을 세웠다고 하였다.

02

정답설명

⑤ ㉠(울타리)은 범죄를 가로막는 방벽인 '형벌'을 가리킨다. 2문단에서 베카리아는 형벌의 정도는 공익을 훼손한 정도에 비례해야 하며, 그것을 넘어서는 처벌은 폭압이며 불필요하다고 하였다.

오답설명

① 2문단에서 베카리아는 형벌의 목적이 '범죄자가 또다시 피해를 끼치지 못하도록 억제하'는 데 있다고 하였다.

② 2문단에서 베카리아는 '누구나 알 수 있도록 처벌 체계는 명확히 성문법으로 규정'되어야 한다고 하였다.

③ 2문단에서 베카리아는 ㉠의 높이가 공익을 훼손한 정도에 비례하여 달리해야 한다고 하였다.

④ 1문단에서 베카리아는 형벌에 관한 이론을 정리하며 '이익을 저울질할 줄 알고 그에 따라 행동하는 존재로서 인간을 전제'하였다. 또한 2문단에서 형벌의 목적은 공익이 입게 되는 그만큼의 손실보다 형벌이 가하는 손해가 조금이라도 크기만 하면 달성된다고 하였지. 이를 종합하면 손익을 저울질하는 인간의 이성을 형벌의 목적 달성에 활용한다고 볼 수 있겠다.

03

정답설명

④ 3문단에서 베카리아는 '자유로운 인간들 사이의 합의를 바탕으로 논의를 전개하여 사회 계약론자로 이해된다'고 하였다. 또한 '더욱 중요한 것을 지키기 위해 희생한 자유에는 무엇보다도 값진 생명이 포함될 수 없다'고 하였다. 따라서 '무엇보다도 값진 생명'을 내어주는 합의는 있을 수 없으므로 베카리아는 사회 계약론의 입장에서 사형을 비판할 것이다.

오답설명

① 1문단에서 베카리아는 전체 복리(행복과 이익을 아울러 이르는 말)를 위해 법 위반자에게 설정된 것이 형벌이라고 보았으므로, 형벌이 사회적 행복 증진을 저해한다고 보지는 않을 것이다.

② 사형 또한 형벌 중 하나이므로, 베카리아는 사형이 '다른 사람들이 그 같은 행위를 하지 못하도록 예방'하는 효과를 가진다고 볼 것이다.

③ 3문단에서 베카리아는 '죽는 장면의 목격은 무시무시한 경험이지만 그 기억은 일시적'이라고 하였으므로 사형이 사람의 기억에 영구히 각인된다는 진술은 적절하지 않다.

⑤ 2문단에서 베카리아는 '형벌은 범죄가 일으킨 결과를 되돌려 놓을 수 없다'고 하였으므로, 피해 회복의 관점으로 형벌을 바라보지 않았을 것이다. 또한 '죽는 장면의 목격은~자유를 박탈당한 인간이 속죄하는 고통의 모습을 오랫동안 대하는 것이 더욱 강력한 억제 효과를 갖는다'를 통해 베카리아는 사형보다는 무기 징역이 더욱 강력한 억제 효과를 가진다고 볼 것임을 유추할 수 있다.

04

정답설명

② '단절(斷絶)하다'는 '유대나 연관 관계를 끊다.'라는 의미이다. ⓑ의 '가로막는'은 유대나 연관 관계를 끊는 것이 아니라 범죄가 일어나지 못하도록 막는다는 의미로 쓰인 것이므로 '방지(防止)하다'로 바꿔 쓸 수 있다.

오답설명

① '향유(享有)하다'는 '누리어 가지다.'라는 의미이므로 ⓐ와 바꾸어 쓸 수 있다.

③ '둔감(鈍感)해지다'는 '감정이나 감각이 무뎌지다.'라는 의미이므로 ⓒ와 바꾸어 쓸 수 있다.

④ '지대(至大)하다'는 '더할 수 없이 크다.'라는 의미이므로 ⓓ와 바꾸어 쓸 수 있다.

⑤ '수립(樹立)하다'는 '국가나 정부, 제도, 계획 따위를 이룩하여 세우다.'라는 의미이므로 ⓔ와 바꾸어 쓸 수 있다.

구조도 정답

① 저울질 　　② 양도
③ 예방 　　　④ 공익
⑤ 지속 　　　⑥ 일반 예방주의

지문분석

(가) 독점적 경쟁 시장에서의 광고

↳ **독점적 경쟁 시장**

유사하지만 차별적인 상품을 다수의 판매자가 경쟁하며 판매하는 시장

상품에 대한 구매자의 (①) 인지·선호를 위해 광고 이용
→ (②) 강화

(②)

상품 가격을 결정할 수 있는 힘

구매자의 수요를 고려
→ 구매자 : 상품 물량 ↓ → 높은 가격 지불
→ 판매자 : (③) ↓ → 높은 가격 책정

(②)로 차별성 없는 경우보다 높은 가격에 판매
→ 단기적 이윤 But 이윤 지속 기대 X
(∵ 신규 판매자 장기적 증가 → 기존 판매자 상품 수요 ↓
→ 이윤 ↓)

↳ **광고를 통해 상품 차별화하는 방법**

상품의 (④) 전달

많은 비용을 들인 것으로 보이는 광고
→ 자신 없는 상품에 많은 (⑤) 지출하지 않을 것이라는 구매자의
추측 유도

가격이 변화할 때 구매자의 상품 수요량이 변하는 정도인 수요의
(⑥) ↓ → 구매자 충성도 ↑ → 판매자의 (②) 강화
→ 경쟁 제한

(나) 광고의 영향

↳ **시장**

독점적 경쟁 시장의 판매자 간 경쟁 촉진

광고를 통해 상품 정보 노출 → 구매자가 품질·가격에 예민해짐
→ 구매자가 가격에 민감하게 수요량 바꿈 → 판매자 (①) 경쟁

신규 판매자가 광고로 신상품 홍보, 시장 진입 경쟁 촉진

⇒ 판매자 증가 → 판매자의 독점적 지위 약화
→ 구매자 다양한 상품 높지 않은 가격에 구매 가능

↳ **경제와 사회 전반**

상품에 대한 소비 촉진

소비자의 구매 욕구 강화
(②) 단축

생산 활동 자극됨

(③)(근로자의 노동, 기계, 설비) 투입

고용·투자 증가

근로자 or (④)인 구매자의 소득 증가

한계 소비 성향
: 경제 전반의 소득이 증가할 때 소비가 증가하는 정도
: 양의 값 (경제 전반의 (⑤) 향상 → 소비 증가)

⇒ 경제 전반에 선순환

↳ **환경**

소비·생산 활동에서 환경 오염 발생

환경 오염 비용을 판매자·구매자가 지불할 가능성 ↓ → 환경 오염 ↑

환경 오염을 우려하는 사람들 : 광고의 소비 촉진 효과 비판

형태쌤 Comment

지문의 내용은 크게 어렵지 않았지만, 각 지문의 구조를 파악하여 접근하는 것
이 중요했다. 광고가 독점적 경쟁 시장의 판매자와 구매자, 시장과 경제 전반에
어떻게 영향을 미치는지를 글의 흐름을 따라가며 읽었다면 정답을 쉽게 찾아갈
수 있었을 것이다.

문제분석 01-06번

번호	정답	정답률 (%)	선지별 선택비율(%)				
			①	②	③	④	⑤
1	②	91	3	91	3	2	1
2	③	93	2	2	93	2	1
3	②	93	2	93	2	2	1
4	①	88	88	2	2	3	5
5	③	81	1	2	81	5	11
6	⑤	91	3	2	2	2	91

01

정답설명

② (가)의 1문단에서 '각 판매자는 자신이 공급하는 상품을 구매자가 차별적으로 인지하고 선호할 수 있도록 하기 위해 광고를 이용~독점적 지위를 강화할 수 있기 때문이다.'라고 언급하고 있고, (가)의 3문단에서도 '판매자는 이렇게 광고가 경쟁을 제한하는 효과를 노린다.'라고 언급하고 있다. 이를 통해 (가)에서는 광고가 '구매자의 차별적 인지와 선호'를 위해 판매자에게 중요하며, 판매자가 광고를 통해 독점적 지위를 강화하여 경쟁을 제한하는 효과를 얻으려 함을 설명하고 있음을 알 수 있다.

오답설명

① (가)의 1문단에서 '광고는 시장의 형태 중 독점적 경쟁 시장에서 그 효과가 크다.'와 같이 광고가 시장에서 차지하는 위상을 소개하고 있으나, 광고의 개념을 정의하고 있지 않다.

③ (나)는 2, 3문단에서 광고의 영향에 대하여 경제 전반에 선순환이 이루어진다는 견해와 광고의 환경 오염을 우려하며 소비 촉진 효과에 대한 비판을 제기하는 사람들의 견해를 제시하고 있으나, 각각의 견해가 안고 있는 한계점을 지적하고 있지는 않다.

④ (나)는 광고가 구매자에게 수용되는 과정을 제시하고 있지 않으며 구매자가 광고를 수용할 때의 유의점도 나열하고 있지 않다.

⑤ (가)는 3문단을 통해 구매자는 상품의 차별성이나 경쟁력, 상품에 대한 충성도 등을 고려하여 상품을 선택한다는 것을 알 수 있다. 또한 (나)는 1문단의 '구매자가 상품의 품질이나 가격에 예민해질 때'와 2문단의 '광고는 쓰던 상품을 새 상품으로 대체하고 싶은 소비자의 욕구를 강화하고, 신상품이 인기를 누리는 유행 주기를 단축하여 소비를 증가시킬 수 있다.'를 통해 구매자가 상품의 품질과 가격, 기존 상품을 새 상품으로 대체하고 싶은 욕구, 상품의 인기 등을 고려하여 상품을 선택한다는 것을 알 수 있다. 그러나 (가)와 (나) 모두 광고와 관련된 제도나 이에 대한 필요성을 제시하고 있지는 않다.

02

정답설명

③ (가)의 2문단에서 '독점적 지위를 누린다는 것은 상품의 가격을 결정할 수 있는 힘이 있다는 의미'라고 하였다. 그러나 '그럼에도 불구하고 판매자는 구매자의 수요를 고려해야 한다. 대체로 구매자는~더 높은 가격을 책정할 수 있다.'에서 독점적 지위를 누리더라도 판매자는 구매자가 지불하고자 하는 가격이 상품 공급량에 따라 어느 정도인지를 감안하여 공급량을 조정하여야 함을 알 수 있다.

오답설명

① (가)의 2문단 '이윤을 보는 판매자가 있으면 그러한 이윤에 이끌려 약간 다른 상품을 공급하는 신규 판매자의 수가 장기적으로 증가'에서 독점적 지위가 독점적 경쟁 시장에 신규 판매자가 진입하는 것을 차단하지는 않음을 알 수 있다.

② (가)의 2문단 '일반적으로 독점적 지위를 누린다는 것은 상품의 가격을 결정할 수 있는 힘이 있다는 의미이다.'와 '판매자는 공급량을 감소시킴으로써 더 높은 가격을 책정할 수 있다.'에서 독점적 지위란 판매자가 공급량을 조절하여 가격을 책정할 수 있는 힘을 가지고 있음을 의미한다는 것을 알 수 있다.

④ (가)의 2문단 '독점적 경쟁 시장의 판매자도~다소 비싼 가격에 상품을 판매하는 경향이 있다.'와 '그러나 그 결과~그 이윤이 지속되리라 기대할 수는 없다.'에서 독점적 지위가 독점적 경쟁 시장의 판매자가 다소 비싼 가격을 책정할 수 있게 하지만, 그것이 지속적 이윤을 보장하는 것은 아님을 알 수 있다.

⑤ (가)의 1문단 '각 판매자는 자신이 공급하는~독점적 지위를 강화할 수 있기 때문이다.'에서 독점적 경쟁 시장의 판매자가 자신의 상품을 구매자가 차별적으로 인지하고 선호하게 하면 독점적 지위가 강화됨을 알 수 있다.

03

정답설명

② (나)의 2문단에서, 경제 전반의 소득이 증가할 때 소비가 증가하는 정도를 한계 소비 성향이라고 하며 한계 소비 성향은 양(+)의 값이어서 경제 전반의 소득 수준이 향상되면 소비가 증가한다고 하였다. 또한 광고로 인해 소비가 촉진되고 이로 인해 소득이 증가하여 광고가 경제 전반에 선순환을 일으키는 것이므로, 한계 소비 성향이 커지면 광고가 경제 전반에 선순환을 일으키는 정도도 커짐을 알 수 있다.

오답설명

① (나)의 2문단 '광고는 쓰던 상품을~신상품이 인기를 누리는 유행 주기를 단축하여 소비를 증가시킬 수 있다.'를 통해 알 수 있다.

③ (나)의 2문단 '생산 활동이 증가하면~근로자이거나 투자자인 구매자의 소득을 증가시킬 수 있다.'를 통해 알 수 있다.

④ (나)의 2문단 '상품의 생산에는~고용이나 투자가 증가한다.'를 통해 알 수 있다.

⑤ (나)의 3문단 '소비뿐만 아니라 소비로 촉진된 생산 활동에서도 환경 오염이 발생하기 때문이다.'를 통해 알 수 있다.

04

㉠은 '경쟁을 제한'하는 것으로, 광고를 통해 구매자가 특정 상품에 가지는 충성도가 높아지며 이를 통해 판매자의 독점적 지위가 강화되면, 광고가 ㉠이라는 효과를 줄 수 있다고 하였다.

㉡은 '경쟁을 촉진'하는 것으로, 광고를 통해 구매자가 상품 정보에 노출되면 상품 품질과 가격 등에 예민해지며 이는 판매자의 독점적 지위를 약화시키고 ㉡이라는 결과를 야기할 수 있다고 하였다.

정답설명

① (가)의 3문단에 따르면, 상품에 대한 구매자의 충성도가 높아지면 판매자의 독점적 지위는 강화되어 시장 판매자 간의 경쟁이 제한(㉠)된다. 또한 수요의 가격 탄력성이 높아지면 가격이 변화할 때 구매자의 상품 수요량이 변화하는 정도가 커진다. (나)의 1문단에서 구매자가 가격에 민감하게 수요량을 바꾼다면 판매자는 가격 경쟁에 돌입하게 된다고 하였으므로, 판매자 간의 경쟁이 촉진(㉡)된다.

오답설명

② ㉠ X, ㉡ X / 경쟁이 제한되면 판매자는 독점적 지위를 누리게 되어 높은 가격을 책정할 수 있으므로 상품의 가격을 쉽게 올릴 수 있게 된다. 또한 (나)의 1문단에서 경쟁이 촉진되면 구매자는 판매자의 가격 경쟁에 따라 상품을 높지 않은 가격에 구매할 수 있게 된다고 하였다.

③ ㉠ X, ㉡ X / 경쟁이 제한된다고 해서 시장 전체 판매자 수가 증가하지 않는 것은 아니다. 또한 (나)의 1문단에서 경쟁이 촉진되어 더 많은 판매자가 시장에서 경쟁하게 되면 각 판매자의 독점적 지위가 약화된다고 하였으므로 이를 바탕으로 신규 판매자가 시장에 진입하기 어려워진다고 볼 수는 없음을 알 수 있다.

④ ㉠ X, ㉡ O / (가)의 3문단에 따르면, 기존 판매자의 광고가 차별성을 알리는 데에 성공한다면 기존 판매자가 독점적 지위를 강화하여 경쟁을 제한할 수 있으므로 선지의 내용이 적절하지 않음을 알 수 있다. 그러나 (나)의 1문단에 따르면, 신규 판매자가 광고를 통해 신상품을 쉽게 홍보하고 시장에 진입할 수 있게 됨으로써 경쟁이 촉진된다고 하였으므로 경쟁의 촉진은 신규 판매자의 광고가 의도대로 성공한 결과임을 알 수 있다.

⑤ ㉠ O, ㉡ X / 광고로 인해 가격에 대한 구매자의 민감도가 약화되었다는 것은 수요의 가격 탄력성이 감소하였다는 의미이므로, 판매자의 독점적 지위는 강화되어 경쟁이 제한된다. 그러나 (나)의 1문단에 따르면, 광고로 인해 판매자가 경쟁 상품의 가격을 고려할 필요가 커져야 가격 경쟁에 돌입하여 경쟁이 촉진되므로 해당 선지는 적절하지 않다.

05

정답설명

③ (가)의 2문단에 따르면, '이윤을 보는 판매자가 있으면~신규 판매자의 수가 장기적으로 증가'한다. '갑' 기업은 '을' 기업이 선도하는 여드름 억제 비누 시장에 진입하기 위해 광고를 이용하려 하므로, 이 광고로 '갑' 기업이 단기적으로 이윤을 보게 된다면 여드름 억제 비누 시장 내의 판매자 간 경쟁은 장기적으로 강화될 수 있다.

오답설명

① '갑' 기업의 광고 기획 초안에 따르면 '을' 기업이 여드름 억제 비누 시장을 선도하는 경쟁사라고 하였으므로 '을' 기업은 여드름 억제 비누 시장의 독점적 지위를 가지고 있음을 알 수 있다. (나)의 1문단에서 더 많은 판매자가 시장에서 경쟁하면 각 판매자의 독점적 지위는 약화된다고 하였으므로, 이 광고가 '갑' 기업의 의도대로 성공한다면 '을'의 독점적 지위가 약화될 수 있을 것이다.

② (나)의 2문단에 따르면 생산 활동이 증가하면 고용이나 투자가 증가할 수 있다고 하였으므로, 이 광고로 '갑' 기업의 여드름 억제 비누 생산이 확대된다면 이 비누를 생산하는 공장의 고용이나 투자가 증가할 수 있을 것이다.

④ (가)의 3문단에 따르면 판매자가 광고를 통해 상품의 차별성을 알리는 대표적인 방법은 상품에 대한 정보를 전달하는 것이다. '갑' 기업의 광고 기획 초안에서 '을' 기업이 큰 비용을 들여 인기 드라마에 상품을 여러 차례 노출하는 전략으로 광고 중이라고 하였고 '갑' 기업은 이와 달리 새로운 성분의 여드름 억제 효과를 강조하고 일반인 광고 모델을 쓸 것이라고 하였으므로, 이 광고에서 '갑' 기업은 많은 비용을 들이는 방법보다 정보를 전달하는 방법으로 상품의 차별성을 알리려 함을 알 수 있다.

⑤ (가)의 3문단에 따르면 수요의 가격 탄력성은 가격에 따른 구매자의 상품 수요량 변화 정도를 말한다. 이 광고가 '갑' 기업의 신제품을 포함한 여드름 억제 비누 수요의 가격 탄력성을 높인다는 것은, 곧 광고를 통해 상품 정보에 노출된 구매자가 가격에 따라 상품에 대한 수요량을 민감하게 변화시킨다는 의미이다. (나)의 1문단에 따르면 판매자는 이때 경쟁 상품의 가격을 더욱 고려하여 가격 경쟁에 돌입할 것이므로 '갑' 기업은 자사 제품의 가격을 높게 책정할 수 없을 것이다.

06

정답설명

⑤ ⓐ는 '어떤 일에 돈, 노력, 물자 따위가 쓰이다.'라는 의미로 쓰였다. '투입(投入)되다' 또한 '사람이나 물자, 자본 따위가 필요한 곳에 넣어지다.'라는 의미로 사용되므로, 문맥상 ⓐ와 바꾸어 쓸 수 있다.

오답설명

① '반입(搬入)되다'는 '운반되어 들어오다.'라는 의미로 사용되므로, 문맥상 ⓐ와 바꾸어 쓰기에 적절하지 않다.

② '삽입(插入)되다'는 '틈이나 구멍 사이에 다른 물체가 넣어지다.' 혹은 '글 따위에 다른 내용이 넣어지다.'라는 의미로 사용되므로, 문맥상 ⓐ와 바꾸어 쓰기에 적절하지 않다.

③ '영입(迎入)되다'는 '환영하여 받아들여지다.'라는 의미로 사용되므로, 문맥상 ⓐ와 바꾸어 쓰기에 적절하지 않다.

④ '주입(注入)되다'는 '흘러 들어가도록 부어져 넣어지다.' 혹은 '기억과 암기가 주로 되어 지식이 넣어지다.'라는 의미로 사용되므로, 문맥상 ⓐ와 바꾸어 쓰기에 적절하지 않다.

구조도 정답

(가)

① 차별적   ② 독점적 지위   ③ 공급량

④ 정보   ⑤ 광고 비용   ⑥ 가격 탄력성

(나)

① 가격   ② 유행 주기   ③ 생산 요소

④ 투자자   ⑤ 소득 수준

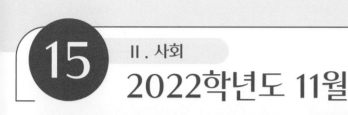

기축 통화로서의 달러화

지문해설

1 기축 통화는 국제 거래에 결제 수단으로 통용되고 환율 결정에 기준이 되는 통화이다. 1960년 트리핀 교수는 **브레턴우즈 체제에서의 기축 통화인 달러화의 구조적 모순**을 지적했다. 한 국가의 재화와 서비스의 수출입 간 차이인 경상 수지는 수입이 수출을 초과하면 적자이고, 수출이 수입을 초과하면 흑자이다. 그는 "미국이 **경상 수지 적자를 허용하지 않아 국제 유동성 공급이 중단되면 세계 경제는 크게 위축될 것**"이라면서도 "반면 **적자 상태가 지속돼 달러화가 과잉 공급되면 준비 자산으로서의 신뢰도가 저하되고 고정 환율 제도도 붕괴될 것**"이라고 말했다.

▶ 첫 문단에서는 필자의 관심사가 제시된다. 필자는 트리핀이 지적한 기축 통화인 달러화의 구조적 모순에 대해 말하기 위해, 기축 통화와 경상 수지의 개념을 제시하고 있는 거야. [기축 통화 = 환율 결정의 기준이 되는 통화, 경상 수지 = 수출>수입 : 흑자, 수출<수입 : 적자] 개념을 정리하고, 트리핀의 지적을 정리해 보자.

▶ 미국이 경상 수지 적자 허용 X → 국제 유동성 공급 중단 → 세계 경제 위축, 미국의 경상 수지 적자 지속 → 달러화 과잉 공급 → 준비 자산으로서의 신뢰도 ↓, 고정 환율 제도 붕괴

▶ 여기까지 읽었을 때, 답답한 느낌이 들었다면 지극히 정상이다. 대충 무슨 말인지는 알겠는데 정확하게 이해가 안 되는 상태. 그것은 '국제 유동성', '준비 자산', '고정 환율 제도' 등의 개념을 몰라서다. 당연히 필자도 학생들의 어려움을 알고 있으니, 본격적인 얘기를 하려면 개념에 대한 설명을 해주겠지. 2문단 가자.

2 이러한 트리핀 딜레마는 **국제 유동성 확보와 달러화의 신뢰도** 간의 문제이다. 국제 유동성이란 국제적으로 보편적인 통용력을 갖는 지불 수단을 말하는데, 금 본위 체제에서는 금이 국제 유동성의 역할을 했으며, 각 국가의 통화 가치는 정해진 양의 금의 가치에 고정되었다. 이에 따라 국가 간 통화의 교환 비율인 환율은 자동적으로 결정되었다.

▶ 개념 탑재하자. 국제 유동성이란 국제적으로 보편적 통용력을 갖는 지불 수단이래. 아까의 기축 통화 개념과 비슷하지? 금 본위 체제에서는 금이 국제 유동성의 역할을 했고, 국가의 통화 가치는 금의 가치에 고정되어 환율이 결정되었대.

이후 브레턴우즈 체제에서는 국제 유동성으로 달러화가 추가되어 '금 환 본위제'가 되었다. 1944년에 성립된 이 체제는 미국의 중앙은행에 '금 태환 조항'에 따라 금 1온스와 35달러를 언제나 맞교환해 주어야 한다는 의무를 지게 했다. 다른 국가들은 달러화에 대한 자국 통화의 가치를 고정했고, 달러화로만 금을 매입할 수 있었다. 환율은 경상 수지의 구조적 불균형이 있는 예외적인 경우를 제외하면 ±1% 내에서의 변동만을 허용했다. 이에 따라 기축 통화인 달러화를 제외한 다른 통화들 간 환율인 교차 환율은 자동적으로 결정되었다.

▶ 이후 브레턴우즈 체제에서는 국제 유동성으로 금 이외에 달러화가 추가되었대. 그러면 달러화도 기축 통화로 쓰인 것이겠네. 즉 금처럼 달러도 세계 통화의 절대적인 가치 기준이 된 거지. 그리고 미국은 언제든 달러를 금으로 교환해 줘야 할 의무가 생겼어. 자, 이제 1문단과 2문단에서 얘기한 [국제 유동성 확보와 달러화의 신뢰도] 딜레마를 이해해 보자.

▶ 미국이 경상 수지 흑자(적자 허용 X)로 수출이 수입을 초과하면 달러가 외부로 공급이 안 되어 세계 경제가 위축된다. 반면 미국이 경상 수지 적자로 수입이 수출을 초과하면 외부로 달러가 과잉 공급되는데, 미국은 언제든 이 달러를 금으로 바꿔줄 의무가 있다. 따라서 가진 금보다 많은 달러가 공급되면 달러의 신뢰도가 떨어진다는 것이다. 이것이 바로 딜레마의 정체다.

3 1970년대 초에 미국은 **경상 수지 적자가 누적**되기 시작하고 **달러화가 과잉 공급**되어 미국의 금 준비량이 급감했다.

▶ 그러다 문제가 발생한다. 앞서 트리핀의 지적이 현실화된 거야. [경상 수지의 적자가 누적 → 달러화 과잉 공급 → (보유한 금 이상으로 과잉 공급된 달러로 금을 맞교환하는 것이 불가능할 수도 있으니) 준비 자산으로서의 신뢰도 ↓, 고정 환율 제도 붕괴]겠지.

이에 따라 미국은 달러화의 금 태환 의무를 더 이상 감당할 수 없는 상황에 도달했다.

▶ 앞서 금 1온스에 35달러로 언제나 맞교환해 주어야 한다는 '금 태환 조항'에 따라 미국의 중앙은행은 달러를 금으로 '언제나' 바꾸어 줄 수 있어야 해. 그런데 달러화가 시중에 많아지면, 금은 한정되어 있으므로 그 모든 달러화에 맞는 금으로 바꾸어 줄 수가 없다는 거야.

이를 해결할 수 있는 방법은 **달러화의 가치를 내리는 평가 절하**, 또는 달러화에 대한 **여타국 통화의 환율을 하락시켜 그 가치를 올리는 평가 절상**이었다.

▶ 왜 이것이 해결책이 될 수 있는지 생각해 보자. 일단 달러화의 가치를 내리면 어떻게 될까? 달러화의 가치는 1온스=35달러로 고정이잖아. 근데 미국이 '달러화가 그만한 가치는 없나 봐요~'하면서 1온스=70달러로 올리면, 미국은 금을 1/2배만 준비해도 되는 거야. 달러화의 가치를 내리면, 금 태환 의무가 줄어들게 되지.

▶ 아니면 달러화에 대한 타국 통화의 환율을 하락시키는 방법도 있어. 1달러에 1,000원이라고 가정해 보자. 근데 달러화에 대한 환율을 1달러에 500원으로 하락시킨다고 생각해 봐. 그러면 달러화에 비해 타국 통화의 상대적 가치가 상승하게 되지. 가치는 항상 상대적이야. 타국 통화의 가치가 상승하면, 달러화의 가치가 줄어드는 것이니, 결국 금 태환 의무가 줄어드는 것으로 볼 수 있겠지.

▶ 그리고 가장 중요한 것은 달러화의 가치와 환율의 관계야. 3문단에서 환율이 하락하면 통화의 가치가 올라간다고 했지? 역으로 달러화의 가치가 하락하면 미국의 환율이 오른다는 것이야. 이게 왜 중요한지 사례를 통해 이해해 보자. 우리나라 환율이 1달러에 1,000원(1달러=1,000원)에서 2,000원(1달러=2,000원)으로 올랐다고 해 보자. 그럼 1달러(외화 표시 가격)에 파는 물건을 100개 팔아 100달러를 벌 때, 환율이 1,000원일 때는 10만 원의 매출인데, 환율이 2,000원일 때는 20만 원의 매출 효과가 생겨. 이를 통해 가격을 낮춰서 팔 수도 있지. 즉, 통화 가치가 하락하여 환율이 상승하면 엄청난 가격 경쟁력이 생기는 거야. 미국이 기를 쓰고 달러화의 가치를 내리려는 것이 바로 이 때문이야. 달러화의 가치가 떨어지면, 미국의 환율이 올라가면서, 경상 수지 적자를 해결할 수 있다는 것이지.

▶ 여기까지 생각을 해야 하나 싶은 학생도 있겠지만, 환율에 대한 정의만 알고 있으면 판단이 가능한 부분이고, 이 부분의 논리를 평가원이 <보기> 문제 정답으로 집요하게 요구했어. 기본적인 경제학 용어의 개념은 알고 들어오라는 불친절한 지문 구성을 평가원이 한 거야. 그것도 수능 시험장에서..ㅠㅠ

▶ 해결법 : 달러화 가치↓ / 타국 통화 환율↓(=타국 통화 가치↑=달러화 가치↓)

▶ 달러화 가치↓ / 타국 통화 환율↓ ⇒ 미국 환율↑(경상 수지 흑자)

하지만 브레턴우즈 체제하에서 달러화의 평가 절하는 규정상 불가능했고, 당시 대규모 대미 무역 흑자 상태였던 독일, 일본 등 주요국들은 평가 절상에 나서려고 하지 않았다.

▶ 앞서 브레턴우즈 체제하에서 달러화의 가치는 고정되어 있다고 했지? 달러 본위 체제이기도 하니까. 그래서 달러화 평가 절하는 규정상 불가능하고, 두

번째 방법은 독일이나 일본 등 여타국 통화의 환율을 하락시켜 여타국 통화의 가치를 올리는 평가 절상이지. 그런데 미국과의 무역에서 흑자를 보던 독일과 일본은 자기 국가의 통화 가치를 올리고 싶지 않았대. 왜 그랬을까? 아까의 반대 경우야. 1달러=1,000원이었던 것에서 환율이 내려 1달러=500원이 되면, 같은 1달러어치를 팔아도 500원밖에 못 버니까, 수출이 많은 쪽에서는 별로 내키지 않는 제안이었던 거지.

이 상황이 유지되기 어려울 것이라는 전망으로 독일의 마르크화와 일본의 엔화에 대한 투기적 수요가 증가했고, 결국 환율의 변동 압력은 더욱 커질 수밖에 없었다. 이러한 상황에서 각국은 보유한 달러화를 대규모로 금으로 바꾸기를 원했다. 미국은 결국 1971년 달러화의 금 태환 정지를 선언한 닉슨 쇼크를 단행했고, 브레턴우즈 체제는 붕괴되었다.

▶ 규정상 달러화의 평가 절하는 불가능하니까, 사람들은 독일이나 일본 등 주요 국가들이 평가 절상을 할 수밖에 없다고 생각을 했나 봐. 그래서 가치가 올라갈 마르크화와 엔화에 대한 투기적 수요가 증가한 거지. 이런 상황에서 미국이 금 태환 의무를 다하지 못할 것 같다는 우려가 전세계적으로 심화되고, 결국 다들 불안한 달러화를 안전한 금으로 바꾸고 싶어 하게 된 거야. 미국은 이 요구를 다 들어줄 수 없었기 때문에 결국 달러화의 금 태환은 정지되었고 달러화의 가치를 고정한 브레턴우즈 체제는 붕괴하게 되었어.

④ 그러나 붕괴 이후에도 달러화의 기축 통화 역할은 계속되었다. 그 이유로 규모의 경제를 생각할 수 있다. 세계의 모든 국가에서 어떠한 기축 통화도 없이 각각 다른 통화가 사용되는 경우 두 국가를 짝짓는 경우의 수만큼 환율의 가짓수가 생긴다. 그러나 하나의 기축 통화를 중심으로 외환 거래를 하면 비용을 절감하고 규모의 경제를 달성할 수 있다.

▶ 그래도 달러화는 아직까지 기축 통화 역할을 하고 있대. 기축 통화라는 것이 없이 각 나라별로 환율을 교환할 때를 생각해 보자. 예를 들어 우리나라가 4개의 국가와 무역을 하면 4개의 환율을 다 신경 써야 하잖아? 근데 기축 통화라는 것이 있으면 환율의 가짓수가 줄게 되니, 비용도 절감하고 규모의 경제도 달성하게 되는 거지.

지문분석

기축 통화로서의 달러화

▷ **기축 통화**

　국제 거래의 결제 수단, 환율 결정에 기준이 되는 통화

　(①) 딜레마 : 달러화의 구조적 모순 지적

　　국제 유동성 확보와 달러화의 신뢰도 간 문제

　　미국이 경상 수지 적자 허용 X → 국제 유동성 공급 중단
　　→ 세계 경제 위축

　　미국의 경상 수지 적자 지속 → 달러화 (②)
　　→ 준비 자산으로서의 신뢰도 ↓, 고정 환율 제도 붕괴

▷ **국제 유동성**

　국제적으로 보편적인 통용력 갖는 지불 수단

　(③) 체제 : 금이 국제 유동성 역할

　　각 국가의 통화 가치 = 정해진 양의 금의 가치에 고정
　　→ 환율 자동 결정

　브레턴우즈 체제 : 금, 달러화가 국제 유동성 역할

　　미국의 중앙은행에 금 태환 조항에 따른 의무 지게 함

　　환율은 일반적으로 ±1% 내에서의 변동만 허용
　　→ 교차 환율 자동 결정

▷ **1970년대 초 미국**

　문제 상황

　　미국 경상 수지 적자 누적 → 달러화 과잉 공급
　　→ 미국 금 (④) 급감 → 미국 달러화의 금 태환 의무 감당 X

　해결할 수 있는 방법

　　① 달러화의 가치 ↓ (평가 절하) → 규정상 불가능
　　② 달러화에 대한 타국 통화 환율 ↓ 가치 ↑ (평가 절상)
　　→ 대미 무역 흑자국 참여 X

　결과

　　독일 마르크화, 일본 엔화 투기적 수요 ↑ ⇒ 환율 변동 압력 ↑
　　⇒ 달러화와 금 교환 요구 ↑ ⇒ 미국 (⑤) 단행
　　⇒ 브레턴우즈 체제 붕괴

　　붕괴 이후에도 달러화의 기축 통화 역할 지속

　　　환율의 가짓수를 줄여 비용을 줄이고 (⑥)를 달성하기 위함

1 콘텐츠가 강하다!
실전 국어 전형태

문제분석   01-04번

번호	정답	정답률 (%)	선지별 선택비율(%)				
			①	②	③	④	⑤
1	②	70	4	70	8	5	13
2	⑤	38	16	25	15	6	38
3	⑤	58	5	12	10	15	58
4	④	32	12	26	16	32	14

01

정답설명

② 1문단에서 트리핀 교수는 "미국이 경상 수지 적자를 허용하지 않아 국제 유동성 공급이 중단되면 세계 경제는 크게 위축될 것"이라면서도 "반면 적자 상태가 지속돼 달러화가 과잉 공급되면 준비 자산으로서의 신뢰도가 저하되고 고정 환율 제도도 붕괴될 것"이라고 말했다. 즉 지문을 통해 트리핀이 브레턴우즈 체제 내에서의 기축 통화인 달러화의 문제에 대해 전망했다는 것은 알 수 있지만, 브레턴우즈 체제 붕괴 이후의 세계 경제 위축에 대해 어떻게 전망했는지에 대해서는 알 수 없다.

오답설명

① 4문단에 브레턴우즈 체제가 붕괴한 이후에도 달러화의 기축 통화 역할이 지속된 데에 대한 이유가 제시되어 있다. 하나의 기축 통화를 중심으로 외환 거래를 하면 비용을 절감할 수 있으며, 규모의 경제를 달성할 수 있기 때문이다.

③ 2문단에 따르면, 1944년에 설립된 브레턴우즈 체제가 미국의 중앙은행에 '금 태환 조항'에 따라 금 1온스와 35달러를 언제나 맞교환해 주어야 한다는 의무를 지게 했다는 내용이 제시되어 있다.

④ 2문단에 따르면, 브레턴우즈 체제에서는 기존의 금 본위 체제에서 국제 유동성 역할을 했던 금에 달러화가 추가되어 '금 환 본위제'가 되었다고 하였다. 따라서 브레턴우즈 체제에서는 금과 달러화가 국제 유동성의 역할을 하였음을 알 수 있다.

⑤ 1문단에서 트리핀 교수가 "적자 상태가 지속돼 달러화가 과잉 공급되면 준비 자산으로서의 신뢰도가 저하되고"라고 말했음을 근거로, 브레턴우즈 체제에서 달러화가 과잉 공급될 경우 준비 자산으로서의 신뢰도가 저하됨을 알 수 있다.

02

정답설명

⑤ 3문단에 따르면, 달러화에 대한 여타국 통화의 환율을 하락시켜 그 가치를 올리는 것을 평가 절상이라고 하였다. 왜 환율을 하락시키면 가치가 올라갈까? 예를 들어, 달러당 환율이 1,000원이면 1달러는 1,000원이라는 뜻이지. 달러당 환율이 1,500원으로 올랐다면 우리나라 돈의 가치가 떨어져 더 많은 돈을 내야 달러를 구할 수 있는 것이고, 달러당 환율이 500원으로 하락했다면, 우리나라 돈의 가치가 올라 더 적은 돈을 내고 달러를 구할 수 있다는 것이야. 즉, **환율 상승은 자국 화폐의 가치 하락이고, 환율 하락은 자국 화폐의 가치 상승**이야. 브레턴우즈 체제에서 마르크화가 달러화에 대해 평가 절상(가치가 상승)되었다는 것은 곧 마르크화의 가치가 올라갔다는 뜻이야. 즉, 같은 금액의 마르크화로 교환 가능한 달러화의 액수도 많아지고, 구입 가능한 금의 양도 많아지겠지.

오답설명

① 3문단에서 달러화가 과잉 공급되었으나 브레턴우즈 체제하에서는 여전히 금 1온스=35달러로 달러화의 가치가 고정되어 있었으므로 달러화의 고평가 문제가 있었음을 알 수 있다. 또한 이를 해결할 수 있는 방법은 달러화의 가치를 내리는 평가 절하라고 했고 미국이 달러화의 금 태환 정지를 선언한 닉슨 쇼크를 단행한 이후에 브레턴우즈 체제는 붕괴되었다고 했으니, 브레턴우즈 체제하에서 규정상 불가능했던 달러화의 평가 절하가 가능해졌음을 알 수 있다.

② 3문단에 따르면, 브레턴우즈 체제에서 미국이 달러화의 금 태환 의무를 감당할 수 없게 되었고 이를 해결할 수 있는 방법으로 달러화에 대한 타국 통화의 환율을 하락시켜 그 가치를 올리는 평가 절상이 있다고 하였다. 독일의 마르크화와 일본의 엔화가 평가 절상되면 달러화에 대한 마르크화와 엔화의 가치가 상승하므로, 가치가 상승할 것으로 예상되는 마르크화와 엔화의 수요가 상승할 것임을 알 수 있다. 대규모 대미 무역 흑자였던 독일, 일본이 평가 절상에 나서지 않으려 했다고 하였지만 이 상황이 유지되기 어려울 것이라는 전망으로 투기적 수요가 증가했다고 했으니 이들 통화의 평가 절상을 예상한 것이겠지.

③ 금의 생산량이 증가하면 국제 유동성 중 하나인 금의 공급량이 증가될 것이다. 이에 따라 금 준비량의 부족 문제가 어느 정도 해결될 수 있어 트리핀 딜레마 상황이 완화될 수 있다.

④ 1문단에 따르면, 트리핀 딜레마는 경상 수지 적자를 허용하지 않으면 국제 유동성 공급이 중단되어 세계 경제가 위축될 것이고, 경상 수지 적자를 허용하면 달러화가 과잉 공급되어 고정 환율 제도가 붕괴한다는 것이므로 선지의 진술은 적절하다.

03

정답설명

⑤ 2문단에서 기축 통화인 달러화를 제외한 다른 통화들 간의 환율을 교차 환율이라고 하였다. 그러므로 미국을 포함한 세 국가가 존재할 때 ⓒ의 경우, 다른 국가들 간의 교차 환율은 1개이다. 그러나 4문단에서 어떠한 기축 통화도 없이 각각 다른 통화가 사용되는 경우에는 두 국가를

짝짓는 경우의 수만큼 환율의 가짓수가 생긴다고 하였으므로 ㉢에서의 환율의 가짓수는 1보다 많음을 알 수 있다.

오답설명

① ㉠에서는 금이 국제 유동성의 역할을 했고 각 국가의 통화 가치는 정해진 양의 금의 가치에 고정되었다고 하였으므로 ㉠에서 자동적으로 결정되는 환율의 가짓수는 금에 자국 통화의 가치를 고정한 국가 수와 같음을 알 수 있다.

② ㉡은 달러화가 기축 통화인 체제이므로, ㉡이 붕괴된 이후에도 달러화가 기축 통화라면 교차 환율의 가짓수도 ㉡과 같을 것이다.

③ ㉢에서는 두 국가를 짝짓는 경우의 수만큼 환율의 가짓수가 생긴다고 하였다. 선지만 놓고 보면, 국가 수가 하나 증가한다면 그 새로운 국가가 이전에 있던 모든 국가와 다 환율이 있어야 하므로, 환율의 가짓수는 이전에 있던 모든 국가의 수만큼 늘어날 것이다. 쉽게 예시를 들면, A, B, C 세 국가가 있을 때 환율의 가짓수는 {A,B}, {A,C}, {B,C}로 총 세 가지이지만 국가 D가 여기에 추가되면 환율의 가짓수는 {A,B}, {A,C}, {A,D}, {B,C}, {B,D}, {C,D}로 총 6개가 되므로, 국가 하나가 추가된다고 해서 환율의 전체 가짓수가 하나씩 증가하는 것은 아님을 알 수 있지.

④ ㉠에서는 '국가 간 통화의 교환 비율인 환율은 자동적으로 결정되었다'고 했고, ㉡에서는 '기축 통화인 달러화를 제외한 다른 통화들 간 환율인 교차 환율은 자동적으로 결정되었다'고 했다. 즉, ㉠에서 자동적으로 결정되는 환율의 가짓수는 금에 자국 통화의 가치를 고정한 국가 수와 같으므로 3개이다. ㉡의 경우 교차 환율만 자동적으로 결정되므로 1개이다. 그러므로 ㉠에서 ㉡으로 바뀌면 자동적으로 결정되는 환율의 가짓수가 3개에서 1개로 줄어들 것임을 알 수 있다.

04

정답설명

④ 3문단에서 경상 수지 적자의 해결로 타국 통화의 환율 하락을 제시하였다. 가치는 상대적이기에 타국 통화의 환율이 하락하면, 자국 통화의 환율은 상승한다. 환율이 상승하면, 자국 통화의 가치가 하락하여 수출 경쟁력이 생겨 경상 수지가 흑자로 갈 수 있다.

여기서 이해가 안 되는 학생을 위해 사례를 다시 가져올게. 우리나라에서 1,000원 하고 외국에서 1달러(외화 표시 가격)했던 물건을, 수출할 때 환율이 2,000원으로 올랐다고 가정해 보자. 물건 가격을 똑같이 1,000원에 팔면 결국 외국에 0.5달러(외화 표시 가격)에 팔게 되는 것이므로 엄청난 수출 경쟁력이 생기는 거야.

즉, 환율 상승=경상 수지 흑자 / 환율 하락=경상 수지 적자

<보기>를 보면, 국제적 합의로 환율의 기준이 되는 A국 통화에 대한 B국 통화의 환율은 50% 하락했고, C국은 30% 하락했다. 즉, B국과 C국만 비교해 보면, C국의 환율이 상대적으로 덜 하락하였고, B국과 비교했을 때 기존보다 환율이 높은 상황이 된 것이다. 환율이 상승하면 경상 수지는 흑자가 된다. 따라서 B국에 대한 C국의 경상 수지는 개선될 것이다.

오답설명

① 금리가 인상되어 외국 자본이 유입되는 것은 A국의 통화에 대한 수요가 상승한 것이고, A국 통화의 가치가 상승한 것이다. 따라서 '외국 자본의 대량 유입'으로 A국 통화의 신뢰도가 낮아졌다는 설명은 적절하지 않다.

② 3문단 보고 오자. 타국 통화의 환율 하락은 타국 통화의 가치를 올리는 평가 절상이다. 그리고 가치는 상대적이기에 B국 통화의 가치가 내려가면 상대적으로 A국 통화는 가치가 하락한다.

③ <보기>를 보면, 국제적 합의로 환율의 기준이 되는 A국 통화에 대한 B국 통화의 환율은 50% 하락했고, C국은 30% 하락했다. 따라서 기축 통화인 A국 통화에 대한 B국과 C국의 통화 환율은 모두 하락했지만, C국 통화의 환율은 B국에 비해 상대적으로 덜 하락하였으니, B국 통화에 대한 C국 통화의 환율이 하락했다고 볼 순 없다.

⑤ <보기>에서 A국의 소득세 감면과 군비 증대로 A국의 금리가 인상되었다고 하였다. A국의 금리가 인상되면 모두가 A국의 은행에 돈을 넣으려고 하므로 A국의 통화에 대한 수요가 상승하여 결국 A국의 통화 가치가 상승하겠지? (은행에 돈을 넣으려 하니 시중에 풀린 돈이 줄어 A국 통화량 하락으로 인한 A국의 통화 가치 상승으로 이해할 수도 있겠다.) 여기서 잠깐 3문단을 보고 오자. 통화 가치 상승은 환율 하락과 연결된다. 따라서 A국의 환율이 하락하니, 경상 수지는 악화(1달러=1,000원이었던 것에서 환율이 내려 1달러=500원이 되면, 같은 1달러어치를 팔아도 500원밖에 못 버니까)되며, 이것에 대한 해결은 A국의 환율 상승이나 B국의 환율 하락이다.

형태쌤의 과외시간

환율은 자국 돈의 가치라고 생각하면 돼. 달러당 환율이 1,000원이면 1달러는 1,000원이라는 뜻이지. 달러당 환율이 1,500원으로 올랐다면 우리나라 돈의 가치가 떨어져 더 많은 돈을 내야 달러를 구할 수 있는 것이고, 달러당 환율이 500원으로 하락했다면, 우리나라 돈의 가치가 올라 더 적은 돈을 내고 달러를 구할 수 있다는 것이야. 즉, **환율 상승은 자국 화폐의 가치 하락이고, 환율 하락은 자국 화폐의 가치 상승이야.**

우리나라에서 외국으로 물건을 수출한다면, 환율이 오르면 이득을 보게 돼. 우리나라 환율이 1달러에 1,000원에서 2,000원으로 올랐다고 해 보자. 그럼 1달러(외화 표시 가격)에 파는 물건을 100개 팔아 100달러를 벌 때, 환율이 1,000원일 때는 10만 원의 매출인데, 환율이 2,000원일 때는 20만 원의 매출 효과가 생겨. 이를 통해 가격을 낮춰서 팔 수도 있지. 즉, 통화 가치가 하락하여 환율이 상승하면 엄청난 가격 경쟁력이 생기는 거야. 이에 따라 수출은 늘고 수입은 줄게 되어 경상 수지는 흑자가 되지.

환율 상승=경상 수지 흑자 / 환율 하락=경상 수지 적자

구조도 정답

① 트리핀   ② 과잉 공급   ③ 금 본위
④ 준비량   ⑤ 닉슨 쇼크   ⑥ 규모의 경제

16

2023학년도 6월

지문분석

사건의 효과 평가

└→ 사건 후의 결과와 사건이 없었을 경우에 나타났을 결과를 비교

└→ 가상의 결과 관측 X → 실제로는 시행집단의 결과와 비교집단의 결과 비교

(①) : 사건을 경험한 표본들로 구성

(②) : 사건을 경험하지 않은 표본들로 구성

(③) 방법

두 집단에 표본이 임의로 배정되도록 사건 설계

사람을 표본으로 하거나 사회 문제를 다룰 때 적용 어려움

(④)

사건의 효과 = 시행집단에서 일어난 변화
― 비교집단에서 일어난 변화

1854년 스노가 처음 사용 → 콜레라의 원인이 '물'이라고 밝힘

경제학 → 1910년대에 (⑤) 도입 효과를 파악하는 데 처음 사용

(⑥) 가정

사건이 없었더라도 비교집단에서 일어난 변화와
같은 크기의 변화가 시행집단에서도 일어났을 것이라는 가정

충족 X → 이중차분법 적용 시 사건의 효과 잘못 평가

(⑥) 가정 충족 → 신뢰도 ↑

여러 비교집단을 구성 → 각각에 이중차분법 적용
→ 평가 결과가 같음

시행집단과 여러 특성에서
표본의 (⑦)이 높은 비교집단 구성

경기 변동에 민감한 변화
: 집단 간 표본의 (⑦)보다 변화 발생의 동시성이 더 중요

형태쌤 Comment

　지문 첫머리에 '경제학'이라는 단어가 나와 쫄았던 학생들이 있었을 것이다. 그런데 지문을 읽다 보면 '경제학'만 다루고 있는 지문이 아님을 눈치챘겠지? 이 지문은 사회 현상을 어떻게 평가하는지를 집중적으로 다루는 글이다. 지문에 나오는 실험적 방법과 이중차분법이 어떤 점에서 다른지 비교하고, 이중차분법에서 평행추세 가정은 어떻게 적용되는지 파악하며 읽었어야 한다.

문제분석　01-04번

번호	정답	정답률 (%)	선지별 선택비율(%)				
			①	②	③	④	⑤
1	①	18	18	16	19	34	13
2	⑤	41	10	12	11	26	41
3	④	46	4	8	21	46	21
4	②	66	2	66	28	2	2

01

정답설명

① 1문단을 보자. 실험적 방법은 사건의 효과를 평가하는 방법 중 하나이다. 이때 사건의 효과를 평가하기 위해선 '사건 후의 결과와 사건이 없었을 경우에 나타났을 결과를 비교'한다고 하였다. 가상의 결과를 관측할 수 없을 때는 '사건을 경험한 표본들로 구성된 시행집단의 결과와, 사건을 경험하지 않은 표본들로 구성된 비교집단의 결과를 비교'한다고 하였다. 어디에도 시행집단에서의 사건 전후 변화를 평가한다는 말은 없다.

오답설명

② 1문단에서 '사람을 표본으로 하거나 사회 문제를 다룰 때에는 이 방법(실험적 방법)을 적용할 수 없는 경우가 많다.'라고 하였는데, 이는 이 경우에 실험적 방법을 '아예 적용할 수 없다'는 말이 아니고, '적용하는 경우도 있다'는 말이므로 적절하다.

③ 2문단의 평행추세 가정의 설명을 보면 '사건이 없었더라도 비교집단에서 일어난 변화와 같은 크기의 변화가 시행집단에서도 일어났을 것'이라고 나와 있다. 이는 특정 사건 외에는 두 집단의 변화에 차이가 날 이유가 없다는 의미이므로 적절하다.

④ 3문단에 나온 스노의 연구에서의 비교 대상은 시행집단과 비교집단의 절대적인 콜레라 사망률이 아니라 콜레라 사망률의 '변화'이다. 스노는 두 집단의 사건 전 콜레라 사망률이 다르더라도 이 '변화율'을 토대로 연구를 한 것이기 때문에 사건 전에도 두 집단의 콜레라 사망률은 달랐을 수 있다.

⑤ 3문단에서 스노는 수원의 차이로 인해 콜레라 사망률이 달라졌음을 토대로 콜레라는 물을 통해 전염된다는 결론을 내렸기 때문에, 두 집단 사이의 공기의 차이는 고려하지 않았음을 알 수 있다. 스노는 수원이 바뀐 주민들과 바뀌지 않은 주민들 사이에 공기의 차이가 없다고 생각했기 때문에 이를 고려하지 않았을 것이다.

02

정답설명

⑤ ㉠을 보면 시행집단에서 일자리가 급격히 줄어드는 산업에 종사하는 노동자의 비중이 비교집단에 비해 크다고 하였는데, 이는 시행집단의 실업률이 크다는 의미이다. 실업률이 크다면 그만큼 고용률이 적게 증가한다는 의미이므로, 이중차분법을 적용했을 때 프로그램이 없었다면 시

행집단에서 일어났을 고용률 증가는 비교집단에서 일어난 것보다 작을 것이다.

그런데 평행추세 가정은 사건(프로그램)이 없었더라도 비교집단에서의 변화와 시행집단에서의 변화가 같았을 것이라는 가정이므로, 시행집단과 비교집단의 실업률은 다르지 않다. 따라서 ㉠에 이중차분법을 적용하여 평가한 프로그램의 고용 증가 효과는 평행추세 가정이 충족되는 비교집단을 이용하여 평가한 경우의 효과보다 작을 것이다.

03

정답설명

④ 4문단에서 '집단 간 표본의 통계적 유사성을 높이려고 사건 이전 시기의 시행집단을 비교집단으로 설정하는 것이 평행추세 가정의 충족을 보장하는 것은 아니다.'라고 하였다. 또한 '고용처럼 경기변동에 민감한 변화라면 집단 간 표본의 통계적 유사성보다 변화 발생의 동시성이 이 가정의 충족에서 더 중요할 수 있'다고 하였다. 따라서 표본의 통계적 유사성이 같도록 최저임금 인상의 효과를 시행집단의 전년도 변화와 비교한다고 해서 신뢰도가 높아진다는 보장은 없다.

오답설명

① 1문단에 따르면 시행집단은 '사건을 경험한 표본들로 구성된' 집단이므로 최저임금 인상으로 인해 임금이 인상된 'P주 저임금 식당'이 시행집단임을 알 수 있다. 이때 시행집단의 사건 후와 사건 전의 변화(B-A)가 20.9-19.6 = 1.3이라고 나와 있으므로 적절하다.

② 마지막 문단의 '시행집단과 여러 특성에서 표본의 통계적 유사성이 높은 비교집단을 구성하면~신뢰도를 높일 수 있다.'에서 알 수 있다.

③ 이중차분법은 시행집단에서 일어난 변화에서 비교집단에서 일어난 변화를 뺀 값을 사건의 효과라고 평가하는 방법이다. 시행집단에서 일어난 변화는 1.3이고, 선시에서 말한 것처럼 비교집단을 Q주 식당들로 택하면 여기에서의 변화는 -2.1이기 때문에 1.3-(-2.1) = 3.4이므로 적절하다.

⑤ P주 고임금 식당과 Q주 식당의 변화(B-A)는 -2.1로 동일하다. 2문단에 따르면 평행추세 가정은 '사건이 없었더라도 비교집단에서 일어난 변화와 같은 크기의 변화가 시행집단에서도 일어났을 것'이라는 가정을 말한다. 임금 인상이라는 사건이 일어나지 않은 두 비교집단의 변화가 동일하다는 것은 이러한 평행추세 가정을 뒷받침해 주므로 적절하다.

04

정답설명

② ⓑ와 ②의 '바꾸다' 모두 '원래의 내용이나 상태를 다르게 고치다.'의 의미로 쓰였다.

오답설명

① ⓐ의 '나다'는 '어떤 작용에 따른 효과, 결과 따위의 현상이 이루어져 나타나다.'의 의미이며, ①의 '나다'는 '신문, 잡지 따위에 어떤 내용이 실리다.'의 의미이다.

③ ⓒ의 '내리다'는 '판단, 결정을 하거나 결말을 짓다.'의 의미이며, ③의

'내리다'는 '명령이나 지시 따위를 선포하거나 알려 주다. 또는 그렇게 하다.'의 의미이다.

④ ⓓ의 '높이다'는 '값이나 비율 따위를 더 높게 하다.'의 의미이며, ④의 '높이다'는 '어떤 의견을 다른 의견보다 더 강하게 내다.'의 의미이다.

⑤ ⓔ의 '줄이다'는 '수나 분량을 본디보다 적게 하거나 무게를 덜 나가게 하다.'의 의미이며, ⑤의 '줄이다'는 '말이나 글의 끝에서, 할 말은 많으나 그만하고 마친다는 뜻으로 하는 말.'의 의미이다.

구조도 정답

① 시행집단
② 비교집단
③ 실험적
④ 이중차분법
⑤ 최저임금제
⑥ 평행추세
⑦ 통계적 유사성

유류분 반환

지문해설

① 사유 재산 제도하에서는 누구나 자신의 재산을 자유롭게 처분할 수 있다. 그러나 기부와 같이 **어떤 재산이 대가 없이 넘어가는 무상 처분 행위**가 행해졌을 때는 그 당사자인 **무상 처분자와 무상 취득자의 의사와 무관하게 그 결과가 번복**될 수 있다. 무상 처분자가 사망하면 상속이 개시되고, 그의 **상속인들**이 유류분을 반환받을 수 있는 권리인 **유류분권을 행사**할 수 있기 때문이다. 이때 무상 처분자는 피상속인이 되고 그의 권리와 의무는 상속인에게 이전된다.

▶ 평가원 인문/사회 지문은 읽을 때 쉽게 느껴져도 막상 문제를 풀려고 하면, 생각대로 선지가 제거되지 않거나 정답이 안 보이는 경우가 많다. 사설이나 교육청과 달리 평가원은 선지를 날카롭게 구성하기에 제대로 중심 개념을 이해하고 있지 않으면 풀 수 없게 출제하기 때문이다. 따라서 인문/사회 지문을 읽을 때는 특히 초반부에서 중심 화제를 파악하고, 이후 중심 화제가 제시될 때는 제대로 중심 화제를 머릿속에 넣으면서 독해를 진행해야 한다.

▶ 일단 1문단에서 중심 화두는 '무상 처분의 번복'이고, 이것은 상속인들이 가진 '유류분권' 때문이다. 당연히 이후엔 '유류분'이 무엇인지, 이것이 어떻게 작용하는지 제시가 되겠지?

② 유류분은 피상속인의 무상 처분 행위가 없었다고 가정할 때 상속인들이 상속받을 수 있었을 이익 중 법으로 보장된 부분이다.

▶ 법으로 상속은 보장되어 있다는 것이 중요하다. 줄 사람은 줄 생각이 없더라도 법적으로 상속인들은 재산을 상속받을 수 있다. 따라서 '무상 처분 행위가 없을 때'가 핵심이다. 피상속인이 무상 처분 행위를 했더라도 법으로 보장된 상속권이 우선이라는 얘기다.

만약 상속인이 피상속인의 자녀 한 명뿐이면, 상속받을 수 있었을 이익의 $\frac{1}{2}$ 만 보장된다. 상속인들이 상속받을 수 있었을 이익은 **상속 개시 당시에 피상속인이 가졌던 재산의 가치**에 이미 **무상 취득자에게 넘어간 재산의 가치를 더하여 산정**한다. 유류분은 상속인들이 기대했던 이익을 보호하기 위한 것이기 때문이다.

▶ 중요한 개념이니 반복적으로 제시되고 있다. 피상속인이 가졌던 재산은 피상속인 마음대로 할 수 있으나, 사후에는 제약이 생긴다. 상속인도 제대로 상속받을 권한이 있기 때문이다. 따라서 기존에 피상속인이 가진 재산에 무상 취득자에게 넘어간 재산을 합산하여 상속 금액을 정한다.

③ 피상속인이 상속 개시 당시에 가졌던 재산으로부터 상속받은 이익이 있는 상속인은 유류분에 해당하는 이익의 일부만 반환 받을 수 있다.

▶ 당연한 얘기다. 법적으로 받을 재산이 1억이라고, 상속 개시 당시에 7천을 받았다면, 유류분은 3천이 남았고, 무상 처분된 재산에서 부족한 3천을 채우면 된다.

유류분에 해당하는 이익에서 이미 상속받은 이익을 뺀 값인 유류분 부족액만 반환받을 수 있기 때문이다. 유류분 부족액의 가치는 금액으로 계산되지만 항상 돈으로 반환되는 것은 아니다. 만약 무상 처분된 재산이 돈이 아니라 물건이나 주식처럼 돈 이외의 재산이라면, 처분된 재산 자체가 반환 대상이 되는 것이 원칙이다. 다만 그 재산 자체를 반환 하는 것이 불가능한 때에는 무상 취득자는 돈으로 반환해야 한

다. 또한 재산 자체의 반환이 가능해도 유류분권자와 무상 취득자의 합의에 의해 돈으로 반환될 수도 있다.

▶ 돈이라면 돈으로 받는다. 그리고 돈이 아니라면, 그 재산 자체를 반환하는 것이 원칙이다. 하지만 현실적 불가능하거나 합의를 했으면, 돈으로 반환을 해도 된다는 것이다.

④ 무상 처분된 재산이 물건이라면 유류분 반환은 어떤 형태로 이루어질까? 무상 취득자가 반환해야 할 유류분 부족액이 무상 처분된 물건의 가치보다 적다면 유류분권자는 그 물건의 가치에 상당하는 금액에서 유류분 부족액이 차지하는 비율만큼 무상 취득자로부터 반환받을 수 있다. 이로 인해 하나의 물건에 대한 소유권이 여러 명에게 나뉘지는데, 이때 각자의 몫을 지분이라고 한다.

▶ 무상 취득자는 유류분 부족액만 반환하면 된다. 물건이 피자라면 바로 한 조각 떼어 줄 수 있지만, 현실적으로는 바로 떼어 줄 수 없는 경우가 많으니, 물건의 소유권을 퍼센트로 나눠서 지분을 반환하는구나.

⑤ 무상 처분된 물건의 시가가 변동하면 유류분 부족액을 계산할 때는 언제의 시가를 기준으로 삼아야 할까? 유류분의 취지에 비추어 상속 개시 당시의 시가를 기준으로 해야 한다.

▶ 유류분의 취지가 뭘까? 바로 '무상 처분한 재산까지 포함해서 상속인의 권리를 보장하는 것'이다. 물가는 지속적으로 올라가니, 무상 처리한 5억 원의 땅이 현재 10억 원이 되었다면, 10억 원을 기준으로 유류분을 계산해야 한다. 무상 처분이 없었다면 현재 상속 받을 수 있는 금액이 10억 원이 되었을 것이기 때문이다.

다만 그 물건의 시가 상승이 무상 취득자의 노력에서 비롯되었으면 이때는 무상 취득 당시의 시가를 기준으로 계산해야 한다. 이렇게 정해진 유류분 부족액을 근거로 반환 대상인 지분을 계산할 때는, 시가 상승의 원인이 무엇이든 상속 개시 당시의 시가를 기준으로 해야 한다.

▶ 예외가 있긴 하다. 무상 취득자가 노력해서 재산 가치를 올렸다면, 이를 인정해서 취득 당시를 기준으로 계산을 한다.

▶ 사회 지문에서는 조건(~면, ~ 경우, ~때)에 따른 인과 관계로 정보를 구성하고 이를 토대로 출제하는 선지가 많다. 지문에서 제시한 조건(ex. 재산 자체 반환 불가능할 때, 무상 취득자의 노력에서 비롯된 것일 때 등)에 따른 결과를 잘 체크했다면, 문제 풀 준비는 끝이다.

지문분석

유류분 반환

> **무상 처분 이후 (①) 사망**
>
> > 당사자 의사와 무관하게 결과 번복될 수 있음
> >
> > 상속이 개시되고 상속인들이 (②) 행사
>
> **유류분**
>
> > 피상속인의 무상 처분 행위가 없었을 경우 상속인들이 상속받는 이익 중 법으로 보장된 부분
> >
> > 상속 개시 당시 피상속인의 재산 가치 + (③)에게 넘어간 재산 가치
> >
> > 상속인들이 기대했던 이익을 보호하기 위한 것
> >
> > 유류분에 해당하는 이익 - 이미 상속받은 이익 = (④)만 반환 가능
>
> **반환 대상**
>
> > 금액으로 계산되나, 돈 이외의 재산은 처분된 재산 자체가 반환 대상
> >
> > 재산 자체 반환 불가능하거나 합의할 경우, (⑤)으로 반환
> >
> > 재산이 물건일 경우
> >
> > > 유류분 부족액 < 무상 처분 물건 가치 : 유류분 부족액 비율만큼 반환
> > >
> > > 하나의 물건에 대한 소유권이 여러 명에게 (⑥)으로 나눠짐
> > >
> > > 물건 시가 변동 : (⑦) 당시의 시가 기준으로 유류분 부족액 계산
> > >
> > > 무상 취득자의 노력으로 시가 상승 → 무상 취득 당시 시가 기준
> > >
> > > 지분 계산 시 상속 개시 당시의 시가 기준에 따라야 함

형태쌤 Comment

수특에 실렸던 '유류분 제도' 지문 개념이 연계되었지만 그것보다는 덜 복잡하게 제시되었다. 그러나 1문단에서 중심 화제를 파악하고, 이에 따른 개념을 2문단에서 정확하게 이해하고, 나머지 문단에서 조건에 따른 결과를 파악하지 않으면 오답이 많이 나올 수 있는 지문이었다.

문제분석 **01-04번**

번호	정답	정답률 (%)	선지별 선택비율(%)				
			①	②	③	④	⑤
1	②	47	3	47	9	16	25
2	④	47	5	14	22	47	12
3	②	44	6	44	13	13	24
4	④	31	9	15	19	31	26

01

정답설명

② 3문단에서 상속받은 이익이 있는 상속인은 유류분에 해당하는 이익의 일부만 반환받을 수 있다고 하였고, 여기서 일부란 유류분에 해당하는 이익에서 이미 상속받은 이익을 뺀 값인 유류분 부족액이다. 따라서 유류분권이 보장되는 범위는 유류분 부족액의 일부가 아니라, 유류분 부족액 전체임을 알 수 있다.

오답설명

① 1문단에 따르면 유류분권은 상속인이 유류분을 반환받을 수 있는 권리라고 하였다. 또한 2문단에서는 유류분을 피상속인의 무상 처분 행위가 없었다고 가정할 때 상속인들이 상속받을 수 있었을 이익 중 법으로 보장된 부분이라고 하였으므로 유류분권은 상속인이 아닌 사람에게는 인정되지 않음을 알 수 있다.

③ 1문단에서 '무상 처분자가 사망하면 상속이 개시되고, 그의 상속인들이 유류분을 반환받을 수 있는 권리인 유류분권을 행사할 수 있기 때문이다.'라고 한 것을 통해, 무상 처분자가 사망하여 상속이 개시된 후에 상속인이 유류분권을 행사할 수 있고 무상 처분자의 사망 전에는 상속인이 유류분권을 행사할 권리가 없음을 알 수 있다.

④ 1문단에서 기부와 같이 어떤 재산이 '대가 없이 넘어가는' 무상 처분 행위가 행해졌을 때는 그 당사자의 의사와 무관하게 그 결과가 번복될 수 있다고 하면서 무상 처분자가 사망할 경우 상속인들에 의해 유류분권이 행사될 수 있다고 하였다. 따라서 피상속인이 생전에 다른 사람에게 대가를 받고 '판 재산'은 유류분권의 대상이 될 수 없음을 알 수 있다.

⑤ 1문단에서 '기부와 같이 어떤 재산이 대가 없이 넘어가는 무상 처분 행위가 행해졌을 때는 그 당사자인 무상 처분자와 무상 취득자의 의사와 무관하게 그 결과가 번복될 수 있다'고 하였으므로 적절하다.

02

정답설명

④ 3문단에서 유류분 부족액의 가치는 금액으로 계산되지만 항상 돈으로 반환되는 것은 아니라고 하면서 무상 처분된 재산이 물건이나 주식처럼 돈 이외의 재산이라면, 처분된 재산 자체가 반환 대상이 되는 것이 원칙이라고 하였다. 다만 유류분권자와 무상 취득자의 합의에 의해 돈으로 반환될 수도 있다고 하였는데, 선지에서는 합의에 의한 경우가 아닌 유류분권자의 일방적인 요구인 경우를 제시하였으므로 이때에는 무상 취득자가 원칙에 따라 무상 취득한 물건 자체를 반환할 수 있을 것이다.

오답설명

① 4문단에서 유류분권자는 무상 처분된 물건의 가치에 상당하는 금액에서 유류분 부족액이 차지하는 비율만큼 무상 취득자로부터 반환받을 수 있다고 하였으므로 그 물건 전부를 반환받는 것이 아님을 알 수 있다.

② 4문단에 따르면 유류분권자는 그 물건의 가치에 상당하는 금액에서 유류분 부족액이 차지하는 비율만큼 무상 취득자로부터 반환받을 수 있다. 즉 유류분 부족액이 클수록 무상 취득자가 반환해야 하는 금액이 커지므로 무상 취득자의 지분은 작아질 것이다.

③ 3문단에 따르면 무상 취득한 재산 자체를 반환하는 것이 불가능한 때에

는 무상 취득자는 지분이 아닌 돈으로 반환해야 한다. 4문단에 따르면 지분은 하나의 물건에 대해 각자가 소유하는 몫을 말하므로 적절하지 않은 서술이다.

⑤ 4문단에 따르면 유류분권자는 무상 처분된 물건의 가치에 상당하는 금액에서 유류분 부족액이 차지하는 비율만큼 무상 취득자로부터 반환받을 수 있다. 무상 처분된 물건의 일부가 반환되었을 경우에는 돈이 아닌 물건으로 반환되었다는 의미이므로, 유류분권자는 그 물건의 가치에 상당하는 금액에서 유류분 부족액이 차지하는 비율만큼 무상 처분된 물건의 일부에 대한 소유권을 가질 수 있다.

03

정답설명

② 2문단에 따르면 유류분은 피상속인의 무상 처분 행위가 없었다고 가정할 때 상속인들이 상속받을 수 있었을 이익 중 법으로 보장된 부분이다. 즉 유류분은 피상속인이 재산을 무상 처분하지 않았다고 가정하여 산정하는 것으로 이에 따라 피상속인이 사망한 뒤 상속이 개시된 당시의 시가를 기준으로 유류분 부족액을 상정함을 알 수 있다.

오답설명

① 유류분은 피상속인이 자유롭게 무상 처분한 재산의 일부가 될 수 있으나, 이는 유류분 부족액의 시가를 계산할 때 상속 개시 당시의 시가를 기준으로 하는 것과는 상관이 없다.

③ 유류분은 재산의 가치를 증가시킨 무상 취득자의 노력에 대한 보상으로 인정되는 것이 아니다. 또한 재산의 가치를 증가시킨 무상 취득자의 노력을 인정하기 위해서는 유류분 부족액을 상속 개시 당시가 아닌 무상 취득 당시의 시가를 기준으로 계산한다.

④ 유류분이 피상속인의 재산에 대해 소유권을 나눠 가진 사람들 각자의 몫을 반영하는 것과 유류분 부족액의 계산 기준 시기는 상관이 없다.

⑤ 유류분은 상속이 개시되는 당시에 상속인이 상속받을 수 있었을 이익을 따지는 것이므로, 해당하는 이익의 가치가 상속 개시 전후에 걸쳐 변동되는 것을 반영하지 않고 상속 개시 당시의 시가를 기준으로 계산한다.

04

형태쌤의 과외시간

평가원 〈보기〉 문제의 정답은 사설과 비교할 때, 훨씬 깔끔하게 떨어진다. 풀기 전에는 복잡해 보여도, 결국 지문과 보기를 1:1 대응해서 조건만 천천히 확인하면 단순하게 풀린다. 쫄지 말고 가벼운 마음으로 접근하자. 〈보기〉 문제는 올바르게 접근하는 것이 풀이의 반이다.

〈보기〉의 조건을 잘 따져보자. 갑은 무상 처분자이자 피상속인이며, 을은 무상 취득자, 병은 갑의 유일한 자녀로 상속인이다. 갑은 을에게 A 물건을 무상으로 처분하였으며 병은 갑이 사망한 이후 을에게 유류분권을 행사하였다. 이제 추가로 확인할 것은 '조건'이다. 무상 취득자의 노력 여부에 따라 시가가 달라진다. 이것만 신경 쓰면 문제는 간단하게 해결된다.

정답설명

④ A 물건의 시가가 을의 노력으로 상승했다면, 5문단에 따라 유류분 부족액은 무상 취득 당시의 시가를 기준으로 계산하여야 한다. 즉 을이 A 물건을 소유하게 되었을 당시의 시가인 300을 기준으로 한다. 2문단에서 상속인이 피상속인의 자녀 한 명뿐이면, 상속받을 수 있었을 이익의 1/2만 법으로 보장된다고 하였으므로 병의 유류분은 상속 개시 당시에 갑이 가졌던 재산 B 물건의 가치 100에 이미 무상 취득자 을에게 넘어간 재산 A 물건의 가치 300을 더한 400의 1/2 값인 200만 보장되며, 이때 유류분 부족액은 200에서 이미 상속받은 B 물건의 가치 100을 뺀 100에 해당한다. 4문단에서 유류분권자는 그 물건의 가치에 상당하는 금액에서 유류분 부족액이 차지하는 비율만큼 무상 취득자로부터 반환받을 수 있다고 하였으므로, 유류분 반환의 대상은 현재 A 물건의 시가 700에서 유류분 부족액 100만큼의 비율, 즉 A 물건의 1/7 지분임을 알 수 있다.

오답설명

① A 물건의 시가가 을의 노력과 무관하게 상승한 경우, 5문단에 따라 유류분 부족액은 상속 개시 당시의 시가를 기준으로 하여야 한다. 즉 A 물건의 유류분 부족액은 갑이 사망했을 당시 시가인 700을 기준으로 한다. 이때 병의 유류분은 상속 개시 당시에 갑이 가졌던 재산 B 물건의 가치 100에 이미 무상 취득자 을에게 넘어간 재산 A 물건의 가치 700을 더한 800의 1/2인 400만 보장되며, 유류분 부족액은 400에 이미 상속받은 B 물건의 가치 100을 뺀 300이므로 적절하다.

② A 물건의 시가가 을의 노력과 무관하게 상승한 경우, A 물건의 유류분 부족액은 300이며, 4문단에서 유류분권자는 그 물건의 가치에 상당하는 금액에서 유류분 부족액이 차지하는 비율만큼 무상 취득자로부터 반환받을 수 있다고 하였으므로, 유류분 반환의 대상은 현재 A 물건의 시가 700에서 유류분 부족액 300만큼의 비율, 즉 A 물건의 3/7 지분임을 알 수 있다.

③ A 물건의 시가가 을의 노력으로 상승했다면, 을이 A 물건을 소유하게 되었을 당시의 시가인 300을 유류분 부족액을 계산하는 기준으로 한다. 병의 유류분은 상속 개시 당시에 갑이 가졌던 재산 B 물건의 가치 100에 이미 무상 취득자 을에게 넘어간 재산 A 물건의 가치 300을 더한 400의 1/2 값인 200만 보장되며, 유류분 부족액은 200에 이미 상속받은 B 물건의 가치 100을 뺀 100이므로 적절하다.

⑤ 갑이 상속 개시 당시 소유했던 재산은 B 물건이며, 이로부터 병이 취득할 수 있는 이익은 A 물건의 시가와 상관없이 동일하다.

구조도 정답

① 무상 처분자
② 유류분권
③ 무상 취득자
④ 유류분 부족액
⑤ 돈
⑥ 지분
⑦ 상속 개시

지문분석

민법과 행정 법령에서의 불확정 개념

→ 법령의 조문 'A에 해당하면(=(①)) B를 해야 한다(=(②))' = 조건문

⋯⋯⋯⋯⋯⋯⋯⋯⋯⋯⋯⋯⋯⋯⋯⋯⋯⋯⋯

→ **민법**

예)
(③)은 위약금의 일종
계약 위반에 대한 제재인 (④)도 위약금에 속함.
위약금의 성격이 둘 중 무엇인지 증명 × → (③)으로 다루어짐.

계약 위반 발생

1) 채권자가 손해 액수 증명
→ 그 액수만큼 손해 배상금 받을 수 ○

2) (③)이 정해져 있었음
→ 채권자가 손해 액수 증명 ×
→ (③)만큼 손해 배상금 받을 수 ○
(법원이 감액할 수 ○)

3) (⑤)이 위약벌임이 증명
→ 채권자는 위약벌에 해당하는 위약금을 받을 수 ○
(법원이 감액할 수 ×)
(채권자가 손해 액수 증명 ○ → 손해 배상금 받을 수 ○)

⋯⋯⋯⋯⋯⋯⋯⋯⋯⋯⋯⋯⋯⋯⋯⋯⋯⋯⋯

→ **행정 법령**

– (⑥) 행위 : 법령상 요건 충족
→ 그 효과로서 행정청이 반드시 해야 하는 특정 내용

– (⑦) 행위 : 법령상 요건이 충족
→ 그 효과인 행정 작용의 구체적 내용을 고를 수 있는 재량이 행정청에 주어짐.

(⑧) : 행정청이 재량으로 정한 재량 행사의 기준

– (⑧)대로 재량을 행사하지 않음 → 근거 법령 위반 ×
BUT, 행정 관행이 생긴 후 → 행정청은 동일한 내용의 행정 작용을 해야 함.
(∵ 평등 원칙을 지켜야 함)

형태쌤 Comment

민법과 행정 법령에서 공통으로 적용되는 '불확정 개념'에 대한 지문이다. 민법과 행정 법령에서 불확정 개념이 각각 어떻게 적용되는지를 주목하면서 지문을 읽어 나갔어야 한다.

문제분석 **01-04번**

번호	정답	정답률 (%)	선지별 선택비율(%)				
			①	②	③	④	⑤
1	④	87	3	4	3	87	3
2	⑤	57	10	7	18	8	57
3	②	43	4	43	16	27	10
4	⑤	94	3	1	1	1	94

01

정답설명

④ 3문단에서 알 수 있듯이 법령에서 불확정 개념이 사용되면 이에 근거한 행정 작용은 '대개' 재량 행위이다. 즉, 기속 행위보다 재량 행위인 경우가 더 많은 것으로 볼 수 있다.

오답설명

① '항상 ~인 것은 아니다'라는 말은 '100% ~인 것은 아니다'라는 뜻이다. 1문단의 '그 요건이나 효과가 항상 일의적인 것은 아니다.'에서 알 수 있듯이, 요건과 효과가 일의적(뜻이나 결과가 같은 것)이지 않을 때도 있다. 그리고 '법조문에는 구체적 상황을 고려해야 그 상황에 맞는 진정한 의미가 파악되는 불확정 개념이 사용될 수 있기 때문이다.'에서 알 수 있듯이 법령의 요건과 효과에는 불확정 개념이 사용될 수 있다.

② 1문단의 '이때 법원은 요건과 효과를 재량으로 판단할 수 있다.'에서 알 수 있다.

③ 1문단의 '법조문에는 구체적 상황을 고려해야 그 상황에 맞는 진정한 의미가 파악되는 불확정 개념이 사용될 수 있기 때문이다.'에서 구체적 상황에 대한 고려는 불확정 개념 사용을 위한 필수 행위임을 알 수 있다.

⑤ 선지의 '행정청이 행하는 법 집행 작용을 규율하는 법령'은 행정 법령을 뜻한다. 3문단의 '불확정 개념은 행정 법령에도 사용된다. 행정 법령은 행정청이 구체적 사실에 대해 행하는 법 집행인 행정 작용을 규율한다.'에서 행정 법령에 불확정 개념을 사용할 수 있음을 알 수 있다. 그리고 선지의 '개인 간의 계약 관계를 규율하는 법률'은 민법을 뜻한다. 1문단의 '개인 간 법률관계를 규율하는 민법에서 불확정 개념이 사용된 예로'에서 알 수 있듯이 민법에서도 불확정 개념을 사용할 수 있다.

02

정답설명

⑤ 4문단의 '재량 준칙은 법령이 아니므로 재량 준칙대로 재량을 행사하지 않아도 근거 법령 위반은 아니다.'에서 재량 준칙은 법령이 아니기 때문에 반드시 따라야 하는 것은 아님을 알 수 있다. 다만, 특정 요건 하에 재량 준칙대로 특정한 내용의 적법한 행정 작용이 반복되어 행정 관행이 생긴 후에는, 같은 요건이 충족되면 행정청은 동일한 내용의 행정 작용을 해야 한다.

오답설명

① 재량 준칙은 법령이 아니므로 '재량 준칙은 법령이 아니기 때문에'라는 선지의 내용은 적절하다. 그러나 '일의적이지 않은 개념으로 규정된다.'는 옳지 않다. 그 이유는 4문단에서 '행정청은 재량으로 재량 행사의 기준을 명확히 정할 수 있는데'라고 하였는데, '명확히 정한다'는 것은 '일의적인 것'이라는 의미이기 때문이다. 즉 재량 준칙은 법령이 아닌 것은 맞으나, 일의적인 개념인 것이다.

② 3문단의 '법령상 요건이 충족되면 그 효과로서 행정청이 반드시 해야 하는 특정 내용의 행정 작용은 기속 행위이다.'에서, 기속 행위는 법령상 요건이 충족되면 행정청이 반드시 특정 내용의 행정 작용을 해야 함을 알 수 있다. 그러나 4문단의 '재량 준칙은 법령이 아니므로 재량 준칙대로 재량을 행사하지 않아도 근거 법령 위반은 아니다.'에서, 재량 준칙은 재량 준칙대로 재량을 행사하지 않아도 됨을 알 수 있다. 따라서 재량 준칙은 기속 행위가 아닌 재량 행위와 관련된 것이며, 재량 행위와 기속 행위는 서로 성격이 대비됨을 알 수 있다.

③ 4문단의 '특정 요건하에 재량 준칙대로 특정한 내용의 적법한 행정 작용이 반복되어'에서, 재량 준칙은 이미 정해져 있는 상태에서, 정해져 있는 재량 준칙의 내용에 따라 특정 행정 작용이 반복되는 것임을 알 수 있다.

④ 4문단의 '행정청은 재량으로 재량 행사의 기준을 명확히 정할 수 있는데 이 기준을 재량 준칙이라 한다.'에서, 재량이 먼저고 재량 준칙을 만드는 것은 나중에 일어나는 일임을 알 수 있다. 즉, 재량 준칙이 정해져야만 재량을 행사할 수 있는 것이 아니라 재량 준칙이 없을 때에도 재량을 행사할 수 있는 것이다.

03

형태쌤의 과외시간

〈보기〉의 상황을 지문과 관련지어 정리해 보자.

(가) 갑과 을 사이에 위약금 약정이 없었다.

(나) 갑이 을에게 위약금 100을 약정했고, 위약금의 성격이 무엇인지 증명되지 못했다.
- 지문 관련 부분 : 위약금의 성격이 둘 중 무엇인지 증명되지 못하면, 손해 배상 예정액으로 다루어진다. 법원이 감액할 수 있다.
- (나)에 적용 : 위약금 100이 손해 배상 예정액이 된다. (약정했다 = 손해 배상 예정액이 정해져 있다.)

(다) 갑이 을에게 위약금 100을 약정했고, 위약금의 성격이 위약벌임이 증명되었다.
- 지문 관련 부분 : 위약금이 위약벌임이 증명되면 채권자는 위약벌에 해당하는 위약금을 받을 수 있다. 법원이 감액할 수 없다.
- (다)에 적용 : 위약금 100이 바로 위약벌이 된다. 즉, 위약금에 해당하는 위약벌을 받을 수 있다. 그리고 손해 액수가 증명되면 손해 배상금도 받을 수 있다.

정답설명

② 위약금의 성격이 둘 중 무엇인지 증명되지 못하면, 손해 배상 예정액으로 다루어진다. 따라서 위약금 100이 손해 배상 예정액이 되고, 갑이 을에게 100을 지급해야 한다. 그리고 법원이 감액할 수 있다.

오답설명

① 2문단에 따르면 손해 액수를 증명해야 손해 배상금을 받을 수 있고, 손해 액수가 얼마인지 증명을 못하면 손해 배상금을 받을 수 없다는 것을 알 수 있다. (가)에서는 을의 손해가 얼마인지 증명되지 못하였기 때문에 손해 배상금을 받을 수 없다.

③ (나)에서 을의 손해가 얼마인지 증명되지 못한 경우, 갑이 을에게 100을 지급해야 하는 것은 맞다. 그러나 손해 배상 예정액이므로 법원이 감액할 수 '있다.'

④ 위약금이 100, 손해 배상금이 80이다. (다)에서 을의 손해가 80임이 증명된 경우, 갑이 을에게 180을 지급해야 하는 것은 맞다. 그러나 위약벌이므로 법원이 감액할 수 '없다.'

⑤ 을의 손해가 얼마인지 증명되지 못한 경우 위약벌에 해당하는 위약금만 받으면 된다. 위약벌이 100이므로 100만큼 받으면 된다. 즉 갑이 을에게 80이 아닌 100을 지급해야 한다.

04

정답설명

⑤ 단어 문제를 풀 때에는 해당 단어의 주변에 있는 말도 성격이 유사한지를 따져야 한다. '원칙'과 '약속'은 '꼭 지키기로 한 것'이라는 유사한 속성을 지닌다. ⓔ와 ⑤의 '지키다'는 '규정, 약속, 법, 예의 따위를 어기지 아니하고 그대로 실행하다.'의 의미로 쓰인다.

오답설명

① ⓐ의 '맞다'는 '어떤 행동, 의견, 상황 따위가 다른 것과 서로 어긋나지 아니하고 같거나 어울리다.'의 의미로 쓰인다. ①의 '맞다'는 '어떤 대상의 내용, 정체 따위의 무엇임이 틀림이 없다.'의 의미로 쓰인다.

② ⓑ의 '들다'는 '설명하거나 증명하기 위하여 사실을 가져다 대다.'의 의미로 쓰인다. ②의 '들다'는 '적금이나 보험 따위의 거래를 시작하다.'의 의미로 쓰인다.

③ ⓒ의 '받다'는 '다른 사람이 주거나 보내오는 물건 따위를 가지다.'의 의미로 쓰인다. ③의 '받다'는 '다른 사람이나 대상이 가하는 행동, 심리적인 작용 따위를 당하거나 입다.'의 의미로 쓰인다.

④ ⓓ의 '고르다'는 '여럿 중에서 가려내거나 뽑다.'의 의미로 쓰인다. ④의 '고르다'는 '울퉁불퉁한 것을 평평하게 하거나 들쭉날쭉한 것을 가지런하게 하다.'의 의미로 쓰인다.

구조도 정답

① 요건 ② 효과 ③ 손해 배상 예정액
④ 위약벌 ⑤ 위약금 ⑥ 기속
⑦ 재량 ⑧ 재량 준칙

지문분석

공포 소구 이론

↳ 공포 소구 : (①)를 따르지 않을 때의 해로운 결과를 강조하여 수용자를 설득하는 것

재니스(초기 연구)

공포 소구의 설득 효과에 주목함.
공포 소구를 세 가지 수준으로 나누어 실험 →
(②) 수준의 공포 소구가 가장 큰 설득 효과를 보임.

레벤달(공포 소구 연구 진척)

－(③) 측면만 생각한 재니스의 연구를 비판함.
－수용자들의 인지적 반응도 고려함.

두 가지 통제 반응 연구 : 공포 통제 반응, 위험 통제 반응
(④) 통제 반응 = 감정적 반응
                        : 수용자들이 공포 소구의 위험을 무시함.
(⑤) 통제 반응 = 인지적 반응
                        : 수용자들이 공포 소구의 권고를 따름.

위티(재니스+레벤달 종합)

설득 효과를 좌우하는 요인 설정 : 위협, 효능감
(⑥) : 수용자가 위험을 겪을 수 있고,
           느끼는 위험 정도가 클 때 높음.
(⑦) : 권고를 이행하면 위험을 예방할 수 있고,
           권고를 이행할 능력이 있다고 느낄 때 높음.

레벤달이 말한 두 가지 통제 반응과 관련 지음.
1) 위협↑ 효능감↑ : 위험 통제 반응 작동
2) 위협↑ 효능감↓ : 공포 통제 반응 작동
3) 위협↓ 효능감↑, ↓ : 공포 소구에 대한 반응 ✕

형태쌤 Comment

1문단에서는 공포 소구의 초기 연구를 대표하는 재니스의 이론을 제시하고, 2문단에서는 레벤달의 이론을 제시하며, 3~4문단에서는 이러한 연구들을 종합한 위티의 이론을 설명하고 있다. 지문 구조 자체는 복잡하지 않으니, 여러 연구의 차이점에 주목한다면 어렵지 않게 문제를 풀 수 있었을 것이다.

문제분석 01-04번

번호	정답	정답률 (%)	선지별 선택비율(%)				
			①	②	③	④	⑤
1	②	94	1	94	2	2	1
2	④	90	1	1	5	90	3
3	⑤	88	1	3	4	4	88
4	⑤	90	1	5	2	2	90

01

정답설명

② 공포 소구에 대한 정의를 제시한 후 공포 소구에 대한 이론을 재니스, 레벤달, 위티의 연구 순으로 서술하며, 각각의 연구를 선행 연구와 연결하여 설명하고 있다.

오답설명

① 1문단에서 공포 소구가 1950년대 초부터 설득 전략 연구자들의 연구 대상이 되었음을 제시하고 있으나, 공포 소구 연구가 시작된 사회적 배경을 분석하고 있지는 않다.
③ 윗글에서는 공포 소구 연구들을 연구의 대표자에 따라 분류하고 있으며, 이러한 기준에 대한 문제점을 검토하고 있지 않다.
④ 4문단에서 앞서 소개한 공포 소구 이론들이 통합된 결과가 후속 연구에 영향을 끼쳤다는 내용은 찾아볼 수 있으나, 남겨진 연구 과제를 제시하고 있지는 않다.
⑤ 공포 소구 연구들이 봉착했던 난관은 제시되지 않았으며, 그 극복 과정도 소개하고 있지 않다.

02

정답설명

④ 2문단에서 '위험 통제 반응'이 작동하면 '수용자들은 공포 소구의 권고를 따르게' 된다고 하였고, 3문단에서 '수용자가 공포 소구에 담긴 위험을 자신이 겪을 수 있는 것이고 그 위험의 정도가 크다고 느끼면, 그 공포 소구는 위협의 수준이 높다.'라고 하였다. 또한 4문단에서 '위협과 효능감의 수준이 모두 높을 때에는 위험 통제 반응이 작동'한다고 하였으므로, 수용자는 공포 소구에 담긴 위험을 강하게 느낄 때 공포 소구의 권고를 따르게 됨을 확인할 수 있다.

오답설명

① 1문단의 '수용자에게 공포 소구를 세 가지 수준으로 달리 제시하는 실험을 한 결과, 중간 수준의 공포 소구가 가장 큰 설득 효과를 보인다는 것을 발견하였다.'에서 확인할 수 있다.
② 2문단의 '공포 소구 연구를 진척시킨 레벤달은 재니스의 연구가 인간의 감정적 측면에만 치우쳤다고 비판하며, 공포 소구의 효과는 수용자의 감정적 반응만이 아니라 인지적 반응과도 관련된다고 하였다.'에서 확인할 수 있다.

③ 2문단에 따르면, 레벤달은 위험 통제 반응이 작동하면 수용자들은 공포 소구의 권고를 따르게 되지만, 공포 통제 반응이 작동하면 수용자들은 공포 소구로 인한 두려움의 감정을 통제하기 위해 오히려 공포 소구에 담긴 위험을 무시하려는 반응을 보이게 된다고 하였다.

⑤ 3문단과 4문단에 따르면, 위티는 공포 소구의 설득 효과를 좌우하는 두 요인으로 위협과 효능감을 설정하고, 각 요인이 갖는 수준의 정도에 따라 공포 소구의 설득 효과, 즉 공포 소구에 대한 수용자의 반응이 다르다는 결론을 도출하였다. 이때 위협과 효능감의 각 수준의 조합은 공포 소구의 설득 효과에 영향을 미칠 뿐, 두 요인 간에 따로 오가는 영향은 없으므로 선지의 설명은 적절하다.

03

주요 개념에 대한 증감/비례 관계의 설명이 나올 땐 독해를 하면서 밑줄을 그어야 한다. 위협 수준과 효능감 수준에 따라 어떤 통제 반응이 나오는지 체크하고, 이를 〈보기〉에 대입하면 선지를 빨리 파악할 수 있다.

형태쌤의 과외시간

		효능감	
		↑	↓
위협	↑	집단 3 (위험 통제 반응)	집단 4 (공포 통제 반응)
	↓	집단 1, 집단 2 (공포 소구 반응 X)	

위협 수준이 낮으면 그 위험이 자신에게 영향을 주지 않는다고 판단해 공포 소구에 대한 반응이 없게 된다. 따라서, 집단 1과 2는 위협 수준이 낮을 것이다. 집단 3은 위험 통제 반응이 일어났기 때문에 높은 수준의 효능감을, 집단 4는 공포 통제 반응이 일어났기 때문에 낮은 수준의 효능감을 갖는다.

정답설명

⑤ 집단 3은 위험 통제 반응이, 집단 4는 공포 통제 반응이 작동하였다고 하였다. 4문단에 따르면, 위험 통제 반응이 작동하는 경우는 위협과 효능감의 수준이 모두 높을 때, 공포 통제 반응이 작동하는 경우는 위협의 수준은 높지만 효능감의 수준이 낮을 때이다. 따라서 두 집단은 효능감의 수준이 다르다는 것을 파악할 수 있다.

오답설명

① 4문단에 따르면, 위협의 수준이 낮을 때 효능감의 수준에 관계없이 공포 소구에 대한 반응이 없게 된다고 하였다. 따라서 공포 소구에 대한 반응이 없는 집단 1은 위협의 수준이 낮다는 것을 파악할 수 있다.

② 4문단에 따르면, 위험 통제 반응이 작동하는 경우는 위협과 효능감의 수준이 모두 높을 때이다. 따라서 위험 통제 반응이 작동한 집단 3은 효능감의 수준이 높다는 것을 파악할 수 있다.

③ 4문단에 따르면, 공포 통제 반응이 작동하는 경우는 위협의 수준은 높지만 효능감의 수준이 낮을 때이다. 따라서 공포 통제 반응이 작동한 집단 4는 위협의 수준과 효능감의 수준이 서로 다르다는 것을 파악할 수 있다.

④ 집단 2는 공포 소구에 대한 반응이 없는 반면 집단 4는 공포 통제 반응이 작동하였다고 하였다. 4문단에 따르면, 위협의 수준이 낮을 때 효능감의 수준에 관계없이 공포 소구에 대한 반응이 없게 된다고 하였고, 위협의 수준은 높지만 효능감의 수준이 낮을 때 공포 통제 반응이 작동한다고 하였다. 따라서 집단 2와 집단 4의 위협의 수준은 서로 다르다는 것을 파악할 수 있다.

04

정답설명

⑤ ⑩의 '주다'는 '남에게 어떤 일이나 감정을 겪게 하거나 느끼게 하다.'의 의미로 쓰였으나, ⑤의 '기여하다'는 '도움이 되도록 이바지하다.'의 의미로 쓰였으므로 바꿔 쓰기에 적절하지 않다. 또한 ⑩의 '주다'는 목적어를 취하는 타동사인데 ⑤의 '기여하다'는 자동사이므로 바꿔 쓸 수 없다.

오답설명

① ㉠의 '치우치다'와 ①의 '편향되다'는 '균형을 잃고 한쪽으로 쏠리다.', '한쪽으로 치우치게 되다.'의 의미로 쓰였으므로 바꿔 쓰기에 적절하다.

② ㉡의 '부르다'와 ②의 '명명하다'는 '무엇이라고 가리켜 말하거나 이름을 붙이다.', '사람, 사물, 사건 따위의 대상에 이름을 지어 붙이다.'의 의미로 쓰였으므로 바꿔 쓰기에 적절하다.

③ ㉢의 '겪다'와 ③의 '경험하다'는 '어렵거나 경험될 만한 일을 당하여 치르다.'와 '자신이 실제로 해 보거나 겪어 보다.'의 의미로 쓰였으므로 바꿔 쓰기에 적절하다.

④ ㉣의 '보내다'와 ④의 '발송하다'는 '사람이나 물건 따위를 다른 곳으로 가게 하다.', '물건, 편지, 서류 따위를 우편이나 운송 수단을 이용하여 보내다.'의 의미로 쓰였으므로 바꿔 쓰기에 적절하다.

구조도 정답
① 권고
② 중간
③ 감정적
④ 공포
⑤ 위험
⑥ 위협
⑦ 효능감

지문분석

데이터 경제

↳ 데이터 : 물리적 형체 x, 복제와 재사용이 수월함. ex) 교통 이용 내역
 개인 = 정보 주체

↳ 빅 데이터 : 데이터 대량 집적·처리된 것. (①) 가치를 지님.
 정보 처리자 = 빅 데이터 보유자

↳ **데이터 소유권의 주체에 대한 견해**

 1) 빅 데이터 보유자 : 빅 데이터 생성 및 유통 용이
 → 데이터 관련 산업 활성화
 2) 정보 주체 : 정보 생산 주체는 개인
 → 빅 데이터 보유자에게 부가 집중되면 x

↳ **데이터 이동권의 법제화**

 데이터 이동권 : 정보 주체가 본인의 데이터를 보유한 자에게 데이터
 (②)을 요청하면 본인이나 제3자에게 (③)으로 전송하게
 하는 권리

 우리나라는 소유권이 아닌 이동권을 법으로 명문화함.
 → 정보 주체의 개인 정보 자기 결정권 강화
 but (④)가 수집·개발 과정을 거쳐 새로운 가치가
 생성된 것은 해당 x

 데이터 이동권 법제화 이전 :
 은행 간에 계좌 자동 이체 항목을 이동하는 서비스는 존재

 데이터 이동권 도입 → 정보 주체의 행동 양상과 관련한 부분까지
 자율적으로 통제·관리 가능한 범위가 확대
 ex) 쇼핑몰 상품 소비 이력

 기업 : 데이터 생성 비용과 거래 비용 절감
 → 기업 간 공유나 유통 촉진, 관련 산업 활성화

 데이터 생성 비용 : 기업 내에서 데이터를 개발할 때
 발생하는 비용

 데이터 거래 비용 : 경제 주체 간 거래 시 발생하는 비용

 기업 간 데이터 이동의 문제점

 특정 기업에 데이터가 집중됨. → 데이터 공유나 유통 위축

 신규 기업의 시장 진입이 어려움. → 기존 기업의 (⑤) 강화

형태쌤 Comment

 '데이터 경제'를 다룬 지문이다. '데이터 소유권'에 대한 논의를 진행하다가 '데이터 이동권'으로 화제를 바꿔, 이에 대한 얘기를 집중적으로 서술하고 있음을 파악할 수 있다. 지문 내용이 그렇게까지 까다롭지는 않으니 문제를 풀 때 지문과 선지를 비교하며 차분하게 접근하면 된다.

문제분석 01-04번

번호	정답	정답률(%)	선지별 선택비율(%)				
			①	②	③	④	⑤
1	③	89	1	3	89	3	4
2	⑤	61	3	12	5	19	61
3	④	74	3	6	7	74	10
4	①	91	91	0	6	3	0

01

정답설명

③ 2문단에 따르면 데이터 소유권이 빅 데이터 보유자와 정보 주체 중 누구에게 귀속되어야 하는지에 관한 논의가 있으나, 3문단에서 우리나라 현행법에서는 데이터에 대해 소유권이 아닌 이동권을 명문화하고 있다고 제시하였다. 따라서 우리나라에 정보 주체의 데이터 이동권을 인정하는 규정은 있으나, 데이터의 소유권을 인정하는 규정은 없으므로 선지의 내용은 적절하지 않다. 이 선지는 '소유권이 아닌 이동권을 법으로 명문화'했다는 것을 잘 읽는 게 핵심이었다.

오답설명

① 1문단의 '데이터는 물리적 형체가 없고, 복제와 재사용이 수월하다.'에서 확인할 수 있다.

② 1문단에 따르면 '교통 이용 내역'은 개인의 데이터이다. 이러한 데이터가 대량으로 집적·처리되면 빅 데이터가 되며, '산업 분야의 빅 데이터는 특정한 목적으로 활용될 수 있다는 점에서 경제적 가치를 지닌다.'라고 하였으므로 적절하다.

④ 2문단에 따르면 데이터의 소유권이 정보를 생산하는 정보 주체에게 있다고 보는 입장에서는 빅 데이터 보유자가 데이터 소유권을 가지면 이로 인해 발생한 이득이 빅 데이터 보유자에게 집중되므로 부당하다고 보았다.

⑤ 3문단의 '데이터 이동권의 도입으로 쇼핑몰 상품 소비 이력 등 정보 주체의 행동 양상과 관련된 부분까지 정보 주체가 자율적으로 통제·관리할 수 있는 범위가 확대되었다.'에서 확인할 수 있다.

02

형태쌤의 과외시간

[A] : 데이터 이동권 법제화로 인한 영향을 긍정적으로 보는 입장
(생성 비용, 거래 비용 절감 → 공유나 유통 촉진, 관련 산업 활성화)
[B] : 데이터 이동권 법제화로 인한 영향을 부정적으로 보는 입장
(특정 기업이 데이터 독점 → 신규 기업은 시장 진입 어려움. → 데이터 공유나 유통 위축)

정답설명

⑤ 3문단에 따르면 데이터 이동권은 정보 주체가 자신의 데이터를 보유한 자로 하여금 자신 혹은 자신이 지정한 제3자에게 무상으로 전송하게 하는 권리이다. 따라서 정보 주체의 데이터를 보유했던 기업(㉯)은 정보 주체가 지정하여 데이터를 전송받게 된 기업(㉮)에 데이터를 무상으로 전송하므로 경제적 이득을 취하지 않는다. 오히려 ㉯가 아닌 데이터를 무상으로 전송받게 된 ㉮가 경제적 이득을 취하는 것이므로 해당 선지의 내용은 적절하지 않다.

오답설명

① [A]는 데이터 이동권의 법제화로 기업이 스스로 데이터를 수집할 때보다 전송받은 데이터를 복제 및 재사용하게 되면 생성 비용을 절감할 수 있다고 보았다. 따라서 정보 주체가 지정하여 데이터를 전송받게 된 기업(㉮)은 정보 주체의 데이터를 보유했던 기업(㉯)이 정보 주체의 데이터를 재사용할 수 있으므로 데이터를 개발할 때 발생하는 비용인 생성 비용을 줄일 수 있다.

② [A]는 데이터 이동권의 법제화로 계약 체결이나 분쟁 해결 등의 과정에서 생기는 거래 비용을 줄일 수 있다고 보았다. 따라서 정보 주체가 데이터 이동을 요청하여 데이터를 전송받는 제3자가 데이터 보유량이 적은 신규 기업(㉯)이라면 데이터를 전송받을 때 계약 체결이나 분쟁 등이 발생하지 않으므로 거래 비용을 줄일 수 있을 것이다.

③ [B]는 '데이터 보유량이 적은 신규 기업(㉯)은 기존 기업과 거래를 통해 데이터를 수집하는 것이 데이터 생성 비용 절감에도 효율적이다.'라고 하였다. 하지만 데이터가 집중된 기존 기업(㉮)이 데이터 보유량이 적은 신규 기업(㉯)에게 집적·처리된 데이터를 공유하려 하지 않으면 ㉯는 데이터 생성 비용이 절감되지 않아 시장 진입이 어려워질 것이다.

④ [A]는 데이터 이동권의 법제화로 기업 간 공유나 유통이 촉진되어 관련 산업이 활성화될 것이라고 보았다. 하지만 [B]에서는 정보 주체가 보안의 신뢰성이 높고 데이터 제공에 따른 혜택이 많은 기업으로 데이터를 이동하면, 데이터가 집중되어 데이터의 공유나 유통이 위축될 수 있다고 보았다. 즉 [B]의 입장에서, 정보 주체의 데이터가 정보 주체의 데이터를 보유했던 기업(㉯)에서 데이터가 집중된 기존 기업(㉮)으로 이동하여 직접·처리될수록 기업 간 공유나 유통이 위축될 수 있다고 볼 것이다.

03

'고객 맞춤형 금융 상품 추천 서비스'가 A 은행이 분석·가공한 데이터 서비스라는 것을 정확히 독해했다면 함정에 빠지지 않고 정답을 한 번에 골랐을 것이다.

정답설명

④ 3문단에서 본인의 데이터라도 빅 데이터 보유자가 수집하여, 분석·가공하는 개발 과정을 거쳐 새로운 가치가 생성된 것은 데이터 이동권의 대상이 아니라고 하였다. 갑이 B 은행으로 이동시키고자 하는 A 은행의 '연령별 맞춤형 금융 상품 추천 서비스 내역'은 A 은행이 수집한 고객 데이터를 분석·가공하여 개발한 것이므로, 갑이 데이터 이동권을 행사할 수 없다.

오답설명

① 1문단, 3문단을 통해 '교통 이용 내역'과 같은 기록은 '개인의 데이터'이며, 데이터 이동권은 정보 주체가 본인의 데이터를 보유한 자에게 데이터 이동을 요청하면 그 데이터를 본인 혹은 지정한 제3자에게 무상으로 전송하게 하는 권리임을 알 수 있다. 따라서 A 은행은 갑의 요청에 따라 갑의 데이터인 '체크 카드 사용 내역'을 B 은행으로 전송해야 한다.

② 3문단에 따르면 우리나라는 데이터에 대해 이동권을 법으로 명문화하여 정보 주체의 개인 정보 자기 결정권을 강화하였으며, 주체의 행동 양상과 관련된 부분까지 정보 주체가 자율적으로 통제·관리할 수 있는 범위가 확대되었다고 하였다. 따라서 A 은행에 대한 갑의 데이터 이동 요청은 정보 주체의 자율적 관리이므로, 강화된 개인 정보 자기 결정권의 행사로 보는 것이 적절하다.

③ 2문단에 따르면 소유권 주체가 정보 주체라고 보는 입장에서는, 정보 생산 주체가 아닌 빅 데이터 보유자에게 부가 집중되는 것은 부당하므로 정보 주체에게도 대가가 주어져야 한다고 보았다. 따라서 갑이 본인의 데이터 제공에 동의하여 A 은행으로부터 받은 포인트는 데이터 제공에 대한 대가로 보는 것이 적절하다.

⑤ 3문단의 '법제화 이전에도 은행 간에 계좌 자동 이체 항목을 이동할 수 있는 서비스는 있었다.'에서 확인할 수 있다.

04

정답설명

① ⓐ의 '쉽다'는 '하기가 까다롭거나 힘들지 않다.'의 뜻으로, '어렵지 아니하고 매우 쉽다.'라는 뜻의 '용이하다'로 바꾸어 쓰기 적절하다. 또한 ⓑ의 '따르다'는 '어떤 경우, 사실이나 기준 따위에 의거하다.'의 뜻으로, '어떤 일이나 판단, 주장 따위가 어떤 현상이나 사실에 바탕을 두다.'라는 뜻의 '근거하다'로 바꾸어 쓰기 적절하다.

오답설명

②, ⑤ ⓐ의 '쉽다'는 '세력이나 재산이 있다.' 또는 '가능성이 많다.'라는 뜻의 '유력하다'로 바꾸어 쓰기 적절하지 않다. ⓑ의 '따르다'는 '어떤 경우, 사실이나 기준 따위에 의거하다.'의 뜻으로, '근거를 두다.'라는 뜻의 '기초하다'로 바꾸어 쓰기 적절하지 않다.

③, ④ ⓐ의 '쉽다'는 '모난 데가 없고 원만하다.' 또는 '거침이 없이 잘 나가는 상태에 있다.'라는 뜻의 '원활하다'로 바꾸어 쓰기 적절하지 않다. ⓑ의 '따르다'는 '어떤 것에 몸이나 마음을 의지하여 맡기다.'라는 뜻의 '의탁하다'로 바꾸어 쓰기 적절하지 않다.

구조도 정답

① 경제적   ② 이동
③ 무상   ④ 빅 데이터 보유자
⑤ 독점화

지문분석

선거 방송 보도

└─ **경마식 보도** : 지지율 변화나 득표율 예측 등을 집중 보도
  선거일이 가까워질수록 (①)

  장점 : 선거, 정치에 무관심한 유권자들의 선거 참여, 정치 참여를 독려

  문제점 : 선거의 주요 의제를 도외시하고 경쟁 결과에 초점
  → 선거의 (②) 저해

  문제점을 줄이려는 조치

  「공직선거법」의 규정 – 여론조사 언제든 가능, but 결과 보도는
  선거일 (③) 전부터 (④) 시각까지 금지
  → 헌법재판소 합헌(국민의 알 권리, 언론 자유 침해 X)

  「공직선거법」에 근거를 둔 「선거방송심의에 관한 특별규정」:
  사실 왜곡 보도 금지 / 여론조사 결과가 (⑤) 내에 있을 때
  이를 밝히지 않고 서열, 우열을 나타내는 보도 금지

  언론 단체의 「선거여론조사보도준칙」:
  표본 오차 감안하여 여론조사 결과를 정확히 보도하도록 요구
  → 오차 범위 내에 있을 때 "경합"이라는 표현은 O
    서열화하거나 우열을 나타내어 보도 X

└─ **선거 방송 한계 보완 방책** : 선거 방송 토론회

  「공직선거법」에 따라 (⑥) 대상 한정 :
  (⑥) 기준 – 5인 이상의 국회의원을 가진 정당이나
    직전 선거에서 3% 이상 득표한 정당이 추천한 후보자,
    여론조사 결과 평균 지지율이 5% 이상인 후보자 등

  헌법재판소 합헌(선거 운동의 기회균등 원칙 침해 X)

  · 다수 의견 : 합리적 제한임.
  → (⑥) 대상 후보자가 많으면 효율적 운영 X,
  관심이 큰 후보자들의 정책 및 자질을 직접 비교할 수 X

  · 소수 의견 : 자의적이고 차별적인 침해임.
  → 일부 후보자에게서 선거 운동 기회 박탈,
  유권자가 모든 후보자 동시에 비교할 수 X,
  (⑥) 여부에 따라 차별적 인식 만듦.

형태쌤 Comment

선거 방송 보도 중 하나인 경마식 보도의 문제점과 이를 보완하기 위한 제도적 장치를 말하고 있다. 문제점을 제시한 뒤 문제점의 원인을 규명하고, 이 원인을 보완하는 해결책을 밝히는 구조로 이루어져 있다. 마지막 부분에 제시된 다수 의견과 소수 의견의 대립점까지 파악할 수 있어야 한다.

문제분석 01-04번

번호	정답	정답률(%)	선지별 선택비율(%)				
			①	②	③	④	⑤
1	⑤	92	1	1	2	4	92
2	③	58	4	11	58	13	14
3	②	70	3	70	5	12	10
4	②	54	10	54	5	24	7

01

정답설명

⑤ 1문단의 '경마식 보도는 선거와 정치에 무관심한 유권자들의 선거 참여, 정치 참여를 독려하는 장점이 있다.'에서 확인할 수 있다.

오답설명

① 1문단의 '경마식 보도는 선거일이 가까워질수록 증가한다.'를 통해 경마식 보도는 선거 기간의 전반기가 아닌 후반기에 더 많다는 것을 알 수 있다.

② 1문단의 '새롭고 재미있는 정보를 원하는 시청자들의 요구에 부응하고, 방송사로서도 매일 새로운 뉴스를 제공하는 방편이 될 수 있기 때문이다.'를 통해 시청자와 방송사의 이해관계가 상반되지 않고 일치함을 알 수 있다.

③ 1문단의 '경마식 보도는 경마 중계를 하듯 지지율 변화나 득표율 예측 등을 집중 보도하는 선거 방송의 한 방식이다.'를 통해 경마식 보도가 당선자 예측과 관련된 정보의 전파에 초점을 맞춘 방식임을 알 수 있다.

④ 1문단의 '흥미를 돋우는 데 치중하는 경마식 보도는 선거의 주요 의제를 도외시하고 경쟁 결과에 초점을 맞춰 선거의 공정성을 저해할 수 있다.'를 통해 경마식 보도는 선거의 핵심 의제에 관한 후보자의 입장을 다룬 보도를 중시하기보다는 흥미를 돋우는 데 치중함을 알 수 있다.

02

정답설명

③ 2문단에 따르면 선거 방송은 경마식 보도의 문제점을 줄이려는 조치인 「공직선거법」의 규정을 따르고 있다. 이때 헌법재판소는 이러한 규정이 '국민의 알 권리와 언론의 자유를 침해하는지'에 대해 합헌 결정을 내렸다고 하였다. 즉 헌법재판소에서는 '국민의 알 권리'와 '언론의 자유'가 서로 충돌하는지의 문제를 논의한 것이 아니라 '여론조사 결과의 보도를 일정 기간 금지하는 규정'이 '국민의 알 권리와 언론의 자유'와 충돌하는지의 문제를 논의한 것이므로 선지의 내용은 적절하지 않다.

오답설명

① 2문단에 따르면 '신뢰할 수 있는 여론조사 결과라 하더라도 선거일에 임박해 보도하면 선거에 영향을 끼칠 수 있다'고 하였다. 따라서 여론조사 결과를 선거일에 임박해 보도하면 선거에 영향을 끼쳐 선거의 공

정성을 위협할 수 있음을 알 수 있다.

② 3문단에 따르면 선거 방송 토론회의 초청 대상자는 한정된다. 초청 기준은 '5인 이상의 국회의원을 가진 정당이나 직전 선거에서 3% 이상 득표한 정당이 추천한 후보자, 또는 언론기관의 여론조사 결과 평균 지지율이 5% 이상인 후보자 등'이라고 하였다. 따라서 정당의 추천을 받지 못해도 다른 방법으로 선거 방송의 초청 대상 후보자 토론회에 참여할 수 있음을 알 수 있다.

④ 2문단의 '당선인을 예상케 하는 여론조사를 실시하는 것은 언제든지 가능하지만, 그 결과의 보도는 선거일 6일 전부터 투표 마감 시각까지 금지된다.'에서 확인할 수 있다.

⑤ 3문단에서 선거 방송 토론회의 초청 대상자는 「공직선거법」의 선거 방송 토론회 규정에 따라 한정됨을 제시하고 있다. 4문단에서는 3문단에 제시한 「공직선거법」의 선거 방송 토론회 규정이 기회균등 원칙을 침해하는지에 대해 헌법 재판소는 위헌이 아니라는 결정을 했음을 밝히고 있다. 이에 대해 소수 의견은 소수 정당이나 정치 신인 등에 대한 자의적이고 차별적인 침해라고 보았으므로, 「공직선거법」의 선거 방송 토론회 규정은 선거 운동의 기회가 모든 후보자에게 균등하게 배분되지 못하도록 할 가능성이 있다고 볼 수 있다.

의에 의해 결정되었기 때문에 자의적인 것이 아니라고 한다면 ⓑ의 입장은 약화될 것이다.

④ 3문단에서 '초청 대상이 아닌 후보자들을 위해 별도의 토론회 개최가 가능'하다고 하였고, 4문단에서는 ⓑ가 선거 방송 토론회 규정이 초청 대상 후보자 토론회에 참여한 후보자와 그렇지 못한 후보자를 차별적으로 인식하게 만든다고 지적하였음을 알 수 있다. 따라서 별도 토론회에서 뛰어난 역량을 보여 주었음에도 별도 토론회에 참여했다는 이유만으로 지지율이 떨어진다면 ⓑ의 입장은 강화될 것이다.

⑤ ⓑ는 후보자의 가장 효과적인 선거 운동의 기회를 일부 후보자에게서 박탈하고, 유권자가 모든 후보자를 동시에 비교하지 못할 것을 근거로 「공직선거법」의 선거 방송 토론회 규정이 차별적인 침해라고 보았다. 따라서 소수 정당 후보자를 주요 후보자들과 동시에 비교할 수 있는 가장 효율적인 방법이 선거 방송 초청 대상 후보자 토론회라면 ⓑ의 입장은 강화될 것이다.

03

정답설명

형태쌤의 과외시간

「공직선거법」의 선거 방송 토론회 규정에 대한 다수 의견과 소수 의견

ⓐ 다수 의견 : "합리적 제한"
  – 초청 대상 후보자 수가 너무 많으면 제한된 시간 안에 심층적인 토론 x
  – 관심이 큰 후보자들의 정책 및 자질을 직접 비교하기 어려움.
ⓑ 소수 의견 : "자의적이고 차별적인 침해"
  – 일부 후보자에게서 효과적인 선거 운동의 기회를 박탈함.
  – 유권자가 모든 후보자 동시에 비교할 수 x
  – 초청 여부에 따라 후보자를 차별적으로 인식하게 만듦.

② 좋은 정책을 제시한 정치 신인이 선거 방송 초청 대상 후보자 토론회에 초청받지 못한다면 유권자가 모든 후보자를 동시에 비교하지 못하는 상황이 발생할 수 있는데, 이는 규정의 차별성을 부각하는 것이므로 ⓐ(다수 의견)의 입장은 약화되고 ⓑ(소수 의견)의 입장이 강화될 수 있을 것이다.

오답설명

① ⓐ는 방송 토론회의 효율적 운영을 고려할 때 초청 대상 후보자 수가 너무 많으면 제한된 시간 안에 심층적인 토론이 이루어지기 어려움을 근거로 「공직선거법」의 선거 방송 토론회 규정이 합리적이라고 보았다. 따라서 심층 토론을 하지 못한 원인이 시간 제한이나 참여한 후보자의 수와 관계가 없다면 ⓐ의 입장은 약화될 것이다.

③ ⓑ는 선거 방송 토론회에서 초청 대상을 제한하는 규정이 자의적인 침해라고 보았다. 따라서 적정 토론자의 수를 제한하는 기준이 국민의 합

04
정답설명

형태쌤의 과외시간

㉮ 「공직선거법」
- 여론조사 결과의 보도는 선거일 6일 전부터 투표 마감 시각까지 금지

㉯ 「선거방송심의에 관한 특별규정」
- 여론조사 결과가 오차 범위 내에 있을 때에 이를 밝히지 않은 채로 서열이나 우열을 나타내는 보도 금지

㉰ 「선거여론조사보도준칙」
- 지지율 차이가 오차 범위 내에 있을 때 '경합'이라는 표현은 무방함.
- 지지율 차이가 오차 범위 내에 있을 때 서열화하거나 "오차 범위 내에서 앞섰다."라는 표현처럼 우열을 나타내어 보도할 수 없음.

후보자 간 지지율 차이의 오차 범위 / 서열, 우열을 나타내는 표현 가능 여부
• 1차 조사
- A 후보자와 B 후보자의 지지율 차이 : 10%P로 오차 범위 8.8%P 밖
- B 후보자와 C 후보자의 지지율 차이 : 14%P로 오차 범위 8.8%P 밖
→ 후보자들의 서열, 우열을 나타내는 표현으로 보도 ㅇ

• 2차 조사
- A 후보자와 B 후보자의 지지율 차이 : 1%P로 오차 범위 내
- B 후보자와 C 후보자의 지지율 차이 : 20%P로 오차 범위 8.8%P 밖
→ 지지율 차이가 오차 범위 내에 있음을 밝히지 않고 A 후보자와 B 후보자의 서열, 우열을 나타내는 표현은 보도 x / B 후보자와 C 후보자의 서열, 우열을 나타내는 표현으로 보도 ㅇ

• 3차 조사
- A 후보자와 B 후보자의 지지율 차이 : 1%P로 오차 범위 내
- B 후보자와 C 후보자의 지지율 차이 : 21%P로 오차 범위 8.8%P 밖
→ 지지율 차이가 오차 범위 내에 있음을 밝히지 않고 A 후보자와 B 후보자의 서열, 우열을 나타내는 표현 은 보도 x / B 후보자와 C 후보자의 서열, 우열을 나타내는 표현으로 보도 ㅇ

② 〈보기〉의 2차 조사 결과에서 A 후보와 B 후보의 지지율 차이는 오차 범위 8.8%P 내에 있으며, B 후보와 C 후보의 지지율 차이는 오차 범위 밖에 있다. 즉 'A 후보는 B 후보에 조금 앞서고'라고 보도하는 것은 지지율 차이가 오차 범위 내에 있을 때에 이를 밝히지 않은 채로 서열이나 우열을 나타내는 것이므로, ㉯와 ㉰에 모두 위배된다.

오답설명

① 1차 조사 결과 후보자들 간 지지율 차이는 모두 오차 범위 밖이므로 서열이나 우위를 나타내는 보도를 하여도 ㉯와 ㉰에 위배되지 않는다.

③ 3차 조사 결과를 선거일 4일 전에 보도하는 것은 선거일 6일 전부터 여론조사 결과의 보도를 금지하는 ㉮에 위배된다. 또한 3차 조사 결과 A 후보자와 B 후보자의 지지율 차이는 1%P로 오차 범위 내에 있으므로, "A 후보는 오차 범위 내에서 1위"라고 A 후보자의 우열을 나타내어 보

도하는 것은 ㉰에 위배된다.

④ 1차 조사 결과 후보자들 간 지지율 차이는 10%P와 14%P로 모두 오차 범위 8.8%P 밖이므로 서열을 나타내는 보도는 ㉰에 위배되지 않는다. 한편 2차 조사 결과 A 후보자와 B 후보자의 지지율 차이는 1%P로 오차 범위 내에 있으므로, "A 후보 1위, B 후보 2위, C 후보 3위"라고 보도하여 A 후보와 B 후보를 서열화하는 것은 ㉰에 위배된다.

⑤ 2차 조사 결과에서 A 후보와 B 후보의 지지율 차이는 1%P로 오차 범위 내에 있는데, 결과를 서열화하지 않고 "B 후보, A 후보와 오차 범위 내 경합"이라고 보도하고 있으므로 ㉰에 위배되지 않는다. 한편 3차 조사 결과를 선거일 4일 전에 보도하는 것은 선거일 6일 전부터 여론조사 결과의 보도를 금지하는 ㉮에 위배된다.

구조도 정답

① 증가
② 공정성
③ 6일
④ 투표 마감
⑤ 오차 범위
⑥ 초청

| 과외식 기출 분석서, 나기출 |

나 없이
기출
풀지마라

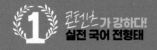

과학

지문분석

우주론

서양의 우주론

고대

아리스토텔레스 (천상계↔지상계), 프톨레마이오스
→ (①)

16세기 전반

(②) : 천체의 운행을 단순화, 수학적 → 태양 중심설

16세기 후반

브라헤 : 아리스토텔레스 형이상학 + 코페르니쿠스 천문학

케플러 : 태양 중심설

(③) → 코페르니쿠스 천문학 수용

경험주의 → 브라헤의 천체 관측치 활용
→ 행성 운동 법칙 수립
아리스토텔레스 형이상학 무너뜨림

17세기 후반

뉴턴 : (④) 정당화

만유인력

두 질점이 서로 당기는 힘

두 질점 질량의 곱에 비례, 거리의 제곱에 반비례

밀도 균질 or 구 대칭인 천체와 질점의 만유인력
= 천체의 (⑤) 각각이 질점을 당기는 만유인력

중국에 전파된 서양의 우주론

16세기 말

청 왕조의 수용(시헌력)

지식인 : 중국과 무관한 서양 과학은 불온한 요소
→ 서양 과학과 중국 전통의 회통 시도

17세기 : 웅명우, 방이지

중국 고대 우주론에 대해 (⑥)

(⑦) + 서양 과학
→ 기(氣)와 빛을 결부한 광학 이론 창안

17세기 후반 : 왕석천, 매문정

서양 과학의(⑧), 수학적 계산 수용

서양 과학의(⑨) 기원론 주장

18세기 초~19세기 중엽

중국 천문학을 중심으로 서양 천문학을 회통하려는 매문정의
입장을 중국의 공식 입장으로 채택
→『사고전서』에 반영

형태쌤 Comment

지문은 통시적인 흐름을 타면서 서양과 중국의 우주론을 비교하는 글로 비교적 무난하다. 하지만 치명적인 파트를 문단 묶음 [A]로 지니고 있다. [A] 부분만 아니었다면, 분명 지문 난이도는 별표 한 개였을 것이다. 하지만 [A] 부분 때문에 난도가 확 올라간 지문이었다.

문제분석 01-06번

번호	정답	정답률 (%)	선지별 선택비율(%)				
			①	②	③	④	⑤
1	②	66	6	66	7	11	10
2	⑤	46	10	6	15	23	46
3	④	43	13	7	13	43	24
4	⑤	51	4	9	17	19	51
5	②	18	16	18	21	31	14
6	②	69	5	69	13	5	8

01

정답설명

② 서양의 우주론의 영향으로 중국의 우주론이 어떻게 변화되었는지는 5~8문단에 소개되어 있다. 17세기에는 중국 고대 우주론을 부정적으로 여기는 웅명우와 방이지 등에 의해 성리학적 기론에 입각해 실증적인 서양 과학을 재해석한 독창적 이론이 제시되었다. 17세기 후반에는 서양 과학의 중국 기원론을 주장한 왕석천과 매문정이 웅명우 등을 비판하며, 중국의 고대 우주론을 재해석·확인하고자 하였다. 따라서 ②의 점검 결과는 '예측과 같음'이 적절하다.

형태쌤의 과외시간

정답은 간결하게 나오는 문제지만, 문제의 발상이 중요하다. 평가원이 1문단을 구성할 때, 이후에 전개될 내용을 고려한다는 것을 확실하게 보여 주는 문제인 것이다. 나기출의 비문학 문제에 대한 해설에서 '필자의 관심사'를 지겹도록 언급한 것도 바로 이 때문이다. 1문단을 독해할 때는 나머지 문단에 대한 내용과 구조를 예측하며, 필자의 관심사에 해당하는 정보를 신경 쓰면서 읽는 것은 대단한 독해법이 아니라, 당연히 요구되는 필수적인 독해법이다. 그래야 긴 지문이나 정보가 많은 지문에서 방향을 잃지 않을 수 있기 때문이다.

오답설명

① 2문단에서 지구 중심설과 태양 중심설의 개념이 설명되었다.

③ 2문단에서 코페르니쿠스가 태양을 중심으로 지구를 비롯한 행성들이 공전하는 우주 모형을 만들었다고 하였다.

④ '회통'은 '언뜻 보기에 서로 어긋나는 뜻이나 주장을 해석하여 조화롭게 함.'이라는 의미이다. 5문단에 의하면, 중국 지식인들은 '서양 과학이

중국의 지적 유산에 적절히 연결되지 않으면 아무리 효율적이라도 불온한 요소로 여겼'기 때문에 '어떤 방식으로든 서양 과학과 중국 전통 사이의 적절한 관계 맺음(=회통)을 통해 이 문제를 해결'하려 했다. 이러한 노력을 6~8문단에서 보여주고 있는 것이다. 따라서 '중국에서 서양의 우주론을 접하고 회통을 시도한 사람은 누구일까?'의 답은 6문단의 웅명우와 방이지, 7, 8문단의 왕석천과 매문정이다. 웅명우, 방이지는 중국의 우주론을 부정한 대신, 성리학적 기론에 입각해 서양 과학을 재해석하였고 매문정은 아예 서양 과학의 중국 기원론을 주장하였다.

⑤ 5문단에서 1644년 청 왕조가 서양 천문학 모델과 계산법을 수용한 시헌력을 공식 채택했음이 언급되었을 뿐, 중국에 서양의 우주론을 전파한 서양의 인물이 누구인지는 제시되어 있지 않다.

02

정답설명

⑤ 서양과 중국 모두 경험적 추론에 기초한 우주론이 제기되었다. 서양에서 경험적 추론에 기초하여 우주론을 제기한 인물은 3문단의 케플러이다. 경험주의자였던 케플러는 브라헤의 천체 관측치를 활용하여 태양 주위를 공전하는 행성의 운동 법칙들을 수립하였다. 중국에서는 7문단의 왕석천과 매문정이 경험적 추론을 통해 우주의 원리를 파악하고자 하였다.

오답설명

① 1문단에서 서양에서의 천문학 개혁이 형이상학을 뒤바꾸는 변혁으로 이어졌다고 하였다. 또한 7문단에서 왕석천과 매문정이 '웅명우 등이~형이상학에 몰두했다고 비판'한 것으로 보아, 중국에서도 형이상학적 사고에 대한 재검토가 이루어졌음을 알 수 있다.

② 5~8문단에서 알 수 있듯이, 중국에서는 서양 천문학을 접한 뒤에 자국의 고대 문헌에 담긴 고대 우주론을 재해석하고 확인하고자 하였다.

③ 5문단에서, 서양 과학의 위상이 구체화된 것은 청 왕조가 서양 천문학 모델과 계산법을 수용한 시헌력을 공식 채택했기 때문이라고 하였다.

④ 8문단에서, 중국 천문학을 중심으로 서양 천문학을 회통하려는 입장이 18세기 초에 중국의 공식 입장으로 채택되었으며 이러한 경향이 19세기 중엽까지 주류를 이루었음을 알 수 있다.

03

정답설명

④ 3문단에서 브라헤가 아리스토텔레스 형이상학과의 상충을 피하고자 달, 태양, 항성들이 고정된 지구의 주위를 공전하며, 지구 외의 행성들은 태양 주위를 공전하는 우주 모형을 제시했다고 하였다.

오답설명

① 아리스토텔레스가 지상계와 천상계를 이분법적으로 본 것은 맞으나, 그는 우주의 중심에 고정되어 움직이지 않는 지구의 주위를 행성들의 천구들과, 항성들이 붙어 있는 항성 천구가 회전한다는 지구 중심설을 주장하였다.

② 2문단에서 코페르니쿠스가 만든 우주 모형이 '프톨레마이오스보다 훨씬

적은 수의 원으로 행성들의 가시적인 운동을 설명'한다고 하였으므로, 프톨레마이오스의 우주론이 행성의 가시적인 운동을 설명하기 위해 많은 수의 원을 썼음을 추론할 수 있다. 그러나 '행성이 태양에서 멀수록 공전 주기가 길어진다는 점에서 단순성이 충족'되는 것은 코페르니쿠스의 태양 중심설이다.

③ 2문단에서, 지구와 행성들이 태양 주위를 공전한다는 코페르니쿠스의 우주론이 이전의 지구 중심설보다 단순한 설명이지만 이는 아리스토텔레스의 형이상학을 무너뜨린다고 하였다. 따라서 코페르니쿠스의 우주론이 아리스토텔레스의 형이상학과 양립(둘이 서로 굽힘없이 맞섬)이 가능하다는 설명은 적절하지 않다.

⑤ 3문단에서, 케플러는 신플라톤주의에 매료되었기 때문에 코페르니쿠스의 천문학을 받아들였고, 경험주의자였기에 브라헤의 천체 관측치를 활용하여 태양 주위를 공전하는 행성의 운동 법칙들을 수립하였다고 하였다. 따라서 태양 주위를 공전하는 행성의 운동 법칙들을 관측치로부터 수립한 케플러의 우주론은, 신플라톤주의가 아니라 브라헤의 천체 관측치에서 경험주의적 근거를 찾은 것임을 알 수 있다.

04

정답설명

⑤ 성리학적 기론에 입각하여 서양의 우주론을 재해석한 것은 6문단의 웅명우와 방이지 등의 학자이다. 이들은 중국 고대 문헌에 수록된 우주론에 대해서는 부정적 태도를 견지하였다.

오답설명

① 5문단에서, 서양 과학에 매료된 중국 학자들이 '서양 과학과 중국 전통 사이의 적절한 관계 맺음'을 시도하였음을 알 수 있다.

② 8문단에서 중국의 역대 지식 성과물을 망라한 총서인 『사고전서』는 중국 천문학을 중심으로 서양 천문학을 회통하려는 입장이 반영된 것이라고 하였다.

③ 6문단에서 방이지는 서양 과학을 재해석한 독창적 이론을 제시하였다고 하였다.

④ 매문정이 서양 과학의 영향을 받아 수학적 계산을 통해 우주의 원리를 파악하고자 했으며, 중국 고대 문헌에 담긴 우주론을 재해석하고자 했다는 것이 7~8문단에 설명되어 있다.

05
정답설명

형태쌤의 과외시간

비문학의 〈보기〉 문제에는 2가지 유형이 있다.

하나는 **지문을 통해 〈보기〉를 바라보는 유형**으로, 지문의 정보와 〈보기〉의 정보를 1:1로 대응시키는 것이 우선이다. 비문학 〈보기〉 문제의 대부분을 차지한다.

또 하나는 **〈보기〉를 통해 지문을 바라보는 유형**으로, 보통 〈보기〉의 정보를 통해 지문의 정보를 반박하거나 비판하는 유형으로 제시가 된다. 문학과 비슷한 유형이라고 보면 된다.

② 이 문제는 첫 번째 유형으로 지문과의 1:1 대응이 핵심이다.

결국 읽다 보면 같은 얘기의 반복인데, 굳이 이렇게 어렵게 표현을 할 필요가 있을까 하는 생각이 드는 문제다. 물론 평가원답게 대단한 추론을 요구하지 않으니, 하나씩 판단해 가보자.

우선 지문인 [A]의 내용을 정리해 보자.

> 만유인력 : 두 질점(질량을 가진 점)이 서로 당기는 힘
> 만유인력의 크기 : 두 질점의 질량의 곱에 비례, 거리의 제곱에 반비례
> 전제1 : 천체가 천체 밖 질점을 당기는 만유인력 = 천체를 잘게 나눈 부피 요소 각각이 천체 밖 질점을 당기는 만유인력의 합
> (여기서 천체는 밀도가 균질 or 구 대칭)
> 전제2 : 지구보다 질량이 큰 태양과 지구가 서로 당기는 만유인력은 같음

⇨ '천체'를 '양파'로, '부피 요소'를 '양파 입자'로, '천체 밖의 질점'을 'P'로 보자. 전제1은 결국 양파(천체)가 P를 당기는 만유인력은, 양파 입자(부피 요소) 각각이 P를 당기는 만유인력의 총합과 같다는 것이다. 만유인력은 질량을 가진 두 점이 서로 당기는 힘이니, '양파'와 '양파 입자'의 총 질량이 같다면, P를 당기는 만유인력도 같다는 얘기다. 전제2가 이해가 되지 않는다고 절망하지 말자. 전제는 출제자와 학생 간 약속으로, 해당 약속을 통해 사고를 간략하게 하자는 것이다.

이번엔 〈보기〉의 내용을 정리한 후에 둘을 1:1 대응시켜 보자.

> 구 : 무한히 작은 부피 요소들로 구성 / 여러 겹의 구 껍질로 구성
> 구 껍질 : 부피 요소들이 빈틈없이 배열된 한 겹
> 부피 요소 : 질량(부피 요소의 부피 × 밀도)을 갖는 질점

⇨ '구'는 '양파'로, '부피 요소'는 '양파 입자'로, '구 껍질'은 '양파 껍질'로 보자. 일단 양파(구)는 작은 양파 입자(부피 요소)로 구성되고, 양파가 여러 겹의 양파 껍질로 구성되듯이 '구'는 수많은 '구 껍질'로 구성된다고 한다. 그리고 '양파 입자(부피 요소)'는 질량을 갖는다고 한다.

> (1) 하나의 구 껍질을 구성하는 부피 요소들이 P(구 외부 질점)를 당기는 만유인력의 총합
> = 그 구 껍질과 동일한 질량을 갖는 질점이 구 껍질의 중심 O에서 P를 당기는 만유인력

⇨ 양파(구) 중 한 겹의 양파 껍질(구 껍질)을 구성하는 양파 입자(부피 요소)들이 P를 당기는 만유인력의 총합은 한 겹의 양파 껍질(구 껍질)과 동일한 질량을 가진 질점이 양파 껍질(구 껍질)의 중심 O에서 P를 당기는 만유인력과 같다.

[A]의 전제1을 떠올려 보자. 양파(천체)가 P를 당기는 만유인력은, 양파 입자(부피 요소) 각각이 P를 당기는 만유인력의 총합과 같다고 하였다. 결국 질량이 같다면, 작용하는 만유인력도 같다는 것이다. 그리고 대칭인 구를 구성하는 양파 껍질(구 껍질)이니, P와 가까운 지점도 있고 먼 지점도 있을 것이다. 거리는 분명 만유인력에 영향을 주는 요소지만, '대칭'을 이룬다고 하였으니 이것이 상쇄되어 양파 껍질(구 껍질)의 중심에서 당기는 힘과 같다는 것이다. 〈보기〉 (1)의 설명은 [A]의 전제1에 약간의 개념만 추가해 놓은 것에 불과하다.

> (2) (1)에서의 구 껍질들이 모여 구를 구성할 때, P를 당기는 만유인력의 총합
> = 구와 동일한 질량을 갖는 질점이 구의 중심 O에서 P를 당기는 만유인력

⇨ 양파 껍질(구 껍질)들이 모여 양파(구)를 구성할 때, 양파 껍질들(구 껍질들)이 P를 당기는 만유인력의 총합은, 양파(구)와 동일한 질량을 갖는 질점이 양파(구)의 중심 O에서 P를 당기는 만유인력과 같다. 〈보기〉(2)의 설명은 〈보기〉(1)의 설명에서 말만 바꿔 놓은 것에 불과하다. 양파 껍질들이 모여서 양파를 구성하는데, 양파의 질량과 동일한 질점을 가져오면, 질량이 같으니 만유인력도 같다는 얘기다. 그리고 '대칭인 구'에는 질점과 가까운 지점도 있고 먼 지점도 있을 것이니, 이것이 상쇄되어 구의 중심에서 당기는 힘과 같다는 얘기다.

> 밀도가 균질하거나 구 대칭인 구를 구성하는 부피 요소들이 P를 당기는 만유인력들의 총합
> = 그 구와 동일한 질량을 갖는 질점이 그 구의 중심 O에서 P를 당기는 만유인력

⇨ '밀도가 균질하거나 구 대칭인 구'는 새로운 정보가 아니라, [A]의 조건과 같은 것이다.

결국 종합하면 양파(구)를 구성하는 양파 입자(부피 요소)들이 P를 당기는 만유인력의 총합은, 양파(구)와 동일한 질량을 갖는 질점의 만유인력과 같다는 것이다. 질량이 같으면 만유인력이 같다는 얘기, 구와 구의 중심에서 당기는 만유인력이 같다는 얘기를 〈보기〉에서 3번 연속으로 하고 있는 것이다!

이제 ②로 가보자. [A]에서, 두 질점이 서로 당기는 힘인 만유인력의 크기는 두 질점의 질량의 곱에 비례한다고 하였다. 따라서 태양 중심에 있는, 질량이 m인 질점이 지구 전체를 당기는 만유인력의 크기는 'm× 지구의 질량'에 비례할 것이다. 또한 지구 중심에 있는, 질량이 m인 질

점이 태양 전체를 당기는 만유인력의 크기는 'm×태양의 질량'에 비례할 것이다. 그런데 [A]에서 태양의 질량이 지구보다 크다고 하였으므로, 'm×지구의 질량'과 'm×태양의 질량'의 크기가 같지 않을 것임을 알 수 있다.

여기까지 2019학년도 수능에서 온갖 욕을 먹었던 평가원 문제에 대한 해설이다. 이 문제 이후, 평가원은 과했던 비문학 지문 길이를 점차 줄이고, 비문학에서 난도를 낮추는 행보를 보였다. 다만, 길이가 줄어든다는 것은 그만큼 설명이 불친절하다는 것과 상통한다. 그리고 이런 우려는 2022학년도 수능에서 현실로 나타났다.

학생들이 자주 묻는 질문

Q. [A]의 전제2에서 '지구보다 질량이 큰 태양과 지구가 서로 당기는 만유인력은 같다'고 했잖아요. 그럼 태양의 중심에 있는 m이 지구를 당기는 힘과 지구의 중심에 있는 m이 태양을 당기는 힘이 같은 것 아닌가요?

A. 선지를 잘 봐라. 태양과 같은 질량의 m과 지구와 같은 질량의 m이 서로 당기는 힘이 아니다. 질량이 동일하게 m인 질점이 각각 지구와 태양을 당기고 있는 것이다. 하필 질점의 위치를 태양과 지구로 설정한 것은 일차적으로 낚시 의도가 있는 것이고, 이차적으로는 둘의 거리가 같으니 거리는 신경 쓰지 말라는 것이다.

좀 더 풀어 줄까? 〈보기〉에서 거리는 분명 만유인력에 영향을 주는 요소지만, '대칭인 구'에는 질점과 가까운 지점도 있고 먼 지점도 있을 것이니 이것이 상쇄되어 구의 중심에서 당기는 힘과 같다고 3번이나 얘기하였다. 따라서 '태양의 중심과 지구의 중심'이라는 동일한 거리를 전제로 판단을 하라는 것이다.

오답설명

① 구 껍질들의 밀도가 균질하고 두께가 같은 조건에서, 구 껍질의 반지름이 커진다는 것은 그만큼 부피 요소가 많아지고 질량이 늘어난다는 의미이다. 〈보기〉의 그림을 보면, 원의 중심 O와 멀리 있는 바깥쪽 구 껍질이 O와 가까이 있는 안쪽 구 껍질보다 반지름이 크다. 아까 구 껍질은 부피 요소들이 빈틈없이 한 겹으로 배열된 것이라 하였다. 따라서 밀도, 두께가 같다면 반지름이 큰 구 껍질에 더 많은 부피 요소가 있을 수밖에 없고, 질량이 클 수밖에 없다. 질량과 만유인력은 분명 비례한다. 따라서 반지름이 큰 구 껍질일수록 태양을 당기는 만유인력이 커진다.

③ [A]에서 만유인력은 두 질점이 서로 당기는 힘이며 두 질점의 질량의 곱에 비례, 거리의 제곱에 반비례한다고 하였고, '지구-달', '두 질점'은 거리와 질량의 조건이 같으므로 작용하는 만유인력의 크기도 같다.

④ [A]와 〈보기〉를 종합하여 이해한 '부피 요소 만유인력 총합 = 구 만유인력'이라는 내용을 적용하면 태양을 구성하는 하나의 부피 요소-지구 사이의 만유인력은 태양을 구성하는 하나의 부피 요소-지구를 구성하는 모든 부피 요소 사이에 작용하는 만유인력의 총합과 같다.

⑤ [A]에서 만유인력은 두 질점이 서로 당기는 힘이며 두 질점의 질량의 곱에 비례, 거리의 제곱에 반비례한다고 하였고, '지구-구슬', '두 질점' 사이의 거리와 질량의 조건이 같으므로 작용하는 만유인력의 크기도 같다.

06

정답설명

② '고안(考案)'은 '연구하여 새로운 것을 생각해 냄. 또는 그것.'의 의미이므로 ⓑ(만들었다)와 바꿔 쓸 수 있다.

오답설명

① '진작(振作)'은 '떨쳐 일으킴. 또는 떨쳐 일어남.'의 의미로, '사기 진작을 위해 노력하다.' 등과 같이 쓰인다. ⓐ(일으킴)는 '어떤 일이 원인이 되어 다른 일이 일어나다.'의 의미인 '유발(誘發)'을 넣어 '유발할'로 바꿔 쓸 수 있다.

③ '소지(所持)'는 '물건을 지니고 있는 일. 또는 그런 물건.'의 의미이다. '신의 형상'은 '물건'이 아니므로, ⓒ(지닌)와 '소지'는 바꿔 쓰기에 어색하다.

④ '설정(設定)하다'는 '새로 만들어 정해 두다.'의 의미이다. 불온한 요소를 새로 만들어 정한 것이 아니라, 중국의 지적 유산과 연결되지 않은 서양 과학을 불온한 요소라고 본 것이므로 ⓓ(여겼다)는 '상태, 모양, 성질 따위가 그와 같다고 보거나 그렇다고 여기다.'라는 의미의 '간주(看做)하다'로 바꿔 써야 한다.

⑤ '시사(示唆)'는 '어떤 것을 미리 간접적으로 표현해 줌.'이라는 의미로 쓰인다. ⓔ(갖추어져)는 '빠짐없이 완전히 갖추다.'라는 의미인 '완비'를 넣어 '완비(完備)되어'로 바꿔 쓸 수 있다.

구조도 정답

① 지구 중심설
② 코페르니쿠스
③ 신플라톤주의
④ 태양 중심설
⑤ 부피 요소
⑥ 부정적 태도
⑦ 성리학적 기론
⑧ 경험적 추론
⑨ 중국

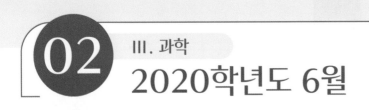
공생발생설

지문해설

① 우리는 한 대의 자동차는 개체라고 하지만 바닷물을 개체라고 하지는 않는다. 어떤 부분들이 모여 하나의 개체를 이룬다고 할 때 이를 개체라고 부를 수 있는 조건은 무엇일까? 일단 부분들 사이의 유사성은 개체성의 조건이 될 수 없다. 가령 일란성 쌍둥이인 두 사람은 DNA 염기 서열과 외모도 같지만 동일한 개체는 아니다. 그래서 부분들의 강한 유기적 상호작용이 그 조건으로 흔히 제시된다. 하나의 개체를 구성하는 부분들이 외부 존재가 개체에 영향을 주는 것과는 비교할 수 없이 강한 방식으로 서로 영향을 주고받는다.

▶ 늘 강조했듯이, 첫 문단을 읽을 때는 화제를 파악해서 필자의 관심사를 찾아야 한다. 필자는 일단 '개체'에 관심이 있는데, '개체성의 조건'에 대해 설명하고 있으니 조건에 밑줄 그어 두고, 이후에 개체라는 말이 나올 때 개념을 이어서 판단해야 한다.

▶ 개체성의 조건 : 부분들의 강한 유기적 상호작용

▶ 강하게 유기적 상호작용을 하면 동일한 개체를 구성하는 부분들로, 강하게 유기적 상호작용을 하지 않으면 각각을 개체로 볼 수 있겠지? 이 개념을 뒤에 나오는 미토콘드리아와 진핵세포의 관계에 적용시켜야 한다!

② 상이한 시기에 존재하는 두 대상을 동일한 개체로 판단하는 조건도 물을 수 있다. 그것은 두 대상 사이의 인과성이다. 과거의 '나'와 현재의 '나'를 동일하다고 볼 수 있는 것은 강한 인과성이 존재하기 때문이다. 과거의 '나'와 현재의 '나'는 세포 분열로 세포가 교체되는 과정을 통해 인과적으로 연결되어 있다. 또 '나'가 세포 분열을 통해 새로운 개체를 생성할 때도 '나'와 '나의 후손'은 인과적으로 연결되어 있다. 비록 '나'와 '나의 후손'은 동일한 개체는 아니지만 '나'와 다른 개체들 사이에 비해 더 강한 인과성으로 연결되어 있다.

▶ 상이한 시기에 존재하는 두 대상을 동일한 개체로 판단하기 위한 조건으로 인과성을 설명하고 있구나. 필자는 계속 '개체성'에 집중하고 있다. 유기적 상호작용, 인과성을 잊지 말고 계속 읽어 보자.

③ 개체성에 대한 이러한 철학적 질문은 생물학에서도 중요한 연구 주제가 된다.

▶ 개체성이라는 화제를 생물학에 적용하려나 보구나. 무관해 보이는 정보들이 폭발할 텐데, 위에서 언급한 개념들을 머리의 한 켠에 두고 독해를 진행해 보자.

생명체를 구성하는 단위는 세포이다. 세포는 생명체의 고유한 유전 정보가 담긴 DNA를 가지며 이를 복제하여 증식하고 번식하는 과정을 통해 자신의 DNA를 후세에 전달한다. 세포는 사람과 같은 진핵생물의 진핵세포와, 박테리아나 고세균과 같은 원핵생물의 원핵세포로 구분된다. 진핵세포는 세포질에 막으로 둘러싸인 핵이 있고 그 안에 DNA가 있지만, 원핵세포는 핵이 없다. 또한 진핵세포의 세포질에는 막으로 둘러싸인 여러 종류의 세포 소기관이 있으며, 그중 미토콘드리아는 세포 활동에 필요한 생체 에너지를 생산하는 기관이다. 대부분의 진핵세포는 미토콘드리아를 필수적으로 가지고 있다.

▶ 세포의 종류와 구조를 설명하고 있다. 필자가 한 문단을 할애해 가며 설명한 개념이니, 한번 짚고 가야겠지. 세포를 진핵세포와 원핵세포로 분류하고, 둘

의 차이점을 설명하고 있다. 공통점과 차이점은 반드시 체크해야 한다.

세포	
고유의 DNA 有, 복제 → 증식, 번식	
진핵세포	**원핵세포**
진핵생물(사람 등)	원핵생물 (박테리아, 고세균 등)
세포질 ⊃ 막으로 둘러싸인 핵 ⊃ DNA	핵 X
세포질 ⊃ 막으로 둘러싸인 세포 소기관 (ex 미토콘드리아)	

▶ 위의 표는 너희들의 이해를 돕기 위한 것일 뿐, 시험장에서 표를 그릴 필요는 없다는 건 알고 있지? 밑줄 등으로 체크해 두면 된다. 일단 머릿속에는 세포를 진핵세포와 원핵세포로 나눴다는 것을 강하게 인지하고 넘어가자.

④ 이러한 미토콘드리아가 원래 박테리아의 한 종류인 원생미토콘드리아였다는 이론이 20세기 초에 제기되었다. 공생발생설 또는 세포 내 공생설이라고 불리는 이 이론에서는 두 원핵생물 간의 공생 관계가 지속되면서 진핵세포를 가진 진핵생물이 탄생했다고 설명한다. 공생은 서로 다른 생명체가 함께 살아가는 것을 말하며, 서로 다른 생명체를 가정하는 것은 어느 생명체의 세포 안에서 다른 생명체가 공생하는 '내부 공생'에서도 마찬가지이다. 공생발생설은 한동안 생물학계로부터 인정받지 못했다. 미토콘드리아의 기능과 대략적인 구조, 그리고 생명체 간 내부 공생의 사례는 이미 알려졌지만 미토콘드리아가 과거에 독립된 생명체였다는 것을 쉽게 믿을 수 없었기 때문이었다. 그리고 한 생명체가 세대를 이어 가는 과정 중에 돌연변이와 자연선택이 일어나고, 이로 인해 종이 진화하고 분화한다고 보는 전통적인 유전학에서 두 원핵생물의 결합은 주목받지 못했다. 그러다가 전자 현미경의 등장으로 미토콘드리아의 내부까지 세밀히 관찰하게 되고, 미토콘드리아 안에는 세포핵의 DNA와는 다른 DNA가 있으며 단백질을 합성하는 자신만의 리보솜을 가지고 있다는 사실이 밝혀지면서 공생발생설이 새롭게 부각되었다.

▶ [공생발생설 : 두 원핵생물의 공생 관계 → 진핵생물 탄생]을 설명하고 있다. 견해의 근거는 반드시 출제되는 사항이다. 공생발생설이 인정받지 못했던 이유와, 새롭게 부각된 근거를 각각 체크해 두자.

공생발생설 인정 X
① 미토콘드리아가 과거에 독립된 생명체였음을 믿기 힘듦 ② 전통적인 유전학 → 두 원핵생물의 결합 주목 X

↓

공생발생설 부각
미토콘드리아에 고유의 DNA, 리보솜 O

▶ 미토콘드리아가 고유의 DNA와 리보솜을 갖고 있다는 것은, 미토콘드리아가 과거에 독립된 생명체였다는 근거가 된다. "왜요?"라고 묻는 학생들은 견해의 근거를 제대로 체크하며 읽지 못한 것이다. 공생발생설이 인정받지 못한 근거 중 하나는 '미토콘드리아가 독립된 생명체가 아니라는 것'이다. 그런데 미토콘드리아가 고유의 DNA와 리보솜을 갖고 있다는 것이 밝혀지면서 공생발생설이 부각되었다는 얘기는 다시 말해 미토콘드리아가 독립된 생명체일 수 있다는 말이고, 따라서 미토콘드리아가 고유의 DNA와 리보솜을 갖고 있다는 말은 미토콘드리아가 독립된 생명체라는 근거가 되는 것이지.

⑤ 공생발생설에 따르면 진핵생물은 원생미토콘드리아가 고세균의 세포 안에서 내부 공생을 하다가 탄생했다고 본다. 고세균의 핵의 형성과 내부 공생의 시작 중 어느 것이 먼저인지에 대해서는 논란이 있지만, 고세균은 세포질에 핵이 생겨 진핵세포가 되고 원생미토콘드리아는 세포 소기관인 미토콘드리아가 되어 진핵생물이 탄생했다는 것이다. 미토콘드리아가 원래 박테리아의 한 종류였다는 근거는 여러 가지가 있다. 박테리아와 마찬가지로 새로운 미토콘드리아는 이미 존재하는 미토콘드리아의 '이분분열'을 통해서만 만들어진다. 미토콘드리아의 막에는 진핵세포막의 수송 단백질과는 다른 종류의 수송 단백질인 포린이 존재하고 박테리아의 세포막에 있는 카디오리핀이 존재한다. 또 미토콘드리아의 리보솜은 진핵세포의 리보솜보다 박테리아의 리보솜과 더 유사하다.

▶ 4문단에 이어, 미토콘드리아가 원래 박테리아의 한 종류로서 독립된 생명체 (원핵생물인 원생미토콘드리아)였다는 것을 근거를 들어 자세히 설명하고 있다. 핵심 내용임이 분명하나 머릿속에 넣기엔 과한 정보이니, 문제를 풀 때 돌아올 수 있도록 근거에 밑줄을 긋고 가야겠지?

근거 ① 박테리아처럼 이분분열 ② 진핵세포막과 다른 수송 단백질 포린 존재 ③ 박테리아의 세포막에 있는 카디오리핀 존재 ④ 박테리아의 리보솜과 유사

▶ 2문단에서, 상이한 시기의 두 대상이 동일한 개체로 인정받기 위해서는 인과성이 중요하다고 했다. 위의 근거 ①~④가, 그 인과성을 충족시키는 것이지.

⑥ 미토콘드리아는 여전히 고유한 DNA를 가진 채 복제와 증식이 이루어지는데도, 미토콘드리아와 진핵세포 사이의 관계를 공생 관계로 보지 않는 이유는 무엇일까?

▶ 미토콘드리아가 독립된 개체라는 근거가 여전히 남아있으므로, 미토콘드리아와 진핵세포는 각각의 개체로서 공생 관계에 있다고 봐야 한다. 그런데 왜 미토콘드리아를 세포가 아닌 세포 소기관으로 보는 것일까? 앞선 설명과 배치되는 내용이니, 유심히 읽자.

두 생명체가 서로 떨어져서 살 수 없더라도 각자의 개체성을 잃을 정도로 유기적 상호작용이 강하지 않다면 그 둘은 공생 관계에 있다고 보는데, 미토콘드리아와 진핵세포 간의 유기적 상호작용은 둘을 다른 개체로 볼 수 없을 만큼 매우 강하기 때문이다. 미토콘드리아가 개체성을 잃고 세포 소기관이 되었다고 보는 근거는, 진핵세포가 미토콘드리아의 증식을 조절하고, 자신을 복제하여 증식할 때 미토콘드리아도 함께 복제하여 증식시킨다는 것이다. 또한 미토콘드리아의 유전자의 많은 부분이 세포핵의 DNA로 옮겨 가 미토콘드리아의 DNA 길이가 현저히 짧아졌다는 것이다. 미토콘드리아에서 일어나는 대사 과정에 필요한 단백질은 세포핵의 DNA로부터 합성되고, 미토콘드리아의 DNA에 남은 유전자 대부분은 생체 에너지를 생산하는 역할을 한다. 예컨대 사람의 미토콘드리아는 37개의 유전자만 있을 정도로 DNA 길이가 짧다.

▶ ① 미토콘드리아와 진핵세포 간의 유기적 상호작용이 매우 강함 ② 진핵세포가 미토콘드리아 증식 조절 ③ 미토콘드리아 DNA 길이↓ ④ 미토콘드리아 대사과정에 필요한 단백질이 진핵세포 DNA로부터 합성 ⇨ 미토콘드리아-진핵세포는 공생 관계 X

▶ 두 생명체를 공생 관계로 보려면, 개체성을 잃을 정도로 유기적 상호작용이 강하지 않아야 한다. 미토콘드리아는 DNA가 있지만, 스스로 증식·번식하는 것이 아니라 진핵세포에 의해 증식이 조절돼. 게다가 DNA 길이가 많이 줄어들었어. 유전자의 많은 부분이 진핵세포 핵의 DNA로 옮겨 가고, 남은 유전자 대부분이 생체 에너지 생산에 쓰이기 때문에 [세포 = 고유의 DNA를 가지고

증식·번식]을 충족하지 못하는 것이지. 즉 미토콘드리아는 과거와 달리 현재는 세포가 아니니(=개체성X) 진핵세포와의 공생 관계로 보지 않고 세포 소기관의 하나로 보는 거야.

▶ 1~2문단에 제시된 개체성이라는 화제와 3~6문단의 생물학을 연관 짓지 못했다면, 지문 전체 흐름을 잡기 어려웠을 것이다. 필자의 관심사를 끝까지 놓치면 안 된다는 점, 반드시 기억하자.

지문분석

```
┌─ 공생발생설
│
├─▷ 개체의 조건
│     부분들의 강한 ( ① )
│     두 대상 사이의 인과성 (상이한 시기에 존재하는 대상)
│
├─▷ 세포와 미토콘드리아
│     세포
│        고유한 유전 DNA를 복제·증식·번식 → 후세에 DNA 전달
│        진핵세포(핵, DNA, 세포 소기관 O)
│        ↔ 원핵세포(핵 ×)
│     미토콘드리아
│        ( ② ) 내 필수적인 세포 소기관 中 하나
│
└─▷ 공생발생설
      진핵생물 : 두 원핵생물 간의 공생 지속으로 발생
         고세균 → 진핵세포          ┐
         원생미토콘드리아 → 미토콘드리아 ├▷ 진핵생물 탄생
                                  ┘
      근거
      ① 미토콘드리아 고유의 DNA, 리보솜 존재
      ② 미토콘드리아의 ( ③ ) (= 박테리아)
      ③ 미토콘드리아에 포린 존재 (≠ 진핵세포)
      ④ 미토콘드리아에 카디오리핀 존재 (≒ 박테리아)

      현재 : 미토콘드리아-진핵세포 공생 관계 ×
      이유
      ① 미토콘드리아-진핵세포의 유기적 상호작용이 매우 강함
      ② 진핵세포가 미토콘드리아 증식 조절
      ③ 미토콘드리아 DNA 길이 ( ④ )
      ④ 진핵세포 DNA로부터 합성된 단백질로 대사 작용
```

형태쌤 Comment

정보의 양이 매우 많은 지문이다. 이렇게 정보가 나열되는 지문은 정보를 모두 기억하려 하지 말고, 지문을 구조 중심으로 끊어서 읽은 후, 문제 풀 때 지문과 선지를 비교하며 차분하게 접근하면 된다. 미토콘드리아와 세포에 대한 설명에 휘말려, 개체성이라는 화제를 놓치면 안 된다.

번호	정답	정답률 (%)	선지별 선택비율(%)				
			①	②	③	④	⑤
1	③	76	6	8	76	6	4
2	④	44	4	9	14	44	29
3	⑤	61	5	8	18	8	61
4	②	52	13	52	12	15	8
5	①	12	12	18	19	17	34
6	④	86	3	3	6	86	2

01

정답설명

③ 1, 2문단에서 개체성의 조건을 제시한 후, 세포 소기관인 미토콘드리아의 개체성에 대해 공생발생설을 중심으로 설명하고 있다.

오답설명

① 개체성과 관련된 예는 1문단에 제시되어 있으나, 공생발생설에 대한 다양한 견해를 비교하지 않았다.

② 개체의 정의를 제시하지 않았으며, 세포의 생물학적 개념이 확립되는 과정도 제시하지 않았다.

④ 개체의 유형을 분류하지 않았으며, 세포 소기관이 분화되는 과정도 설명하지 않았다.

⑤ 개체와 관련된 개념들은 나왔지만, 세포가 하나의 개체로 변화하는 과정은 윗글에 서술되어 있지 않다.

02

정답설명

④ 지문의 핵심 화제를 물어본 문제다. 미토콘드리아가 개체성이 없다는 근거를 제대로 체크해야 깔끔하게 정답을 고를 수 있다. 견해에 대한 근거는 반드시 선지화된다는 것을 명심하자!

단백질은 '미토콘드리아 → 세포질'이 아니라, '세포질 → 미토콘드리아' 방향으로 이동한다. 6문단에서, 미토콘드리아의 대사 과정에 필요한 단백질은 세포핵의 DNA로부터 합성된다고 하였다. 진핵세포의 DNA는 세포질에 막으로 둘러싸인 핵 내부에 있고 미토콘드리아는 세포질에 있으므로, 핵의 막을 통과하여 세포질을 지나 미토콘드리아로 이동한다고 보아야 한다.

오답설명

① 1문단에서, 유사성은 개체성의 조건이 될 수 없다는 것을 알 수 있다.

② 1문단에서 자동차와 달리 바닷물은 개체로 볼 수 없다고 하면서, 개체의 조건이 '부분들의 강한 유기적 상호작용'임을 제시하였다. 따라서 바닷물은 바닷물을 이루는 부분들 사이의 유기적 상호작용이 약하기 때문에 개체로 보기 어렵다는 것을 알 수 있다.

③ 5문단에 의하면 새로운 미토콘드리아는 이미 존재하는 미토콘드리아의 '이분분열'을 통해서만 만들어진다.

⑤ 5문단에서, '고세균 → 진핵세포', '원생미토콘드리아 → 미토콘드리아'가 된 것이라고 하였다. 또한 2문단에서 세포 분열을 통해 새로운 개체를 생성할 경우, 두 개체는 인과적으로 연결된 것이라고 하였다. 따라서 고세균이 원생미토콘드리아보다 진핵세포와 더 강한 인과성으로 연결되어 있다고 할 수 있다.

03

정답설명

⑤ 4문단에서 공생발생설이 인정받지 못했던 이유는 '미토콘드리아가 과거에 독립된 생명체였다는 것을 쉽게 믿을 수 없었기 때문'이며, 미토콘드리아 내부에 세포핵의 DNA와는 다른 고유의 DNA(생명체의 고유한 유전 정보가 담김)가 있다는 사실이 밝혀지면서 공생발생설이 새롭게 부각되었다고 하였다. 따라서 ㉠의 이유는 미토콘드리아가 자신의 고유한 유전 정보를 전달할 수 있다는 것을 알지 못했기 때문임을 알 수 있다.

오답설명

① 4문단에서, 공생발생설이 제시되었을 당시에 미토콘드리아의 기능과 대략적인 구조에 대해 알고 있었다고 하였다. 미토콘드리아는 세포 소기관 중 하나이므로, 진핵세포가 세포 소기관을 가지고 있다는 점도 알고 있었을 것이다.

② 공생발생설은 당시의 유전학 이론에 어긋나기 때문에 인정받지 못했다. 4문단에서, '한 생명체'가 돌연변이, 자연선택으로 인해 '종이 진화·분화'된다고 보는 전통 유전학에서 '서로 다른 생명체'의 '결합'에 대한 공생발생설이 주목받지 못했음을 설명하였다. 즉, 공생발생설은 전통 유전학으로 설명할 수 없는 이론인 것이다.

③ 4문단에서, 공생발생설이 제시되었을 당시에 생명체 간 내부 공생의 사례가 이미 알려져 있었다고 하였다.

④ 4문단에서, 공생발생설이 제시되었을 당시에 미토콘드리아의 기능과 대략적인 구조에 대해 알고 있었다고 하였다. 따라서 미토콘드리아가 진핵세포의 활동에 중요한 기능을 한다는 점을 알지 못했다고 볼 수 없다.

04

정답설명

② 각 선지를 정리해 보자.

ㄱ. 4문단을 보면, 미토콘드리아 내부에 고유의 DNA가 있다는 사실이 밝혀지면서 공생발생설이 받아들여지기 시작했음을 알 수 있다. 또한 5문단에서 미토콘드리아가 원생미토콘드리아였다는 근거로, 박테리아와 마찬가지로 이분분열을 한다는 점이 제시되었다. 따라서 이러한 특징을 가지는 해당 세포 소기관도 박테리아로부터 비롯되었다고 볼 수 있다.

ㄹ. 3문단에서 미토콘드리아가 막으로 둘러싸여 있다는 것을 알 수 있다. 또한 5문단에서 미토콘드리아의 막에는 박테리아의 세포막에 있는 카디오리핀이 존재한다는 것을 미토콘드리아가 박테리아의 한 종류였다는 근거로 삼고 있으므로, 해당 세포 소기관이 박테리아로부터 비롯되었다고 판단할 수 있다.

오답설명

ㄴ. 지문의 5문단에서 미토콘드리아의 리보솜이 진핵세포의 리보솜보다 박테리아의 리보솜과 더 유사하다는 것이 미토콘드리아가 박테리아로부터 비롯되었다는 근거가 된다고 하였다. 따라서 해당 세포 소기관이 진핵세포의 리보솜을 가지고 있다는 점은 세포 소기관이 박테리아로부터 비롯되었다고 판단할 근거가 되지는 않는다.

ㄷ. 5문단에 따르면 진핵세포막에도 수송 단백질이 존재하므로 막에 수송 단백질이 있다는 것만으로 해당 세포 소기관이 박테리아로부터 비롯되었다고 판단할 수 없다. 미토콘드리아의 막에 진핵세포막의 수송 단백질과는 다른 종류의 수송 단백질 포린이 있다는 점을 근거로 미토콘드리아가 박테리아에서 비롯되었다고 하였으므로, 막에 존재하는 수송 단백질이 포린이라는 점이 확인되어야 한다.

05

정답설명

형태쌤의 과외시간

비문학의 〈보기〉 문제에는 2가지 유형이 있다.

하나는 **지문을 통해 〈보기〉를 바라보는 유형**으로, 지문의 정보와 〈보기〉의 정보를 1:1로 대응시키는 것이 우선이다. 비문학 〈보기〉 문제의 대부분을 차지한다.

또 하나는 **〈보기〉를 통해 지문을 바라보는 유형**으로, 보통 〈보기〉의 정보를 통해 지문의 정보를 반박하거나 비판하는 유형으로 제시가 된다. 문학과 비슷한 유형이라고 보면 된다.

① 이 문제는 첫 번째 유형으로 지문에 있는 정보와 〈보기〉의 사례를 대응시키면 된다. 다만 이때 주의할 점은 '지문 → 〈보기〉'의 방향을 명심해야 한다는 것이다. 〈보기〉의 특정 단어나 문장에 현혹되어 낚이지 말고, 철저하게 지문 중심으로 〈보기〉를 봐야 한다. 그래야 〈보기〉의 마지막 부분 '박테리아와 함께 아메바도 죽었다.'라는 문장에서 흔들리지 않는다.

미토콘드리아가 진핵세포의 세포 소기관이 되었다고 볼 수 있는 근거는 6문단에 제시되어 있다. 진핵세포가 미토콘드리아의 증식을 조절하고, 자신을 복제하여 증식할 때 미토콘드리아도 함께 복제하여 증식시킨다는 것, 미토콘드리아 유전자의 많은 부분이 세포핵의 DNA로 옮겨가 미토콘드리아 DNA의 길이가 짧아졌다는 것이 그 근거이다. 〈보기〉에서 병원성을 잃은 박테리아는 스스로 증식한다고 하였으므로, 아메바의 세포 소기관이 되었다고 볼 수 없다.

오답설명

② 1문단에서, '개체성'의 조건으로 부분들의 강한 유기적 상호작용이 제시되었다. 복어의 체내에 서식하는 미생물과 복어의 유기적 상호작용이 강해진다면, 하나의 개체가 되어 각각의 개체성을 잃을 수 있다.

③ 미토콘드리아는 진핵세포의 세포 소기관이므로 진핵세포가 증식할 때 함께 증식된다. 그러나 복어는 독소를 생산하는 미생물 없이 생존할 수

있으므로, 미생물과 복어는 개체성을 잃을 정도로 유기적 상호작용이 강하지 않은 관계인 공생 관계이다. 즉, 미생물은 복어의 세포 소기관이 아니므로, 복어의 세포가 증식할 때 미생물의 DNA도 함께 증식하지 않는다.

④ 6문단에 따라 박테리아가 개체성을 잃었다면, 미토콘드리아와 마찬가지로 DNA 길이는 짧아질 것이다.

⑤ "아메바도 같이 죽었잖아요!" 하고 울컥 반응하면 안 된다. 마지막 문단을 슬쩍 보고 오자. 두 생명체가 서로 떨어져서 살 수 없더라도 공생 관계가 된다고 분명하게 나와 있다. '복어'는 죽지 않고, '아메바'가 죽은 것은 공생 관계의 긴밀성에서 나타난 현상이지, 공생 관계 OX 여부에서 나타난 것이 아니다.

〈보기〉의 박테리아와 미생물은 미토콘드리아가 진핵세포의 세포 소기관이 되었다고 볼 수 있는 근거에 해당하지 않으므로, 개체성을 잃었다고 볼 수 없다. 6문단에서 두 생명체가 각자의 개체성을 잃을 정도로 유기적 상호작용이 강하지 않다면 그 둘은 공생 관계라고 하였다. 따라서 박테리아-아메바, 미생물-복어는 모두 공생 관계이다.

06

정답설명

④ ⓓ의 '밝혀지다'는 '드러나지 않거나 알려지지 않은 사실, 내용, 생각 따위가 드러나 알려지다.'의 의미로 쓰였다. 그러나 '조명되다'는 '어떤 대상이 일정한 관점으로 바라보이다.'의 의미이므로, 바꿔 쓰기에 적절하지 않다.

오답설명

① ⓐ의 '이루다'는 '몇 가지 부분이나 요소들을 모아 일정한 성질이나 모양을 가진 존재가 되게 하다.'의 의미로 쓰였으므로, '몇 가지 부분이나 요소들을 모아서 일정한 전체를 짜 이루다.'의 의미를 가진 '구성하다'와 바꿔 쓸 수 있다.

② ⓑ의 '있다'는 '사람, 동물, 물체 따위가 실제로 존재하는 상태이다.'의 의미로 쓰였으므로, '현실에 실재하다.'의 의미인 '존재하다'와 바꿔 쓸 수 있다.

③ ⓒ의 '가지다'는 '손이나 몸 따위에 있게 하다.'의 의미로 쓰였으므로, '가지고 있거나 간직하고 있다.'의 의미인 '보유하다'와 바꿔 쓸 수 있다.

⑤ ⓔ의 '만들어지다'는 '새로운 대상을 만들다.'의 의미로 쓰였으므로, '생겨나다.'의 의미인 '생성되다'와 바꿔 쓸 수 있다.

구조도 정답

① 유기적 상호작용

② 진핵세포

③ 이분분열

④ ↓

장기 이식

지문해설

① 신체의 세포, 조직, 장기가 손상되어 더 이상 제 기능을 하지 못할 때에 이를 대체하기 위해 이식을 실시한다. 이때 이식으로 옮겨 붙이는 세포, 조직, 장기를 이식편이라 한다. 자신이나 일란성 쌍둥이의 이식편을 이용할 수 없다면 다른 사람의 이식편으로 '동종 이식'을 실시한다. 그런데 우리의 몸은 자신의 것이 아닌 물질이 체내로 유입될 경우 면역 반응을 일으키므로, 유전적으로 동일하지 않은 이식편에 대해 항상 거부 반응을 일으킨다. 면역적 거부 반응은 면역 세포가 표면에 발현하는 주조직적합 복합체(MHC) 분자의 차이에 의해 유발된다. 개체마다 MHC에 차이가 있는데 서로 간의 유전적 거리가 멀수록 MHC에 차이가 커져 거부 반응이 강해진다. 이를 막기 위해 면역 억제제를 사용하는데, 이는 면역 반응을 억제하여 질병 감염의 위험성을 높인다.

▶ 1문단을 읽을 때는 필자의 관심사에 중점을 두고 읽어야 한다고 했다. 이식편, 동종 이식, 면역 거부 반응에 대해 설명하는 것으로 보아, 필자는 장기 이식에 대해 관심을 가지고 있구나.

▶ 이해를 돕기 위해 간단히 정리하면 아래와 같다.
유전적으로 동일 X 이식편 → 면역 세포가 발현한 MHC 분자 차이 O → 면역적 거부 반응 유발 → 면역 억제제 사용 → 질병 감염 위험↑
[유전적 거리↑ MHC 분자 차이↑ 거부 반응↑]이라는 비례적 관계 체크했겠지? 독서 지문에서 비례, 증감 관계는 중요한 출제 포인트다!

② 이식에는 많은 비용이 소요될 뿐만 아니라 이식이 가능한 동종 이식편의 수가 매우 부족하기 때문에 이를 대체하는 방법이 개발되고 있다. 우선 인공 심장과 같은 '전자 기기 인공 장기'를 이용하는 방법이 있다. 하지만 이는 장기의 기능을 일시적으로 대체하는 데 사용되며, 추가 전력 공급 및 정기적 부품 교체 등이 요구되는 단점이 있고, 아직 인간의 장기를 완전히 대체할 만큼 정교한 단계에 이르지는 못했다.

▶ 동종 이식의 문제점 : 비용↑, 이식편 부족
대체 방법 ① 전자 기기 인공 장기
↳ 한계 : 추가 전력 공급·정기적 부품 교체 요구, 정교함 X

▶ 문제-해결의 구조로구나. 문제와 해결은 쌤이 늘 강조했던 출제 포인트이니 구조를 놓치지 말고 가져가야 한다.

③ 다음으로는 사람의 조직 및 장기와 유사한 다른 동물의 이식편을 인간에게 이식하는 '이종 이식'이 있다. 그런데 이종 이식은 동종 이식보다 거부 반응이 훨씬 심하게 일어난다. 특히 사람이 가진 자연항체는 다른 종의 세포에서 발현되는 항원에 반응하는데, 이로 인해 이종 이식편에 대해서 초급성 거부 반응 및 급성 혈관성 거부 반응이 일어난다. 이런 거부 반응을 일으키는 유전자를 제거한 형질 전환 미니돼지에서 얻은 이식편을 이식하는 실험이 성공한 바 있다. 미니돼지는 장기의 크기가 사람의 것과 유사하고 번식력이 높아 단시간에 많은 개체를 생산할 수 있다는 장점이 있어, 이를 이용한 이종 이식편을 개발하기 위한 연구가 진행되고 있다.

▶ 대체 방법 ② 이종 이식(미니돼지)
↳ 장점 : 장기의 크기 유사함, 개체 생산↑
↳ 한계 : 극심한 거부 반응

④ 이종 이식의 또 다른 문제는 내인성 레트로바이러스이다. 내인성 레트로바이러스는 생명체의 DNA의 일부분으로, 레트로바이러스로부터 유래된 것으로 여겨지는 부위들이다. 이는 바이러스의 활성을 가지지 않으며 사람을 포함한 모든 포유류에 존재한다. 레트로바이러스는 자신의 유전 정보를 RNA에 담고 있고 역전사 효소를 갖고 있는 바이러스로서, 특정한 종류의 세포를 감염시킨다. 유전 정보가 담긴 DNA로부터 RNA가 생성되는 전사 과정만 일어날 수 있는 다른 생명체와는 달리, 레트로바이러스는 다른 생명체의 세포에 들어간 후 역전사 과정을 통해 자신의 RNA를 DNA로 바꾸고 그 세포의 DNA에 끼어들어 감염시킨다. 이후에는 다른 바이러스와 마찬가지로 자신이 속해 있는 생명체를 숙주로 삼아 숙주 세포의 시스템을 이용하여 복제, 증식하고 일정한 조건이 되면 숙주 세포를 파괴한다.

▶ 이종 이식의 또 다른 문제로 '내인성 레트로바이러스'가 제시되었다.

레트로바이러스 : RNA(유전 정보 포함), 역전사 효소 O → 역전사 과정 → 숙주 세포 DNA 감염 → 숙주 세포 시스템 이용해 복제, 증식 → 숙주 세포 파괴

내인성 레트로바이러스 : 생명체 DNA의 일부(모든 포유류 O), 레트로바이러스에서 유래, but 바이러스 활성 X

⑤ 그런데 정자, 난자와 같은 생식 세포가 레트로바이러스에 감염되고도 살아남는 경우가 있었다. 이런 세포로부터 유래된 자손의 모든 세포가 갖게 된 것이 내인성 레트로바이러스이다. 내인성 레트로바이러스는 세대가 지나면서 돌연변이로 인해 염기 서열의 변화가 일어나며 해당 세포 안에서는 바이러스로 활동하지 않는다. 그러나 내인성 레트로바이러스를 떼어 내어 다른 종의 세포 속에 주입하면 이는 레트로바이러스로 변화되어 그 세포를 감염시키기도 한다. 따라서 미니돼지의 DNA에 포함된 내인성 레트로바이러스를 효과적으로 제거하는 기술이 개발 중에 있다.

▶ 다른 종 세포 내에 내인성 레트로바이러스 주입 → 레트로바이러스로 변환 → 세포 감염
∴ 미니돼지 DNA 내 내인성 레트로바이러스 제거 기술 개발 중

▶ 갑자기 웬 미니돼지? 했다면 지문의 구조를 놓친 것이다. 레트로바이러스는 동종 이식의 대체 방법인 '이종 이식'의 문제점으로 제시된 정보다. 정보의 흐름을 놓쳐서는 안 된다.

▶ 문제-해결 구조만큼이나 중요한 출제 포인트인 차이점도 짚고 가야겠지? 4~5문단에 제시되었던 레트로바이러스와 내인성 레트로바이러스의 차이점을 정리해 보자. 물론 시험장에서는 간단한 메모, 밑줄이면 충분하다!

레트로바이러스		내인성 레트로바이러스
RNA(자신의 유전 정보) 보유	염기 서열 변화 ⇨	생명체 DNA 일부분
감염된 숙주 내에만 존재		모든 포유류 내에 존재
역전사 효소 O, 역전사 가능		전사만 가능
바이러스 활성 O → 숙주 파괴		바이러스 활성 X

⑥ 그동안의 대체 기술과 관련된 연구 성과를 토대로 이상적인 이식편을 개발하기 위해 많은 연구가 수행되고 있다.

▶ 문제점과 해결책, 차이점 위주로 구조적 독해를 진행했다면 선지의 정·오답 판단이 그리 힘들지는 않았을 것이다. 제재에 겁먹지 말고, 지문의 구조를 중심으로 읽어야 한다는 것을 잊지 말자.

지문분석

장기 이식

동종 이식

→ 자신, 일란성 쌍둥이의 이식편 사용 불가능한 경우 시행

  ↳ (①)이 항상 발생

    면역 세포가 발현하는 MHC 분자의 차이에 의해 유발

    유전적 거리↑ → (②) → 거부 반응↑

    면역 억제제 투여 → 면역 반응↓, 질병 감염 위험↑

→ 이식 비용↑, 동종 이식편의 부족

  → 대체 방법 (1) 전자 기기 인공 장기

    장기 기능을 일시적으로만 대체

    추가 전력 공급, 정기적 부품 교체 요구

    정교한 단계 X

  → 대체 방법 (2)(③)

    동종 이식보다 거부 반응↑

    미니돼지 : 장기 크기가 인간과 유사, 단시간 많은 개체 생산 O

    레트로바이러스 감염 위험

      → (④)

        모든 포유류 체내에 존재, 바이러스 활성 X

        다른 종 세포에 주입되면 레트로바이러스로 변환

      → 레트로바이러스

        (⑤)효소 O → 숙주 세포 DNA 침입 후 파괴

→ 이상적인 이식편 개발 연구 진행중

형태쌤 Comment

과학 지문이니만큼 용어가 낯설고 지문이 잘 안 읽히지만, 동종 이식의 문제점과 대체 방법(인공 장기, 이종 이식), 레트로바이러스와 내인성 레트로바이러스의 차이점 등을 파악했다면 정답 선지 찾는 데에는 무리가 없었을 것이다. 거듭 강조한다. 비례와 증감, 공통점과 차이점은 자주 나오는 출제 포인트다!

문제분석   01-04번

번호	정답	정답률 (%)	선지별 선택비율(%)				
			①	②	③	④	⑤
1	⑤	58	2	3	15	22	58
2	①	53	53	10	10	20	7
3	③	72	4	7	72	12	5
4	①	38	38	9	9	36	8

01

정답설명

⑤ 레트로바이러스는 숙주 세포의 역전사 효소를 이용하지 않는다. 4문단에서 설명하였듯이, 레트로바이러스는 역전사 효소를 갖고 있는 바이러스로 다른 생명체의 세포에 들어간 후 역전사 과정을 통해 자신의 RNA를 DNA로 바꾼다고 하였다.

오답설명

① 1문단에서 MHC 분자는 서로 간의 유전적 거리가 멀수록 차이가 커진다는 것을 알 수 있다. 따라서 동종 간보다 이종 간의 MHC 분자의 차이가 더 크다.

② 장기를 이식할 경우, 면역 세포가 표면에 발현하는 MHC 분자의 차이에 의해 면역적 거부 반응이 일어난다는 설명이 1문단에 제시되어 있다.

③ 4~5문단에서 이종 이식의 문제점으로 내인성 레트로바이러스가 제시되었다. 내인성 레트로바이러스는 모든 포유류에 존재하며, 평소에는 활성되지 않다가 다른 종의 세포 속에 주입되면 레트로바이러스로 변환되어 감염을 유발한다.

④ 4문단에서 내인성 레트로바이러스가 모든 포유류에 존재한다고 하였다. 또한 5문단에서, 내인성 레트로바이러스는 레트로바이러스에 감염되고도 살아남은 생식 세포로부터 유래된 자손의 모든 세포가 갖게 된 것이라고 하였다. 이를 종합하면 과거에 포유동물의 어느 조상이 레트로바이러스에 감염된 적이 있다는 것을 알 수 있다.

02

정답설명

① '정기 교체'는 '전자 기기 인공 장기'의 단점에 해당하므로(2문단), 이상적인 이식편의 조건이라고 볼 수 없다.

오답설명

② 3문단에, 이종 이식에 이용되는 미니돼지의 장점으로 장기의 크기가 사람의 것과 유사하다는 점이 제시되어 있다. 따라서 이상적인 이식편은 대체하려는 장기와 크기가 유사해야 한다.

③ 유전적 거리는 면역적 거부 반응의 원인(1문단)이므로, 이상적인 이식편은 수혜자와의 유전적 거리를 극복한 것이어야 한다.

④ 2문단에서 동종 이식편의 수가 매우 부족하다는 문제점이 제시되었다. 3문단에서 단시간에 많은 개체를 생산할 수 있다는 장점을 들어 미니돼지를 이용한 이종 이식편을 개발하기 위한 연구를 진행하고 있다고 하였으므로, 이상적인 이식편은 짧은 시간에 대량으로 생산이 가능해야 함을 알 수 있다.

⑤ 1문단에 따르면 이식 후의 면역적 거부 반응을 막기 위해 면역 억제제를 투여하는데, 이는 질병 감염의 위험성을 높이는 위험한 방법이다. 따라서 이상적인 이식편은 체내에서 거부 반응을 유발하지 않아야 한다.

03

정답설명

③ 동종 이식편의 내인성 레트로바이러스는 제거할 필요가 없다. 4~5문단에서 내인성 레트로바이러스 문제는 동종 이식이 아니라 이종 이식의 문제이며, 내인성 레트로바이러스를 떼어 내어 다른 종의 세포 속에 주입했을 때 문제가 됨을 알 수 있다.

오답설명

① 전자 기기 인공 장기는 추가 전력 공급이 요구되지만(2문단), 세포 기반 인공 이식편은 인체 세포나 조직으로 분화할 수 있는 줄기 세포를 이용한 것이므로 전기의 공급을 필요로 하지 않는다.

② 1문단에 따르면 동종 이식은 수혜자 자신이나 일란성 쌍둥이의 이식편을 이용하지 못하는 경우 실시하는 것이다. 동종 이식 후 면역 억제제를 사용하는 이유는 이식편과 수혜자 사이의 유전적 거리에 의한 면역적 거부 반응을 막기 위해서이다. 세포 기반 인공 이식편은 자신의 줄기 세포만을 이용하여 만든 것이므로, 이식 후 면역 억제제를 사용할 필요가 없다.

④ 3문단에서 사람이 가진 자연 항체가 다른 종의 세포에서 발현되는 항원에 반응하여 거부 반응이 일어나기 때문에 이러한 거부 반응을 일으키는 유전자를 제거한 형질 전환 미니돼지를 만들었다고 하였다. 따라서 이종 이식편에서는 유전자를 조작하는 과정이 필요하나, 세포 기반 인공 이식편은 다른 종이 아닌 수혜자 자신의 줄기 세포만을 이용하므로 유전자를 조작하는 과정이 필요하지 않다.

⑤ 3문단을 보면 다른 종의 세포에서 발현되는 항원에 반응하는 '자연항체'로 인해, 이종 이식편에 대해 초급성 거부 반응이 일어난다는 것을 확인할 수 있다. 그러나 세포 기반 인공 이식편은 수혜자 자신의 줄기 세포만을 이용하므로 초급성 거부 반응이 일어나지 않는다.

04

정답설명

① 5문단에서 내인성 레트로바이러스(㉠)는 레트로바이러스(㉡)에 감염되고도 살아남은 생식 세포로부터 유래된 자손의 모든 세포가 갖게 된 것이라 하였다. 따라서 ㉠은 자신이 속해 있는 생명체의 모든 세포의 DNA에 존재한다. 반면, 4문단에서 ㉡은 특정한 종류의 세포를 감염시킨다고 하였으므로 모든 세포의 DNA에 존재한다고 볼 수 없다.

오답설명

② 4문단에서 레트로바이러스(㉡)는 자신의 유전 정보를 RNA에 담고 있으며, 역전사 과정을 통해 자신의 RNA를 DNA로 바꾼다고 하였으므로, ㉡이 자신의 유전 정보를 DNA에 담을 수 없다는 설명은 적절하지 않다.

③ 우리 몸은 자신의 것이 아닌 물질이 체내에 유입될 경우 면역 반응을 일으키며(1문단), 특히 사람은 자연항체를 가지고 있어 이종 이식으로 인한 면역 거부 반응이 심하게 일어난다(3문단). 내인성 레트로바이러스(㉠)는 레트로바이러스(㉡)와 달리 모든 포유류의 세포 내에 존재하며, 다른 종의 세포 속에 주입되기 전에는 바이러스 활동을 하지 않는다(4, 5문단). 즉, ㉠은 ㉡과 달리 수혜자 본인이 원래 갖고 있는 것이므로 면역 반응의 원인이 되지 않는다.

④ 4문단에서 내인성 레트로바이러스(㉠)는 생명체의 DNA의 일부분이라고 하였으므로, 자신이 속해 있는 생명체의 유전 정보를 가지고 있다고 볼 수 있다. 반면 레트로바이러스(㉡)는 자신의 유전 정보가 담긴 RNA를 DNA로 바꾸고 숙주 세포의 DNA에 끼어들어 숙주 세포의 시스템을 파괴해 버리기 때문에, 자신이 속해 있는 생명체의 유전 정보를 가지고 있다고 볼 수 없다.

⑤ 내인성 레트로바이러스(㉠)는 다른 종의 세포에 주입되어 레트로바이러스로 전환되기 전에는 바이러스 활동을 하지 않는다(5문단). 자신이 속해 있는 생명체의 세포를 감염시켜 파괴하는 것은 레트로바이러스(㉡)뿐이다(4문단).

구조도 정답

① 면역적 거부 반응
② MHC 차이 ↑
③ 이종 이식
④ 내인성 레트로바이러스
⑤ 역전사

지문분석

항미생물 화학제

┌ **방역용 화학 물질** - (①)의 수 억제와 전염병 예방 목적
└ 병원체 성분에 화학 작용하여 살균 효과 → 병원체의 종류에 따라 효과 다름

┌ **종류**

멸균제 : (②)를 포함한 모든 병원체 파괴

감염방지제 : (②)를 제외한 병원체를 사멸시킴
병원, 공공시설, 가정 방역에 사용

소독제 : 감염방지제 중 독성이 약해 사람 피부나 상처 소독에 사용
사람의 세포를 죽일 수 있음 → 점막에 접촉하지 않도록 주의

┌ **작용기제**

병원체의 표면 손상시키는 방식

*(③)(예 : 고농도 에탄올)
세포막의 기본 성분인 지질 용해, 단백질 변성, 세포벽 약화
병원성 바이러스에 (④)이 있을 때 효과 큼

*(⑤)(예 : 하이포염소산 소듐)
바이러스의 공통적인 표면 구조인 (⑥) 손상시킴

병원체 내부에서 대사 기능을 저해하는 방식

* **알킬화제** (예 : 글루타르 알데하이드)
– 알킬 작용기 + 단백질 → 단백질 변성 → 기능 상실
– 알킬 작용기 + 핵산의 염기 → 핵산 비정상 구조로 변화
→ 유전자 복제와 발현 교란

*(⑤)(예 : 하이포염소산 소듐)
불특정 단백질 산화 → 효소 기능 비활성화 → 병원체 사멸

형태쌤 Comment

'항미생물 화학제'라는 낯선 화제에 대한 이야기였다. '하이포염소산 소듐'이나 '글루타르 알데하이드'와 같은 전문적인 용어들이 제시되었지만 구조별로 지문의 정보를 분류했다면 어렵지 않게 문제를 해결할 수 있었을 것이다.

문제분석 01-04번

번호	정답	정답률 (%)	선지별 선택비율(%)				
			①	②	③	④	⑤
1	①	77	77	5	5	7	6
2	②	56	5	56	12	13	14
3	③	74	4	5	74	10	7
4	③	47	7	11	47	24	11

01

정답설명

① 병원성 세균이 어떤 작용기제로 사람을 감염시키는지에 대해서는 지문에 제시되지 않았다.

오답설명

② 4문단의 '알코올 화합물은~병원성 세균에서는 세포벽을 약화시킨다.'를 통해 알코올 화합물이 병원성 세균의 살균에 효과가 있음을 알 수 있다.

③ 1문단의 '세균과 진균은 일반적으로 세포막 바깥 부분에 세포벽이 있고, 바이러스의 표면은 세포막 대신 캡시드라고 부르는 단백질로 이루어져 있다.'를 통해 알 수 있다.

④ 4문단의 '알코올 화합물은 지질 피막이 없는 바이러스보다 지질 피막이 있는 병원성 바이러스에서 방역 효과가 크다.'와 '병원성 바이러스의 방역에 사용되는 산화제'를 통해, 알코올 화합물과 산화제가 병원성 바이러스 감염 예방을 위해 사용됨을 알 수 있다.

⑤ 2문단에서 '항미생물 화학제는 다양한 병원체가 공통으로 갖는 구조를 구성하는 성분들에 화학 작용을 일으키므로 광범위한 살균 효과가 있다.'라고 한 것을 통해 알 수 있다.

02

정답설명

② 4문단에서 항미생물 화학제의 작용기제를 병원체의 표면을 손상시키는 방식과 병원체 내부에서 대사 기능을 저해하는 방식으로 나누었는데, 하이포염소산 소듐과 같은 산화제는 두 기제가 함께 작용한다. 4문단에서 '하이포염소산 소듐 등의 산화제가~바이러스의 공통적인 표면 구조를 이루는 캡시드를 손상'시킨다고 한 부분과, 5문단에서 '산화제인 하이포염소산 소듐은 병원체 내에서~병원체를 사멸에 이르게 한다.'라고 한 부분에서 이를 확인할 수 있다.

오답설명

① 고농도 에탄올은 '알코올 화합물'이며, 4문단에서 '알코올 화합물은~지질 피막이 있는 병원성 바이러스에서 방역 효과가 크다.'라고 하였으므로 적절하다.

③ 1문단의 '진균과 일부 세균은 다른 병원체에 비해~화학 물질에 저항성이 강한 포자를 만든다.'에서 알 수 있다.

④ 5문단의 '알킬화제가 알킬 작용기를~핵산의 염기에 결합시키면 핵산을 비정상 구조로 변화시켜 유전자 복제와 발현을 교란한다.'에서 알 수 있다.

⑤ 4문단의 '다양한 바이러스의 감염 예방을 위해서는 하이포염소산 소듐 등의 산화제가 널리 사용된다.~바이러스의 공통적인 표면 구조를 이루는 캡시드를 손상시키는 기능이 있어 바이러스를 파괴하거나 바이러스의 감염력을 잃게 한다.'에서 확인할 수 있다.

03

정답설명

③ ⓛ과 ⓒ은 모두 항미생물 화학제로, 2문단에서 '병원체의 구조와 성분은 병원체의 종류에 따라 완전히 같지는 않으므로, 동일한 항미생물 화학제라도 그 살균 효과는 다를 수 있다.'라고 한 부분을 통해 바이러스의 종류에 따라 살균 효과가 달라질 수 있음을 알 수 있다.

오답설명

① ⑦은 '포자를 포함한 모든 병원체를 파괴'하고 ⓒ은 '포자를 제외한 병원체를 사멸'시킨다고 하였으므로 틀린 선지이다.

② ⓒ은 ⓒ 중에서도 독성이 약해 '사람의 피부나 상처 소독에도 사용이 가능'하다고 하였으나 ⑦은 지문에 그러한 언급이 없다.

④ ⑦은 '포자를 포함한 모든 병원체를 파괴'하므로 세포막이 있는 병원성 세균과 피막이 있는 병원성 바이러스 모두 사멸시킬 수 있다.

⑤ ⓒ은 ⓒ 중에서도 독성이 약해 '사람의 피부나 상처 소독에도 사용이 가능'하나 '사람의 세포막도 지질 성분으로 이루어져 있어~사람의 세포를 죽일 수 있으므로', '점막에 접촉하지 않도록 주의해야' 한다고 하였다. 따라서 ⓒ과 ⓒ 모두 사람의 점막에 닿아서는 안 된다는 것을 알 수 있다.

04

〈보기〉는 항미생물 화학제로 사용되는 알코올 화합물 A의 '지질 손상 기능'과 '캡시드 손상 기능'을 조절하여 B, C, D를 얻었다는 내용이다. 3문단에 따르면 '사람의 세포막도 지질 성분으로 이루어져 있'으므로 만약 '지질 손상 기능'이 강화되었다면 인체에 대한 안전성은 낮을 것임을 알 수 있다. 즉 지질 손상 기능과 인체에 대한 안전성은 반비례 관계인 것이다. 그러나 '지질 손상 기능'이 강화되었다면 상대적으로 지질 피막이 있는 바이러스에 대한 방역 효과는 높을 것이다. 또한 바이러스의 공통적인 표면 구조를 이루는 캡시드를 손상시키는 기능이 강화되었다면, 바이러스에 대한 방역 효과가 커질 것이다. 따라서 이 문제는 A를 기준으로 B, C, D에서의 기능 차이를 비교한 뒤 기능에서 나타나는 효과를 연결하여 해결할 수 있다.

A의 지질을 손상시키는 기능의 크기가 5, 캡시드를 손상시키는 기능의 크기가 5라고 하고, 기능을 약화하면 1, 강화하면 10이 된다고 수치화하여 가정해보자.

B는 A에서 지질을 손상시키는 기능만 약화된 것이니 지질을 손상시키는 기능은 1, 캡시드를 손상시키는 기능은 5가 된다고 할 수 있다.

C는 A에서 캡시드를 손상시키는 기능만 강화한 것이니 지질을 손상시키는 기능은 5, 캡시드를 손상시키는 기능은 10이 된다고 할 수 있다.

D는 B에서 캡시드를 손상시키는 기능을 강화한 것이니 지질을 손상시키는 기능은 1, 캡시드를 손상시키는 기능은 10이 된다고 할 수 있다.

이를 간단히 도식화하면 다음과 같다.

	A	B	C	D
지질 손상	5	1	5	1
캡시드 손상	5	5	10	10

이렇게 간단히 도식화하여 나타내면 당황하지 않고 문제를 해결할 수 있을 것이다.

정답설명

③ C는 B에 비해 지질을 손상시키는 기능과 캡시드를 손상시키는 기능이 모두 강하다. 따라서 B보다 지질 피막이 있는 바이러스를 더 크게 손상시킬 수 있으므로 지질 피막이 있는 바이러스에 대한 방역 효과가 B보다 클 것이다. 그러나 지질을 손상시키는 기능이 강화되었다는 것은 인체에 대한 안전성이 약화되었다는 의미이므로, C는 B보다 인체에 대한

안전성이 낮을 것이다.

오답설명

① B는 A에 비해 지질을 손상시키는 기능이 약하니 지질 피막이 있는 바이러스에 대한 방역 효과는 작을 것이다. 그러나 지질을 손상시키는 기능이 약하면 인체에 대한 안전성이 높으므로 A보다 B가 인체에 대한 안전성이 높다는 것을 알 수 있다.

② C는 지질을 손상시키는 기능은 A와 같으나 A에 비해 캡시드를 손상시키는 기능이 강화되었다. 지질 피막이 없는 바이러스의 방역에서는 캡시드 손상 정도가 중요하기에, 캡시드를 손상시키는 기능이 상대적으로 강한 C가 A보다 지킬 피막이 없는 바이러스에 대한 방역 효과가 클 것이다. 한편 지질을 손상시키는 기능은 같으므로 인체에 대한 안전성은 동일할 것이다.

④ D는 A에 비해 지질을 손상시키는 기능은 약하나 캡시드를 손상시키는 기능은 강하다. 지질 피막이 없는 바이러스에서는 캡시드 손상 정도가 중요하기에 D가 A보다 지킬 피막이 없는 바이러스에 대한 방역 효과가 클 것이다. 또한 지질을 손상시키는 기능이 D가 A보다 약하므로 인체에 대한 안전성은 D가 A보다 높을 것이다.

⑤ D는 B에 비해 캡시드를 손상시키는 기능이 강화되었다. 따라서 지질 피막이 없는 바이러스에 대한 방역 효과가 B보다 클 것이다. 한편 지질을 손상시키는 기능은 B와 D가 같으므로 인체에 대한 안전성은 같을 것이다.

구조도 정답

① 병원체

② 포자

③ 알코올 화합물

④ 지질 피막

⑤ 산화제

⑥ 캡시드

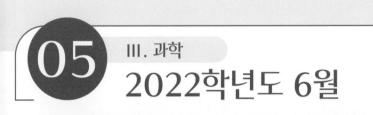

05 2022학년도 6월

중합 효소 연쇄 반응(PCR)

지문해설

① 1993년 노벨 화학상은 중합 효소 연쇄 반응(PCR)을 개발한 멀리스에게 수여된다. 염기 서열을 아는 DNA가 한 분자라도 있으면 이를 다량으로 증폭할 수 있는 길을 열었기 때문이다. PCR는 주형 DNA, 프라이머, DNA 중합 효소, 4종의 뉴클레오타이드가 필요하다. 주형 DNA란 시료로부터 추출하여 PCR에서 DNA 증폭의 바탕이 되는 이중 가닥 DNA를 말하며, 주형 DNA에서 증폭하고자 하는 부위를 표적 DNA라 한다. 프라이머는 표적 DNA의 일부분과 동일한 염기 서열로 이루어진 짧은 단일 가닥 DNA로, 2종의 프라이머가 표적 DNA의 시작과 끝에 각각 결합한다. DNA 중합 효소는 DNA를 복제하는데, 단일 가닥 DNA의 각 염기 서열에 대응하는 뉴클레오타이드를 순서대로 결합시켜 이중 가닥 DNA를 생성한다.

▶ 1문단을 읽을 때는 필자의 관심사에 중점을 두어야 한다. 필자는 PCR에 대한 이야기를 하려고 하는구나. 1문단에서는 먼저 PCR를 이루고 있는 요소들에 대한 개념을 정리했다. 주의할 것은 표적 DNA가 주형 DNA 중 일부라는 것이다. 일단 여기까지 읽으면, 자꾸 튕기는 느낌이 들 것이다. 상당히 불친절하게 어려운 개념들을 던지고 있기 때문이다. 이때가 중요하다. 과학/기술 지문에서 개념은 출제자와 학생이 소통하는 기본 언어다. 여기서 힘들더라도 주요 개념들을 메모라도 하며 최대한 억지로 머릿속에 넣어야 뒷부분을 읽어갈 수 있는 힘이 생긴다. 힘들다고 '일단 가 보자'라는 생각으로 2문단으로 가볍게 넘어갔다면, 3문단의 벽에서 좌절할 수밖에 없다.

② PCR 과정은 우선 열을 가해 이중 가닥의 DNA를 2개의 단일 가닥으로 분리하는 것으로 시작한다. 이후 각각의 단일 가닥 DNA에 프라이머가 결합하면, DNA 중합 효소에 의해 복제되어 2개의 이중 가닥 DNA가 생긴다. 일정한 시간 동안 진행되는 이러한 DNA 복제 과정이 한 사이클을 이루며, 사이클마다 표적 DNA의 양은 2배씩 증가한다. 그리고 DNA의 양이 더 이상 증폭되지 않을 정도로 충분히 사이클을 수행한 후 PCR를 종료한다. 전통적인 PCR는 PCR의 최종 산물에 형광 물질을 결합시켜 발색을 통해 표적 DNA의 증폭 여부를 확인한다.

▶ 구성 요소를 살펴보았으니 이제 PCR의 과정을 정리할 차례다. ① 열을 가해 이중 가닥의 DNA를 2개의 단일 가닥으로 분리 → ② 각각의 단일 가닥 DNA에 프라이머가 결합 → ③ DNA 중합 효소에 의해 복제되어 2개의 이중 가닥 DNA 생성! 이와 같은 과정을 하나의 사이클이라고 하고, 사이클마다 표적 DNA의 양이 2배씩 증가한다는구나. 전통적인 PCR에서는 최종 산물에 형광 물질을 결합시켜 발색을 통해 표적 DNA 증폭 여부를 확인한다고 하네. 굳이 '전통적인 PCR'이라고 구분해 둔 이유가 있겠지? 자, 다음 문단을 살펴보자.

③ PCR는 시료의 표적 DNA 양도 알 수 있는 실시간 PCR라는 획기적인 개발로 이어졌다. 실시간 PCR는 전통적인 PCR와 동일하게 PCR를 실시하지만, 사이클마다 발색 반응이 일어나도록 하여 누적되는 발색을 통해 표적 DNA의 증폭을 실시간으로 확인할 수 있다.

▶ 실시간 PCR라는 새로운 개념이 제시되었다. 앞서 제시된 전통적인 PCR와의 공통점과 차이점을 잘 구분하며 독해를 진행해야 한다. 실시간 PCR는 전통적인 PCR와 동일하게 PCR를 실시한다는 공통점이 있구나. 다만 전통적인 PCR가 최종 산물에 형광 물질을 결합시켜 발색을 통해 증폭 여부를 확인하는 것과는 다르게 실시간 PCR는 사이클마다 발색 반응이 일어나도록 한다는구나.

이를 위해 실시간 PCR에서는 PCR 과정에 발색 물질이 추가로 필요한데, '이중 가닥 DNA 특이 염료' 또는 '형광 표식 탐침'이 이에 이용된다. 이중 가닥 DNA 특이 염료는 이중 가닥 DNA에 결합하여 발색하는 형광 물질로, 새로 생성된 이중 가닥 표적 DNA에 결합하여 발색하므로 표적 DNA의 증폭을 알 수 있게 한다. 다만, 이중 가닥 DNA 특이 염료는 모든 이중 가닥 DNA에 결합할 수 있기 때문에 2개의 프라이머끼리 결합하여 이중 가닥의 이합체(二合體)를 형성한 경우에는 이와 결합하여 의도치 않은 발색이 일어난다.

▶ 실시간 PCR에 사용되는 두 가지 발색 물질이 제시되었다. 이렇게 두 가지 물질이 제시되었다는 것은 두 발색 물질의 공통점과 차이점에 대한 문제가 출제되었다는 것이겠지? 다음 문단을 읽으며 두 물질의 공통점과 차이점을 잘 확인하고 가자.

④ 형광 표식 탐침은 형광 물질과 이 형광 물질을 억제하는 소광 물질이 붙어 있는 단일 가닥 DNA 단편으로, 표적 DNA에서 프라이머가 결합하지 않는 부위에 특이적으로 결합하도록 설계된다. PCR 과정에서 이중 가닥 DNA가 단일 가닥으로 되면, 형광 표식 탐침은 프라이머와 마찬가지로 표적 DNA에 결합한다. 이후 DNA 중합 효소에 의해 이중 가닥 DNA가 형성되는 과정 중에 탐침은 표적 DNA와의 결합이 끊어지고 분해된다. 탐침이 분해되어 형광 물질과 소광 물질의 분리가 일어나면 비로소 형광 물질이 발색되며, 이로써 표적 DNA가 증폭되었음을 알 수 있다. 형광 표식 탐침은 표적 DNA에 특이적으로 결합하는 장점을 지니나 상대적으로 비용이 비싸다.

▶ 두 가지 발색 물질에 대한 정보가 모두 제시되었다. 이제 쌤과 함께 정보를 정리해 보도록 하자.
'이중 가닥 DNA 특이 염료'는 새로 생성된 이중 가닥 표적 DNA에 결합하여 발색한다. 그러나 모든 이중 가닥 DNA에 결합할 수 있으므로 2개의 프라이머끼리 결합하여 이중 가닥의 이합체를 형성한 경우 의도치 않은 발색이 일어날 수 있다는 문제점이 존재하지.
'형광 표식 탐침'은 형광 물질과 소광 물질로 이루어진 단일 가닥 DNA 단편인데, 표적 DNA에서 프라이머가 결합하지 않는 부위에 특이적으로 결합한다. 이중 가닥 DNA 특이 염료의 단점을 극복할 수 있는 것이지. 다만 상대적으로 비용이 비싸다는 단점이 존재하는구나! 장단점을 정리하고 가자. 또, 형광 표식 탐침은 DNA가 형성되는 과정 중에 표적 DNA와의 결합이 끊어지고 분해될 때, 형광 물질과 소광 물질이 분리되면서 발색한다는 점에서 이중 가닥 DNA 특이 염료와 차이가 나타나는구나.

⑤ 실시간 PCR에서 발색도는 증폭된 이중 가닥 표적 DNA의 양에 비례하며, 일정 수준의 발색도에 도달하는 데 필요한 사이클은 표적 DNA의 초기 양에 따라 달라진다. 사이클의 진행에 따른 발색도의 변화가 연속적인 선으로 표시되며, 표적 DNA를 검출했다고 판단하는 발색도에 도달하는 데 소요된 사이클을 Ct값이라 한다. 표적 DNA의 농도를 알지 못하는 미지 시료의 Ct값과 표적 DNA의 농도를 알고 있는 표준 시료의 Ct값을 비교하면 미지 시료에 포함된 표적 DNA의 농도를 계산할 수 있다.

▶ 또 다른 개념, 발색도와 Ct값이 제시되었다. 발색도를 설명하며 비례 관계가 제시되었으니 이는 반드시 체크해 두었어야 한다! 이중 가닥 표적 DNA의 양↑ - 발색도 ↑. 또한 표적 DNA를 검출했다고 판단하는 발색도에 소요된 사이클이 바로 Ct값이라는구나. 표적 DNA가 많아 일정한 발색도에 빨리 도달한다면 Ct값은 작아지겠지? 이와 같은 정보를 활용하면 미지 시료에 포함된 표적 DNA의 농도도 구할 수 있을 것이다.

⑥ PCR는 시료로부터 얻은 DNA를 가지고 유전자 복제, 유전병 진단, 친자 감별, 암 및 감염성 질병 진단 등에 광범위하게 활용된다. 특

히 실시간 PCR를 이용하면 바이러스의 감염 여부를 초기에 정확하고 빠르게 진단할 수 있다.

▶ 마지막으로 PCR의 활용 양상과 실시간 PCR의 장점을 소개하며 지문을 마무리하고 있다.

지문분석

종합 효소 연쇄 반응(PCR)

- 염기 서열 아는 DNA 다량으로 증폭
- 유전자 복제, 유전병 진단, 친자 감별, 암 및 감염성 질병 진단 등에 활용

구성 요소

- 주형 DNA : DNA 증폭의 바탕이 되는 이중 가닥 DNA
- 표적 DNA : (①)에서 증폭하려는 부위
- 프라이머 : 표적 DNA 일부분과 동일한 염기 서열의 짧은 단일 가닥 DNA
- DNA 중합 효소 : DNA 복제
  - 단일 가닥 DNA 각 염기 서열에 대응하는 (②)를 순서대로 결합 → 이중 가닥 DNA 형성

PCR 과정

- (1) 열을 가해 이중 가닥 DNA → 2개의 단일 가닥 DNA로 분리
- (2) 단일 가닥 DNA 각각에 (③) 결합
- (3) DNA 중합 효소에 의해 복제 → 2개의 이중 가닥 DNA
  - ⇒ 사이클마다 표적 DNA 양 (④) 증가

실시간 PCR

- 전통적인 PCR : PCR 최종 산물에 형광 물질 결합 → 발색으로 표적 DNA 증폭 여부 확인
- 실시간 PCR : (⑤)마다 발색 반응 → 발색 누적 → 표적 DNA 증폭 실시간 확인
- 바이러스의 감염 여부 초기에 정확, 빠르게 진단 가능
- PCR 과정에 발색 물질 필요
  - 이중 가닥 DNA 특이 염료
    - 새로 생성된 이중 가닥 표적 DNA에 결합 → 발색
    - 프라이머 2개 결합한 이중 가닥 이합체와 결합 → 의도치 X 발색
  - 형광 표식 탐침
    - 형광 물질 + 소광 물질의 단일 가닥 DNA 단편
    - 표적 DNA에서 프라이머 결합 X 부위에 (⑥)으로 결합
    - 이중 가닥 DNA 형성 과정 중 표적 DNA와 결합 끊기고 분해 → 형광 물질과 소광 물질 분리 → 발색
  - – 발색도 → 증폭된 이중 가닥 표적 DNA 양에 (⑦)
  - – Ct값 : 표적 DNA 검출했다고 판단하는 (⑧)에 도달하는 데 소요된 사이클
  - 미지 시료와 표준 시료의 Ct값 비교 → 미지 시료의 표적 DNA 농도 계산 가능

형태쌤 Comment

정보의 양이 상대적으로 많이 제시된 지문이다. 이렇게 정보가 나열되는 지문은 정보를 모두 기억하려 하지 말고, 지문을 구조 중심으로 끊어서 읽은 후 문제를 풀 때 지문과 선지를 비교하며 차분하게 접근하면 된다. 특히 전통적인 PCR와 실시간 PCR, 이중 가닥 DNA 특이 염료와 형광 표식 탐침의 차이점뿐만 아니라 공통점까지 고려하여 선지의 내용을 판단했어야 한다.

문제분석 01-04번

번호	정답	정답률 (%)	선지별 선택비율(%)				
			①	②	③	④	⑤
1	①	62	62	7	10	16	5
2	②	48	17	48	9	13	13
3	④	44	17	12	9	44	18
4	②	25	20	25	27	12	16

01

정답설명

① 1문단에서 프라이머는 표적 DNA의 일부분과 동일한 염기 서열로 이루어진 짧은 단일 가닥 DNA라고 하였다. 또한, 표적 DNA는 주형 DNA에서 증폭하고자 하는 부위이다. 따라서 프라이머 각각의 염기 서열은 주형 DNA에 속하는 표적 DNA의 일부분과 동일하므로, 주형 DNA에서도 2종의 프라이머 각각의 염기 서열과 정확하게 일치하는 염기 서열이 있다는 것을 알 수 있다.

오답설명

② 2문단에서 사이클마다 표적 DNA의 양은 2배씩 증가한다고 하였다. 따라서 표준 DNA의 양이 처음의 2배가 되는 시간과 4배에서 8배가 되는 시간은 모두 한 사이클에 해당하므로 걸리는 시간은 각각 동일하다.

③ 미지 시료의 표적 DNA 농도는 실시간 PCR에서 나타나는 발색도를 고려한 Ct값의 비교를 통해 확인할 수 있는 것이므로, 전통적인 PCR에서는 표적 DNA 농도를 아는 표준 시료가 있더라도 미지 시료의 DNA 농도를 PCR 과정 중에 확인할 수 없다. 또한 전통적인 PCR는 PCR의 최종 산물에 형광 물질을 결합시켜 발색을 통해 표적 DNA의 증폭 여부를 확인할 수 있으므로 PCR 과정 중에 미지 시료의 표적 DNA 농도를 확인할 수는 없다.

④, ⑤ 3문단에서 실시간 PCR는 전통적인 PCR와 동일하게 PCR를 실시한다고 하였으므로 열을 가해 이중 가닥의 DNA를 2개의 단일 가닥으로 분리하는 것으로 시작할 것이며, 표적 DNA를 증폭시키기 위해 DNA 중합 효소와 프라이머가 필요하다.

02

정답설명

② ㉠은 새로 생성된 이중 가닥 표적 DNA에 결합하여 발색한다. 이와 달리 ㉡은 DNA 중합 효소에 의해 이중 가닥 DNA가 형성되는 과정 중에 탐침이 표적 DNA와의 결합이 끊어지고 분해되면서, 형광 물질과 소광 물질의 분리가 일어나면 비로소 형광 물질이 발색된다고 하였다. 따라서 ㉡은 표적 DNA에 붙은 채 발색 반응이 일어나는 것이 아니다.

오답설명

① ㉠은 프라이머와 결합하여 이합체를 이루는 것이 아니라 이중 가닥 표적 DNA에 결합하여 발색하는 것이다. 다만 모든 이중 가닥 DNA에 결합할 수 있기에 2개의 프라이머끼리 결합하여 형성된 이중 가닥의 이합체에도 결합할 수 있다고 하였다. 또한 ㉡은 표적 DNA에서 프라이머가 결합하지 않는 부위에 특이적으로 결합하도록 설계된 것이다.

③ ㉠과 ㉡ 모두 형광 물질과 결합하여 이합체를 이루는 것이 아니다.

④ ㉠은 새로 생성된 이중 가닥 표적 DNA에 결합하여 발색하는 것이므로 사이클의 마지막 과정에서 발색 반응이 일어난다. 또한 ㉡은 DNA 중합 효소에 의해 이중 가닥 DNA가 형성되는 과정 중에 탐침이 표적 DNA와의 결합이 끊어지고 분해되며 발색하는 것이므로 사이클의 시작 지점에서 발색 반응이 일어나는 것이 아니라 마지막 과정에서 발색 반응이 일어나는 것이다.

⑤ ㉠은 이중 가닥 표적 DNA에 결합하여 발색하지만, ㉡은 PCR 과정에서 이중 가닥 DNA가 단일 가닥으로 되면, 프라이머와 마찬가지로 표적 DNA에 결합하는 것이라고 하였으므로 이중 가닥 표적 DNA에 결합하지 않는다.

03

정답설명

④ 실시간 PCR는 전통적인 PCR와 동일하게 PCR를 실시한다. 1문단에서 PCR는 '염기 서열을 아는 DNA가 한 분자라도 있으면 이를 다량으로 증폭할 수 있는 길'이라고 하였다. 또, PCR 과정에 필요한 프라이머는 '표적 DNA의 일부분과 동일한 염기 서열로 이루어진 짧은 단일 가닥 DNA'라고 하였으므로 표적 DNA의 염기 서열이 알려져 있어야 PCR를 통해 감염 여부를 분석할 수 있다고 추론할 수 있다.

오답설명

① 1문단에서 PCR는 '염기 서열을 아는 DNA가 한 분자라도 있으면 이를 다량으로 증폭할 수 있'다고 하였으므로 시료에 바이러스의 양이 적더라도 이를 증폭시켜 감염 여부를 확인할 수 있을 것이다.

② 2문단에서 전통적인 PCR는 'PCR의 최종 산물에 형광 물질을 결합시켜 발색을 통해 표적 DNA의 증폭 여부를 확인한다'고 하였으므로 발색 물질이 필요하다.

③ 6문단에서 바이러스의 감염 여부를 초기에 정확하고 빠르게 진단할 수 있는 것은 실시간으로 표적 DNA의 증폭을 확인할 수 있는 실시간 PCR이라고 하였다.

⑤ 3문단에서 실시간 PCR는 사이클마다 발색 반응이 일어나도록 하여 누

적되는 발색을 통해 표적 DNA의 증폭을 실시간으로 확인할 수 있다고 하였다. 따라서 DNA 양이 더 이상 증폭되지 않을 정도로 충분히 사이클을 수행하지 않아도 일정 수준의 발색도에 도달하면 감염 여부를 확인할 수 있으므로, 감염 여부를 PCR가 끝난 후에야 알 수 있는 것은 아니다.

04

형태쌤의 과외시간

비문학의 〈보기〉 문제에는 2가지 유형이 있다.

하나는 지문을 통해 〈보기〉를 바라보는 유형으로, 지문의 정보와 〈보기〉의 정보를 1:1로 대응시키는 것이 우선이다. 비문학 〈보기〉 문제의 대부분을 차지한다.

또 하나는 〈보기〉를 통해 지문을 바라보는 유형으로, 보통 〈보기〉의 정보를 통해 지문의 정보를 반박하거나 비판하는 유형으로 제시가 된다. 문학과 비슷한 유형이라고 보면 된다.

정답설명

② 이 문제는 첫 번째 유형으로, 지문의 5문단과 〈보기〉의 1:1 대응이 필요하다. 5문단에 제시된 비례 관계, Ct값과 발색도의 관계를 〈보기〉의 사례에 적용해야 하는 문제였지. 특히 〈보기 1〉과 〈보기 2〉에 제시되어 있는 '동일한 표적 DNA를 포함', '초기 농도가 높다'와 같은 정보를 함께 활용하여 문제 풀이에 들어갔어야 한다. 지문과 〈보기〉의 정보, 모두 꼼꼼하게 확인했어야 한다는 소리다.

㉮ 2문단에서 '사이클마다 표적 DNA의 양은 2배씩 증가한다'고 하였다. 〈보기 2〉에서 ⓐ는 ⓑ보다 표적 DNA의 초기 농도가 높다고 하였으므로, 초기의 표적 DNA의 양이 더 많다. 따라서 사이클마다 증가한 표적 DNA의 양은 ⓐ가 ⓑ보다 많을 것이다.

㉯ 실시간 PCR의 Ct값은 표적 DNA를 검출했다고 판단하는 발색도에 도달하는 데 소요된 사이클을 의미한다. ⓐ와 ⓑ는 동일한 표적 DNA를 포함하고 있으므로, Ct값은 다를 수 있으나 각자의 Ct값에서 표적 DNA를 검출했다고 판단하는 발색도는 같을 것이다.

㉰ 발색도는 증폭된 이중 가닥 표적 DNA의 양에 비례하므로, 표적 DNA의 양이 많은 ⓐ가 ⓑ보다 먼저 표적 DNA를 검출했다고 판단하는 발색도에 도달할 것임을 유추할 수 있다. 따라서 ⓐ는 ⓑ보다 상대적으로 해당 발색도에 도달하는 데 소요되는 사이클이 적을 것이므로 Ct값 또한 작을 것이다.

구조도 정답

① 주형 DNA　　② 뉴클레오타이드
③ 프라이머　　④ 2배씩
⑤ 사이클　　⑥ 특이적
⑦ 비례　　⑧ 발색도

비타민 K

지문해설

① 혈액은 세포에 필요한 물질을 공급하고 노폐물을 제거한다. 만약 혈관 벽이 손상되어 출혈이 생기면 손상 부위의 혈액이 응고되어 혈액 손실을 막아야 한다. 혈액 응고는 섬유소 단백질인 피브린이 모여 형성된 섬유소 그물이 혈소판이 응집된 혈소판 마개와 뭉쳐 혈병이라는 덩어리를 만드는 현상이다.

▶ 1문단에서 정의의 방식으로 개념을 설명할 때는 그 개념이 지문 전체에서 중요하게 다뤄지는 경우가 많으므로 머릿속에 넣거나 체크해 두고 가야 한다. [혈액 응고 : 피브린이 모인 섬유소 그물 + 혈소판 마개 → 혈병]

혈액 응고는 혈관 속에서도 일어나는데, 이때의 혈병을 혈전이라 한다. 이물질이 쌓여 동맥 내벽이 두꺼워지는 동맥 경화가 일어나면 그 부위에 혈전 침착, 혈류 감소 등이 일어나 혈관 질환이 발생하기도 한다. 이러한 혈액의 응고 및 원활한 순환에 비타민 K가 중요한 역할을 한다.

▶ 혈액의 응고(2문단)와 원활한 순환(4문단)에 비타민 K가 어떤 역할을 하는지 이후에 안내가 되겠지? '혈액 응고, 혈병, 혈전'의 개념을 탑재하고 2문단으로 가자.

② 비타민 K는 혈액이 응고되도록 돕는다. 지방을 뺀 사료를 먹인 병아리의 경우, 지방에 녹는 어떤 물질이 결핍되어 혈액 응고가 지연된다는 사실을 발견하고 그 물질을 비타민 K로 명명했다. 혈액 응고는 단백질로 이루어진 다양한 인자들이 관여하는 연쇄 반응에 의해 일어난다.

▶ 연쇄 반응이라는 말에서 "아, 과정으로 서술되겠구나."라는 생각을 해야 한다. 그리고 각 단계를 끊을 준비를 하면서 읽어야 한다. 과정으로 서술될 때는 반드시 순서를 물어보니, 과정이 복잡하여 머릿속에 정리가 안 되면 즉시 펜을 들어서 간단히 메모라도 해야 한다. 이 작업을 미리 해 두지 않으면 문제 풀때 심각한 상황을 만나게 된다.

우선 여러 혈액 응고 인자들이 활성화된 이후 프로트롬빈이 활성화되어 트롬빈으로 전환되고, 트롬빈은 혈액에 녹아 있는 피브리노겐을 불용성인 피브린으로 바꾼다. 비타민 K는 프로트롬빈을 비롯한 혈액 응고 인자들이 간세포에서 합성될 때 이들의 활성화에 관여한다. 활성화는 칼슘 이온과의 결합을 통해 이루어지는데, 이들 혈액 단백질이 칼슘 이온과 결합하려면 카르복실화되어 있어야 한다. 카르복실화는 단백질을 구성하는 아미노산 중 글루탐산이 감마-카르복시글루탐산으로 전환되는 것을 말한다. 이처럼 비타민 K에 의해 카르복실화되어야 활성화가 가능한 표적 단백질을 비타민 K-의존성 단백질이라 한다.

▶ 못된 필자는 활성화 이후를 먼저 얘기한 후에, 활성화 이전의 단계를 제시했다. 그냥 순차적으로 제시해도 정리하기 힘든데, 의도적으로 꼬아 놓았기에 더욱 열이 받는다. 하지만 어쩔 수 없다. 우리는 꼬인 순서를 제대로 다시 정리해야만 문제를 풀 수 있다.

▶ 활성화 : [비타민 K → 카르복실화 → 혈액 응고 인자 활성화]

활성화 이후 : [프로트롬빈 활성화 → 트롬빈 전환 → 피브리노겐을 피브린으로 바꿈]

③ 비타민 K는 식물에서 합성되는 비타민 K_1과 동물 세포에서 합성되거나 미생물 발효로 생성되는 비타민 K_2로 나뉜다. 녹색 채소 등은 비타민 K_1을 충분히 함유하므로 일반적인 권장 식단을 따르면 혈액 응고에 차질이 생기지 않는다.

▶ 상위 개념인 비타민 K를 하위 개념으로 나눠서 설명하고 있다. 두 개로 쪼갰으니, 공통점과 차이점을 물어보겠지.

④ 그런데 혈관 건강과 관련된 비타민 K의 또 다른 중요한 기능이 발견되었고, 이는 칼슘의 역설과도 관련이 있다. 나이가 들면 뼈 조직의 칼슘 밀도가 낮아져 골다공증이 생기기 쉬운데, 이를 방지하고자 칼슘 보충제를 섭취한다. 하지만 칼슘 보충제를 섭취해서 혈액 내 칼슘 농도는 높아지나 골밀도는 높아지지 않고, 혈관 벽에 칼슘염이 침착되는 혈관 석회화가 진행되어 동맥 경화 및 혈관 질환이 발생하는 경우가 생긴다. 혈관 석회화는 혈관 근육 세포 등에서 생성되는 MGP라는 단백질에 의해 억제되는데, 이 단백질이 비타민 K-의존성 단백질이다. 비타민 K가 부족하면 MGP 단백질이 활성화되지 못해 혈관 석회화가 유발된다는 것이다.

▶ 뼈의 칼슘 밀도를 높이려 칼슘을 먹었더니, 골밀도는 높아지지 않고 오히려 동맥 경화 및 혈관 질환이 생기는 역설적인 상황이다. 이때 비타민 K가 단백질을 활성화하여 문제를 해결하는구나.

⑤ 비타민 K_1과 K_2는 모두 비타민 K-의존성 단백질의 활성화를 유도하지만 K_1은 간세포에서, K_2는 그 외의 세포에서 활성이 높다. 그러므로 혈액 응고 인자의 활성화는 주로 K_1이, 그 외의 세포에서 합성되는 단백질의 활성화는 주로 K_2가 담당한다. 이에 따라 일부 연구자들은 비타민 K의 권장량을 K_1과 K_2로 구분하여 설정해야 하며, K_2가 함유된 치즈, 버터 등의 동물성 식품과 발효 식품의 섭취를 늘려야 한다고 권고한다.

▶ 다시 한 번 하위 개념의 차이점을 얘기하고 있다. K_1은 혈액 응고를, K_2는 원활한 순환(간세포 외의 세포에서 합성되는 단백질의 활성화)을 담당하는구나.

실전 국어 전형태

지문분석

비타민 K

→ 비타민 K의 역할 1

1) (①) : 피브린이 모여 형성된 섬유소 그물 + 혈소판 마개 → 혈병
2) 혈액 응고 인자들이 간세포에서 합성될 때 이들의 활성화에 관여
 - [활성화 이전] : 혈액 단백질 카르복실화 → 칼슘 이온과 결합
 → 활성화
 - (②) : 카르복실화되어야 활성화가 가능한 표적 단백질

 - 혈액 응고는 단백질로 이루어진 다양한 인자들의 (③)에 의해
 일어남
 - [활성화 이후] : 혈액 응고 인자 활성화 → 프로트롬빈 활성화
 → 프로트롬빈이 트롬빈으로 전환 → (④)이 피브리노겐을 피브린으로
 전환

→ 비타민 K의 역할 2

 - (⑤) : 칼슘 보충제를 섭취해도 골밀도가 높아지지 않고,
 (⑥)가 진행되어 동맥 경화 및 혈관 질환 발생
 - (⑥) : 비타민 K-의존성 단백질에 의해 억제
 - 즉, 비타민 K가 부족하면 (⑥) 유발

→ 비타민 K의 종류

 비타민 K₁ : 식물에서 합성, 녹색 채소 등에 함유
 비타민 K₂ : 동물 세포에서 합성되거나 미생물 발효로 생성

→ 비타민 K₁ 과 K₂ 의 차이

 비타민 K-의존성 단백질의 활성화 유도 세포의 차이
 - 비타민 K₁ : 간세포에서 활성↑ → 혈액 응고 인자의 활성화 담당
 - 비타민 K₂ : 그 외의 세포에서 활성↑ → 그 외의 세포에서 합성
 되는 단백질의 활성화 담당
 ⇒ 비타민 K의 (⑦)을 K₁ 과 K₂ 로 구분해야 함

형태쌤 Comment

지문에 낯선 용어가 많이 등장하고, 과정과 분류가 들어가 있어서 정보 처리가
쉽진 않다. 특히 과정으로 지문이 구성될 때는 선후 관계를 반드시 물어보므로,
일단 지문을 읽을 때는 단계마다 끊어 주고, 핵심 과정이 머릿속에 잘 들어오지
않는다면 간단하게 메모하면서 읽는 것이 좋다.

문제분석 01-04번

번호	정답	정답률(%)	선지별 선택비율(%)				
			①	②	③	④	⑤
1	①	66	66	5	6	13	10
2	②	50	5	50	4	29	12
3	④	60	18	8	8	60	6
4	③	46	5	10	46	28	11

01

정답설명

① 1문단에서 정의의 방식으로 개념을 제시할 때는 지문 전체를 좌우하는
핵심 개념이므로 체크를 해 주는 습관이 필요하다. 1문단에 따르면 혈
액 손실은 혈관 벽이 손상되어 출혈이 생길 때 일어난다. 이때 섬유소
그물과 혈소판 마개가 뭉쳐 혈병을 만들어 혈액 손실을 막는다. 그런데
혈전은 혈관 벽이 아닌 혈관 내부에 만들어지는 혈병이므로 혈액 손실
과는 관련이 없다. 또한 섬유소 그물이 뭉쳐 혈전이 형성되는 것이므로
'혈전이 형성되면 섬유소 그물이 뭉쳐'에서 바로 울컥하고 체크했어야
한다.

오답설명

② 1문단에 따르면 섬유소 그물이 혈소판 마개와 뭉쳐 혈액 응고가 일어나
니, 혈액 응고를 위해선 혈소판 마개 형성이 당연하다.

③ 1문단에 따르면 혈소판이 응집된 것이 혈소판 마개다. 혈병이 생기려면
섬유소 그물이 혈소판 마개와 뭉쳐야 하니, 혈소판 응집은 반드시 거쳐
야 한다.

④ 1문단에 따르면 이물질이 쌓여서 일어나는 것이 동맥 경화다. 따라서
혈관 경화를 막기 위해선 이물질이 침착(밑으로 가라앉아 들러붙음)되
지 않게 해야 한다. 동맥이 혈관인 것쯤은 알고 있어야 한다.

⑤ 4문단으로 가자. 혈관 석회화가 진행되어 동맥 경화 및 혈관 질환이 발
생하는 경우가 생긴다. 이번엔 1문단으로 가자. 동맥 경화는 동맥 내벽
이 두꺼워지는 현상이고, 이를 통해 혈전 침착과 혈류 감소 등이 일어
난다. 서로 떨어진 문단의 내용을 매개하는 개념을 물어보는 피곤한 선
지다. 이런 선지를 평가원은 종종 구성하는데, 나올 때마다 높은 오답률
을 보여주니 조심해야 한다.

02

정답설명

② 칼슘 밀도가 낮아져서 생긴 문제인 골다공증을 방지하기 위해 먹는 것
이 칼슘 보충제다. 그런데 뼈의 칼슘 밀도 즉, 골밀도가 높아지지 않고
오히려 또 다른 문제를 유발하는 상황이 바로 칼슘의 역설이다.

오답설명

① 칼슘 보충제 섭취와 비타민 K₁의 효용성 감소는 전혀 상관이 없다.

③ 칼슘 보충제를 섭취해도 골다공증을 막지 못하는 것은 맞지만, 칼슘 보
충제를 섭취하면 혈관 석회화가 진행되어 혈관 질환이 발생하므로 혈관
건강이 개선된다는 설명은 적절하지 않다.

④ 예전엔 선지의 앞과 뒤만 신경 쓰면 되었는데, 최근엔 선지가 길어져서
선지를 [A / B / C]로 나눠서 각각 살펴봐야 하는 경우가 있다. 이때
[B] 파트를 틀리게 구성하면 오답률이 올라간다. 여기서도 마찬가지다.
칼슘 보충제를 섭취하여 혈관 벽에 칼슘이 침착되는 것은 맞지만, '혈
액 내 단백질이 칼슘과 결합'하는 것은 아니다. 오히려 혈액 내 MGP
단백질이 활성화되지 못해서 혈관 석회화가 유발되는 것이다.

⑤ 칼슘 보충제를 섭취해도 골다공증 개선이 안 되는 것은 맞지만, '혈액으
로 칼슘이 흡수되지 않아'가 적절하지 않다. 칼슘 보충제를 섭취하면

혈액 내 칼슘 농도는 높아지지만 골밀도가 높아지지 않는 것이 칼슘의 역설이다.

03

정답설명

④ 2문단을 보면 표적 단백질의 활성화를 위해 반드시 필요한 과정이 카르복실화이다. 이 카르복실화는 비타민 K에 의해 일어난다. 그리고 5문단을 보면 혈액 응고 인자의 활성화는 주로 ㉠(비타민 K_1)이 담당한다고 하였다.

4문단을 보면 비타민 K 부족으로 표적 단백질인 MGP 단백질이 활성화되지 못한다고 하였다. 그리고 5문단을 보면 간세포 외의 세포에서 합성되는 단백질의 활성화는 ㉡(비타민 K_2)이 담당한다고 하였다. 따라서 ㉠과 ㉡은 모두 표적 단백질의 활성화 이전 단계에 작용한다.

오답설명

① 5문단을 보면 ㉠은 간세포에서, ㉡은 그 외의 세포에서 활성이 높다고 하였다. 바로 이 문장 때문에 낚인 학생들이 많다. 비문학에서 자주 하는 실수가 선지의 어휘를 자의적으로 받아들이는 것이다. '합성'은 '활성'과 다르다. 3문단을 보면 ㉠은 식물에서 합성되며 ㉡은 동물 세포에서 합성되거나 미생물 발효로 생성된다고 하였다.

② 비타민 K는 지방에 녹는 물질이다. 2문단을 보면 지방을 뺀 사료를 먹인 병아리가 비타민 K가 부족하여 혈액 응고가 지연된다는 사실이 나온다. ㉠과 ㉡ 둘 다 비타민 K의 하위 범주들이므로, 둘 다 지방과 함께 섭취해야 한다. 우리가 샐러드를 먹을 때 올리브유나 기름이 들어간 드레싱과 함께 먹는 이유가 바로 이것 때문이다.

③ 표적 단백질의 아미노산을 변형하는 것이 카르복실화다. 그리고 카르복실화되어야 활성화가 가능한 표적 단백질이 '비타민 K-의존성 단백질'이다. 혈관 근육 세포 등에서 생성되는 MGP 단백질도 비타민 K-익존성 단백질이므로 ㉠과 ㉡ 모두 표적 단백질의 아미노산을 변형한다.

⑤ 1문단을 보면 혈액의 응고 및 원활한 순환에 비타민 K가 '중요한 역할'을 한다고 하였다. 또한 4문단에 따르면 비타민 K가 부족하면 혈관 석회화가 유발될 수 있다고 하였다. 따라서 ㉠과 ㉡ 모두 결핍되면 문제가 될 수 있다.

04

정답설명

③ (다)의 '헤파린'은 '트롬빈'의 작용을 억제한다. 2문단을 보면 '트롬빈'은 '혈액 응고 인자들이 **활성화**'된 이후, '피브리노겐'을 '피브린'으로 바꾼다. 그러나 '혈액 응고 인자와 칼슘 이온의 결합'은 '혈액 응고 인자들이 **활성화**'되기 전의 단계. 2문단을 보면 활성화는 '혈액 단백질(혈액 응고 인자들)이 칼슘 이온과 결합'해야 된다고 나와 있다. 따라서 '트롬빈'의 작용을 억제하더라도 그 이전 단계인 '혈액 응고 인자와 칼슘 이온의 결합'은 이뤄진다.

오답설명

① 비타민 K가 부족하면 혈관 석회화가 유발될 수 있다. 따라서 비타민 K

의 작용을 방해하는 '와파린'을 지나치게 투여하면, 혈관 석회화가 유발될 수 있다.

② '플라스미노겐 활성제'는 '피브린을 분해'한다. 혈전은 '피브린'이 모여 형성된 섬유소 그물과 '혈소판 마개'가 뭉쳐 생긴 것이니, '피브린을 분해'하면 혈전이 풀어질 것으로 추측할 수 있다.

④ 2문단을 보면 [비타민 K → 카르복실화 → **혈액 응고 인자 활성화** → **프로트롬빈 활성화** → **트롬빈 전환** → **피브리노겐을 피브린으로 바꿈**]의 단계가 제시되어 있다. (가)의 '와파린'은 비타민 K의 작용을 방해하므로, 초기 단계를 막아 피브리노겐 전환을 억제한다. (다)의 '헤파린'은 트롬빈의 작용을 억제하므로, 피브리노겐 전환을 억제한다.

⑤ [비타민 K → 카르복실화 → **혈액 응고 인자 활성화** → **프로트롬빈 활성화** → **트롬빈 전환** → **피브리노겐을 피브린으로 바꿈**] 단계를 다시 보자. (나)를 통해 피브린을 분해하면, 피브린 섬유소 그물 형성은 당연히 억제된다. 그리고 (다)를 통해 '트롬빈의 작용을 억제'하면 '피브리노겐을 피브린으로 바꿈'이 억제되어 피브린 섬유소 그물 형성이 억제된다.

구조도 정답

① 혈액 응고
② 비타민 K-의존성 단백질
③ 연쇄 반응
④ 트롬빈
⑤ 칼슘의 역설
⑥ 혈관 석회화
⑦ 권장량

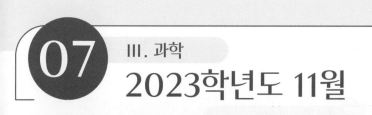

동물의 기초 대사량

지문해설

① 하루에 필요한 에너지의 양은 하루 동안의 총 열량 소모량인 대사량으로 구한다. 그중 기초 대사량은 생존에 필수적인 에너지로, 쾌적한 온도에서 편히 쉬는 동물이 공복 상태에서 생성하는 열량으로 정의된다. 이때 체내에서 생성한 열량은 일정한 체온에서 체외로 발산되는 열량과 같다. 기초 대사량은 개체에 따라 대사량의 60~75%를 차지하고, 근육량이 많을수록 증가한다.

▶ 일단 필자의 관심사 '대사량' 체크하자. 그중에서도 '기초 대사량'이 이 글의 중심 내용임을 알 수 있다. '대사량'과 '기초 대사량'의 정의 나온 거 보이지? 또한 '근육량↑ 기초 대사량↑' 증감 관계까지 확인하면 1문단을 제대로 읽은 거다.

② 기초 대사량은 직접법 또는 간접법으로 구한다. 직접법은 온도가 일정하게 유지되고 공기의 출입량을 알고 있는 호흡실에서 동물이 발산하는 열량을 열량계를 이용해 측정하는 방법이다. 간접법은 호흡 측정 장치를 이용해 동물의 산소 소비량과 이산화 탄소 배출량을 측정하고, 이를 기준으로 체내에서 생성된 열량을 추정하는 방법이다.

▶ 2문단에는 기초 대사량을 구하는 방법이 나와 있다. '직접법'과 '간접법'의 차이를 중심으로 읽으면 된다.

▶ 직접법 : 열량계를 이용해 열량을 직접 측정하는 방법
   간접법 : 산소 소비량과 이산화 탄소 배출량을 통해 열량을 추정하는 방법

③ 19세기의 초기 연구는 체외로 발산되는 열량이 체표 면적에 비례한다고 보았다. 즉 그 둘이 항상 일정한 비(比)를 갖는다는 것이다. 체표 면적은 (체중)$^{0.67}$에 비례하므로, 기초 대사량은 체중이 아닌 (체중)$^{0.67}$에 비례한다고 하였다. 어떤 변수의 증가율은 증가 후 값을 증가 전 값으로 나눈 값이므로, 체중이 W에서 2W로 커지면 체중의 증가율은 (2W)/(W) = 2이다. 이 경우에 기초 대사량의 증가율은 (2W)$^{0.67}$/(W)$^{0.67}$=2$^{0.67}$, 즉 약 1.6이 된다.

▶ 19세기 초기 연구에서는 열량이 체표 면적에 비례한다고 보았대. 여기서 '체표 면적'이 정확히 무엇을 나타내는지는 몰라도 돼. 왜? 지문에서 정의해 주지 않았으니까! 다만 어휘력이 좋거나 눈치가 빠른 친구들은 이미 '체표 면적'이 몸의 표면적을 의미함을 눈치 챘을 거야. 선생님이 평소에 어휘 공부를 그렇게 강조한 이유가 여기에 있다. 어휘 학습에 불성실한 친구들이 '체표 면적'이라는 낯선 단어에 정신이 혼미해져서 지문에 집중을 못하고 있을 때 어휘를 열심히 공부한 친구들은 이미 다음 단락을 읽고 있을 거다.

▶ 체표 면적이 (체중)$^{0.67}$에 비례한다는 관계 체크하자. '자연수1 = 자연수1'임은 상식이지. 그러면 1 이상의 숫자에 1이 안 되는 0.67제곱을 하면 기존의 숫자보다 작아짐을 알 수 있다. 따라서 기초 대사량은 체중이 아닌 (체중)$^{0.67}$에 비례한다고 말해야 정확한 표현이 된다. 따라서 이 때문에 체중이 2배로 증가하더라도 기초 대사량은 2배가 증가하는 게 아니라 체중의 증가율의 0.67제곱만큼만 증가하는 거지.

④ 1930년대에 클라이버는 생쥐부터 코끼리까지 다양한 크기의 동물의 기초 대사량 측정 결과를 분석했다. 그래프의 가로축 변수로 동물의 체중을, 세로축 변수로 기초 대사량을 두고, 각 동물별 체중과 기초 대사량의 순서쌍을 점으로 나타냈다.

▶ 지문에서 '그래프'에 대해 얘기하고 있고, 친절하게 그래프가 〈그림〉으로 제시된다면 4문단의 내용을 이 〈그림〉에 메모해야겠지? 당장 가로축(x축)에 '동물의 체중', 세로축(y축)에 '기초 대사량'을 적어라.

⑤ 가로축과 세로축 두 변수의 증가율이 서로 다를 경우, 그 둘의 증가율이 같을 때와 달리, '일반적인 그래프'에서 이 점들은 직선이 아닌 어떤 곡선의 주변에 분포한다. 그런데 순서쌍의 값에 상용로그를 취해 새로운 순서쌍을 만들어서 이를 〈그림〉과 같이 그래프에 표시하면, 어떤 직선의 주변에 점들이 분포하는 것으로 나타난다. 그러면 그 직선의 기울기를 이용해 두 변수의 증가율을 비교할 수 있다. 〈그림〉에서 X와 Y는 각각 체중과 기초 대사량에 상용로그를 취한 값이다. 이런 방식으로 표현한 그래프를 'L-그래프'라 하자.

▶ 3문단에서 체중의 증가율과 기초 대사량의 증가율이 비례 관계가 아니라고 했으니까 점들이 '곡선'의 주변에 분포할 걸 예상할 수 있겠지? 그런데 이 순서쌍에 상용로그를 취하면 점들이 곡선이 아니라 '직선'의 주변에 분포하게 된대. 상용... 로그? 얘들아! 겁먹지 마. 수학이 아니라 국어 시험이잖아. '상용로그'가 뭔지, 어떻게 적용하는지 안 물어봐. 독서 지문에서 중요한 것은, 전부 지문 내의 정보야. 지문 밖의 배경지식을 활용하는 문제는 안 내니 걱정하지 않아도 된다.

⑥ 체중의 증가율에 비해, 기초 대사량의 증가율이 작다면 L-그래프에서 직선의 기울기는 1보다 작으며 기초 대사량의 증가율이 작을수록 기울기도 작아진다. 만약 체중의 증가율과 기초 대사량의 증가율이 같다면 L-그래프에서 직선의 기울기는 1이 된다.

▶ 일단 마지막 문장을 통해 '체중 증가율 = 기초 대사량 증가율'이면 'L-그래프에서 직선의 기울기 = 1'인 것부터 체크하자. 첫 번째 문장을 통해 '체중 증가율 > 기초 대사량 증가율'이면 'L-그래프에서 직선의 기울기 < 1'임을 알 수 있다. 그런데 4문단에서 '체중'은 x축, '기초 대사량'은 y축으로 정리했지? 그렇다면 다음과 같은 결론을 낼 수 있다.

▶ 'x축 증가율 > y축 증가율'이면 'L-그래프에서 직선의 기울기 < 1'

⑦ 이렇듯 L-그래프와 같은 방식으로 표현할 때, 생물의 어떤 형질이 체중 또는 몸 크기와 직선의 관계를 보이며 함께 증가하는 경우 그 형질은 '상대 성장'을 한다고 한다. 동일 종에서의 심장, 두뇌와 같은 신체 기관의 크기도 상대 성장을 따른다.

▶ '상대 성장'의 정의와, 같은 종에서의 신체 기관의 크기는 상대 성장을 따른다는 정보를 얻고 빠르게 다음 문단으로 넘어가면 돼.

⑧ 한편, 그래프에서 가로축과 세로축 두 변수의 관계를 대변하는 최적의 직선의 기울기와 절편은 최소 제곱법으로 구할 수 있다. 우선, 그래프에 두 변수의 순서쌍을 나타낸 점들 사이를 지나는 임의의 직선을 그린다. 각 점에서 가로축에 수직 방향으로 직선까지의 거리인 편차의 절댓값을 구하고 이들을 각각 제곱하여 모두 합한 것이 '편차 제곱 합'이며, 편차 제곱 합이 가장 작은 직선을 구하는 것이 최소 제곱법이다.

▶ 최소 제곱법? 파이널집에서 본 내용이다! 파이널 기간에 열심히 공부한 친구들은 이 내용이 생각나서 도움이 됐을 거고, 생각이 안 났더라도 괜찮다. 선생님이 독서 연계를 크게 강조하지 않는 이유도 여기에 있다. 문학과 달리 독서는 연계율이 크지 않기 때문에 연계 공부를 안 해도 충분히 풀 수 있도록 문제를 낸다.

▶ 최소 제곱법 : 편차 제곱 합이 가장 '작은' 직선을 구하는 것.
   이를 통해 최적의 직선의 기울기와 절편을 구할 수 있음.

▶ 편차 제곱 합 : 각 점에서 가로축에 수직 방향으로 직선까지의 거리인 편차의 절댓값 제곱을 모두 더한 것

⑨ 클라이버는 이런 방법에 근거하여 L-그래프에 나타난 최적의 직선의 기울기로 0.75를 얻었고, 이에 따라 동물의 (체중)$^{0.75}$에 기초 대사량이 비례한다고 결론지었다. 이것을 '클라이버의 법칙'이라 하며, (체중)$^{0.75}$을 대사 체중이라 부른다. 대사 체중은 치료제 허용량의 결정에

도 이용되는데, 이때 그 양은 대사 체중에 비례하여 정한다. 이는 치료제 허용량이 체내 대사와 밀접한 관련이 있기 때문이다.

▶ 여기서 '클라이버 씨는 누구세요?'라고 하면 지문을 제대로 읽지 못한 거다. 3문단에서 동물의 기초 대사량은 체표 면적에 비례한다고 보았고, 4문단에서는 이와 다른 1930년대의 클라이버의 분석이 나왔지. 이 지문은 단순히 '최소 제곱법'이 무엇인지 설명하는 지문이 아니라 이를 통해 동물의 기초 대사량이 무엇에 비례하는지 알게 되었다는 내용을 담고 있는 거다.

▶ 19세기 초에는 기초 대사량이 (체중)$^{0.67}$에 비례한다고 보았는데, 1930년대 클라이버의 분석을 통해 (체중)$^{0.75}$에 비례함을 알 수 있게 되었다. 또한 이를 '대사 체중'이라고 부르는 것과 치료제의 허용량 결정에도 이용하고 있다는 것까지 체크하며 지문 읽기를 마무리하자.

지문분석

동물의 기초 대사량

L-그래프

순서쌍의 값에 상용로그를 취해 새로운 순서쌍을 만들어 표시한 그래프

어떤 (①)의 주변에 점들이 분포하는 것으로 나타남.

'x축 증가율 = y축 증가율'이면 'L-그래프에서 직선의 기울기 = 1'
'x축 증가율 > y축 증가율'이면 'L-그래프에서 직선의 기울기 (②) 1'

상대 성장 : L-그래프와 같은 방식으로 표현할 때
생물의 어떤 형질이 체중 또는 몸 크기와 직선의 관계를 보이며 함께 증가

최소 제곱법

(③) 제곱 합이 가장 작은 직선을 구하는 것
(③) : 각 점에서 가로축에 수직 방향으로 직선까지의 거리

그래프에서 가로축과 세로축 두 변수의 관계를 대변하는
최적의 직선의 기울기와 절편을 구할 수 있음.

기초 대사량

– 정의 : 쾌적한 온도에서 편히 쉬는 동물이 공복 상태에서 생성하는 열량
– 생존에 필수적인 에너지
– 대사량의 60~75%를 차지, 근육량과 비례

기초 대사량 구하는 법

– 직접법 : 호흡실에서 동물이 발산하는 열량을 열량계를 이용해 측정
– (④) : 산소 소비량과 이산화 탄소 배출량을 측정
  → 체내에서 생성된 열량을 추정

19세기의 초기 연구

기초 대사량은 (⑤) 면적에 비례
(⑤) 면적은 (체중)$^{0.67}$에 비례
∴ 기초 대사량은 (체중)$^{0.67}$에 비례

1930년대 클라이버

그래프의 가로축 : 동물의 체중, 세로축 : 기초 대사량
→ 각 동물별 체중과 기초 대사량의 순서쌍을 점으로 나타냄.
→ L-그래프에 나타난 최적의 직선의 기울기로 (⑥)를 얻음.
∴ 동물의 (체중)$^{0.75}$에 기초 대사량이 비례 : 클라이버의 법칙

(⑦) : (체중)$^{0.75}$ → 치료제 허용량의 결정에도 이용

형태쌤 Comment

9문단이나 되는 길이가 상당히 긴 지문이다. 처음에 기초 대사량으로 지문을 시작했다가 갑자기 'L-그래프'와 '최소 제곱법'에 대한 얘기가 나와 수험생의 정신을 흔들어 놓는 고난도 지문이었다. 당황하지 말고 19세기 초기 연구와 달리 '클라이버'가 'L-그래프'와 '최소 제곱법'을 이용해 기초 대사량을 어떻게 구했는지 파악할 수 있어야 한다. 또한 'L-그래프'와 '최소 제곱법'의 핵심 내용도 간단히 메모하면서 보아야 오답을 줄일 수 있다.

문제분석 01-04번

번호	정답	정답률 (%)	선지별 선택비율(%)				
			①	②	③	④	⑤
1	③	72	6	9	72	9	4
2	④	38	4	32	15	38	11
3	④	51	14	9	11	51	15
4	①	19	19	18	30	18	15

01

정답설명

③ '증가율의 차이'라는 것은 두 변수의 증가율의 차(뺄셈)를 말하는 것이다. 6문단에 따르면 L-그래프에서의 직선의 기울기는 두 변수의 증가율이 같을 때 1, x축 증가율이 더 크면 1 미만, y축 증가율이 더 크면 1 이상이므로 L-그래프에서 직선의 기울기는 가로축 증가율에 대한 세로축 증가율을 나타낸 것으로 볼 수 있다. 따라서 선지의 진술은 적절하지 않다.

오답설명

① 마지막 문단의 '클라이버는~동물의 (체중)$^{0.75}$에 기초 대사량이 비례한다고 결론지었다.'와 '(체중)$^{0.75}$을 대사 체중이라 부른다.'를 통해 알 수 있다.

② 1문단의 '기초 대사량은 개체에 따라 대사량의 60~75%를 차지하고, 근육량이 많을수록 증가한다.'에서 알 수 있다.

④ 8문단의 '그래프에서 가로축과 세로축 두 변수의 관계를 대변하는 최적의 직선의 기울기와 절편은 최소 제곱법으로 구할 수 있다.'에서 알 수 있다.

⑤ 7문단의 "생물의 어떤 형질이 체중 또는 몸 크기와 직선의 관계를 보이며 함께 증가하는 경우 그 형질은 '상대 성장'을 한다고 한다. 동일 종에서의 심장, 두뇌와 같은 신체 기관의 크기도 상대 성장을 따른다."에서 알 수 있다.

02

정답설명

④ 기초 대사량이 동물의 (체중)$^{0.75}$에 비례한다는 말은, 동물의 체중 증가율보다 기초 대사량의 증가율이 '작다'는 말이다. 그렇다면 체중이 작은 생쥐와 체중이 큰 코끼리를 비교했을 때, 기초 대사량의 차이는 체중의

차이보다 덜 난다는 이야기다. 그렇다면 생쥐를 기준으로 한 치료제 허용량에서 체중의 비율만큼을 곱하여 코끼리에게 투약하면? 코끼리는 과다 복용의 부작용을 겪는다. 반대로 코끼리를 기준으로 한 치료제 허용량에서 체중의 비율만큼 나눠 생쥐에게 투약하면? 과다 복용이 아니라 과소 복용으로 생쥐에게는 약효가 제대로 일어나지 않겠구나.

오답설명

① 1문단에 '기초 대사량은 개체에 따라 대사량의 60~75%를 차지'한다고 나와 있다. 총 대사량 100%에서 60~75%를 빼면? 25~40%이므로 그 어떤 열량도 기초 대사량보다 작으므로 하루에 소모되는 총 열량 중 기초 대사량의 비중이 가장 큼을 알 수 있다.

② 3문단에서 체표 면적은 (체중)$^{0.67}$에 비례한다고 하였고, 9문단에서 클라이버는 기초 대사량이 (체중)$^{0.75}$에 비례한다고 하였음을 알 수 있다. 따라서 선지와 같은 결론에 도달할 수 있다.

③ 3문단에서 19세기의 초기 연구가들은 체중의 증가율이 2일 때 기초 대사량의 증가율은 약 1.6이 된다고 보았으므로 적절하다.

⑤ ②와 같은 맥락이다. 0.75가 0.67보다 크니까 적절하구나.

03

정답설명

④ 2문단에 나온 ㉠(직접법)과 ㉡(간접법)은 무엇을 구하는 방법이었지? 바로 기초 대사량을 구하는 거지! '기초 대사량'은 '쾌적한 온도에서 편히 쉬는 동물이 공복 상태에서 생성하는 열량'인데, 1문단에서 '체내에서 생성한 열량은 일정한 체온에서 체외로 발산되는 열량과 같다'고 하였으므로 기초 대사량을 구하는 ㉠과 ㉡을 통해 일정한 체온에서 동물이 체외로 발산하는 열량을 구할 수 있지.

오답설명

① ㉠은 '온도가 일정하게 유지'되는 호흡실에서 열량을 측정하는 방법이므로, 체온을 환경 온도에 따라 조정하는 변온 동물이 체외로 발산하는 열량도 측정할 수 있을 것이다.

② ㉡은 '동물의 산소 소비량과 이산화 탄소 배출량을 측정하고, 이를 기준으로 체내에서 생성된 열량을 추정하는 방법'이므로 동물이 호흡에 이용한 산소의 양을 모르면 ㉡을 사용할 수 없다.

③ 1문단에 따르면 기초 대사량은 '쾌적한 온도에서 편히 쉬는 동물이 공복 상태에서 생성하는 열량'이므로 ㉠과 ㉡ 둘 다 편하게 쉬는 상태에서 기초 대사량을 구할 것임을 추론할 수 있다.

⑤ 1문단에 따르면 '생존에 필수적인 최소한의 에너지' 자체가 기초 대사량을 가리킨다. 기초 대사량을 공급하면서 기초 대사량을 구한다고...? 평가원의 말장난에 넘어가지 말자!

04

형태쌤의 과외시간

지문의 내용을 〈그림〉에 적용해 보는 응용 문제이다. 'L-그래프'와 같은 방식으로 그래프의 가로축(x축)에는 'ⓐ(게딱지 폭)'을 넣고, 세로축(y축)에는 'ⓑ(큰 집게발의 길이)'를 넣으면 된다.

이때 'x축 증가율 = y축 증가율'이면 'L-그래프에서 직선의 기울기 = 1'이므로 게딱지의 폭과 큰 집게발의 길이가 비례한다면 기울기 = 1, 'x축 증가율 〉 y축 증가율'이면 'L-그래프에서 직선의 기울기 〈 1'이므로, 게딱지의 폭이 커지는 만큼 큰 집게발의 길이가 길어지지 않는다면 직선의 기울기가 1보다 작고, 반대의 경우는 기울기가 1보다 큼을 미리 메모해 놓고 풀어야 한다.

정답설명

① 거저 주는 선지다. 제발 받아먹자. 6문단에서 x축 증가율 = y축 증가율이면 'L-그래프에서 직선의 기울기 = 1'이랬지? 이 기울기가 1이 아니라면 게딱지 폭의 증가율과 큰 집게발 길이의 증가율이 다르다는 얘기이므로 ⓐ에 ⓑ가 비례한다고 할 수 없다.

오답설명

② 8문단에서 편차는 '각 점에서 가로축에 수직 방향으로 직선까지의 거리'라고 하였다. 이때 점들이 더 멀리 떨어진다는 것은 편차가 더 커진다는 의미이다. 편차가 커지면 당연히 편차 제곱 합은 더 커지지.

③ 〈보기〉의 "'L-그래프'와 같은 방식으로"에 주목하자. 5문단에서 '순서쌍의 값에 상용로그를 취해~어떤 직선의 주변에 점들이 분포하는 것으로 나타'난다고 하였고, 이러한 그래프를 'L-그래프'라고 하였으므로, 곡선이 아니라 직선임을 알 수 있다.

④ 6문단에 따라 'x축 증가율 〉 y축 증가율'이면 'L-그래프에서 직선의 기울기 〈 1' 바로 답 나오지?

⑤ 이번에는 ③과 다르게 '일반적인 그래프'의 경우를 물어보는 선지다. 5문단에서 "가로축과 세로축 두 변수의 증가율이 서로 다를 경우, 그 둘의 증가율이 같을 때와 달리, '일반적인 그래프'에서 이 점들은 직선이 아닌 어떤 곡선의 주변에 분포한다."라고 하였으므로, 둘의 증가율이 같을 때는 곡선이 아니라 직선임을 알 수 있다.

구조도 정답

① 직선
② 〈
③ 편차
④ 간접법
⑤ 체표
⑥ 0.75
⑦ 대사 체중

지문분석

촉매 활성

└→ 정의 : 화학 반응 속도를 빠르게 하는 능력

활성화 에너지 : 화학 반응을 진행하는 데 필요한 최소한의 운동 에너지

활성화 에너지가 작을수록 화학 반응 속도가 (①).

└→ 촉매 : 활성화 에너지를 조절하여 반응 속도에 변화를 주는 물질

새로운 (②)를 제공

고체 촉매

액체나 기체인 생성물을 촉매로부터 분리하는 별도의 공정이 필요 없음.

활성 성분, 지지체, (③)로 구성

활성 성분

정의 : 표면에 반응물을 흡착시켜 촉매 활성을 제공하는 물질

과정 : 반응물이 활성 성분의 표면에 흡착
→ 반응물이 표면에서 반응 → 생성물로 변환
→ 생성물이 표면에서 탈착

활성 성분으로 (④)을 많이 사용함.
ex) 암모니아를 합성할 때 철 사용

흡착 세기를 적절히 조절해야 함.
- 흡착 세기↓ → 흡착량↓ → 촉매 활성↓
- 흡착 세기↑ → 지나친 안정화 → 표면 반응 속도↓ → 촉매 활성↓

지지체

(⑤) : 고온에서 금속 원자들로 이루어진 작은 입자들이 서로 달라붙어 큰 입자를 이루는 현상
→ 금속 활성 성분의 전체 표면적을 줄여 촉매 활성을 저하함.

지지체가 (⑤)로 인한 촉매 활성 저하 억제

(③)

촉매에 소량 포함되어 활성을 조절

1) 활성 성분의 표면 구조를 변화시켜 소결 억제

2) 활성 성분의 (⑥)를 변화시켜 흡착 세기를 조절

형태쌤 Comment

과학 지문이라고 쫄 필요 없다. 촉매는 반응 속도에 변화를 주기 위해 쓰는 것이며, 이를 이루는 활성 성분, 지지체, 증진제 각각의 역할만 구분할 수 있다면 문제는 어렵지 않게 풀 수 있다. 특히 3번 문제는 활성 성분, 지지체, 증진제와 1:1 대응만 하면 바로 ok다.

문제분석 **01-04번**

번호	정답	정답률 (%)	선지별 선택비율(%)				
			①	②	③	④	⑤
1	②	88	2	88	5	4	1
2	①	65	65	5	16	10	4
3	④	73	2	4	15	73	6
4	③	80	4	4	80	7	5

01

정답설명

② 1문단의 '화학 산업에서는 주로 고체 촉매가 이용되는데, 액체나 기체인 생성물을 촉매로부터 분리하는 별도의 공정이 필요 없기 때문이다.'를 통해 별도의 분리 공정이 필요하지 않은 것이 고체 촉매의 장점임을 알 수 있다.

오답설명

① 1문단의 '촉매는 촉매가 없을 때와는 활성화 에너지가 다른, 새로운 반응 경로를 제공한다.'에서 알 수 있다.

③ 2문단의 '고체 촉매의 촉매 작용에서는~생성물이 표면에서 탈착되는 과정을 거쳐 반응이 완결된다.'를 통해 알 수 있다.

④ 2문단의 '암모니아를 합성할 때 철을 활성 성분으로 사용하는데, 이때 반응물인 수소와 질소가 철의 표면에 흡착되어 각각 원자 상태로 분리된다. 흡착된 반응물은 전자를 금속 표면의 원자와 공유하여 안정화된다.'를 통해 알 수 있다.

⑤ 마지막 문단의 '고체 촉매는 활성 성분이 반드시 있어야 하지만 경우에 따라 증진제나 지지체를 포함하지 않기도 한다.'를 통해 알 수 있다.

02

정답설명

① 2문단의 '일반적으로 고체 촉매에서는 반응에 관여하는 표면의 활성 성분 원자가 많을수록 반응물의 흡착이 많아 촉매 활성이 높아진다.'를 통해 ㉠의 촉매 활성을 높이기 위해서는 반응물을 흡착하는 표면의 활성 성분, 즉 금속 원자의 개수를 늘리면 된다는 것을 알 수 있다.

오답설명

② 3문단에 따르면 입자가 소결되면 금속 활성 성분의 전체 표면적은 줄어들기 때문에, 표면에 반응물을 흡착시키는 촉매 활성을 원활히 할 수가 없다. 또한 '소결로 인한 촉매 활성 저하'라는 표현을 통해 소결을 촉진하면 촉매 활성을 높이지 못함을 알 수 있다. 또한 4문단에 따르면 증진제는 소결을 억제하므로, 증진제가 소결을 촉진한다는 설명도 옳지 않다.

③ 1문단에 따르면 촉매 활성은 '반응 속도를 빠르게 하는' 것이므로 반응 속도를 늦추는 것은 촉매 활성을 높이는 방법이 아니다. 또한 3문단에 따르면 지지체는 촉매의 활성을 높이므로, 지지체가 반응 속도를 늦춘

다는 설명도 적절하지 않다.

④ 1문단의 '활성화 에너지가 작은 반응은, 반응의 활성화 에너지보다 큰 운동 에너지를 가진 분자들이 많아 반응이 빠르게 진행된다.'를 통해 활성을 높이려면 활성화 에너지를 작게 해야 됨을 알 수 있다.

⑤ 3문단의 '화학 반응이 일어나는 고온에서 금속 원자들로 이루어진 작은 입자들이 서로 달라붙어 큰 입자를 이루게 되는데 이를 소결이라 한다.'를 통해 해당 선지는 '소결'과 관련된 내용임을 알 수 있다. ②에서 설명한 대로 소결은 촉매 활성을 높이는 방법으로 적절하지 않다.

03

형태쌤의 과외시간

이 문제는 1:1 대응이 필요하다. 2문단에서 암모니아를 만들기 위해 '수소'와 '질소'라는 반응물과 '철'이라는 활성 성분을 쓴다고 하였지? 이를 〈보기〉에 적용하면 '에틸렌'을 만들기 위해 '아세틸렌'과 '수소'라는 반응물과 '팔라듐'이라는 활성 성분을 쓴다고 이해하면 된다. 이때, '실리카'는 표면적이 넓고 열적 안정성이 높으며, 활성 성분(팔라듐)이 표면에 분산되어 있다고 하였으므로, 3문단에서 말하는 '지지체'임을 알 수 있다. 또, '규소'와 '은'은 '활성 성분의 표면 구조를 변화시켜 소결을 억제하기도 하고, 활성 성분의 전자 밀도를 변화시켜 흡착 세기를 조절하기도' 하므로 4문단에서 말하는 '증진제'임을 알 수 있지?

정리하자면 다음과 같다.
- 반응물 : 아세틸렌, 수소
- 활성 성분 : 팔라듐
- 지지체 : 실리카
- 증진제 : 규소, 은

정답설명

④ 〈보기〉의 실리카는 지지체인데, 지지체의 역할은 소결의 문제를 해결하는 것이기 때문에, 실리카가 활성 성분을 소결한다는 선지의 내용은 적절하지 않다.

오답설명

⑤ 3문단의 '작은 금속 입자들을 표면적이 넓고 열적 안정성이 높은 지지체의 표면에 분산하면 소결로 인한 촉매 활성 저하가 억제된다.'를 통해 알 수 있다.

04

형태쌤의 과외시간

2문단을 참고하여 그래프를 잘 읽을 수 있어야 된다.

2문단에서 '흡착이 약하면 흡착량이 적어 촉매 활성이 낮으며, 흡착이 너무 강하면 흡착된 반응물이 지나치게 안정화되어 표면에서의 반응이 느려지므로 촉매 활성이 낮다'고 하였다. 즉, 흡착이 너무 약해도 안 되고 너무 세도 안 된다는 얘기이다.

이제 그래프를 보자. 가로축은 흡착 세기를 나타내고, 세로축은 촉매 활성 정도를 나타낸다. 흡착 세기가 중간 정도인 ⓒ 지점에서 촉매 활성이 가장 잘 이뤄짐을 알 수 있다.

정답설명

③ 2문단의 '흡착이 너무 강하면 흡착된 반응물이 지나치게 안정화되어'를 통해, 흡착이 강할수록 안정화 정도도 큼을 알 수 있다. 즉, 흡착 세기와 안정화 정도는 비례 관계이다. ⓐ보다 ⓓ가 흡착 세기가 강하므로, 안정화 정도도 ⓓ가 더 크다.

오답설명

① 1문단에 따르면 화학 반응 속도를 빠르게 하는 것이 촉매 활성이며, 촉매 활성이 높을수록 화학 반응이 빠르게 일어난다. 표를 보면 ⓐ보다 ⓑ에서 촉매 활성이 높게 일어나므로, 화학 반응도 ⓑ를 활성 성분으로 사용할 때 더 빠르게 일어남을 알 수 있다.

② 2문단의 '흡착이 약하면 흡착량이 적어'를 통해 흡착 세기와 흡착량도 비례 관계임을 알 수 있다. ⓐ보다 ⓒ에서의 흡착 세기가 강하므로 ⓒ가 흡착량도 많음을 추측할 수 있다.

④ 흡착 세기는 눈으로 바로 확인할 수 있으므로 이 선지를 고른 학생은... 반성하자!

⑤ 그래프의 y축 값에서 ⓒ가 촉매 활성이 가장 높고, ⓓ가 가장 낮음을 알 수 있다. 따라서 촉매 활성만을 고려했을 때 ⓒ가 가장 적합한 활성 성분이라고 할 수 있다.

구조도 정답

① 빠름 or ↑
② 반응 경로
③ 증진제
④ 금속
⑤ 소결
⑥ 전자 밀도

| 과외식 기출 분석서, 나기출 |

나 없이
기출
풀지마라

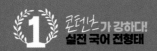

독서

IV

기술

01

Ⅳ. 기술

2018학년도 6월

지문분석

DNS 스푸핑

> **인터넷 사용자가 사이트에 접속하려 할 때 사용자를 (①) 사이트로 접속시키는 행위**

> **도메인 네임을 IP 주소로 변환해 주는 과정에서 발생**

> (②)

> 인터넷에 연결된 컴퓨터들을 식별, 통신 가능하게 함
> 중복·임의 지정 ✕

> (③) : DNS 운영 장치

> DNS : 도메인 네임 → IP 주소 변환
> 　　클라이언트와 (④)에 맞추어 패킷 주고받음
> 　　└ 첫 응답 패킷만 신뢰, 이후의 패킷은 확인 ✕

정상적인 사이트 접속 과정

1) 사용자가 도메인 네임 입력
2) 클라이언트가 (③)에 도메인 네임에 해당하는 IP 주소 (⑤) 발송
3) 네임서버 목록에 해당 IP 주소
　O : IP 주소를 응답 패킷으로 발송
　X : 다른 네임서버의 IP 주소를 응답 패킷으로 발송
　　→ 2)부터 반복
4) 사이트 접속

DNS 스푸핑이 이루어지는 과정

1) 사용자가 도메인 네임 입력
2) 클라이언트가 (③)에 도메인 네임에 해당하는 IP 주소 (⑤) 발송
　→ (⑥)에게도 질의 패킷 전달
3) 공격자가 위조 사이트 IP 주소를 응답 패킷으로 발송
4) 공격자의 응답 패킷이 네임서버의 것보다 (⑦) 도착
　→ 위조 사이트 연결 (UDP 허점 이용)

형태쌤 Comment

　1문단부터 문제 현상이 나온다. 하지만 문제 현상에 대한 설명과 원인, 해결 등이 연달아 나오지 않는다. 문제 현상에서 사용되는 개념인 DNS, IP 주소 등이 대부분 학생들에게 너무 생소하기 때문이다. 따라서 2문단부터는 개념을 길게 설명하는 전제 단락들이 이어진다. 이때 등장하는 개념들(IP, DHCP, DNS, 클라이언트, 네임서버)은 피곤하더라도 잘 체크하면서 독해를 해야 한다. 설명의 수단인 개념을 제대로 잡지 않는다면, 필자의 설명이 머릿속에서 맴돌 수밖에 없기 때문이다. 그리고 5문단에서 '과정'이라는 단어를 보는 순간 순서를 체크하면서 독해를 진행해야 한다. 평가원에서는 과정으로 서술을 할 때 항상 '순서와 단계'를 물어보았기 때문이다. 전제 단락들이 끝난 후, 마지막 문단에서는 문제 현상에 대한 설명이 다시 나온다. 하지만 지문의 길이를 고려했는지, 문제 현상에 대한 해결까지는 하지 않고 지문을 마무리하였다.

문제분석 01-05번

번호	정답	정답률 (%)	선지별 선택비율(%)				
			①	②	③	④	⑤
1	④	80	4	3	9	80	4
2	③	45	8	17	45	13	17
3	②	37	10	37	16	20	17
4	⑤	49	7	9	13	22	49
5	②	77	11	77	7	3	2

01

정답설명

④ 사실 판단만 하면 되는 일치·불일치 문제이지만, 지문의 길이가 만만치 않은데다가 내용이 까다로워 시험장에서 한 방에 잡아내는 것은 쉽지 않았을 선지다. 심지어 두 문단에 걸쳐 있는 정보를 유기적으로 파악해야 정답 선지를 찾아낼 수 있다. 다행히도 나머지 오답 선지가 쉬워서 지우다 보면 답이 쉽게 나오지만, 만약 적절한 것을 찾으라는 문제였다면 극한의 헬을 경험할 수도 있었던 선지 구성이다. 이런 선지 구성은 평가원이 난이도를 높일 때 자주 쓰는 방식이니, 꼭 기억해 두자. 3문단을 보면 DHCP는 유동 IP 주소를 부여한다고 했다. 그런데 4문단에 의하면 유동 IP 주소를 할당받는 컴퓨터에는 네임서버의 IP 주소가 '자동으로' 기록된다. 네임서버의 IP 주소를 사용자가 직접 기록해야 하는 것은 고정 IP 주소를 사용하는 컴퓨터의 사용자이므로 적절하지 않다.

오답설명

① 2문단에 의하면, 프로토콜은 '컴퓨터들이 연결되어 서로 데이터를 주고받기 위해 사용하는 통신 규약'이다. 지문의 2문단에 인터넷 프로토콜(IP), 3문단에 DHCP, 5문단에 UDP가 제시되어 있으며, 각 문단에서 이들의 기능을 설명하고 있다.

② 2문단에 의하면, 현재 주로 사용하는 IP 주소는 점으로 구분된 4개의 필드에 숫자를 사용하여 나타낸다고 하였다.

③ 3문단을 보면 DHCP는 IP 주소가 필요한 컴퓨터의 요청을 받아 주소를 할당해 준다고 하였다.

⑤ 5문단을 보면 UDP가 패킷의 빠른 전송 속도를 확보하기 위해 상대에게 패킷을 보내기만 할 뿐, 도착 여부는 확인하지 않는다고 하였으므로 적절하다.

02

정답설명

③ 지문에서 '과정'의 서술이 나오는 순간 이런 〈보기〉 문제가 나온다는 것을 직감했어야 한다. 그리고 지문을 독해할 때, 미리 단계에 따라 끊어서 읽고, 〈보기〉와 지문을 비교할 준비를 해둬야 한다. 일단 지문 독해가 더 중요하니, 지문의 내용을 정리해 보자. 클라이언트는 사용자가 주소창에 입력한 도메인 네임을 읽고, 네임서버에 도메인 네임에 해당하는 IP 주소를 묻는 '질의 패킷을 보낸다.(ⓐ)' 그리고 네임서버에게서

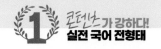
'응답 패킷을 받는다.(ⓑ)' 이 응답 패킷이 해당 질의 패킷에 대해 처음 받은 응답 패킷이 아니라면 '응답 패킷을 버린다.(ⓓ)' 처음 받은 응답 패킷이라면, 응답 패킷에 대해 '다른 네임서버의 IP 주소를 알려 주는 패킷인가?(ⓒ)'를 판단한다. 만일 다른 네임서버의 IP 주소를 알려 주는 패킷이라면, ⓐ로 돌아가 같은 과정을 반복하여 사용자가 접속하려는 도메인 네임에 해당하는 IP 주소를 찾아내야겠지? 다행히 다른 네임서버의 IP 주소를 알려 주는 패킷이 아니라면 '응답 패킷에 적힌 IP 주소로 접속한다.(ⓔ)' 드디어 접속에 성공한 것이다. (고생했다 ㅠ.ㅠ)

자, 여기까지 이해했다면 그다음은 의외로 쉽다. 이제 선지로 가 보자. 〈보기〉의 ⓒ는 다른 네임서버의 IP 주소를 알려 주는 패킷인지를 확인하는 절차였다. ㉮는 사용자가 어떤 사이트에 정상적으로 접속하는 과정이므로, ⓒ는 ⓐ에서 보낸 질의 패킷에서 도메인 네임에 해당하는 IP 주소가 네임서버의 목록에 있는지의 여부를 판단하는 단계에 해당한다. 만약 다른 네임서버의 IP 주소를 알려 주는 패킷이었다면, 해당 IP 주소가 네임서버에 없다는 것이고, 클라이언트가 원하는 IP 주소가 있는 패킷이라면, 해당 IP 주소가 네임서버에 있다는 얘기가 되겠지.

오답설명

① ⓐ가 두 번 동작했다는 것은 처음 질의를 받는 네임서버의 목록에서 질의 내용에 포함된 도메인 네임에 해당하는 IP 주소를 찾지 못하여 다른 네임서버에 질의 패킷을 다시 보냈다는 것이다. 이때, 두 질의 내용의 도메인 네임은 동일하지만 패킷을 받는 수신 측은 처음 질의를 받는 네임서버와 다른 네임서버이므로 수신 측은 당연히! 동일하지 않다.

② ⓑ가 두 번 동작했다는 것은 ⓐ가 두 번 동작한 것과 마찬가지로, 처음 질의를 받는 네임서버(편의상 A)의 목록에 질의 패킷의 도메인 네임에 해당하는 IP 주소가 없어서 다른 네임서버(편의상 B)에 질의 패킷을 다시 보냈다는 의미이다. 이때 처음 받은 응답 패킷은 A 네임서버가 보낸 것으로 B 네임서버의 IP 주소이고, 두 번째로 받은 응답 패킷은 ⓐ에서 요청한 도메인 네임에 해당하는 IP 주소다. 따라서 응답 패킷의 송신 측(A와 B), 응답 내용(B 네임서버 주소와 도메인 네임에 해당하는 주소) 모두 동일하지 않다.

④ ㉯는 DNS 스푸핑이 이루어지는 과정이므로, 5문단과 6문단을 보면서 풀어야 한다. 5문단에 의하면 UDP는 특정 질의 패킷에 대해 처음 도착한 응답 패킷을 신뢰하고, 다음에 도착한 패킷은 확인하지 않고 버리는 쿨한 놈이다. 그런데 6문단에서 공격자가 보낸 응답 패킷은 네임서버가 보낸 응답 패킷보다 클라이언트에게 먼저 도착한다고 하였으므로, 버려진 응답 패킷은 공격자가 보내 온 IP 주소가 아니라 네임서버가 보낸 응답 패킷이다.

⑤ ㉮와 ㉯를 제대로 구분하지 않는 실수를 했다면, 손이 쉽게 갈 수도 있는 선지다. ㉯에서 ⓐ에 질의한 도메인 네임에 해당하는 IP 주소는 공격자가 보내 온 IP 주소보다 늦게 도착하였으므로 ⓔ가 아니라 ⓓ에 있다.

03

정답설명

② 3문단에서, 사설 IP 주소는 '내부 네트워크에서만 서로를 식별할 수 있는' 주소라고 하였다. '식별'은 '분별하여 알아봄'이라는 뜻이니, 동일한 내부 네트워크에 연결된 컴퓨터들의 사설 IP 주소는 서로 달라야 한다.

오답설명

① 4문단을 보면, DNS는 인터넷을 사용할 때 쓰는 도메인 네임을 IP 주소로 변환해 주는 역할을 한다는 것을 알 수 있다. 그런데 3문단에 의하면 사설 IP 주소는 인터넷에 직접 접속을 할 수가 없으므로 DNS가 변환해 주는 IP 주소는 사설 IP 주소가 아니라 공인 IP 주소임을 알 수 있다.

③ 2문단에서 '고유 IP 주소'라는 표현을 확인했다면, '동일한 공인 IP 주소'에서 0.5초 만에 삭제했어야 한다. 그리고 3문단에 의하면 유동 IP 주소를 부여하는 프로토콜이 DHCP이다. DHCP는 컴퓨터가 IP 주소를 사용하지 않으면 주소를 반환받아 다른 컴퓨터가 그 주소를 사용할 수 있도록 해 준다고 하였으므로, 동시에 동일한 공인 IP 주소를 할당하지 않음을 알 수 있다.

④ 역시 2문단에서 '고유 IP 주소'라는 표현을 확인했다면, '동일한 공인 IP 주소'에서 0.5초 만에 삭제했어야 한다. 2문단에 의하면 고유 IP 주소는 중복 지정하면 안 되는 것이므로 동시에 동일한 IP 주소를 부여할 수 없다.

⑤ 4문단에서, 인터넷 통신사는 가입자들이 공동으로 사용할 수 있는 네임서버를 운영하고 있다고 하였으므로, IP 주소가 서로 다른 컴퓨터들에 동일한 네임서버의 IP 주소가 기록되어 있을 수 있다.

04

정답설명

⑤ 일반적인 문제와 해결의 지문에서 나오는 〈보기〉 패턴은 지문에 있는 문제와 문제 원인 그리고 해결을 〈보기〉에 적용하기만 하면 된다. 그런데 이 글에서는 지문에 '해결'이 제시되어 있지 않고, 〈보기〉에 또 다른 정보가 제시되어 있다. 따라서 이 문제는 지문의 내용을 〈보기〉에 적용하는 유형이 아니라, 〈보기〉에 있는 새로운 정보를 토대로 지문과 비교하며 해결을 찾는 유형이라고 보면 된다.

〈보기〉에 의하면 hosts 파일은 모든 도메인 네임과 그에 해당하는 IP 주소를 적어 둔 것이다. 클라이언트는 hosts 파일에서 원하는 도메인 네임의 IP 주소를 찾으면 네임서버를 사용하지 않고 IP 주소로 바로 접속할 수 있다고 한다. 마지막 문단에 의하면 DNS 스푸핑은 클라이언트가 네임서버에 특정 IP 주소를 묻는 질의 패킷을 보낼 때 일어나는 것이지. 그러면 네임서버를 이용하지 않으면 그만 아녀. hosts 파일에 접속하려는 사이트의 도메인 네임과 IP 주소를 적어둔다면, 네임서버가 운영하는 DNS를 이용하지 않고 접속이 가능하므로 DNS 스푸핑을 피할 수 있다는 결론이 나온다.

사족이지만 평가원치고는 상당히 찜찜한 답이다. 그럼 원하는 도메인 네임의 주소를 일일이 다 적어 둬야 한다는 결론 아녀. 화장실에 있는 벌레를 피하려고 화장실 밖에서 볼일을 본 느낌이다. 좀 더 깔끔한 결론이 나오려면, 문제 원인을 제대로 해결했어야 한다. 즉, '도착 여부를 확인하지 않는 것, 다음에 도착한 패킷은 확인하지 않고 버리는 것' 이 부분을 해결해야 깔끔한 문제 해결이 된다. 아마도 수능 문제였다면, 이 부분을 문제 해결로 제시했을 것이다.

오답설명

① 〈보기〉를 참고할 때, 클라이언트에서 사용자가 hosts 파일을 찾아 삭제

하면 원하는 도메인 네임의 IP 주소를 찾을 수 없으므로 네임서버에 질의 패킷을 보내게 된다. 네임서버를 사용하여 접속할 경우 DNS 스푸핑에서 안전할 것이라는 보장이 없으니 효과가 없는 방법인 것이지.

② 〈보기〉를 보면, 사용자가 클라이언트의 hosts 파일에 적어 두어야 할 IP 주소는 클라이언트의 IP 주소가 아니라 접속하고자 하는 도메인 네임과 그에 해당하는 IP 주소임을 알 수 있다.

③ 클라이언트에 hosts 파일이 없는 사용자가 주소창에 도메인 네임을 입력하면 네임서버를 이용하여 IP 주소를 찾게 되지 않니. 이 방법 역시 DNS 스푸핑이 이루어질 위험이 있다.

④ 사용자가 클라이언트의 hosts 파일에 적어 놓아야 할 도메인 네임과 IP 주소는 네임서버의 도메인 네임과 IP 주소가 아니라 접속하고자 하는 도메인 네임과 IP 주소이다.

05

정답설명

② ⓒ은 '외부로 드러내다.'라는 의미로 쓰인 것이므로, '표를 하여 외부에 드러내 보이다.'라는 의미인 '표시하다'로 바꾸어 쓸 수 있다.

오답설명

① ㉠은 '없던 것이 새로 생겨나는' 것을 의미하므로, '생성되다'와 바꿔 쓰는 것이 적절하다. '제조되다'는 '공장에서 큰 규모로 물건이 만들어지다.'라는 의미이므로 바꿔 쓰기에 적절하지 않다.

③ ⓒ은 '몇 가지 부분이나 요소들이 모여 일정한 전체가 짜여 이루어지다.'라는 의미이므로 '구성되다'로 바꿔 쓰는 것이 적절하다. '발생되다'는 '어떤 일이나 사물이 생겨나게 되다.'라는 의미이므로 바꿔 쓰기에 적절하지 않다.

④ ㉣은 '방법이나 수단을 써서 모르던 것을 알 수 있게 되다.'라는 의미이므로, '확실히 그렇다고 여기다.'라는 의미의 '인정하다'와 바꿔 쓰기에 적절하지 않다.

⑤ ㉤은 '방식에 따라'라는 의미이므로, '둘 이상의 사물을 견주어 서로 간의 유사점, 차이점, 일반 법칙 따위를 고찰하다.'라는 뜻인 '비교하다'로 바꿔 쓰기에 적절하지 않다.

구조도 정답

① 위조
② IP 주소
③ 네임서버
④ UDP
⑤ 질의 패킷
⑥ 공격자
⑦ 먼저

부호화를 통한 데이터 전송

지문해설

① 디지털 통신 시스템은 송신기, 채널, 수신기로 구성되며, 전송할 데이터를 빠르고 정확하게 전달하기 위해 부호화 과정을 거쳐 전송한다. 영상, 문자 등인 데이터는 기호 집합에 있는 기호들의 조합이다. 예를 들어 기호 집합 {a, b, c, d, e, f}에서 기호들을 조합한 add, cab, beef 등이 데이터이다. 정보량은 어떤 기호가 발생했다는 것을 알았을 때 얻는 정보의 크기이다.

▶ 필자는 부호화 과정에 대해 설명하고자 '데이터', '정보량'의 개념을 제시하고 있구나. 필자가 친절하게 정의해 주는 개념어는 핵심 개념들이니 밑줄을 그어 두자.

어떤 기호 집합에서 특정 기호의 발생 확률이 높으면 그 기호의 정보량은 적고, 발생 확률이 낮으면 그 기호의 정보량은 많다.

▶ 출제 포인트! 증감·비례 관계가 나왔다. 반드시 체크해 두자. [기호의 발생 확률↑ 정보량↓] [기호의 발생 확률↓ 정보량↑] 정보량의 경제성을 고려한 것 같구나. 발생 확률이 높은 기호가 많은 정보량을 갖고 있다면 그 기호가 발생할 때마다 정보량이 쏟아질 것 아니니. 발생 확률이 낮은 기호는 많은 정보량을 갖고 있더라도 어차피 자주 안 나올 테니, 기호 집합의 정보량에 별 영향을 미치지 않겠지.

기호 집합의 평균 정보량을 기호 집합의 엔트로피라고 하는데

▶ 어휘 풀이를 보니, '평균 정보량'은 각 기호의 발생 확률과 정보량을 곱하여 모두 더한 것이라고 한다. 이 '평균 정보량'은 '엔트로피'와 같은 개념이구나. 이처럼 같은 개념을 다른 용어로 나타낼 때는 잘 체크해야 한다. 문제와 선지에서는 이런 용어들을 돌려 가며 사용하기 때문이야. 밑줄 그어 두자. [기호 집합의 평균 정보량 = 기호 집합의 엔트로피]

모든 기호들이 동일한 발생 확률을 가질 때 그 기호 집합의 엔트로피는 최댓값을 갖는다.

▶ [모든 기호의 발생 확률 동일 ⇨ 기호 집합 엔트로피 최댓값] 사실 기술 지문에서 이런 문장은 '음, 그렇구나~ [발생 확률 동일 = 최댓값]' 이 정도로 메모하고 넘어가면 되는 부분이지만, 그래도 궁금한 학생이 있을 것 같아서 간단히 설명해 주겠다.

▶ 사실 엔트로피는 '발생 확률이 낮은 기호에 적은 정보량을, 발생 확률이 높은 기호에 많은 정보량을 부여하는 경우'에 최댓값을 가질 것이다. 그러나 그런 경우는 발생하지 않는다. 왜? [기호의 발생 확률↑ 정보량↓] [기호의 발생 확률↓ 정보량↑] 이니까! 그러니 결국 엔트로피가 최댓값을 가지는 경우는 기호의 발생 확률이 동일할 때인 것이다.

② 송신기에서는 소스 부호화, 채널 부호화, 선 부호화를 거쳐 기호를 부호로 변환한다. 소스 부호화는 데이터를 압축하기 위해 기호를 0과 1로 이루어진 부호로 변환하는 과정이다. 어떤 기호가 110과 같은 부호로 변환되었을 때 0 또는 1을 비트라고 하며 이 부호의 비트 수는 3이다. 이때 기호 집합의 엔트로피는 기호 집합에 있는 기호를 부호로 표현하는 데 필요한 평균 비트 수의 최솟값이다.

▶ 송신기에서 기호를 부호로 변환하는 과정이 나왔다. 단계나 과정이 나왔을 때는 반드시 체크해 줘야 한다고 했었지?

송신기 : 기호를 부호로 변환(소스 부호화 ⇨ 채널 부호화 ⇨ 선 부호화)
소스 부호화 : 기호를 부호 '0 또는 1'로 변환(데이터 압축)
└ 비트 ┘

▶ 기호 집합의 엔트로피는 부호화에 필요한 평균 비트 수의 최솟값이라고 한다. [기호 집합의 엔트로피 ≤ 부호화에 필요한 평균 비트 수]인 것이지. 이를 1문단에 메모해 둔 내용과 종합해 보면,
[기호 집합의 평균 정보량 = 기호 집합의 엔트로피 = 부호화에 필요한 평균 비트 수의 최솟값] 이렇게도 정리할 수 있겠다.

전송된 부호를 수신기에서 원래의 기호로 복원하려면 부호들의 평균 비트 수가 기호 집합의 엔트로피보다 크거나 같아야 한다.

▶ 증감 관계가 계속 나오고 있지만, 쫄지 마라. 송신기에서 기호를 부호로 변환할 때, 기호 집합의 엔트로피는 평균 비트 수의 최솟값이라고 했다. 그러니 변환된 부호를 받은 수신기에서 부호를 기호로 복원할 때도 같은 조건이 적용되는 것이지.
수신기 : 부호를 기호로 변환 (조건 : 부호들의 평균 비트 수 ≥ 기호 집합의 엔트로피)

기호 집합을 엔트로피에 최대한 가까운 평균 비트 수를 갖는 부호들로 변환하는 것을 엔트로피 부호화라 한다. 그중 하나인 '허프만 부호화'에서는 발생 확률이 높은 기호에는 비트 수가 적은 부호를, 발생 확률이 낮은 기호에는 비트 수가 많은 부호를 할당한다.

▶ 허프만 부호화 : 발생 확률↑기호 → 비트 수↓부호, 발생 확률↓기호 → 비트 수↑부호

▶ 2문단에서는 송신기의 부호 변환 과정 중에서 소스 부호화에 대해 설명하였다. 그 다음은 뭐겠니? 채널 부호화겠지.

③ 채널 부호화는 오류를 검출하고 정정하기 위하여 부호에 잉여 정보를 추가하는 과정이다. 송신기에서 부호를 전송하면 채널의 잡음으로 인해 오류가 발생하는데 이 문제를 해결하기 위해 잉여 정보를 덧붙여 전송한다. 채널 부호화 중 하나인 '삼중 반복 부호화'는 0과 1을 각각 000과 111로 부호화한다. 이때 수신기에서는 수신한 부호에 0이 과반수인 경우에는 0으로 판단하고, 1이 과반수인 경우에는 1로 판단한다. 즉 수신기에서 수신된 부호가 000, 001, 010, 100 중 하나라면 0으로 판단하고, 그 이외에는 1로 판단한다. 이렇게 하면 000을 전송했을 때 하나의 비트에서 오류가 생겨 001을 수신해도 0으로 판단하므로 오류는 정정된다. 채널 부호화를 하기 전 부호의 비트 수를, 채널 부호화를 한 후 부호의 비트 수로 나눈 것을 부호율이라 한다. 삼중 반복 부호화의 부호율은 약 0.33이다.

▶ 예상한 대로, 채널 부호화 과정에 대한 설명이다. 부호 '01'을 전송한다면 삼중 반복 부호화에 의해 '000111'로 수신되겠지? 만약 오류가 발생해 '001110'으로 전송되더라도, '001'에서는 '0'이 과반수, '110'은 '1'이 과반수이니 '01'로 잘 전송되겠구나.

채널 부호화 : 부호 + 잉여 정보 (오류 검출·정정)
└ 삼중 반복 부호화 : 0 ⇨ 000. 과반수 부호로 판단

부호율 : 채널 부호화 전 부호의 비트 수 ÷ 채널 부호화 후 부호의 비트 수 (삼중 반복 부호화 ≒ 약 0.33)

④ 채널 부호화를 거친 부호들을 채널을 통해 전송하려면 부호들을 전기 신호로 변환해야 한다. 0 또는 1에 해당하는 전기 신호의 전압을 결정하는 과정이 선 부호화이다. 전압의 결정 방법은 선 부호화 방식에 따라 다르다. 선 부호화 중 하나인 '차동 부호화'는 부호의 비트가 0이면 전압을 유지하고 1이면 전압을 변화시킨다. 차동 부호화를 시작할 때는 기준 신호가 필요하다. 예를 들어 차동 부호화 직전의 기준 신호가 양(+)의 전압이라면 부호 0110은 '양, 음, 양, 양'의 전압을

갖는 전기 신호로 변환된다. 수신기에서는 송신기와 동일한 기준 신호를 사용하여, 전압의 변화가 있으면 1로 판단하고 변화가 없으면 0으로 판단한다.

▶ 마지막, 선 부호화 방식 차례다. 차동 부호화에서는 딱 하나만 기억하면 된다. [0이면 전압 유지, 1이면 전압 변화]

▶ 만만치 않은 지문이었지만 초반에 쏟아진 정보들을 잘 정리해 두었다면 뒷부분 내용은 오히려 쉽게 느껴졌을 것이다. 복잡하고 난이도 있는 지문일수록 증감비례 관계와 과정을 밑줄, 메모하면서 읽는 것이 큰 도움이 될 수 있단다.

지문분석

```
부호화를 통한 데이터 전송
  └ 디지털 통신 시스템
       송신기, 채널, 수신기로 구성
       전송할 데이터를 송신기에서 (  ①  )하여 전송
  1) (  ②  ) 부호화
       (  ③  )를 0과 1로 이루어진 부호로 변환하는 과정
       (  ④  ) 부호화 : 기호 집합을 (  ④  )에 최대한 가까운
       (  ⑤  )를 갖는 부호들로 변환
       허프만 부호화 : 발생 확률↑ 기호⇒ 비트 수↓ 부호
                      발생 확률↓ 기호⇒ 비트 수↑ 부호
  2) (  ⑥  ) 부호화
       오류를 검출·정정하기 위하여
       부호에 (  ⑦  )를 추가하는 과정
       삼중 반복 부호화 : 0과 1을 각각 000과 111로 부호화
       수신기 : 수신 부호 중 0이 과반수 → 0으로 판단
                         1이 과반수 → 1로 판단
  3) 선 부호화
       0 또는 1에 해당하는 전기 신호의 (  ⑧  )을 결정하는 과정
       차동 부호화 : 부호의 비트가 (  ⑨  )이면 전압 유지
                             (  ⑩  )이면 전압 변화
```

형태쌤 Comment

여러분 선배들은 수능날 이 지문을 읽으면서 얼마나 참담한 기분이었을까? 기술 지문이기에 당연히 정보량이 많을 거라는 예상은 할 수 있는데, 이 지문은 정보량이 많아도 너무 많았다. 그렇다고 대충 읽고 일단 문제로 가 보자는 태도는 최악의 태도이다. 어차피 지문으로 돌아와서 확인을 해야 하기 때문이다. 따라서 증감비례에 해당하는 정보만이라도 꼭 체크하며 독해해야 한다고 누누이 강조하는 것이다.

그리고 과학이나 기술 지문은 제한된 길이의 지문에서 모든 것을 다 설명해 줄 수 없기에 중간에 '전제'처럼 던지는 정보가 있다. 시험장에서 몇 번 읽어도 이해가 안 되는 이런 부분들은 어쩔 수 없이 사실 관계만 확인을 하고 넘어가야 한다. 필자가 친절하게 설명해 주지 않는 전제들은 그 의미에 대해 이해 여부를 출제하지 않기 때문이다.

문제분석 01-05번

번호	정답	정답률 (%)	선지별 선택비율(%)				
			①	②	③	④	⑤
1	②	72	6	72	7	11	4
2	②	66	4	66	9	13	8
3	⑤	52	19	13	7	9	52
4	④	41	10	7	16	41	26
5	④	78	4	8	7	78	3

01

정답설명

② 2문단에 '전송된 부호를 수신기에서 원래의 기호로 복원하려면'이라는 내용이 언급되어 있다. 이를 통해 수신기에는 부호를 원래의 기호로 복원하는 기능이 있음을 알 수 있다.

오답설명

① 선지와 지문을 꼼꼼히만 대조하면 문제없이 지울 수 있는 선지다. 2문단에서 소스 부호화는 데이터를 압축하기 위해 기호를 부호로 변환하는 과정이라고 하였으므로, 영상 데이터는 채널 부호화 과정이 아니라 소스 부호화 과정에서 압축되어야 한다.

③ 3문단을 보면 잉여 정보는 데이터를 '압축'하기 위해 추가하는 정보가 아니라 '오류를 검출하고 정정'하기 위하여 부호에 추가되는 정보임을 알 수 있다.

④ 3문단에 송신기에서 부호를 전송하면 채널의 잡음으로 인해 오류가 발생한다는 내용이 제시되어 있다. 당연히 영상 데이터를 부호화하여 전송할 때도 잡음이 생기겠지. 영상을 전송할 때 잡음으로 인한 오류가 발생하지 않는다는 내용은 적절하지 않다.

⑤ 3문단에 의하면 오류를 검출하고 정정하는 과정은 채널 부호화 과정이며, 잉여 정보는 기호가 아니라 기호를 변환한 부호에 추가되는 것이다.

02

정답설명

② 같은 개념인데도 선지와 지문이 각각 다른 용어를 쓰고 있어 헷갈리는 문제다. 개념 용어를 일치시켜서 생각해 보자. 1문단을 보면 기호 집합의 평균 정보량을 기호 집합의 엔트로피라고 하며, 모든 기호들이 동일한 발생 확률을 가질 때 그 기호 집합의 엔트로피가 최댓값을 갖는다는 것을 알 수 있다. 따라서 선지의 '평균 정보량'을 지문의 '기호 집합의 엔트로피'로 치환해 생각하면 그 다음부터 판단이 쉬워진다. 기호들의 발생 확률이 각각 1/4, 3/4인 경우, 모든 기호들이 동일한 발생 확률을 가지는 것이 아니므로 평균 정보량이 최댓값이 될 수 없다.

오답설명

① 1문단의 '어떤 기호 집합에서 특정 기호의 발생 확률이 높으면 그 기호의 정보량은 적고, 발생 확률이 낮으면 그 기호의 정보량은 많다.'라는 설명으로 미루어 보아, 기호들의 발생 확률이 1/2로 동일하다면 각 기호의 정보량 역시 동일할 것이다.

③ 1문단에서 특정 기호의 발생 확률이 높으면 그 기호의 정보량은 적고, 발생 확률이 낮으면 그 기호의 정보량은 많다고 하였다. 따라서 기호들의 발생 확률이 각각 1/4, 3/4인 경우, 기호의 정보량이 더 많은 것은 발생 확률이 1/4인 기호이다. 평가원은 우리에게 어려운 계산을 요구하지 않는다고 했지? 1/4, 3/4 둘 중 뭐가 더 작은지만 알면 지문 내용에 대입해서 쉽게 지울 수 있는 선지다.

④ 정답을 제외하면, 가장 선택을 많이 받았던 선지다. 아까 했던 것처럼, 용어를 치환해 보자. 1문단에서는 모든 기호들이 동일한 발생 확률을 가질 때 그 기호 집합의 엔트로피는 최댓값을 갖는다고 하였고, 2문단에서 '기호 집합의 엔트로피'는 '기호 집합에 있는 기호를 부호로 표현하는 데 필요한 평균 비트 수의 최솟값'이라고 하였다. 그러므로 이 선지는 결국, '기호들의 발생 확률이 모두 1/2로 동일한 경우, 기호 집합의 엔트로피가 최대가 된다.'라고 말하고 있는 것이지. 너무나도 당연하게 적절한 선지다.

⑤ 1문단에서 기호 집합의 평균 정보량을 기호 집합의 엔트로피라고 하였다. 기호 집합의 엔트로피는 평균에 의한 것이므로, 기호들의 발생 확률이 각각 1/4, 3/4인 기호로 이뤄진 기호 집합과 기호들의 발생 확률이 3/4, 1/4인 기호 집합의 엔트로피는 같을 것이다. 기호의 순서가 다르더라도 기호들의 발생 확률이 같은 이상, 평균 정보량은 같을 수밖에 없기 때문이지.

03

정답설명

⑤ 3문단에 따르면 삼중 반복 부호화는 0과 1을 각각 000과 111로 부호화하는 것이다. 이때 수신기에서는 수신한 부호 중 '과반수'인 부호로 판단을 하므로 '하나의' 비트에서 오류가 생겨도 오류는 정정된다고 제시되어 있지. 그러나 두 개의 비트에서 오류가 생길 경우, 오류가 생긴 부호가 '과반수'를 차지하므로 오류는 정정되지 않은 것이다. 예를 들어 '0'이 송신되면서 삼중 반복 부호화 과정을 거쳐 '000'이 되었다고 하자. 만일 이 중 두 개의 비트에 오류가 생겨 '011'이나 '110', '101'이

되면 1이 과반수를 차지하는 것이 되니 수신기는 이를 '1'로 인식해 버리는 것이지. 오류가 정정되지 않는 것이다.

오답설명

① 이 문제에서 가장 많은 학생들이 고른 매력적인 오답 선지다. 4문단에서, 부호들을 전기 신호로 변환하여 전기 신호의 전압을 결정하는 과정이 선 부호화라고 했다. 그런데 왜 오답이냐고? 2문단 첫 번째 문장을 봐라. 송신기에서 소스 부호화, 채널 부호화, 선 부호화를 거쳐 기호를 부호로 변환한다고 했다. 선 부호화는 '수신기'가 아니라 '송신기'에서 이루어진다. 선 부호화에 대한 설명이 4문단에 집중되어 있다 보니 그 부분만 열심히 읽으며 고민한 학생들이 많았겠지? 지문 내용을 놓치지 말고 처음부터 끝까지 가져가야 한다.

② 증감·비례 관계는 늘 출제 포인트라고 강조했지? 평가원이 집요하게 묻는 요소이니, 지문을 읽으면서 간단한 메모를 해 두는 것이 좋다. 2문단에 따르면 허프만 부호화에서는 '발생 확률'이 높은 기호에 '비트 수'가 적은 부호를 할당한다고 하였다. 그런데 선지에서 요구하는 것은 '정보량'과 '비트'의 관계다. 그렇다면 우리가 알고 있는 정보를 이용하여 그 둘의 관계를 알아내야겠지? 1문단에서, 어떤 기호 집합에서 '발생 확률'이 높은 기호는 '정보량'이 적다고 했다. 자! 이제 알아냈다. 결국 '발생 확률↑ → 정보량↓ → 비트 수↓'인 것이지. 그러므로 허프만 부호화에서는 '정보량이 적은' 기호에 상대적으로 '비트 수가 적은' 부호를 할당한다고 판단해야 한다.

아주 명확한 오답 선지임에도 학생들이 많이 고른 이유는 두 가지다. 아예 비례 관계를 파악하지 못했거나, 각각의 비례 관계는 파악했는데 둘을 연관 짓지 못했거나. 전자에 해당하는 학생이라면 쌤이 강조하는 출제 포인트들을 하나하나 연습해가야 하고, 후자에 해당하는 학생이라면 아직 거시적 독해가 익숙지 않은 것이니 지문을 구조적으로 읽으려는 노력을 해야 한다.

③ 3문단에서, 채널 부호화 중 하나인 삼중 반복 부호화는 잉여 정보를 덧붙여 오류를 검출·정정하는 과정이라고 하였다. 그러므로 채널 부호화를 거친 부호들은 오히려 잉여 정보를 '포함'한 상태에서 선 부호화하겠지.

④ 3문단에서 설명되어 있듯이 부호율은 채널 부호화를 하기 전 부호의 비트 수를, 채널 부호화를 한 이후 부호의 비트 수로 나눈 것을 말한다. 채널 부호화 과정에서 부호에 일정 수준 이상의 잉여 정보를 추가하면, 분모만 커지는 셈이니 당연히 부호율은 1보다 작아지겠지.

04

정답설명

④ 18학년도 수능 오답률 2위에 랭크된 문제다. 지문을 이해하기도 쉽지 않은데, 지문을 바탕으로 〈보기〉를 이해하라니! 괜찮다. 당황하지 말고, 문제에서 하라는 대로 해 보자. 이런 문제는, 〈보기〉와 연관되는 지문 내용을 찾아 하나씩 대응해 가며 풀이하라고 했다. 그런데 이번 〈보기〉는 부호와 발생 확률 제시뿐이니 범위가 너무 포괄적이다. 이럴 때는 선지로 바로 가서, 선지와 지문을 대응해 가며 풀어야 한다.

일단 날씨 '비'의 부호 '10'을 삼중 반복 부호화하면 '111000'이 된다는 것까지는 쉽게 알아낼 수 있다. 여기에 차동 부호화를 적용해 보자.

4문단에서, 차동 부호화는 기준 신호를 활용하여 부호의 비트가 0이면 전압을 유지하고 1이면 전압을 변화시킨다고 하였다. 쉽게 생각해라. 1일 때만 반대로 바꿔주면 된다는 것이다. 그럼 '111000'에 이를 적용해 보자. 첫 부호가 '1'이고, 기준 신호는 양(+)의 전압이니 전압은 음(-)으로 변화된다. 두 번째도 '1'이 나왔으니 전압을 다시 변화시켜 양(+)으로 만들고, 다음에도 '1'이 나왔으므로 음(-)으로 변화시켜야 한다. 이후 이어지는 '000'에서는 전압을 변화시키지 않아도 되므로 그대로 '음, 음, 음'의 전압을 갖게 된다. 결국 날씨 '비'가 삼중 반복 부호화와 차동 부호화 과정을 거치면 '음, 양, 음, 음, 음, 음'의 전압을 갖는 전기 신호로 변환된다는 것을 알 수 있지.

오답설명

① 개념어는 늘 표시해 두라고 했다. 핵심을 놓치지 않기 위해서도 있지만, 지문으로 다시 돌아갈 때가 있기 때문이기도 하다. 먼저 기호 집합 {'맑음', '흐림', '비', '눈'}의 엔트로피의 최댓값을 구하기 위해서는 '엔트로피'와 '엔트로피의 최댓값'의 개념을 확인해 봐야 한다. 2문단에서 비트는 기호에서 부호로 변환된 '0', '1'을, '기호 집합의 엔트로피'는 기호 집합에 있는 기호를 부호로 표현하는 데 필요한 '평균 비트 수의 최솟값'을 의미한다고 하였다. 그리고 1문단에서 모든 기호들이 동일한 발생 확률을 가질 때 그 '기호 집합의 엔트로피는 최댓값'을 갖는다고 하였구나. 〈보기〉에서 제시된 날씨들의 비트 수는 모두 2개씩이니 기호 집합의 엔트로피(=평균 비트 수의 최솟값)도 2, 엔트로피의 최댓값도 2이다. 결국 기호 집합 {'맑음', '흐림', '비', '눈'}의 엔트로피는 2보다 클 수 없다는 결론이 나오는 것이지.

② 이건 그냥 주는 선지다. 〈보기〉에서 엔트로피 부호화를 이미 제시하지 않았니. 제시된 날씨 데이터 순서대로 나열만 해보면 된다. '흐림비맑음흐림'은 엔트로피 부호화를 통해 '01100001'로 바뀐다고 할 수 있다. 선지에서 제시된 부호는 '01001001'이므로 '흐림맑음비흐림'의 날씨 데이터를 엔트로피 부호화한 것이다.

③ 3문단을 보면 삼중 반복 부호화 과정을 거친 부호를 받은 수신기는 수신한 부호의 과반수가 '1'이면 그 부호를 '1'로 판단한다고 하였다. 따라서 삼중 반복 부호화된 '110001'은 '110=1', '001=0'으로 판단되고 '101100'은 '101=1', '100=0'으로 판단되겠지. 결국 '110001', '101100' 모두 '10'으로 판단되니 같은 날씨인 '비'로 판단하겠지.

⑤ 선지의 조건을 보자. 기준 신호가 '양'일 때, '음음음양양양'을 수신했다는 것이다. 4문단에서 제시한 비트 0은 유지, 비트 1은 변화를 기억하자. 기준 신호가 '양'인데, '음'으로 시작하는 부호를 수신했다면, 비트는 1이다. 이후 계속 음이 두 번 반복되니, 이번엔 유지가 되는 0이 두 번 나오면 된다. 이후 양으로 전환되었으니, 비트 1이 나온다. 이후 계속 양이 반복되니, 비트 0이 두 번 나오면 된다. 즉 100100이 나오게 된다. 삼중 반복 부호화를 통해 판단하면, 00이 되므로 '흐림'이 아니라 '맑음'임을 알 수 있다.

05

정답설명

④ 동음이의어는 발음은 같지만 의미가 완전히 다른 단어로, 사전에 각각의 표제어로 등재된다. 반면 다의어는 두 가지 이상의 뜻을 가진 단어

이나 하나의 중심 의미를 가지는 단일한 표제어로 등재된다. 그러니 의미의 유사성을 기준으로 구분하면 되는 것이지. ⓓ의 '복원(復原)'은 '변화된 것을 원래대로 회복하다.'라는 의미로, '금이 간 인간관계를 원래대로 회복하다.'라는 ④의 '복원(復原)'과 의미의 유사성을 보인다. 따라서 ⓓ와 ④의 '복원'은 동음이의어가 아니라 다의어이다.

오답설명

① ⓐ의 '전송(電送)'은 '글이나 사진 따위를 전류나 전파를 이용하여 먼 곳에 보냄.'의 의미인데 ①의 '전송(餞送)'은 '예를 갖추어 떠나보냄.'을 의미하므로 이들은 동음이의어이다.

② ⓑ의 '기호(記號)'는 '어떠한 뜻을 나타내기 위하여 쓰이는 부호, 문자, 표지 따위를 통틀어 이르는 말.'이라는 의미이며 ②의 '기호(嗜好)'는 '즐기고 좋아함.'의 의미이다. 그러므로 두 단어는 동음이의어이다.

③ ⓒ의 '부호(符號)'는 '일정한 뜻을 나타내기 위하여 따로 정하여 쓰는 기호.'를 의미하며 ③의 '부호(富豪)'는 '재산이 넉넉하고 세력이 있는 사람.'을 의미한다. 당연히 동음이의어겠지?

⑤ ⓔ의 '결정(決定)'은 '행동이나 태도를 분명하게 정함.'이라는 의미이며, ⑤의 '결정(結晶)'은 '애써 노력하여 보람 있는 결과를 이루는 것을 비유적으로 이르는 말.'이라는 의미이다. 그러므로 ⓔ와 ⑤의 '결정'은 동음이의어라고 할 수 있다.

구조도 정답

① 부호화   ② 소스   ③ 기호
④ 엔트로피   ⑤ 평균 비트 수   ⑥ 채널
⑦ 잉여 정보   ⑧ 전압   ⑨ 0
⑩ 1

검사용 키트

지문해설

① 건강 상태를 진단하거나 범죄의 현장에서 혈흔을 조사하기 위해 검사용 키트가 널리 이용된다. 키트 제작에는 다양한 과학적 원리가 적용되는데, 적은 비용으로 쉽고 빠르고 정확하게 검사할 수 있는 키트를 제작하는 것이 요구된다. 이러한 필요에 따라 항원-항체 반응을 응용하여 시료에 존재하는 성분을 분석하는 다양한 형태의 키트가 개발되고 있다. 항원-항체 반응은 항원과 그 항원에만 특이적으로 반응하는 항체가 결합하는 면역 반응을 말한다. 항체 제조 기술이 발전하면서 휴대성이 높고 분석 시간이 짧은 측면유동면역분석법(LFIA)을 이용한 다양한 종류의 키트가 개발되고 있다.

▶ 일단 '키트'라는 화제가 제시되었다. 당연히 다음 단락에서는 이 녀석의 종류나 원리가 나올 텐데, 종류가 나올 때는 공통점/차이점을 집요하게 출제하고, 원리가 제시될 때는 '과정'으로 서술할 때가 많다. 마음의 준비를 하고 다음 단락으로 가 보자.

② LFIA 키트를 이용하면 키트에 나타나는 선을 통해, 액상의 시료에서 검출하고자 하는 목표 성분의 유무를 간편하게 확인할 수 있다. LFIA 키트는 가로로 긴 납작한 막대 모양인데, 시료 패드, 결합 패드, 반응막, 흡수 패드가 순서로 나란히 배열된 구조로 되어 있다.

▶ 구조에 따른 원리가 '과정'으로 제시된다. 끊어 읽을 준비를 하면서 가 보자.

시료 패드로 흡수된 시료는 결합 패드에서 복합체와 함께 반응막을 지나 여분의 시료가 흡수되는 흡수 패드로 이동한다.

▶ 간단한 과정이라 빗금 정도로 가볍게 구분하면 된다. 이후 핵심 과정에 대한 상세 설명이 제시된다.

결합 패드에 있는 복합체는 금-나노 입자 또는 형광 비드 등의 표지 물질에 특정 물질이 붙어 이루어진다. 표지 물질은 발색 반응에 의해 색깔을 내는데, 이 표지 물질에 붙어 있는 특정 물질은 키트 방식에 따라 종류가 다르다. 일반적으로 한 가지 목표 성분을 검출하는 키트의 반응막에는 항체들이 띠 모양으로 두 가닥 고정되어 있는데, 그중 시료 패드와 가까운 쪽에 있는 가닥이 검사선이고 다른 가닥은 표준선이다. 표지 물질이 검사선이나 표준선에 놓이면 발색 반응에 의해 반응선이 나타난다. 검사선이 발색되어 나타나는 반응선을 통해서는 목표 성분의 유무를 판정할 수 있다. 표준선이 발색된 반응선이 나타나면 검사가 정상으로 진행되었음을 알 수 있다.

▶ 목표 성분의 유무에 따라 발색 반응이 달라지고, 키트에는 항체와 표지 물질이 있다는 내용으로, 어려운 내용은 아니었다.

③ LFIA 키트는 주로 직접 방식 또는 경쟁 방식으로 제작되는데, 방식에 따라 검사선의 발색 여부가 의미하는 바가 다르다. 직접 방식에서 복합체에 포함된 특정 물질은 목표 성분에 결합할 수 있는 항체이다. 시료에 목표 성분이 포함되어 있다면 목표 성분은 이 항체와 일차적으로 결합하고, 이후 검사선의 고정된 항체와 결합한다. 따라서 검사선이 발색되면 시료에서 목표 성분이 검출되었다고 판정한다.

▶ 은근히 헷갈리는 내용이다. 머릿속에 잘 들어오지 않으면 가볍게 메모를 해서라도 제대로 잡고 가자. 어차피 원리를 제대로 머릿속에 넣지 않으면 문제 풀

때 다시 고민을 해야 한다. 디테일한 내용은 못 넣더라도 핵심적인 내용을 넣고, 두 방식의 차이를 정확하게 구분해야 한다.

▶ 직접 방식 : 1차 결합 [복합체(항체) ⊕ 시료(목표 성분)] → 2차 결합 [검사선(항체) ⊕ 시료(목표 성분)] → 검사선 발색 O

한편 경쟁 방식에서 복합체에 포함된 특정 물질은 목표 성분에 대한 항체가 아니라 목표 성분 자체이다. 만약 시료에 목표 성분이 포함되어 있으면 시료의 목표 성분과 복합체의 목표 성분이 서로 검사선의 항체와 결합하려 경쟁한다. 이때 시료에 목표 성분이 충분히 많다면 시료의 목표 성분은 복합체의 목표 성분이 검사선의 항체와 결합하는 것을 방해하므로 검사선이 발색되지 않는다. 직접 방식은 세균이나 분자량이 큰 단백질 등을 검출할 때 이용하고, 경쟁 방식은 항생 물질처럼 목표 성분의 크기가 작은 경우에 이용한다.

▶ 경쟁 방식 : [복합체(목표 성분) vs 시료(목표 성분)] ⊕ 검사선(항체) → 시료의 목표 성분↑일 때 검사선 발색 X

▶ 복합체에는 발색 반응을 내는 표지 물질이 있고, 시료에는 표지 물질이 없다는 것을 기억하자. 시료의 목표 성분이 많아서 복합체가 검사선과 결합하는 것을 방해했기에, 발색이 되지 않는 것이다.

④ 한편, 검사용 키트는 휴대성과 신속성 외에 정확성도 중요하다. 키트의 정확성을 측정하기 위해서는 키트를 이용해 여러 번의 검사를 실시하고 그 결과를 분석한다. 키트가 시료에 목표 성분이 들어있다고 정하면 이를 양성이라고 한다. 이때 시료에 목표 성분이 실제로 존재하면 진양성, 시료에 목표 성분이 없다면 위양성이라고 한다. 반대로 키트가 시료에 목표 성분이 들어 있지 않다고 판정하면 음성이라고 한다. 이 경우 실제로 목표 성분이 없다면 진음성, 목표 성분이 있다면 위음성이라고 한다. 현실에서 위양성이나 위음성을 배제할 수 있는 키트는 없다.

▶ 일단 크게 보면, 목표 성분이 있으면 양성, 없으면 음성이다. 근데 이것이 또 세분화되는구나. 원리에 해당하는 핵심적인 내용은 아니기에 간단히 읽고 이따 와서 확인하며 풀어도 되겠다.

⑤ 여러 번의 검사 결과를 통해 키트의 정확도를 구하는데, 정확도란 시료를 분석할 때 올바른 검사 결과를 얻을 확률이다. 정확도는 민감도와 특이도로 나뉜다. 민감도는 시료에 목표 성분이 존재하는 경우에 대해 키트가 이를 양성으로 판정한 비율이다. 특이도는 시료에 목표 성분이 없는 경우에 대해 키트가 이를 음성으로 판정한 비율이다. 민감도와 특이도가 모두 높아 정확도가 높은 키트가 가장 이상적이지만 현실에서는 그렇지 않은 경우가 많아서 상황에 따라 민감도나 특이도를 고려하여 키트를 선택해야 한다.

▶ 이상적인 것과 현실의 구분을 굳이 지문에 넣었다는 것을 기억하며 지문 읽기를 마무리하자.

지문분석

검사용 키트
- (①) 반응
  = 면역 반응
  (항원 + 특정 항원에만 특이적으로 반응하는 항체)
- LFIA 키트 (휴대성↑, 분석 시간↓)

구성
- (②) : 시료 흡수
- 결합 패드 : 복합체 (표지 물질 + 특정 물질) 존재
- 반응막 : 한 가지 목표 성분 검출
  - (③) : 목표 성분의 유무 판정
  - 표준선 : 검사의 정상적 진행 여부 판정
- 흡수 패드 : 여분의 시료 흡수

방식
- (④) 방식 : 복합체 특정 물질 = 항체

  시료에 목표 성분有
  → 시료 목표 성분 + 복합체 특정 물질(항체)
  → 시료 목표 성분 + 검사선 항체 → 검사선 발색 O

  크기大 목표 성분(세균, 단백질) 검출 판정
- (⑤) 방식 : 복합체 특정 물질 = 목표 성분

  시료에 목표 성분有 → 검사선 항체에 대한 결합 경쟁
  (시료 목표 성분 vs 복합체 목표 성분)
  ⇩
  시료 목표 성분이 충분 → 검사선 발색 X

  크기小 목표 성분 '((⑥))' 검출 판정

정확성 측정
- 양성 시료에 목표 성분 O : 진양성 ⇒ 민감도에 영향
- 양성 시료에 목표 성분 X : 위음성
- 음성 시료에 목표 성분 O : 위양성
- 음성 시료에 목표 성분 X : 진음성 ⇒ (⑦)에 영향

형태쌤 Comment

비문학 지문에서 '과정'의 방식이 초반부에 나오는 경우와 후반부에 나오는 경우 시험장에서 독해의 난이도는 사뭇 달라진다. 후반부에 나오는 경우 어차피 정보의 기억이 불가능하다는 것을 알기에 단계만 잡으면서 문제로 가지만, 초반부에 나오는 경우 과정의 정보를 기억하려고 애쓰다 보면 중·후반부에 이미 정보의 포화 상태가 되어 버리기 때문이다. 시험장에서 과정의 단계별 정보를 다 기억하는 것은 무리다. 단계만 정확하게 처리하고, 특히 초반부의 '항원', '항체' 등의 개념을 정확하게 이해한 상태에서 중·후반부로 넘어가야 원활한 독해가 진행될 것이다.

번호	정답	정답률 (%)	선지별 선택비율(%)				
			①	②	③	④	⑤
1	③	57	5	10	57	11	17
2	①	46	46	7	8	27	12
3	④	45	29	10	11	45	5
4	②	40	8	40	12	21	19

01

정답설명

③ 2문단의 마지막을 보면, 검사선이 발색되어 나타나는 반응선을 통해서는 목표 성분의 유무를, 표준선이 발색된 반응선을 통해서는 검사가 정상적으로 진행되었는지 여부를 확인할 수 있다고 나온다. 따라서 검사가 정상적으로 진행된 키트에서는 검사선이 발색되지 않더라도 표준선은 발색되어 나타나게 된다.

오답설명

① 2문단에서 시료 패드로 시료가 흡수되고, 흡수 패드에서 여분의 시료가 흡수된다고 하였으므로 적절하다.

② 1문단에서 '항원-항체 반응'을 응용하여 시료에 존재하는 성분을 분석하는 키트가 LFIA 키트임을 밝혔다. 또한 2문단에서 일반적으로 한 가지 목표 성분을 검출하는 키트의 반응막에 항체들이 고정되어 있다고 하였으므로, 키트를 통해 검출하려고 하는 목표 성분은 항원임을 알 수 있다.

④ 2문단에서 표지 물질은 발색 반응에 의해 색깔을 낸다고 하였다. 또한 표지 물질이 검사선이나 표준선에 놓이면 발색 반응에 의해 반응선이 나타나고, 검사선이 발색되어 나타나는 반응선을 통해 목표 성분의 유무를 판정할 수 있다고 하였다. 따라서 표지 물질이 없다면 시료에 목표 성분이 있더라도 이를 시각적으로 확인할 수가 없다.

⑤ 4문단에서 키트가 시료에 목표 성분이 들어있다고 판정했지만 실제로는 목표 성분이 없는 경우를 '위양성'이라고 하며, 현실에서 이를 배제할 수 있는 키트는 없다고 하였다. 따라서 시료에 목표 성분이 포함되어 있지 않더라도 검사선이 발색되는 경우가 있음을 확인할 수 있다.

02

정답설명

① ㉠(직접 방식)에서는 복합체에 포함된 '특정 물질'이 '항체'이므로, 시료에 포함된 목표 성분이 복합체에 포함된 항체와 일차적으로 결합하고, 이후 검사선의 고정된 항체와 결합한다. 하지만 ㉡(경쟁 방식)에서는 복합체에 포함된 '특정 물질'이 항체가 아니라 '목표 성분(항원) 자체'라고 하였으므로, 검사선에 도달하기 이전에 항체와 결합하지 않는다.

오답설명

② ㉡은 시료의 목표 성분과 복합체의 목표 성분이 서로 검사선의 항체와 결합하려는 경쟁이 일어난다. 반면 ㉠은 시료에 목표 성분이 포함되어

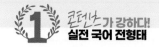
있다면 복합체의 항체와 일차적으로 결합하고, 이후 검사선의 고정된 항체와 결합한다.

③ 2문단에서 LFIA 키트는 시료 패드, 결합 패드, 반응막, 흡수 패드가 순서대로 나란히 배열된 구조로 되어 있으며, 시료가 그 순서대로 이동한다고 하였다. 또한 반응막에서 앞쪽에 놓인 선이 검사선, 뒤쪽에 놓인 선이 표준선이라고 하였으므로, ㉠과 ㉡ 둘 다 시료가 표준선에 도달하기 이전에 검사선에 먼저 도달할 것이다.

④ 2문단에서 반응막에는 검사선과 표준선이 고정되어 있으며, 표준선이 발색된 반응선이 나타나면 검사가 정상적으로 진행되었음을 알 수 있다고 하였다. 즉, 검사가 정상적으로 진행되면 반응막에 고정된 표준선이 발색된다는 뜻이다. 따라서 ㉠과 ㉡ 모두 정상적인 검사로 시료에서 목표 성분을 검출했다면 반응막에 표준선이 발색된 반응선이 나타날 것이다.

⑤ 2, 3문단에 따르면 표지 물질에 붙어 있는 '특정 물질'이 ㉠에서는 '항체'이고 ㉡에서는 '목표 성분(항원)' 자체이므로, ㉠은 시료에 들어 있는 목표 성분과, 표지 물질이 아닌 특정 물질이 항원-항체 반응으로 결합하겠지만 ㉡에서는 결합하지 않을 것이다.

03

정답설명

④ 민감도는 시료에 목표 성분이 존재하는 경우에 대해 키트가 이를 양성으로 판정한 비율이라고 하였다. 즉, 시료에 목표 성분이 존재하고, 이를 양성으로 판정한 '진양성'인 경우가 많아야 민감도가 높아지는 것이다. 하지만 〈보기〉에서는 '반대 조건'이 추가적인 조건으로 나와 있다! A가 적을수록 민감도가 높아진다고 하였다. 따라서 목표 성분이 존재하는 경우에 키트가 이를 음성으로 판정한 위음성이 적어야, 민감도가 높아진다. 따라서 '위음성'이 A가 된다.
특이도는 시료에 목표 성분이 없는 경우에 대해 키트가 이를 음성으로 판정한 비율이라고 하였다. 즉, 시료에 목표 성분이 없고, 이를 음성으로 판정한 '진음성'인 경우가 많아야 특이도가 높아지는 것이다. 따라서 '진음성'이 B가 된다.

04

정답설명

② 3문단에 따르면 세균이나 분자량이 큰 단백질 등을 검출할 때는 직접 방식의 LFIA 키트를 이용한다고 하였다. 〈보기〉의 '살모넬라균'은 대표적인 병원성 세균이라고 하였으므로 경쟁 방식이 아닌 직접 방식의 LFIA 키트를 사용해야 한다. 직접 방식에서는 표지 물질에 붙어 있는 특정 물질이 목표 성분(항원)에 결합할 수 있는 '항체'여야 한다. 〈보기〉의

상황에서 '항원'은 살모넬라균이므로, 표지 물질에 살모넬라균이 아닌 살모넬라균과 항원-항체 반응을 보이는 항체가 붙어 있어야 한다.

오답설명

① 1문단에서 LFIA 키트는 항원-항체 반응을 응용하여 시료에 존재하는 성분을 분석한다고 하였다. 따라서 항체를 제조하는 기술이 먼저 개발되어야 항체를 결합 패드의 복합체에 붙인 ⓐ가 개발될 수 있다.

③ 2문단에서 LFIA 키트를 이용하면 '액상의 시료'에서 검출하고자 하는 목표 성분의 유무를 확인할 수 있다고 하였다. 따라서 시료는 액체 상태여야 한다.

④ 5문단에 따르면 민감도는 시료에 목표 성분이 존재하는 경우에 대해 키트가 이를 양성으로 판정한 비율이며, 특이도는 시료에 목표 성분이 없는 경우에 대해 키트가 이를 음성으로 판정한 비율이다. '오염 의심 시료'는 목표 성분이 있을 것으로 여겨지는 시료이므로, 이를 선별하기 위해서는 민감도가 높은 것이 더 효과적일 것이다.

⑤ 〈보기〉에서 ⓐ는 기존 방법보다 정확도가 낮다고 하였으므로, ⓐ를 이용하여 살모넬라균이 검출되었다고 키트가 판정한 경우에도 기존의 분석법으로는 균이 검출되지 않을 가능성이 있다.

구조도 정답

① 항원-항체
② 시료 패드
③ 검사선
④ 직접
⑤ 경쟁
⑥ 항생 물질
⑦ 특이도

주사 터널링 현미경

지문해설

① 주사 터널링 현미경(STM)에서는 끝이 첨예한 금속 탐침과 도체 또는 반도체 시료 표면 간에 적당한 전압을 걸어 주고 둘 간의 거리를 좁히게 된다. 탐침과 시료의 거리가 매우 가까우면 양자 역학적 터널링 효과에 의해 둘이 접촉하지 않아도 전류가 흐른다. 이때 탐침과 시료 표면 간의 거리가 원자 단위 크기에서 변하더라도 전류의 크기는 민감하게 달라진다. 이 점을 이용하면 시료 표면의 높낮이를 원자 단위에서 측정할 수 있다. 하지만 전류가 흐를 수 없는 시료의 표면 상태는 STM을 이용하여 관찰할 수 없다. 이렇게 민감한 STM도 진공 기술의 뒷받침이 있었기에 널리 사용될 수 있었다.

▶ 제재만으로도 긴장되게 하는 지문이다. 시험장에서 이런 지문을 만나면, 마음을 다잡아라. 우리는 STM에 대한 정보를 이해해야 하는 것은 맞지만, 과학적으로 온전히 이해하기보다는 필자의 관심사에 따른 핵심 정보가 무엇인지를 이해해야 한다. 필자는 STM에 대해 관심이 있고, STM의 용도에 대해 설명하고 있구나. 중간에 나온 '양자 역학적 터널링 효과'는 필자가 설명을 해주지 않았으니, 상세한 의미는 출제하지 않을 것이라는 확신을 갖고, 제시된 역할만 확인하면서 독해를 하면 되겠다.

② STM은 대체로 진공 통 안에 설치되어 사용되는데 그 이유는 무엇일까? 기체 분자는 끊임없이 떠돌아다니다가 주변과 충돌한다. 이때 일부 기체 분자들은 관찰하려는 시료의 표면에 붙어 표면과 반응하거나 표면을 덮어 시료 표면의 관찰을 방해한다.

▶ 문제가 나타났다. '기체 분자'가 관찰을 방해하는 문제아구나. 문제의 원인은 '시료의 표면에 붙는 것'이니, 이에 대한 해결이 나올 것이라는 예측을 하며 계속 읽어 보자.

따라서 용이한 관찰을 위해 STM을 활용한 실험에서는 관찰하려고 하는 시료와 기체 분자의 접촉을 최대한 차단할 필요가 있어 진공이 요구되는 것이다. 진공이란 기체 압력이 대기압보다 낮은 상태를 통칭하며 기체 압력이 낮을수록 진공도가 높다고 한다. 진공 통 내부의 온도가 일정하고 한 종류의 기체 분자만 존재할 경우, 기체 분자의 종류와 상관없이 통 내부의 기체 압력은 단위 부피당 떠돌아다니는 기체 분자의 수에 비례한다. 따라서 기체 분자들을 진공 통에서 뽑아내거나 진공 통 내부에서 움직이지 못하게 고정하면 진공 통 내부의 기체 압력을 낮출 수 있다.

▶ 문제의 해결로 '진공'을 제시하고 있다. 이 문단에서 체크해야 할 것은 뭐지? 그렇지. 문제 해결인 '진공'의 개념과 비례 관계! 쌤이 과학·기술 지문에서 증감과 비례는 출제 포인트라고 여러 번 강조했었다.

[진공 : 기체 압력 < 대기압]
[기체 압력↓ 진공도↑ 떠돌아다니는 기체 분자 수↓]와 같이 간단하게 메모하거나 밑줄을 그어라.

③ STM을 활용하는 실험에서 어느 정도의 진공도가 요구되는지를 이해하기 위해서는 '단분자층 형성 시간'의 개념을 이해할 필요가 있다. 진공 통 내부에서 떠돌아다니던 기체 분자들이 관찰하려는 시료의 표면에 달라붙어 한 층의 막을 형성하기까지 걸리는 시간을 단분자층 형성 시간이라 한다. 이 시간은 시료의 표면과 충돌한 기체 분자들이 표면에 달라붙을 확률이 클수록, 단위 면적당 기체 분자의 충돌 빈도

가 높을수록 짧다. 또한 기체 운동론에 따르면 고정된 온도에서 기체 분자의 질량이 크거나 기체의 압력이 낮을수록 단분자층 형성 시간은 길다. 가령 질소의 경우 20℃, 760토르 대기압에서 단분자층 형성 시간은 3×10^{-9}초이지만, 같은 온도에서 압력이 10^{-9}토르로 낮아지면 대략 2,500초로 증가한다. 이런 이유로 STM에서는 시료의 관찰 가능 시간을 확보하기 위해 통상 10^{-9}토르 이하의 초고진공이 요구된다.

▶ 진공과 관련한 추가 정보로 '단분자층 형성 시간'에 대해 제시하고 있구나. 비례 관계가 나오니, 이 역시 간단한 메모가 도움이 되겠지?

[기체 분자가 시료에 달라붙을 확률↑ or 기체 분자의 충돌 빈도↑ ⇨ 단분자층 형성 시간↓]
[기체 분자 질량↑ or 기체 압력↓ ⇨ 단분자층 형성 시간↑]

④ 초고진공을 얻기 위해서는 스퍼터 이온 펌프가 널리 쓰인다. 스퍼터 이온 펌프는 진공 통 내부의 기체 분자가 펌프 내부로 유입되도록 진공 통과 연결하여 사용한다. 스퍼터 이온 펌프는 영구 자석, 금속 재질의 속이 뚫린 원통 모양 양극, 타이타늄으로 만든 판 형태의 음극으로 구성되어 있다. 자석 때문에 생기

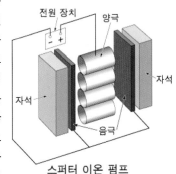

스퍼터 이온 펌프

는 자기장이 원통 모양 양극의 축 방향으로 걸려 있고, 양극과 음극 간에는 2~7kV의 고전압이 걸려 있다. 양극과 음극 간에 걸린 고전압의 영향으로 음극에서 방출된 전자는 자기장의 영향을 받아 복잡한 형태의 궤적을 그리며 양극으로 이동한다. 이 과정에서 음극에서 방출된 전자는 주변의 기체 분자와 충돌하여 기체 분자를 그것의 구성 요소인 양이온과 전자로 분리시킨다. 여기서 자기장은 전자가 양극까지 이동하는 거리를 자기장이 없을 때보다 증가시켜 주어 전자와 기체 분자와의 충돌 빈도를 높여 준다. 이 과정에서 생성된 양이온은 전기력에 의해 음극으로 당겨져 음극에 박히게 되어 이동 불가능한 상태가 된다. 이 과정이 1차 펌프 작용이다. 또한 양이온이 음극에 충돌하면 타이타늄이 떨어져 나와 충돌 지점 주변에 들러붙는다. 이렇게 들러붙은 타이타늄은 높은 화학 반응성 때문에 여러 기체 분자와 쉽게 반응하여, 떠돌아다니던 기체 분자를 흡착한다. 이는 떠돌아다니는 기체 분자의 수를 줄이는 효과가 있으므로 이를 2차 펌프 작용이라 부른다. 이렇듯 1, 2차 펌프 작용을 통해 스퍼터 이온 펌프는 초고진공 상태를 만들 수 있다.

▶ 정보량이 상당하구나. 지문에 제시된 그림을 활용해서 정보를 따라가 보자. 단계적 과정은 빈출되는 요소 아니더냐. 시험장에서는 '/'로 단계를 구분하며 읽거나, 그림에 간단히 메모를 하며 읽으면 된다. 시험장에서 모든 과정을 메모할 필요는 없지만, 이해를 돕기 위해 초고진공 상태에 이르는 과정을 정리하면 아래와 같겠지.

[1차 펌프 과정 : 음극, 양극에 고전압을 걸어 음극의 전자 방출 ⇨ 자기장 때문에 전자가 양극으로 이동하며 기체 분자와 충돌 ⇨ 기체 분자가 양이온·전자로 분리 ⇨ 전기력이 양이온을 음극으로 이동·고정시킴]
[2차 펌프 과정 : 양이온이 음극에 충돌 ⇨ 음극에서 타이타늄 분리 ⇨ 충돌 지점 주변에 들러붙은 타이타늄이 기체 분자 흡착]

지문분석

주사 터널링 현미경 (STM)

측정

금속 탐침~시료 표면에 전압O, 거리↓

(①)효과 : 접촉X, 전류O
→ 원자 단위 거리 변화에도 매우 민감

설치 조건

대체로 진공(기체 압력 < (②))통 내부

시료 표면 관찰을 방해하는
기체 분자의 움직임 차단하기 위함

기체 압력↓ : 진공도↑, 기체 분자 제거 or 고정

통 내부 기체 압력
: 단위 부피당 떠돌아다니는 (③)에 비례

요구되는 진공도

(④)

진공 통 내부의 기체 분자들이
시료 표면에 달라붙어 막을 형성하는 데 걸리는 시간

시간 ↑ 조건

기체 분자가 시료 표면에 달라붙을 확률 ↓,
기체 분자 충돌 빈도 ↓

고정된 온도에서 기체 분자 질량↑, (⑤)↓

시료의 관찰 가능 시간 확보 → 10^{-9} 토르 이하 초고진공 요구

스퍼터 이온 펌프 → 초고진공 상태 형성

1차 (⑥)

(1) (+)극~(-)극 간 고전압
→ 전자가 (-)극에서 (+)극으로 이동

(2) 전자가 기체 분자와 충돌
→ 기체 분자 분리 (양이온+전자)
자기장 : 전자와 기체 분자의 충돌 빈도↑

(3) 전기력에 의해 (2)의 양이온이 (-)극에 고정

2차 (⑥)

(4) (3)에서 양이온과 (-)극의 충돌로 분리된 타이타늄이
충돌 지점 주변에 붙음

(5) 타이타늄의 높은 (⑦)
→ 떠돌아다니는 기체 분자 흡착

형태쌤 Comment

지문을 크게 보면 '문제-해결' 구조로 되어 있고, 해결 부분은 '과정'의 방식으로 서술되어 있다. '과정' 파트에서는 정보량의 폭발이 당연하게 발생하니 모든 정보를 다 기억하려 애쓰지 말고, 문제 해결에 해당하는 '기체 압력'과 관련한 정보에 주목을 하고, 과정의 각 단계를 빗금으로 구분하면서 읽어야 한다. 그래야 문제 풀다가 쉽게 돌아와서 확인할 수 있겠지. 지문은 약간 난이도가 있지만 문제의 선지들이 워낙 선명해서 풀이에는 어려움이 없었을 것이다.

문제분석 01-04번

번호	정답	정답률 (%)	선지별 선택비율(%)				
			①	②	③	④	⑤
1	②	81	6	81	5	6	2
2	③	72	5	5	72	14	4
3	①	61	61	16	6	10	7
4	⑤	50	6	12	15	17	50

01

정답설명

② 4문단에서 '초고진공을 얻기 위해서는 스퍼터 이온 펌프가 널리 쓰인다'고 했다. 기술 지문이라고 쫄았던 것이 허무할 만큼, 명확한 정답이지? '문제 해결'인 스퍼터 이온 펌프의 역할을 물어보는 당연하고도 쉬운 선지다.

오답설명

① 2문단에서 '진공이란 기체 압력이 대기압보다 낮은 상태를 통칭하며 기체 압력이 낮을수록 진공도가 높다'고 하였지.

③ 2문단에서 '용이한 관찰을 위해 STM을 활용한 실험에서는 관찰하려고 하는 시료와 기체 분자의 접촉을 최대한 차단'해야 한다고 하였고, 3문단에서는 '관찰 가능 시간을 확보하기 위해~초고진공이 요구된다.'라고 하였다. 따라서 기체 분자들이 관찰하려는 시료의 표면에 달라붙어 한 층의 막을 형성하기까지 걸리는 시간인 '단분자층 형성 시간'이 길수록 관찰이 용이할 것이다.

④ 2문단에, 단위 부피당 떠돌아다니는 기체 분자의 수와 통 내부의 기체 압력은 비례 관계임이 명시되어 있다.

⑤ 3문단에서 시료 표면과 충돌한 기체 분자들이 표면에 달라붙을 확률이 클수록 단분자층 형성 시간이 짧다고 했다.

02

정답설명

③ 2문단에서 '기체 분자들은 관찰하리는 시료의 표면에 붙어 표면과 반응하거나 표면을 덮어 시료 표면의 관찰을 방해'한다고 하였고, 3문단에서 '기체 분자들이 관찰하려는 시료의 표면에 달라붙어 한 층의 막을 형성하기까지 걸리는 시간을 단분자층 형성 시간'이라고 하였다. 즉, 시

료의 관찰 가능 시간을 늘리려면 단분자층 형성 시간을 늘려야 한다는 얘기다. 3문단에서 '기체의 압력이 낮을수록 단분자층 형성 시간은 길다.'라고 하였으므로 시료의 관찰 가능 시간을 늘리려면 진공 통 안의 기체 압력을 낮추어야 한다는 것을 알 수 있다.

오답설명

① 1문단에서 ㉠(STM)이 '시료 표면의 높낮이를 원자 단위에서 측정할 수 있다.'라고 하였다.

② 1문단에서 '전류가 흐를 수 없는 시료의 표면 상태는 STM을 이용하여 관찰할 수 없다.'라고 하였으니, ㉠이 시료를 관찰하는 데에는 시료의 전기 전도가 필요하다는 것을 알 수 있지.

④ 2문단에 따르면 떠돌아다니는 기체 분자들은 관찰하려는 시료의 표면에 붙어 표면과 반응하거나 표면을 덮어 시료 표면의 관찰을 방해한다. 따라서 시료 표면의 관찰을 위해서는 시료와 기체 분자의 접촉을 최대한 차단해야 하므로, 시료 표면에 기체의 단분자층 형성이 필요하다는 설명은 적절하지 않다.

⑤ 1문단에서 '탐침과 시료의 거리가 매우 가까우면 양자 역학적 터널링 효과에 의해 둘이 접촉하지 않아도 전류가 흐른다.'라고 하였다.

03

정답설명

① 4문단의 단계적 과정이 하나씩 선지로 등장한 깔끔하고 쉬운 문제다. 4문단에서 스퍼터 이온 펌프에는 영구 자석이 있다고 하였고, '자석 때문에 생기는 자기장이 원통 모양 양극의 축 방향으로 걸려' 있다고 하였다. 자기장은 자석에 의해 만들어지는 것이므로 '고전압과 전자의 상호 작용'과는 무관하다.

오답설명

② 4문단의 '양이온이 음극에 충돌하면 타이타늄이 떨어져 나와~타이타늄은 높은 화학 반응성 때문에 여러 기체 분자와 쉽게 반응하여, 떠돌아다니던 기체 분자를 흡착한다.'라는 부분에서 알 수 있다.

③, ④, ⑤ 무려 세 개의 선지가 같은 맥락에서 판단되는구나. 이건 확실히 주는 문제다. 4문단에서 '음극에서 방출된 전자는 주변의 기체 분자와 충돌하여 기체 분자를 그것의 구성 요소인 양이온과 전자로 분리'시키고, '이 과정에서 생성된 양이온은 전기력에 의해 음극으로 당겨져 음극에 박히게 되어 이동 불가능한 상태'가 된다고 하였다.

04

정답설명

형태쌤의 과외시간

평가원 비문학의 〈보기〉 문제에는 2가지 유형이 있다.

하나는 **지문을 통해 〈보기〉를 바라보는 유형**으로, 지문의 정보와 〈보기〉의 정보를 1:1로 대응시키는 것이 우선이다. 비문학 〈보기〉 문제의 대부분을 차지한다.

또 하나는 **〈보기〉를 통해 지문을 바라보는 유형**으로, 보통 〈보기〉의 정보를 통해 지문의 정보를 반박하거나 비판하는 유형으로 제시가 된다. 문학과 비슷한 유형이라고 보면 된다.

⑤ 이 문제는 첫 번째 유형으로 지문과의 1:1 대응이 핵심이다.

일단 〈보기〉의 숫자는 '크다/작다'만 판단하며, 숫자의 크고 작음이 의미하는 바를 정리한 후에 선지로 가자.

〈보기〉에서 제시되지 않은 조건은 동일하다고 하였으니, D와 E가 차이를 보이는 '분자의 질량'만 고려하면 되겠다. 3문단에서 기체 분자의 질량이 클수록 단분자층 형성 시간이 길어지고, 단위 면적당 기체 분자의 충돌 빈도가 낮을수록 단분자층 형성 시간이 길어진다는 것을 알 수 있다. 여기서 이 선지에 대한 접근은 두 가지로 할 수 있다.

1) 해당 지문과 관련하여 배경지식이 없는 경우

지문에 '질량'과 '충돌 빈도' 사이의 인과 관계가 나오지 않는다. 따라서 질량만으로는 비교가 안 되니, 충돌 빈도는 '알 수 없다'로 선지를 판단하는 것이다.

'질량'과 '충돌 빈도'는 '형성 시간'과 각각 비례 관계가 있지만, 독립적인 변수다. 즉, 주어진 정보만으로는 '질량'과 '충돌 빈도' 사이의 인과 관계를 설정할 수 없다. 따라서 질량만으로는 비교가 안 되니 충돌 빈도를 알 수 없다고 판단하는 것이다.

2) 해당 지문과 관련하여 배경지식이 있는 경우

질량이 작을수록 운동을 많이 할 수 있기에, 충돌 빈도가 높아지고 형성 시간이 짧아진다.(=배경지식을 적용함.) 따라서 E의 충돌 빈도는 D보다 낮다.

1)로 풀든 2)로 풀든 답은 ⑤로 나온다.

하지만 평가원은 과학에 대한 배경지식이 없는 학생도 문제를 풀 수 있도록 요구하기 때문에, 지문에 근거하여 1)로 판단한 학생이라면 아주 칭찬할 만하다!

오답설명

① 3문단에서 20℃의 온도에서 질소의 단분자층 형성 시간은 '압력이 10^{-9} 토르로 낮아지면 대략 2,500초로 증가'한다고 하였다.

② 2문단에서 '통 내부의 기체 압력은 단위 부피당 떠돌아다니는 기체 분자의 수에 비례한다.'라고 하였다. B는 A보다 단위 부피당 기체 분자 수가 적으므로, 내부의 기체 압력도 A의 압력인 10^{-9}토르보다 낮을 것이다.

③ 2문단에서 '기체 압력이 낮을수록 진공도가 높다'고 하였고, '통 내부의 기체 압력은 단위 부피당 떠돌아다니는 기체 분자의 수에 비례한다.'라

고 하였다. B는 내부의 기체 분자 수가 C보다 적으므로, C보다 기체 압력이 낮을 것이고, 진공도가 높을 것이다. 따라서 C의 진공도가 B보다 낮을 것이라는 설명은 적절하다.

④ 2문단에서 '통 내부의 기체 압력은 단위 부피당 떠돌아다니는 기체 분자의 수에 비례한다.'라고 하였고, 3문단에서 '기체 분자의 질량이 크거나 기체의 압력이 낮을수록 단분자층 형성 시간은 길다.'라고 하였다. D는 A보다 분자의 질량이 크고, 기체 분자의 수가 적으므로 A보다 단분자층 형성 시간이 더 길 것이다.

 memo

구조도 정답

① 양자 역학적 터널링   ② 대기압

③ 기체 분자의 수   ④ 단분자층 형성 시간

⑤ 기체 압력   ⑥ 펌프 작용

⑦ 화학 반응성

스마트폰의 위치 측정 기술

지문해설

① 스마트폰은 다양한 위치 측정 기술을 활용하여 여러 지형 환경에서 위치를 측정한다. 위치에는 절대 위치와 상대 위치가 있다. 절대 위치는 위도, 경도 등으로 표시된 위치이고, 상대 위치는 특정한 위치를 기준으로 한 상대적인 위치이다.

▶ 필자는 스마트폰의 위치 측정을 화두로 꺼낸 뒤, 절대 위치, 상대 위치의 개념을 설명하고 있다. 스마트폰으로 절대 위치와 상대 위치를 측정하는 방법을 설명하려 하는구나.

절대 위치 : 위도, 경도 등으로 표시된 위치
상대 위치 : 특정 위치 기준으로 한 상대적 위치

② 실외에서는 주로 스마트폰 단말기에 내장된 GPS(위성항법장치)나 IMU(관성측정장치)를 사용한다. GPS는 위성으로부터 오는 신호를 이용하여 절대 위치를 측정한다. GPS는 위치 오차가 시간에 따라 누적되지 않는다. 그러나 전파 지연 등으로 접속 초기에 짧은 시간 동안이지만 큰 오차가 발생하고 실내나 터널 등에서는 GPS 신호를 받기 어렵다. IMU는 내장된 센서로 가속도와 속도를 측정하여 위치 변화를 계산하고 초기 위치를 기준으로 하는 상대 위치를 구한다. 단기간 움직임에 대한 측정 성능이 뛰어나지만 센서가 측정한 값의 오차가 누적되기 때문에 시간이 지날수록 위치 오차가 커진다. 이 두 방식을 함께 사용하면 서로의 단점을 보완하여 오차를 줄일 수 있다.

▶ 스마트폰 단말기의 실외 위치 측정 : GPS, IMU 사용
여기서 체크해야 할 것은? 두 방식의 공통점과 차이점이겠지. 밑줄을 긋거나, 간단한 메모를 남기면 된다.

GPS	IMU
실외에서 스마트폰의 위치 측정	
위성 신호 이용	내장 센서 이용
절대 위치 측정	상대 위치 측정
전파 지연 → 접속 초기 오차↑	단기간 움직임 측정 성능↑
실내, 터널에서 신호 X	
위치 오차 누적 X	위치 오차 누적 O

③ 한편 실내에서 위치 측정에 사용 가능한 방법으로는 블루투스 기반의 비콘을 활용하는 기술이 있다. 비콘은 실내에 고정 설치되어 비콘마다 정해진 식별 번호와 위치 정보가 포함된 신호를 주기적으로 보내는 기기이다. 비콘들은 동일한 세기의 신호를 사방으로 보내지만 비콘으로부터 거리가 멀어질수록, 벽과 같은 장애물이 많을수록 신호의 세기가 약해진다. 단말기가 비콘 신호의 도달 거리 내로 진입하면 단말기 안의 수신기가 이 신호를 인식한다. 이 신호를 이용하여 2차원 평면에서의 위치를 측정하는 방법으로는 다음과 같은 것들이 있다.

▶ 스마트폰 단말기의 실내 위치 측정 : 비콘을 활용

▶ 비콘 : 블루투스 기반, 실내 고정, 동일한 세기의 신호 발송
  └ 신호 : 비콘마다 고유한 식별 번호, 위치 정보 포함
      전송 신호 세기 동일, 거리·장애물 수↑ → 세기↓

▶ 마지막 문장을 읽고, 비콘 신호를 이용해 2차원 평면에서의 위치 측정 방법을 열거해 줄 것을 체크하고 다음 문단으로 넘어갔어야 한다.

④ 근접성 기법은 단말기가 비콘 신호를 수신하면 해당 비콘의 위치를 단말기의 위치로 정한다. 여러 비콘 신호를 수신했을 경우에는 신호가 가장 강한 비콘의 위치를 단말기의 위치로 정한다.

▶ ①근접성 기법 : 단말기가 비콘 신호 수신 → 수신된 비콘 위치 = 단말기 위치 (여러 신호가 수신될 경우 : 가장 강한 신호의 비콘 위치 = 단말기 위치)

⑤ 삼변측량 기법은 3개 이상의 비콘으로부터 수신된 신호 세기를 측정하여 단말기와 비콘 사이의 거리로 환산한다. 각 비콘을 중심으로 이 거리를 반지름으로 하는 원을 그리고, 그 교점을 단말기의 현재 위치로 정한다. 교점이 하나로 모이지 않는 경우에는 세 원에 공통으로 속한 영역의 중심점을 단말기의 위치로 측정한다.

▶ ②삼변측량 기법 : 3개 이상 비콘에서 수신된 신호 세기 측정 → 단말기~비콘 간 거리로 환산 → 그 거리를 반지름으로 하는 원 그림 → 세 원의 교점 = 단말기 위치 (교점이 하나가 아닐 경우 : 세 원 공통 영역의 중심점 = 단말기 위치)

⑥ 위치 지도 기법은 측정 공간을 작은 구역들로 나누어 각 구역마다 기준점을 설정하고 그 주위에 비콘들을 설치한다. 그리고 나서 비콘들이 송신하여 각 기준점에 도달하는 신호의 세기를 측정한다. 이 신호 세기와 비콘의 식별 번호, 기준점의 위치 좌표를 서버에 있는 데이터베이스에 위치 지도로 기록해 놓는다. 이 작업을 모든 기준점에서 수행한다. 특정한 위치에 도달한 단말기가 비콘 신호를 수신하면 신호 세기를 측정한 뒤 비콘의 식별 번호와 함께 서버로 전송한다. 서버는 수신된 신호 세기와 가장 가까운 신호 세기를 갖는 기준점을 데이터베이스에서 찾아 이 기준점의 위치를 단말기에 알려 준다.

▶ ③위치 지도 기법 : 측정 공간을 작은 구역으로 나눔 → 구역마다 기준점 설정, 주위 비콘 설치 → 비콘이 신호 송신 → 각 기준점에 도달한 신호 세기 측정 → 신호 세기, 비콘 식별 번호, 기준점 위치 좌표를 서버 데이터베이스에 기록 → 단말기 : 비콘 신호 수신, 세기 측정 → 신호 세기 + 비콘 식별 번호를 서버로 전송 → 서버 : 수신된 신호 세기와 가장 가까운 신호 세기를 갖는 기준점을 데이터베이스에서 찾음 → 기준점의 위치를 단말기에 전송 (수신된 신호 세기와 가장 가까운 신호 세기를 갖는 기준점의 위치 = 단말기 위치)

▶ 위치 측정 방법이 문단별로 나뉘어 있어 구조적으로 읽기는 어렵지 않았을 것이다. 다만 제재 특성상, 시험장에서 완벽하게 이해하지는 못했을 수 있다. 그러나 문제를 풀면서 지문으로 돌아온다면 그 역시 문제될 것은 없다.

지문분석

스마트폰의 위치 측정 기술

└ **실외**

└ (①) : 위성 신호 이용하여 절대 위치 측정

장점 – 위치 오차 누적 ✕

단점 – 접속 초기에 큰 오차 발생, 실내·터널에서 신호 수신 어려움

(②) : 가속도·속도 측정 → 위치 변화 계산
→ 상대 위치 측정(초기 위치 기준)

장점 – 단기간 움직임에 대한 측정 성능 우수

단점 – 센서 측정값 오차 누적→시간 지날수록 위치 오차 ↑

└ **실내**

(③) 기반의 비콘

주기적으로 식별 번호·위치 정보 포함한 신호를 보내는 기기
동일한 세기의 신호를 사방으로 송신

(④) – 비콘으로부터의 거리, 장애물 수와 반비례

단말기가 비콘 신호 도달 거리 내로 진입 → 단말기 안 수신기가 신호 인식

┌ (⑤) 기법

│ 단말기가 비콘 신호 수신 → 해당 비콘 위치를 단말기 위치로 간주

│ 여러 신호 수신 → 가장 강한 신호의 비콘 위치를 단말기 위치로 간주

├ 삼변측량 기법

│ (1) 3개 이상의 비콘으로부터 수신된 (④)를 측정
│ (2) (1)을 바탕으로 단말기와 비콘 사이 거리로 환산
│ (3) 각 비콘 중심으로 (2)를 반지름으로 하는 원을 그림
│ (4) (3)의 교점을 단말기 현재 위치로 간주

│ 교점이 하나로 모이지 않는 경우
│ → 세 원에 공통으로 속한 영역의 중심점을 단말기 위치로 간주

└ (⑥) 기법

(1) 측정 공간을 작은 구역들로 구분 → 각 구역마다 기준점 설정
(2) (1)의 주위에 비콘들 설치
(3) 비콘들이 송신하여 각 기준점에 도달하는 신호 세기 측정
(4) (3)과 비콘 식별 번호, 기준점 위치 좌표를
(⑦)에 위치 지도로 기록
(5) 단말기가 비콘 신호 수신 → 신호 세기·비콘 식별 번호 서버로 전송
(6) 수신된 신호 세기와 가장 가까운 신호 세기 갖는 기준점을
데이터베이스에서 찾아 그 위치를 알려줌 [서버→단말기]

형태쌤 Comment

기술 지문이지만 구조가 깔끔하고 길이가 짧아서 그나마 수월하게 처리할 수 있다. 점차 길이가 짧아지고 있는 평가원의 독서 지문의 트렌드를 확인할 수 있는 지문이다. 전체 구조에 신경을 쓰고, 각 기법의 차이점을 비교하면서 읽어 가보자.

문제분석 01-04번

번호	정답	정답률 (%)	선지별 선택비율(%)				
			①	②	③	④	⑤
1	⑤	59	3	8	22	8	59
2	⑤	77	5	5	7	6	77
3	③	44	4	14	44	28	10
4	③	40	5	13	40	23	19

01

정답설명

⑤ 2문단에서 'IMU는 내장된 센서로 가속도와 속도를 측정하여 위치 변화를 계산하고 초기 위치를 기준으로 하는 상대 위치를 구한다.'라고 하였다. 즉 IMU는 측정한 가속도와 속도를 기반으로 단말기가 초기 위치로부터 얼마나 떨어져 있는지를 계산하여 단말기 위치를 구하는 것이다.

오답설명

① 2문단에서 'GPS는 위성으로부터 오는 신호를 이용하여 절대 위치를 측정한다.'라고 하였고, 1문단에서 '절대 위치는 위도, 경도 등으로 표시된 위치'라고 하였으므로 GPS를 이용하여 측정한 위치는 기준이 되는 위치가 어디냐에 따라 달라지지 않는다. 특정한 위치를 기준으로 한 상대 위치를 측정하는 것은 GPS가 아니라 IMU이다.

② 3문단에서 '비콘들은 동일한 세기의 신호를 사방으로 보내지만'이라고 하였으므로, 비콘들이 서로 다른 세기의 신호를 송신해야 단말기의 위치를 측정할 수 있다는 선지 내용은 적절하지 않다.

③ 3문단에서 '비콘은 실내에 고정 설치되어 비콘마다 정해진 식별 번호와 위치 정보가 포함된 신호를 주기적으로 보내는 기기이다.'라고 하였다. 따라서 비콘이 전송하는 식별 번호는 신호가 도달하는 단말기를 구별하기 위한 정보가 아니라, 단말기가 수신한 신호가 어떤 위치에 설치된 어떤 비콘에서 송신한 것인지를 구별하기 위한 정보임을 알 수 있다.

④ 2문단에서 '실내나 터널 등에서는 GPS 신호를 받기 어렵다.'라고 하였다. 따라서 비콘이 실내에서 GPS 신호를 받는다는 선지 내용은 적절하지 않다. 또한 3문단에서 비콘들이 송신하는 신호는 '위성 식별 번호'가 아니라 '비콘마다 정해진 식별 번호와 위치 정보가 포함된 신호'라고 하였다.

02

정답설명

⑤ 2문단에서 'IMU는 내장된 센서로 가속도와 속도를 측정'한다고 하였고, '센서가 측정한 값의 오차가 누적되기 때문에 시간이 지날수록 위치 오차가 커진다.'라고 하였다. 따라서 IMU의 오차가 커지는 것은 센서가 가속도와 속도를 측정할 때 그 측정값의 오차가 누적되기 때문임을 알 수 있다.

오답설명

① IMU를 사용하는 방식에서 시간이 지날수록 오차가 커지는 것은 '센서가 측정한 값의 오차가 누적되기 때문'이다. '전파 지연'으로 인한 오차가 발생하는 것은 GPS를 사용하는 방식이며, 이는 접속 초기에 짧은 시간 동안 발생하는 것이다.

② 2문단에서 GPS는 '접속 초기에 짧은 시간 동안', '전파 지연' 등으로 큰 오차가 발생할 뿐, '위치 오차가 시간에 따라 누적되지 않는다.'라고 하였다.

③ 2문단에서 IMU는 '단기간 움직임에 대한 측정 성능이 뛰어나지만 센서가 측정한 값의 오차가 누적되기 때문에 시간이 지날수록 위치 오차가 커진다.'라고 하였다.

④ 2문단에서 '실내나 터널 등에서는 GPS 신호를 받기 어렵다.'라고 하였다. 즉 GPS는 터널을 통과하는 동안 신호를 받을 수 없으므로, 단말기가 터널에 진입할 때 발생한 오차를 터널을 통과하는 동안 보정할 수 없다.

03

정답설명

③ 정보량이 많은 지문에서는 화제와 직결된 정보를 선별적으로 기억해야 한다. 그래야 정보의 홍수 속에서도 중요한 정보를 놓치지 않을 수 있다. 이 지문에서는 '위치 측정'이 핵심 화제다. 위치를 측정하는 다양한 방법들이 나왔지만, 각 방법마다 최종적으로 무엇을 통해 위치를 잡아내는지 확실하게 파악해야 한다.

6문단은 반으로 끊어서 읽어야 한다. 전반부는 위치 측정을 위한 세팅의 단계이고, 후반부가 본격적으로 위치 측정에 들어가는 단계. 후반부를 주목해 보자. 과정으로 전개가 될 때는 끊어서 읽는 것이 효과적이다.

'단말기가 비콘 신호를 수신 → 단말기가 비콘 신호 세기를 측정 → 비콘의 식별 번호와 함께 서버로 전송 → 서버는 (단말기에) 수신된 신호 세기와 가장 가까운 신호 세기를 갖는 기준점을 데이터베이스에서 찾음 → 단말기에 기준점의 위치를 알려 줌'

최종적으로 단말기에 제공되는 위치는 기준점의 위치다. 즉 '비콘의 위치'가 아니라, 단말기에 수신된 신호 세기와 가장 가까운 신호 세기를 갖는 '기준점'의 위치가 단말기의 위치가 되는 것이다.

오답설명

① 6문단에서 '측정 공간을 작은 구역들로 나누어 각 구역마다 기준점을 설정'한다고 하였다. 따라서 측정 공간을 더 많은 구역으로 나눌수록 기준점도 많아질 것임을 알 수 있다.

② 각 기준점에 도달하는 비콘들의 신호 세기와 식별 번호, 기준점의 위치 좌표를 서버에 있는 데이터베이스에 위치 지도로 기록해 놓는 작업이 우선적으로 이루어져야, 이후 단말기에 수신된 신호 세기와 가장 가까운 신호 세기를 갖는 기준점의 위치를 통해 단말기의 위치를 구할 수 있다.

④ 비콘을 이동하여 설치하면 각 기준점에 도달하는 비콘들의 신호 세기가 달라지므로, 데이터베이스를 갱신해야 단말기의 정확한 위치를 구할 수 있게 된다.

⑤ 6문단에서 '비콘들이 송신하여 각 기준점(측정 공간 안의 특정 위치)에 도달하는 신호의 세기를 측정'하여, '이 신호 세기와 비콘의 식별 번호, 기준점의 위치 좌표를 서버에 있는 데이터베이스에 위치 지도로 기록해 놓는다.'라고 하였다.

04

정답설명

③ 일단 〈보기〉의 그림을 지문의 내용을 통해서 이해하는 것이 1차적 목표가 되어야 한다. 그래야 지문과 〈보기〉를 대응시켜 선지를 판단할 수 있다.

삼변측량 기법에서는 비콘으로부터 수신된 신호 세기를 단말기와 비콘 사이의 거리로 환산(신호 세기↓ → 비콘과의 거리↑)하고, 그 거리를 반지름으로 하는 원을 그린다고 하였다. 따라서 원의 크기가 클수록 신호의 세기가 약한 것이고, 원의 크기가 작을수록 신호의 세기가 강한 것이다.

3문단에서 '비콘으로부터 거리가 멀어질수록, 벽과 같은 장애물이 많을수록 신호의 세기가 약해진다.'라고 하였다. 이 정보를 바탕으로, 비콘과의 거리가 멀수록 신호의 세기는 약하게 나타난다는 것과, 비콘과 단말기 사이에 장애물이 존재한다면 그때의 신호 세기는 실제 단말기와 비콘 사이에서 나타나는 신호 세기보다 약하다는 것을 알 수 있다.

〈보기〉를 보면 비콘 3과 P 사이에 장애물이 존재하므로, 이때의 신호 세기는 실제 단말기와 비콘 사이에서 나타나는 신호 세기보다 약하다고 판단할 수 있다. 즉 비콘 3의 신호 세기는 장애물로 인해 약하게 나타나므로 단말기와 비콘 사이의 거리(반지름)가 실제보다 길게 표현되어 있는 것이다. 따라서 실제 단말기와 비콘 3 사이의 거리는 〈보기〉에서 나타내고 있는 거리보다 비콘 3에 가까이 있을 것임을 알 수 있다.

오답설명

① 4문단에서 근접성 기법의 경우 '여러 비콘 신호를 수신했을 경우에는 신호가 가장 강한 비콘의 위치를 단말기의 위치로 정한다.'라고 하였다. 3문단의 내용에 따르면 신호 세기와 비콘과의 거리(반지름)는 반비례하므로, 근접성 기법으로 측정한 단말기의 위치는 신호가 가장 강한, 반지름이 가장 작은 비콘 1의 위치로 정할 것이다. 반면, 삼변측량 기법으로 측정한 단말기의 위치는 세 원의 교점인 P이므로 동일하지 않다.

② 5문단에서, 삼변측량 기법에서는 각 비콘을 중심으로 단말기와 비콘 사이의 거리를 반지름으로 하는 원을 그린다고 하였다. 3문단의 내용에 따르면 신호 세기와 비콘과의 거리(반지름)는 반비례하므로, [신호 세기가 약한 순서 = 비콘과의 거리(반지름)가 먼 순서]로 볼 수 있다. 따라서 비콘 3, 비콘 2, 비콘 1 순으로 나열해야 한다.

④ 3문단에서 '벽과 같은 장애물이 많을수록 신호의 세기가 약해진다.'라고 하였으므로, ⓠ의 위치에 있는 장애물이 제거된다면 비콘 3의 신호 세기는 강해질 것이다. 삼변측량 기법에서는 비콘으로부터 수신된 신호 세기를 단말기와 비콘 사이의 거리로 환산하여 그 거리를 반지름으로 하는 원을 그리므로, 비콘 3의 신호 세기가 강해진다면 비콘 3의 원의 반지름은 작아져야 한다. 따라서 기존에 측정된 단말기의 위치(P)와 반대되는 방향(비콘 3과 가까운 쪽)으로 이동하게 된다.

⑤ 삼변측량 기법의 경우, 단말기에서 측정되는 신호 세기가 약해진다는 것은 단말기와 비콘 사이의 거리로 환산되는 값이 커짐을 나타낸다. 그렇다면 원의 반지름도 커지게 되므로, 단말기는 비콘 2와 멀어지는 방향으로 이동하게 된다.

구조도 정답

① GPS

② IMU

③ 블루투스

④ 신호 세기

⑤ 근접성

⑥ 위치 지도

⑦ 데이터베이스

영상 안정화 기술

지문해설

① 일반 사용자가 디지털 카메라를 들고 촬영하면 손의 미세한 떨림으로 인해 영상이 번져 흐려지고, 걷거나 뛰면서 촬영하면 식별하기 힘들 정도로 영상이 흔들리게 된다. 흔들림에 의한 영향을 최소화하는 기술이 영상 안정화 기술이다.

▶ 1문단에서 찾아야 할 것은 뭐다? 필자의 관심사! 필자는 디지털 카메라의 흔들림에 의한 영향을 최소화하는 영상 안정화 기술에 관심이 있다. 문제에 대한 해결 구조의 지문이니, 해결에 대한 정보가 나올 때 주목하면서 가 보자.

② 영상 안정화 기술에는 빛을 이용하는 광학적 기술과 소프트웨어를 이용하는 디지털 기술 등이 있다.

▶ 시작부터 구조가 나눠지는구나. 구조적으로 나누면서 지문을 봐야 정보가 선명하게 머릿속에 각인이 된다. 그리고 두 기술의 공통점, 차이점이 나오면 체크해야겠지? 일단 광학적 기술은 빛, 디지털 기술은 소프트웨어를 사용한다는 차이점이 제시되었다.

광학 영상 안정화(OIS) 기술을 사용하는 카메라 모듈은 렌즈 모듈, 이미지 센서, 자이로 센서, 제어 장치, 렌즈를 움직이는 장치로 구성되어 있다.

▶ 독자들은 개념이 없기에 글을 본격적으로 전개하기 전에 개념에 해당하는 구성 요소와 작동 과정이 깔리는 경우가 많다. 이때 정보가 폭발하니, 잘 끊어가면서 읽고 나중에 돌아올 생각을 해야 한다.

렌즈 모듈은 보정용 렌즈들을 포함한 여러 개의 렌즈들로 구성된다. 일반적으로 카메라는 렌즈를 통해 들어온 빛이 이미지 센서에 닿아 피사체의 상이 맺히고, 피사체의 한 점에 해당하는 위치인 화소마다 빛의 세기에 비례하여 발생한 전기 신호가 저장 매체에 영상으로 저장된다. 그런데 카메라가 흔들리면 이미지 센서 각각의 회소에 닿는 빛의 세기가 변한다.

▶ 문제 원인 체크!!

이때 OIS 기술이 작동되면 자이로 센서가 카메라의 움직임을 감지하여 방향과 속도를 제어 장치에 전달한다. 제어 장치가 렌즈를 이동시키면

▶ 렌즈 이동이 문제 해결법이다. 체크하자!

피사체의 상이 유지되면서 영상이 안정된다.

▶ 카메라 촬영의 과정, OIS 기술의 작동 과정이 제시되어 있구나. 단계적 과정은 쌤이 누누이 강조했던 출제 포인트이니, 빗금(/)을 그어가며 각 과정을 구분해 주면서 읽어야겠지? 카메라의 각 구조에서 어떤 단계를 거치는지 알아두어야 해. 이해를 돕기 위해 간단히 정리해 볼까?

▶ [카메라 : 렌즈로 빛이 들어옴 → 빛이 이미지 센서에 닿아 피사체의 상이 맺힘 → 화소마다 발생한 전기 신호(빛의 세기에 비례)가 저장 매체에 영상으로 저장됨]
  └[카메라가 흔들리면 빛 세기 변화함 → OIS 기술 작동 → 자이로 센서가 카메라 움직임 감지, 방향·속도를 제어 장치에 전달 → 제어 장치가 렌즈 이동 → 피사체의 상 유지, 영상 안정]

③ 렌즈를 움직이는 방법 중에는 보이스코일 모터를 이용하는 방법이 많이 쓰인다. 보이스코일 모터를 포함한 카메라 모듈은 중앙에 위치한 렌즈 주위에 코일과 자석이 배치되어 있다. 카메라가 흔들리면 제어 장치에 의해 코일에 전류가 흘러서 자기장과 전류의 직각 방향으로 전류의 크기에 비례하는 힘이 발생한다. 이 힘이 렌즈를 이동시켜 흔들림에 의한 영향이 상쇄되고 피사체의 상이 유지된다. 이외에도 카메라가 흔들릴 때 이미지 센서를 움직여

▶ 또 다른 문제 해결이다. 체크!!

흔들림을 감쇄하는 방식도 이용된다.

▶ 또 과정이 제시되었다. [보이스코일 모터를 포함한 카메라가 흔들림 → 제어 장치가 코일에 전류 흐르게 함 → 전류 크기에 비례하는 힘이 렌즈 이동 → 피사체 상 유지]라는구나. 또, 렌즈가 아니라 이미지 센서를 움직이는 방식도 있다고 한다.

④ OIS 기술이 손 떨림을 훌륭하게 보정해 줄 수는 있지만 렌즈의 이동 범위에 한계가 있어 보정할 수 있는 움직임의 폭이 좁다.

▶ OIS 기술은 손 떨림 보정이 훌륭하지만, 렌즈 이동 범위의 한계로 인해 보정 움직임의 폭이 좁다는 단점이 있구나.

디지털 영상 안정화(DIS) 기술은 촬영 후에 소프트웨어를 사용해 흔들림을 보정하는 기술로 역동적인 상황에서 촬영한 동영상에 적용할 때 좋은 결과를 얻을 수 있다. 이 기술은 촬영된 동영상을 프레임 단위로 나눈 후 연속된 프레임 간 피사체의 움직임을 추정한다. 움직임을 추정하는 한 방법은 특징점을 이용하는 것이다. 특징점으로는 피사체의 모서리처럼 주위와 밝기가 뚜렷이 구별되며 영상이 이동하거나 회전해도 그 밝기 차이가 유지되는 부분이 선택된다.

▶ DIS 기술은 촬영 후에 흔들림을 보정하는 기술이야. 역시 단계적 과정이 제시되었으니 간단히 정리해 보자.

▶ [촬영된 동영상을 프레임 단위로 나눔 → 연속된 프레임 간 피사체 움직임 추정]
  └ 특징점(주위와 밝기 뚜렷이 구분, 영상 이동·회전에도 밝기 차이가 유지되는 부분 선택) 이용

⑤ 먼저 k 번째 프레임에서 특징점들을 찾고, 다음 k+1 번째 프레임에서 같은 특징점들을 찾는다. 이 두 프레임 사이에서 같은 특징점이 얼마나 이동하였는지 계산하여 영상의 움직임을 추정한다.

▶ 문제 해결법이다. 두 프레임의 특징점을 비교하여 흔들림을 보정한다.

그리고 흔들림이 발생한 곳으로 추정되는 프레임에서 위치 차이만큼 보정하여 흔들림의 영향을 줄이면 보정된 동영상은 움직임이 부드러워진다.

▶ 좀 더 자세한 DIS 기술의 보정 과정을 제시하고 있어. 이정도면 당연히 출제했겠구나, 생각하면서 신경 써서 읽었어야 해.

▶ [한 프레임에서 특징점 찾기 → 바로 뒤 프레임에서 같은 특징점 찾기 → 두 프레임 간 같은 특징점 이동 정도 계산 → 영상 움직임 추정 → 흔들림 발생 추정 프레임에서 위치 차이 보정 → 동영상 움직임 부드러워짐] 이라는 과정을 구분해 가면서 읽고, 문제를 풀다가 돌아오면 된다.

그러나 특징점의 수가 늘어날수록 연산이 더 오래 걸린다. 한편 영상을 보정하는 과정에서 영상을 회전하면 프레임에서 비어 있는 공간이 나타난다. 비어 있는 부분이 없도록 잘라 내면 프레임들의 크기가 작아지는데, 원래의 프레임 크기를 유지하려면 화질은 떨어진다.

▶ DIS 기술은 특징점 수가 늘수록 연산이 더 오래 걸리고, 프레임에 빈 공간이 생기거나 화질이 떨어진다는 단점이 있구나.

지문분석

영상 안정화 기술
↳ 카메라

렌즈 : 빛 들어옴 → 이미지 센서 : 빛이 닿아 피사체 상이 맺힘
→ 저장 매체 : 전기 신호(화소마다 빛의 세기에 비례해 발생)를
영상으로 저장

흔들림 O → (①) 화소에 닿는 빛의 세기 변화

영상 안정화 기술 : 흔들림에 의한 영향 최소화

광학 영상 안정화(OIS) : 촬영 중 / 빛 이용

자이로 센서 : 카메라 움직임 감지
→ 제어 장치에 방향, 속도 전달
→ 제어 장치 : 렌즈 이동
→ 피사체 상 유지, 영상 안정

(②)를 이용한 렌즈 이동 과정

* 카메라 흔들림 → 제어 장치 : 코일에 전류 흐르게 함
→ 전류 크기에 비례하는 힘이 렌즈 이동 → 피사체 상 유지

이미지 센서 이동 → 흔들림 감쇄

렌즈 이동 범위 한계 O → 보정할 수 있는 움직임 폭 좁음

디지털 영상 안정화(DIS) : 촬영 후 / (③) 이용

(④) 이용 → 보정

(④) : 주위와 밝기 차이↑, 영상의 움직임에도 밝기
차이 유지되는 부분 선택

k번째 프레임에서 특징점 찾기 → k+1번째 프레임 같은
특징점 찾기 → 두 프레임 사이 같은 특징점 이동 계산
→ 영상의 움직임 추정 → 흔들린 프레임 위치 차이 보정
→ 동영상 움직임이 부드러워짐

특징점 수↑ → (⑤)↑

보정 과정에서 발생한 빈 공간 잘라내면 프레임 크기↓
프레임 크기 유지하려면 화질↓

형태쌤 Comment

지문의 제재에서 겁먹었을 수는 있지만, 늘 강조했던 출제 요소(문제점과 해결법의 연결)만 잘 파악했다면 문제는 의외로 어렵지 않게 풀렸을 것이다. OIS, DIS의 공통점과 차이점, 각 기술의 보정 과정이 핵심 포인트다.

문제분석 01-04번

번호	정답	정답률(%)	선지별 선택비율(%)				
			①	②	③	④	⑤
1	①	58	58	16	10	11	5
2	②	66	3	66	7	7	17
3	②	77	5	77	10	5	3
4	②	39	10	39	33	10	8

01

정답설명

① 지문에 정보가 많을 때는 구조적으로 끊으면서 봐야 한다. 그래야 정보가 선명하게 머릿속에 들어오고, 빨리 지문으로 돌아와서 비교할 수 있다. 지문의 내용을 구조적으로 끊으면서 봤다면, 울컥하고 바로 잡아낼 수 있다. 디지털 영상 안정화 기술은 소프트웨어를 이용하여 이미 촬영된 영상을 보정하는 기술이다. 3문단에 따르면 이미지 센서를 이동시키는 것은 광학 영상 안정화 기술에서 이용되는 방식이다.

오답설명

② 2문단에서 일반적인 카메라의 영상 저장 방법을 설명하면서 '렌즈를 통해 들어온 빛이 이미지 센서에 닿아 피사체의 상이 맺'힌다고 하였다. 따라서 광학 영상 안정화 기술을 사용하지 않는 디지털 카메라에도 이미지 센서는 필요하다는 것을 알 수 있다.

③ 5문단을 통해 연속된 프레임 사이의 같은 특징점 위치 차이를 보정하면 흔들림의 영향이 줄어 동영상의 움직임이 부드러워진다는 것을 알 수 있다. 즉, 연속된 프레임에서 동일한 피사체의 위치 차이가 작을수록 동영상의 움직임이 부드러워진다.

④ 2문단을 통해 카메라의 렌즈를 통과한 빛이 이미지 센서에 닿아 맺힌 상의 화소마다 빛의 세기에 비례하여 발생한 전기 신호가 저장 매체에 영상으로 저장된다는 것을 알 수 있다.

⑤ 1문단에서 '손의 미세한 떨림으로 인해 영상이 번져 흐려'진다고 하였으며, 2문단에서 '카메라가 흔들리면 이미지 센서 각각의 화소에 닿는 빛의 세기가 변한'다고 하였다. 따라서 보정 기능이 없다면 손 떨림이 있을 때 이미지 센서 각각의 화소에 닿는 빛의 세기가 변하여 영상이 흐려짐을 알 수 있다.

02

정답설명

② 2문단을 통해 자이로 센서는 '카메라의 움직임을 감지하여 방향과 속도를 제어 장치에 전달'하는 장치일 뿐, 영상을 전달하지는 않는다는 것을 알 수 있다. 또한 이미지 센서에 피사체의 상이 맺히면 화소마다 빛의 세기에 비례하여 발생한 전기 신호가 저장 매체에 영상으로 저장된다고 하였으므로, 이미지 센서에 맺히는 것은 '영상'이 아닌 '피사체의 상'임을 알 수 있다.

오답설명

① 3문단의 '보이스코일 모터를 포함한 카메라 모듈'에서 확인할 수 있다.

③ 3문단을 통해 보이스코일 모터를 포함한 카메라 모듈은 렌즈 주위에 코일과 자석이 배치되어 있으며, 카메라가 흔들리면 제어 장치에 의해 코일에 전류가 흘러 발생한 힘으로 렌즈를 움직인다는 것을 알 수 있다.

④ 4문단의 'OIS 기술이 손 떨림을 훌륭하게 보정해 줄 수는 있지만 렌즈의 이동 범위에 한계가 있어 보정할 수 있는 움직임의 폭이 좁다.'에서 확인할 수 있다.

⑤ 출제 요소인 '문제의 해결법'에 대한 정보이니, 독해할 때 잘 체크해두었다면 지문으로 돌아가지 않고도 한 방에 지울 수 있었을 것이다. 2~

3문단을 보면 알 수 있다. OIS 기술을 사용하는 카메라 모듈은 렌즈나 이미지 센서를 움직임으로써, 흔들림에 의해 이동한 피사체의 상이 원래 위치로 돌아오도록 한다.

03

정답설명

DIS 기술의 핵심을 잘 짚어 냈다면, 어렵지 않게 풀 수 있었을 것이다.

② A : 클수록 - 주위와의 뚜렷한 밝기 차이를 가지는 부분이 특징점으로 선택된다.(4문단)

B : 작을수록 - 영상의 움직임에도 밝기 차이가 유지되는 부분이 특징점으로 선택된다.(4문단)

C : 시간 - 특징점의 수가 늘어날수록 연산이 더 오래 걸린다.(5문단)

04

정답설명

② 5문단에서 DIS 기술로 영상을 보정하는 과정에서 프레임에 빈 공간이 생기며, 빈 부분이 없도록 잘라 내면 프레임의 크기가 작아진다고 하였다. 이에 의하면, DIS 기능으로 보정한 ⓒ의 프레임 크기가 변했다는 것은 영상 보정 과정에서 빈 공간, 즉 손실이 발생했다는 의미이다.

오답설명

① 4문단의 '특징점으로는 피사체의 모서리처럼~부분이 선택된다.'를 통해, 특징점은 '프레임의 모서리'가 아니라 프레임 안 '피사체의 모서리' 부분으로 선택하는 것이 좋다는 것을 알 수 있다.

③ 5문단에 설명된 DIS 기술의 보정 과정을 다시 정리해 보자.

> k 번째 프레임에서 특징점 찾기 → k+1 번째 프레임에서 같은 특징점 찾기 → 두 프레임 사이 같은 특징점 위치 차이 계산 → 영상의 움직임 추정 → 흔들린 프레임 위치 차이 보정 → 동영상 움직임이 부드러워짐

즉, ㉠에서 빌딩 모서리를 특징점으로 선택하고, ㉡에서 같은 특징점을 선택하여 ㉠과 ㉡ 특징점 간의 위치 차이를 계산하여 ㉡을 보정해야 한다. ㉠ 내의 빌딩 모서리들 간 차이를 계산할 필요는 없다.

④ 〈보기〉에서 ㉠, ㉡이 OIS 기능을 켜고 촬영한 동영상이라고 설명하였으므로, ㉠은 OIS 기능으로 손 떨림을 보정한 프레임이라고 볼 수 있다. 그러나 이미 찍힌 프레임에 대한 보정은 OIS 기능이 아니라 DIS 기능에 의해 이뤄진다. 두 보정 기술의 차이점을 다시 짚어 보자.

> OIS 기능 : 촬영 중 흔들림 감지, 렌즈나 이미지 센서 이동하여 피사체 상 유지
> DIS 기능 : 촬영 후 흔들림 감지, 특징점을 이용해 보정

대상 간의 차이점은 중요한 출제 요소다. 반드시 체크했어야 한다.

⑤ ㉠ 촬영 직후 카메라가 크게 움직여 ㉡과 같이 OIS 기능으로는 보정되지 않은 프레임이 찍힌 것이다. DIS 기능은 촬영 중이 아니라, 촬영 후 영상 보정에 사용된다.

구조도 정답

① 이미지 센서

② 보이스코일 모터

③ 소프트웨어

④ 특징점

⑤ 연산

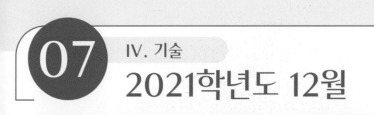
3D 합성 영상

지문해설

① 최근의 3D 애니메이션은 섬세한 입체 영상을 구현하여 실물을 촬영한 것 같은 느낌을 준다. 실물을 촬영하여 얻은 자연 영상을 그대로 화면에 표시할 때와 달리 3D 합성 영상을 생성, 출력하기 위해서는 모델링과 렌더링을 거쳐야 한다.

▶ 첫 문단은 화제(필자의 관심사)와 글의 방향을 제시해 주는 경우가 많기에 주목을 해야 한다. 여기서는 자연 영상과 대비하여 [3D 합성 영상]이라는 화제를 구체화하고 있고, 지문의 중심 내용이 [모델링]과 [렌더링]이라는 과정으로 이뤄진다는 것을 제시하고 있다. '과정'의 서술에서는 순서를 파악하고 정보를 끊어 읽는 것이 중요하니, 이 점에 유의해서 아래로 가 보자.

② 모델링은 3차원 가상 공간에서 물체의 모양과 크기, 공간적인 위치, 표면 특성 등과 관련된 고유의 값을 설정하거나 수정하는 단계이다.

▶ 일단 [모델링] 과정은 '3차원' 가상 공간에서 물체의 값을 설정, 수정하는 단계다.

모양과 크기를 설정할 때 주로 3개의 정점으로 형성되는 삼각형을 활용한다. 작은 삼각형의 조합으로 이루어진 그물과 같은 형태로 물체 표면을 표현하는 방식이다. 이 방법으로 복잡한 굴곡이 있는 표면도 정밀하게 표현할 수 있다.

▶ 다양한 삼각형으로 이뤄진 가방이나 데생을 떠올리면 쉽게 이해될 수 있는 부분이다.

이때 삼각형의 꼭짓점들은 물체의 모양과 크기를 결정하는 정점이 되는데, 이 정점들의 개수는 물체가 변형되어도 변하지 않으며, 정점들의 상대적 위치는 물체 고유의 모양이 변하지 않는 한 달라지지 않는다.

▶ 개념어는 머릿속에 반드시 넣어야 한다. '정점'은 삼각형의 꼭짓점이자 물체의 모양과 크기를 결정하는 점이다.

물체가 커지거나 작아지는 경우에는 정점 사이의 간격이 넓어지거나 좁아지고, 물체가 회전하거나 이동하는 경우에는 정점들이 간격을 유지하면서 회전축을 중심으로 회전하거나 동일 방향으로 동일 거리만큼 이동한다.

▶ 물체의 크기 변화에 따라 정점의 간격이 달라질 수 있고, 3차원 공간이니 물체가 회전, 이동하면 정점도 회전축을 중심으로 회전, 이동을 한다.

물체 표면을 구성하는 각 삼각형 면에는 고유의 색과 질감 등을 나타내는 표면 특성이 하나씩 지정된다.

▶ 여러 개의 삼각형이라면 표면 특성도 여러 개가 지정되겠지. 여기까지 [모델링] 단계다.

③ 공간에서의 입체에 대한 정보인 이 데이터를 활용하여, 물체를 어디에서 바라보는가를 나타내는 관찰 시점을 기준으로 2차원의 화면을 생성하는 것이 렌더링이다.

▶ 일단 [렌더링]은 3차원이 아니라 2차원의 화면임을 명심하자.

전체 화면을 잘게 나눈 점이 화소인데, 정해진 개수의 화소로 화면을 표시하고 각 화소별로 밝기나 색상 등을 나타내는 화솟값이 부여된다.

▶ 전체 화면을 나눈 것이 화소이니, 전체 화면의 크기가 달라지지 않는 한 화소의 개수는 달라지지 않을 것이다.

렌더링 단계에서는 화면 안에서 동일 물체라도 멀리 있는 경우는 작게, 가까이 있는 경우는 크게 보이는 원리를 활용하여 화솟값을 지정함으로써 물체의 원근감을 구현한다. 표면 특성을 나타내는 값을 바탕으로, 다른 물체에 가려짐이나 조명에 의해 물체 표면에 생기는 명암, 그림자 등을 고려하여 화솟값을 정해 줌으로써 물체의 입체감을 구현한다.

▶ [모델링]에서 이미 정해진 표면 특성을 [렌더링] 단계에서 화솟값으로 구현하는 것이다. 2차원 화면이지만 원근감과 입체감을 구현한다는 점을 잘 체크해야 한다.

화면을 구성하는 모든 화소의 화솟값이 결정되면 하나의 프레임이 생성된다. 이를 화면출력장치를 통해 모니터에 표시하면 정지 영상이 완성된다.

④ 모델링과 렌더링을 반복하여 생성된 프레임들을 순서대로 표시하면 동영상이 된다. 프레임을 생성할 때, 모델링과 관련된 계산을 완료한 후 그 결과를 이용하여 렌더링을 위한 계산을 한다. 이때 정점의 개수가 많을수록, 해상도가 높아 출력 화소의 수가 많을수록 연산 양이 많아져 연산 시간이 길어진다.

▶ 과학/기술 지문에서 증감/비례 관계는 출제의 핵심이다. 일단 밑줄을 긋고 진행하자.

컴퓨터의 중앙처리장치(CPU)는 데이터 연산을 하나씩 순서대로 수행하기 때문에 과도한 양의 데이터가 집중되면 미처 연산되지 못한 데이터가 차례를 기다리는 병목 현상이 생겨 프레임이 완성되는 데 오랜 시간이 걸린다.

▶ '병목 현상'은 교통 체증 상황에서 자주 사용된다. 콜라병을 떠올려 연상하면 쉽다. 많은 양의 콜라(데이터)가 좁은 병목(CPU)를 빠르게 지나지 못하는 것을 생각하면 되겠다.

CPU의 그래픽 처리 능력을 보완하기 위해 개발된 그래픽처리장치(GPU)는 연산을 비롯한 데이터 처리를 독립적으로 수행할 수 있는 장치인 코어를 수백에서 수천 개씩 탑재하고 있다. GPU의 각 코어는 그래픽 연산에 특화된 연산만을 할 수 있고 CPU의 코어에 비해서 저속으로 연산한다.

▶ 속도는 분명 CPU가 빠르다.

하지만 GPU는 동일한 연산을 여러 번 수행해야 하는 경우, 고속으로 출력 영상을 생성할 수 있다. 왜냐하면 GPU는 한 번의 연산에 쓰이는 데이터들을 순차적으로 각 코어에 전송한 후,

▶ 데이터는 한 번에 전송이 불가능하다. 순차적 전송을 해야 한다. 하지만...

전체 코어에 하나의 연산 명령어를 전달하면, 각 코어는 모든 데이터를 동시에 연산하여 연산 시간이 짧아지기 때문이다.

▶ 명령어가 전달되면 동시에 연산을 하기에 전체 연산 시간이 짧아지는구나.

지문분석

```
3D 합성 영상
  ( ① )
      3차원 가상 공간에서
      물체의 모양, 크기, 위치, 표면 특성 등 고유값 설정/수정

      모양과 크기 설정 시 3개의 정점으로 형성된 ( ② ) 활용

          작은 ( ② )의 조합으로 이루어진 그물과 같은 형태로 물체 표면 표현

      정점 활용

          정점 : 물체의 모양과 크기 결정
              -개수 : 불변
              -상대적 위치 : 고유의 모양 변하지 않는 한 불변

          물체 크기 : 정점 사이 간격 조절

          물체 회전, 이동 : 정점 간격 유지하면서 회전/이동

          ( ② ) 면에는 색, 질감 나타내는 표면 특성 지정

  ( ③ )
      관찰 시점을 기준으로 ( ④ )의 화면을 생성하는 것

      먼 물체는 작게, 가까운 물체는 크게 화솟값 지정 - 물체의 ( ⑤ ) 구현

      가려짐, 명암, 그림자 고려해 화솟값 지정 - 물체의 입체감 구현

      모든 화소의 화솟값 결정 → 프레임 생성 → 화면출력장치로 모니터에
      표시 → 정지 영상 완성/프레임 순서대로 표시 → 동영상

  프레임 생성
      모델링 계산 → 렌더링 계산

      연산 시간

          정점의 개수, 출력 화소의 수에 비례

          CPU는 데이터 양 집중되면 연산시간 ↑

              보완 : ( ⑥ )

              코어를 수백에서 수천 개씩 탑재

              동일한 연산을 여러 번 수행 시 출력 영상 고속 생성
```

형태쌤 Comment

3D 합성 영상의 생성, 출력을 위한 필수 과정인 모델링, 렌더링에 대해 설명하는 지문이다. 단계적 흐름에 따라 읽는 거시적 독해를 제대로 진행했어야 한다.

문제분석 01-04번

번호	정답	정답률 (%)	선지별 선택비율(%)				
			①	②	③	④	⑤
1	②	54	7	54	19	8	12
2	②	82	3	82	7	6	2
3	④	43	5	11	16	43	25
4	④	38	27	6	10	38	19

01

정답설명

② 단계적 과정의 순서를 확실히 파악했다면 놓치지 않았을 선지이다. 2~3문단에 따르면 표면 특성은 [모델링 단계]에서 '물체 표면을 구성하는 각 삼각형 면'에 하나씩 지정되는 것이며, [렌더링 단계]에서 '화솟값이 부여된다'고 하였다. 따라서 렌더링에서 사용되는 물체 고유의 표면 특성은 화솟값에 의해 결정되지 않는다.

오답설명

① 1문단의 '실물을 촬영하여 얻은 자연 영상을 그대로 화면에 표시할 때와 달리 3D 합성 영상을 생성, 출력하기 위해서는 모델링과 렌더링을 거쳐야 한다.'에서 자연 영상은 모델링과 렌더링 단계를 거치지 않고 생성된다는 것을 알 수 있다.

③ 3문단에 의하면, 물체의 원근감과 입체감은 물체에 대한 관찰 시점을 기준으로 화면을 생성하는 렌더링 과정에서 구현된다.

④ 4문단에서 '정점의 개수가 많을수록, 해상도가 높아 출력 화소의 수가 많을수록 연산 양이 많아'진다고 하였다.

⑤ 4문단에서 '과도한 양의 데이터가 집중되면 미처 연산되지 못한 데이터가 차례를 기다리는 병목 현상이 생'긴다고 하였다. 따라서 병목 현상은 연산할 데이터의 양이 처리 능력을 초과할 때 발생한다고 볼 수 있다.

02

정답설명

② 2문단의 '작은 삼각형의 조합으로 이루어진 그물과 같은 형태로 물체 표면을 표현하는 방식이다. 이 방법으로 복잡한 굴곡이 있는 표면도 정밀하게 표현할 수 있다.'를 통해 확인할 수 있다.

오답설명

① 2문단에서 모델링은 '물체의 모양과 크기, 공간적인 위치, 표면 특성 등과 관련된 고유의 값을 설정하거나 수정하는 단계'라고 하였다. 즉 모델링은 다른 물체에 가려져 보이는지의 여부와 무관하게, 물체 자체가 가진 '고유의 값'을 설정하거나 수정하는 단계인 것이다.

③ 2문단에서 '물체 표면을 구성하는 각 삼각형 면에는 고유의 색과 질감 등을 나타내는 표면 특성이 하나씩 지정된다.'라고 하였으므로, 하나의 작은 삼각형에 다양한 색상의 표면 특성들을 함께 부여하는 것이 아님을 알 수 있다.

④ 2문단에서 모델링은 3차원 가상 공간에서 이뤄진다고 하였다. 2차원의

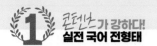
화면을 생성하는 것은 렌더링이다.

⑤ 관찰 시점을 기준으로 하는 것은 모델링이 아니라 렌더링이다.

03

정답설명

④ ㉠(GPU)의 장점은 전체 코어에 하나의 연산 명령어를 전달하면 각 코어에서 모든 데이터를 동시에 연산하여 연산 시간이 짧다는 것이다. 그런데 정점 위치를 구하기 위한 각 데이터의 연산을 하나씩 순서대로 처리해야 한다면, 다수의 코어가 작동하더라도 이전 코어가 연산을 마쳐야 다른 코어가 다음 연산을 할 수 있게 된다. 따라서 총 연산 시간은 1개의 코어만 작동하는 경우의 총 연산 시간과 같다.

오답설명

① 동일한 개수의 정점 위치를 연산할 때, 동시에 연산을 수행하는 코어의 개수가 많아지면 총 연산 시간은 짧아진다.

② ㉠은 전체 코어에 하나의 연산 명령어를 전달하면, 각 코어는 모든 데이터를 동시에 연산한다고 하였다. 정점의 위치를 구하기 위한 10개의 연산을 10개의 코어에서 동시에 진행하려면, 전체 코어에 단 하나의 연산 명령어를 전달하면 된다.

③ GPU의 각 코어는 CPU의 코어에 비해서 저속으로 연산한다고 하였다. 따라서 ㉠(GPU)에서 1개의 코어만 작동할 때, 정점의 위치를 구하기 위한 연산 시간은 1개의 코어를 가진 CPU의 연산 시간보다 길다.

⑤ GPU는 한 번의 연산에 쓰이는 데이터들을 순차적으로 각 코어에 전송한다. 정점 위치를 구하기 위해 연산해야 할 10개의 데이터를 10개의 코어에서 처리할 경우, ㉠(GPU)이 모든 데이터를 모든 코어에 전송하는 시간은 1개의 데이터를 1개의 코어에 전송하는 시간보다 길 것이다.

04

정답설명

④ "점점 멀어지면 풍선도 작아지지 않을까?"라는 상식적 판단을 버리고 철저하게 〈보기〉에 근거해서 판단해야 한다. 장면 3은 풍선이 더 이상 커지지 않고 모양을 유지하는 상태이므로, 풍선에 있는 정점들이 이루는 삼각형들의 크기는 변화하지 않는다.

오답설명

① 3문단에서 렌더링 개념 확인하고 오자. 렌더링은 물체를 어디에서 바라보는가를 나타내는 관찰 시점을 기준으로 2차원의 화면을 생성하는 것이라고 하였다. 그러니 장면 1에서 풍선에 가려 보이지 않는 입 부분의 삼각형들은 관찰 시점에서 보이지 않는다는 점을 캐치하면 화솟값을 구하는 데 사용되지 않는다는 걸 바로 판단할 수 있다.

② 2문단에서 정점들의 개수는 물체가 변형되어도 변하지 않는다고 하였으므로, 장면 2의 풍선이 커지더라도 모델링 단계에서 풍선에 있는 정점의 개수는 유지될 것이다.

③ 2문단에서 물체가 커지는 경우 정점 사이의 간격이 넓어진다는 것을 알 수 있다. 장면 2의 풍선은 점점 커지고 있으므로, 모델링 단계에서 풍선에 있는 정점 사이의 거리가 멀어질 것이다.

⑤ 3문단에서 '정해진 개수의 화소로 화면을 표시하고 각 화소별로 밝기나 색상 등을 나타내는 화솟값이 부여'된다고 하였다. 따라서 장면 3의 렌더링 단계에서 전체 화면에서 화솟값이 부여되는 화소의 개수는 변하지 않는다.

구조도 정답

① 모델링
② 삼각형
③ 렌더링
④ 2차원
⑤ 원근감
⑥ 그래픽처리장치(GPU)

지문분석

메타버스

→ meta + universe = 현실 세계와 (①)이 적극적으로 상호 작용하는 공간

→ 감각 전달 장치

(②)가 느끼는 것으로 설정된 감각을 사용자에게 전달

HMD

시각 전달을 통해 사용자가 공간과 물체의 (③)을 느낄 수 있도록 함

가상 현실 장갑

아바타가 만지는 가상 물체의 (④)을 사용자에게 전달

사용자의 손가락 및 팔의 움직임에 따라 아바타 조종

→ 공간 이동 장치

사용자의 움직임을 아바타에게 전달

모션 트래킹 시스템

동작 추적 센서

사용자의 동작 파악

관성 측정 센서

사용자의 (⑤) 변화율 및 회전 속도 측정

압력 센서

압력 측정 → 사용자가 뛰는 (⑥) 파악

가상 현실 트레드밀

사용자의 이동 동작, 가상 공간의 환경 변화에 따라
트레드밀 작동 변화 → HMD 장면 변화 → (⑦) 높은 체험 가능

형태쌤 Comment

최근 이슈되고 있는 VR과 관련된 지문으로, 학생들이 흥미롭게 읽었을 것으로 추측된다. 메타버스의 구성 장치, 각 장치의 역할과 작용을 구조적으로 파악했다면 어렵지 않게 풀 수 있었을 것이다.

문제분석 **01-04번**

번호	정답	정답률(%)	선지별 선택비율(%)				
			①	②	③	④	⑤
1	⑤	81	1	7	6	5	81
2	③	90	1	3	90	3	3
3	①	68	68	4	7	15	6
4	①	86	86	2	10	1	1

01

정답설명

⑤ 2문단의 '가상 현실 장갑은 가상 공간에서 아바타가 만지는 가상 물체의 크기, 형태, 온도 등을 사용자가 느낄 수 있도록 설계되어 있다. 이 외에도 가상 현실 장갑은 사용자의 손가락 및 팔의 움직임에 따라 아바타를 움직이게 할 수 있다.'를 통해 가상 현실 장갑을 착용하면 아바타는 사용자에게 감각을 전달하지만, 사용자는 아바타에게 감각을 전달하지 않음을 알 수 있다.

오답설명

① 1문단의 '감각 전달 장치는~메타버스에 몰입하게 된다.', 3문단의 '공간 이동 장치를 이용하면, 사용자는 몰입도 높은 메타버스 체험을 할 수 있다.'를 통해 알 수 있다.

② 3문단의 '사용자의 움직임을 아바타에게 전달하는 공간 이동 장치'에서 확인할 수 있다.

③ 2문단의 '시각을 전달하는 장치인 HMD는 사용자의 양쪽 눈에 가상 공간을 표현하는, 시차가 있는 영상을 전달한다. 전달된 영상을 뇌에서 조합하는 과정에서 사용자는 공간과 물체의 입체감을 느낄 수 있다.'에서 확인할 수 있다.

④ 1문단의 '감각 전달 장치는 메타버스 속에서 사용자를 대신하는 아바타가 보고 만지는 것으로 설정된 감각을 사용자에게 전달하는 장치이다.'에서 확인할 수 있다.

02

정답설명

③ '아바타가 존재하는 가상 공간의 환경 변화에 따라 트레드밀 바닥의 진행 속도 및 방향, 기울기 등이 변경되기도 한다.'를 통해 가상 공간에서 아바타가 경사로를 만나면 가상 현실 트레드밀 바닥의 기울기가 변경될 수 있음을 알 수 있다.

오답설명

① '관성 측정 센서는 사용자의 이동 속도 변화율 및 회전 속도를 측정한다.'를 통해 관성 측정 센서가 사용자의 이동 속도를 측정하는 것은 알 수 있다. 하지만 사용자의 뛰는 힘은 '압력 센서는 지면과 발바닥 사이의 압력을 감지하여 사용자가 뛰는 힘을 파악할 수 있다.'를 통해, 관성 측정 센서가 아니라 압력 센서에서 측정한다는 것을 알 수 있다.

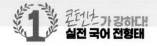
② '트레드밀의 작동 변화에 따라 HMD에 표시되는 가상 공간의 장면이 변경'된다고 하였다. 이를 통해 HMD가 트레드밀을 제어하는 것이 아니라, 트레드밀의 작동 변화에 따라 HMD에 표시되는 장면이 변경되는 것을 알 수 있다.

④ '모션 트래킹 시스템은 사용자의 동작에 따라 아바타가 동일하게 움직일 수 있도록 동기화하는 시스템으로'를 통해 아바타의 동작에 따라 사용자의 움직임을 동기화하는 것이 아니라 사용자의 동작에 따라 아바타의 움직임을 조종하는 것임을 알 수 있다.

⑤ '컴퓨터는 사용자가 움직이는 방향과 속도에 맞춰 트레드밀의 바닥을 제어한다.'를 통해 아바타가 아닌 사용자의 움직임에 따라 트레드밀의 방향이 바뀌며, 이를 통해 아바타의 움직임도 바뀌게 될 것임을 추측할 수 있다.

03

정답설명

① 키넥트 센서는 적외선이 피사체(사용자)의 표면에서 반사되어 수신되기까지의 시간을 측정하여 사용자의 입체 정보를 구현하므로, 가상 공간에 있는 물체들과는 관련이 없다.

오답설명

② 〈보기〉의 키넥트 센서는 동작 추천 센서의 하나라고 하였다. 4문단에 따르면 사용자의 동작을 파악하는 동작 추적 센서는 사용자의 동작에 따라 아바타가 동일하게 움직일 수 있도록 동기화하는 시스템인 모션 트래킹 시스템을 구성하는 센서 중 하나이다. 따라서 키넥트 센서를 통해 구현된 3D 골격 이미지에서 춤추는 동작을 포착한다면 이를 아바타에 구현할 수 있을 것이다.

③ 〈보기〉의 키넥트 센서는 동작 추적 센서의 하나이며, 4문단에서 동작 추적 센서는 사용자의 동작을 파악한다고 하였으므로 키넥트 센서를 통해 사용자의 걷는 자세를 파악할 수 있다. 또한 관성 측정 센서를 통해 이동 속도 변화율을 파악할 수 있을 것이다.

④ 〈그림〉에 제시된 25개의 연결점 중 얼굴에 표시된 연결점은 하나이므로, 이를 통해 세세한 얼굴 표정 변화를 아바타에게 전달할 수 없음을 추론할 수 있다.

⑤ 〈보기〉의 '동작 추적 센서의 하나인 키넥트 센서'와 '키넥트 센서는 저해상도 입체 이미지를 고해상도 컬러 이미지에 투영하여 사용자가 검출되는 경우, 〈그림〉과 같이 신체 부위에 대응되는 25개의 연결점을 선으로 이은 3D 골격 이미지를 제공한다.'를 통해 알 수 있다.

04

정답설명

① ⓐ의 '맞춰'는 '어떤 기준이나 정도에 어긋나지 아니하게 하다.'라는 의미로 쓰였는데, ①의 '맞추어'도 이와 같은 의미이다.

오답설명

②, ③ '서로 어긋남이 없이 조화를 이루다.'라는 의미이다.

④ '일정한 수량이 되게 하다.'라는 의미이다.

⑤ '둘 이상의 일정한 대상들을 나란히 놓고 비교하여 살피다.'라는 의미이다.

구조도 정답

① 가상 공간
② 아바타
③ 입체감
④ 크기, 형태, 온도 등
⑤ 이동 속도
⑥ 힘
⑦ 현실감

09 2022학년도 11월

지문분석

차량 영상

→ 차량 전후좌우에 장착된 카메라로 영상 촬영

→ 1) 차량 주위 바닥에 바둑판 모양의 (①) 놓고 촬영

→ 2) 왜곡 보정

　내부 변수

　　광각 카메라

　　　장점 : 큰 시야각 → 사각지대가 줄

　　　단점 : (②) 고유의 곡률 → (②)에 의한 상의 왜곡

　　　해결 방법 : 왜곡 계수를 통해 왜곡 (③)을 설정하여 보정

　　(④) 변수 : 카메라의 기울어짐 등으로 발생

　　　해결 방법 : 촬영된 영상과 실세계 (①)을 비교하여 보정

→ 3) 시점 변환

　왜곡 보정 끝난 후 (⑤)가 제거된 영상을 얻음

　영상의 점과 (①)의 점의 대응 관계를 가상의 (⑥)를 이용하여 기술
　→ 영상의 점들을 실세계에서와 동일하게 유지되도록 한 평면에 놓음
　→ 위에서 내려다보는 시점의 (⑦)차원 영상

→ 4) 영상 합성

　전후좌우 각 방향의 영상을 합성
　⇒ 차량 주위 360°의 상황을 위에서 내려다본 것 같은 영상

형태쌤 Comment

　운전도 안 하는 고3 학생들에겐 크게 와닿지 않아 바로 이해하기 쉽지 않은 지문이었다. 낯선 개념과 원리가 남발되더라도 너무 걱정하지 마라. 우리는 기술자가 아니니 평가원이 우리에게 요구하는 것은 전문가적 지식이 아니다. 지문에 제시된 영상을 구현해 내는 각 단계를 순서별로 끊어서 읽고, 왜곡 보정과 시점 변환을 정리해 가며 읽는다면, 각 문제에 응용하여 풀 수 있도록 구성되어 있다.

문제분석   01-04번

번호	정답	정답률(%)	선지별 선택비율(%)				
			①	②	③	④	⑤
1	④	85	2	6	5	85	2
2	②	32	8	32	38	13	9
3	④	35	9	15	25	35	16
4	①	90	90	2	1	6	1

01

정답설명

④ 2문단의 '영상이 중심부는 볼록하고 중심부에서 멀수록 더 휘어지는 현상~이를 알 수 있다면 왜곡 모델을 설정하여 왜곡을 보정할 수 있다.'에서 알 수 있다.

오답설명

① 1문단의 '차량 전후좌우에 장착된 카메라로 촬영한 영상을 이용하여 차량 주위 360°의 상황을 위에서 내려다본 것 같은 영상을 만들어 차 안의 모니터를 통해 운전자에게 제공하는 장치가 있다.'를 통해 전후좌우 최소 4개의 카메라를 통해 차량 주위의 360°를 촬영한다는 것을 알 수 있다.

② 2문단의 '이 왜곡에 영향을 주는 카메라 자체의 특징을 내부 변수라고 하며'를 통해 카메라 자체의 특징으로 인한 변수는 외부 변수가 아닌 내부 변수임을 알 수 있다. 또한 외부 변수는 '촬영된 영상과 실세계 격자판을 비교'하여 해결할 수 있다.

③ 4문단의 '왜곡이 보정된 영상에서의 몇 개의 점과 그에 대응하는 실세계 격자판의 점들의 위치를 알고 있다면~2차원 영상으로 나타난다. 이때 얻은 영상이 위에서 내려다보는 시점의 영상이 된다. 이와 같은 방법으로 구한 각 방향의 영상을 합성하면'을 통해 전후좌우 각 방향에서 촬영한 영상을 합성한 후 왜곡을 보정하는 것이 아니라, 영상의 왜곡을 보정한 후 각 영상을 합성한다는 것을 알 수 있다.

⑤ 3문단의 '카메라가 3차원 실세계를 2차원 영상으로 투영', 4문단의 '영상의 점들을 격자의 모양과 격자 간의 상대적인 크기가 실세계에서와 동일하게 유지되도록 한 평면에 놓으면 2차원 영상으로 나타난다. 이때 얻은 영상이 위에서 내려다보는 시점의 영상이 된다.'를 통해 카메라 시점의 영상과 위에서 내려다보는 시점의 영상에 있는 점 모두 2차원 좌표로 표시됨을 알 수 있다.

02

정답설명

② 3문단에서 '왜곡 보정이 끝나면 영상의 점들에 대응하는 3차원 실세계의 점들을 추정하여 이로부터 원근 효과가 제거된 영상을 얻는 시점 변환이 필요하다.'라고 하였다. ㉠과 ㉡ 모두 아직 원근 효과를 제거하는 시점 변환이 일어나지 않았으므로 렌즈와 격자판 사이의 거리가 멀어질수록 격자판이 작아 보일 것임을 알 수 있다.

오답설명

① 2문단에 따르면 광각 카메라는 큰 시야각을 갖고 있어 사각지대가 줄어든다는 장점이 있지만, 렌즈 고유의 곡률이나 카메라의 기울어짐 등으로 인해 왜곡이 나타난다고 하였다. ㉡은 ㉠에서 나타나는 왜곡이 보정된 영상이므로, ㉠의 시야각은 ㉡에서도 유지될 것이다. 시야각이 크다는 장점 때문에 광각 카메라를 사용하는 건데, 영상을 보정할 때 시야각이 작아진다면 광각 카메라를 사용하지 않겠지?

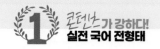
③ 2문단의 '빛이 렌즈를 지날 때 렌즈 고유의 곡률로 인해 영상이 중심부
는 볼록하고 중심부에서 멀수록 더 휘어지는 현상'을 통해, 휘어짐은
렌즈 고유의(본래부터 가지고 있는) 곡률로 인해 생기는 것이지 렌즈와
격자판 사이의 거리에 따라 렌즈의 곡률이 변화하는 것이 아님을 알 수
있다.

④ ⓒ은 이미 모든 왜곡이 보정된 영상이므로 '실세계 격자판을 비교하여
격자판의 위치 변화를 보정'하는 단계는 ⓒ 이전에 끝나 있다. 따라서
ⓒ에서 이를 보정한 영상이 ⓔ이라는 이해는 적절하지 않다. 한편 ⓔ은
위에서 찍은 것이 아닌 영상을 각 점들의 대응 관계를 이용해 마치 위
에서 찍은 것처럼 나타내는 영상인데, ⓔ 이전에 ⓒ 단계가 끝나며, ⓒ
에서 카메라의 기울어짐에 의한 외부 변수 왜곡을 보정하므로 ⓔ이 '카
메라의 기울어짐에 의한 왜곡을 바로잡은' 영상이라는 선지의 뒷부분은
적절하다.

⑤ '렌즈에 의한 상의 왜곡'은 2문단의 '영상이 중심부는 볼록하고 중심부
에서 멀수록 더 휘어지는 현상'이고, '격자판의 윗부분으로 갈수록 격자
크기가 더 작아 보이던 것'은 3문단의 '크기가 동일한 물체라도 카메라
로부터 멀리 있을수록 더 작게 나타나는데'로 설명된 원근 효과이므로
둘은 인과 관계가 없다.

03

정답설명

형태쌤의 과외시간

비문학의 〈보기〉 문제에는 2가지 유형이 있다.

하나는 지문을 통해 〈보기〉를 바라보는 유형으로, 지문의 정보와 〈보기〉의 정
보를 1:1로 대응시키는 것이 우선이다. 비문학 〈보기〉 문제의 대부분을 차지한다.

또 하나는 〈보기〉를 통해 지문을 바라보는 유형으로, 보통 〈보기〉의 정보를 통
해 지문의 정보를 반박하거나 비판하는 유형으로 제시가 된다. 문학과 비슷한
유형이라고 보면 된다.

④ 이 문제는 첫 번째 유형으로 지문과의 1:1 대응이 핵심이다.
일단 〈보기〉의 그림을 지문에서 얘기한 영상과 대응하여 〈보기〉를 제
대로 이해한 후에 선지로 가야 한다. 마음이 급하다고 바로 선지로 가
면 긴장된 시험에서는 정답이 오히려 안 보인다.
〈보기〉의 그림은 차의 '전방 부분'만을 보여 주고 있고, 실제로는 '바
닥'에 그려진 그림이다.

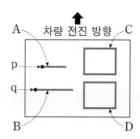

[실제 차의 위치]
운전자는 여기서
원근 효과가 제거된
바닥의 그림을 영상으로 봄.

'시점을 변환하기 전'에는 원근 효과에 의해 차량 전진 방향으로 갈수
록 즉, 운전자에게서 멀수록 물체가 작게 나타난다. 따라서 운전자에게
가까이 있는 'B'보다 멀리 있는 'A'가 상대적으로 작게 촬영되었을 것
이다. 따라서 원근 효과를 제거한 〈보기〉에서는 'A'의 상대적 크기를
'시점을 변환하기 전'보다 크게 했음을 알 수 있다.

오답설명

① 정답 설명에서도 말했듯이 차량 전진 방향으로 갈수록 물체가 작게 촬
영되었을 것이므로, 윗변과 아랫변의 길이가 동일한 C는 원근 효과가
제거되기 전에는 윗변이 더 짧은 사다리꼴 형태로 찍혔을 것이다.

② 같은 논리로 원근 효과를 제거하기 이전에는 D는 C보다 더 큰 크기로
보였겠지? 제시된 그림을 보면 차량 전진 방향 쪽에 있는 물체가 영상
의 위쪽에, 차량에 가까운 물체가 영상의 아래쪽에 위치함을 알 수 있
다. 시점 변환이 영상 속 물체의 상하 위치를 바꾸는 것은 아니므로 선
지의 뒷부분에 속을 필요는 없다.

③ A와 B는 p와 q 간의 대응 관계가 아니라 각각 영상에 구현된 p와 이에
대응하는 실세계에서의 p´, 영상에 구현된 q와 실세계에서의 q´의
대응 관계를 이용하여 크기가 유지되도록 한 평면에 놓은 것이다.

⑤ 실세계에서는 점이었던 것이 시점 변환을 통해 선이 되는 것이 아니라,
이와 같은 점 p의 대응 관계를 이용하여 실세계의 선을 2차원 영상으
로 구현해 낸 것이 A라고 할 수 있겠다.

04

정답설명

① ⓐ는 '어디를 거치어 가거나 오거나 하다.'라는 뜻으로 쓰였다. 이와 가
장 가까운 의미로 쓰인 것은 ①의 '지나다'이다.

오답설명

② '어떠한 상태나 정도를 넘어서다.'라는 뜻으로 쓰였다.
③ '시간이 흘러 그 시기에서 벗어나다.'라는 뜻으로 쓰였다.
④, ⑤ '어떤 시기나 한도를 넘다.'라는 뜻으로 쓰였다.

구조도 정답

① 격자판   ② 렌즈   ③ 모델
④ 외부   ⑤ 원근 효과   ⑥ 좌표계   ⑦ 2

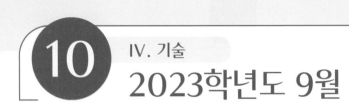

10 2023학년도 9월

지문분석

웹페이지의 노출 원리

→ 웹 페이지가 화면에 나타나는 (①)를 정하기 위해 중요도와 적합도를 사용함.

→ (②)

빠른 시간 내에 검색 결과를 보여 주기 위해 검색 엔진이 미리 작성

단어를 알파벳순으로 정리한 목록

각 단어가 등장하는 웹 페이지와 단어의 빈도수 등이 저장됨.
→ 웹 페이지의 중요도를 함께 기록

중요도
: 웹 페이지로 연결된 링크를 통해 받는 값을 모두 합한 것

링크 분석 기법으로 측정

웹 페이지 A의 값 : A를 링크한 각 웹 페이지들로부터 받는 값의 합
→ A의 값은 유지되며 A가 링크한 다른 웹 페이지들에 균등하게 나눠짐.

웹 페이지가 실제로 받는 값
: 균등하게 나눠진 A의 값에 (③)를 곱함.

(③)
1) 사용자들이 링크를 통해 다른 웹 페이지로 이동하지 않는 비율을 반영한 값
2) 1 미만의 값을 가짐.
3) 다른 웹 페이지로 이동하는 비율과 비례
4) 모든 링크에 (④)하게 적용

적합도

단어의 빈도, 단어가 포함된 (⑤),
웹 페이지의 글자 수를 반영한 식을 통해 값이 정해짐.

적합도↑
1) 검색어 (⑥) 나올수록
2) 검색어 포함 다른 웹 페이지 수 (⑦)
3) 현재 웹 페이지 글자 수가 전체 웹 페이지 평균 글자 수에 비해 (⑦)

검색 엔진은 중요도와 적합도, 기타 항목들을 적절한 비율로 합산
→ 화면에 나열되는 웹 페이지의 순서를 결정

형태쌤 Comment

상대적으로 학생들에게 친숙한 주제를 다룬 데다가 기존 기술 지문에 비하면 정보량도 적은 편이었으나 엄청난 오답률을 기록했다. 내용이 까다롭지 않은 대신 문장과 문단 간의 논리 구조를 정확하게 파악해야 했던 지문으로, 평소 정보량이 많은 기술 지문 특성상 키워드만 눈으로 짚으며 대충 읽는 습관이 있었던 학생들은 오답의 늪에 빠졌을 것이다. 그림과 함께 제시된 계산 문항 역시 단순한 산수 문제였음에도 불구하고 정답률이 낮았는데, 글의 내용을 정확히 숙지하고 침착하게 문제를 풀이하는 마음가짐이 필요했으나 시험장에서 그러지 못했던 학생들이 많았던 것으로 생각된다.

문제분석 01-04번

번호	정답	정답률 (%)	선지별 선택비율(%)				
			①	②	③	④	⑤
1	②	39	1	39	15	19	26
2	⑤	67	3	15	7	8	67
3	⑤	41	2	13	25	19	41
4	①	64	64	1	1	2	32

01

정답설명

② 댐핑 인자에 관한 내용은 4문단에서 확인할 수 있다. 댐핑 인자는 사용자들이 웹 페이지를 읽다가 링크를 통해 다른 웹 페이지로 이동하지 않는 비율을 반영한 값이라고 했다. 이 문장을 읽고 대부분의 학생들은 댐핑 인자 값과 다른 웹 페이지로 이동하는 비율은 반비례할 것이라고 생각했을 것이다. 그러나 문장을 잘 읽으면 '반영한 값'이라고 했을 뿐, 다른 웹 페이지로 이동하지 않는 비율 자체가 댐핑 인자 값이라고 말하지 않았다. 실제로 뒤의 예시를 보면 '다른 웹 페이지로 이동하지 않는 비율'이 20%일 때 댐핑 인자는 0.8이라고 하였다. 다시 말해 댐핑 인자의 값은 1에서 다른 웹 페이지로 이동하지 않는 비율을 뺀 값, 즉 '다른 웹 페이지로 이동하는 비율'인 것이다. 그러므로 '다른 웹 페이지로 이동하는 비율이 높을수록 댐핑 인자가 커진다.'라는 선지의 설명은 적절하다.

처음 지문을 읽을 때 20%와 0.8이라는 값에서 이상하다는 걸 눈치챘다면 쉽게 답을 고를 수 있었겠지만, 정보를 해석하지 않고 생각 없이 읽었다면 답을 고르기 어려웠을 것이다. 키워드만 골라 읽고 문장의 논리 관계를 파악하는 데 소홀한 학생들을 저격한 문제라고 볼 수 있겠다.

오답설명

① 2문단의 첫 문장에서 검색 엔진은 웹 페이지들의 데이터를 수집하여 인덱스를 미리 작성해 놓는다고 언급하고 있으므로 적절하지 않다.

③ 3~4문단을 보면 링크 분석 기법을 통해 도출한 값은 모두 웹 페이지의 중요성을 계산하기 위한 것이다. 그리고 5문단을 통해 적합도를 계산할 때는 검색어의 빈도나 웹 페이지의 글자 수를 반영하므로, 앞서 말한 링크 분석 기법과 적합도는 서로 관련이 없음을 알 수 있다.
'그러나' 등의 표지 없이 사용자의 검색 과정에 따라 자연스럽게 내용을 전환하고 있어서 각 문단이 어떤 개념을 설명하는지 정확하게 파악하고 내용을 끊어 읽지 않았다면 오답으로 고르기 쉬웠던 선지다.

④ 4문단에서 '웹 페이지로 연결된 링크를 통해 받는 값을 모두 반영했을 때의 값'이 중요도라고 설명하고 있다. 3문단에서 웹 페이지 A의 예시를 들고 있는데, A의 값이 4이고 A가 두 개의 링크를 통해 다른 웹 페이지로 연결된다면, A의 값은 '유지되면서' 두 웹 페이지에는 각각 2가 보내진다고 했으니 나눠 주는 값은 웹 페이지의 값과 관련이 없다. 그러므로 받는 값과 나눠 주는 값의 합이라는 선지의 서술이 적절하지 않음을 알 수 있다.

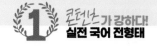

⑤ 5문단의 마지막 문장에서 중요도와 적합도, 기타 항목들을 적절한 비율로 합산해 웹 페이지의 순서를 결정한다고 말하고 있으므로 인덱스에 정렬된 순서대로 화면에 나타낸다는 선지의 설명은 적절하지 않다. 2문단에서 검색 엔진이 단어를 알파벳순으로 정리한 인덱스를 미리 작성해 놓는다는 내용이 언급되었지만 이것은 빠른 시간 내에 검색 결과를 보여 주기 위해 작업하는 것일 뿐 이 인덱스가 그대로 검색한 결과로 나타나는 것이 아니다.

02

정답설명

⑤ 5문단에서 적합도는 (1)'해당 검색어가 많이 나올수록', (2)'그 검색어를 포함하는 다른 웹 페이지의 수가 적을수록', (3)'현재 웹 페이지의 글자 수가 전체 웹 페이지의 평균 글자 수에 비해 적을수록' 높아진다고 설명하고 있다. 선지에서 말하는 '다른 웹 페이지에서 흔히 다루지 않는 주제'는 두 번째 조건, '간략하게'는 세 번째 조건, '주제와 관련된 단어를 자주 사용'하는 것은 첫 번째 조건과 부합하므로 적절한 설명이다.

오답설명

① 검색어의 빈도에 따라 결정되는 항목은 적합도이므로, 검색어의 나열을 통해 중요도를 높이겠다는 선지의 설명은 적절하지 않다.

② 3, 4문단에 따르면 중요도는 해당 웹 페이지를 링크한 다른 웹 페이지들로부터 받는 값의 합이다. 즉 유명 검색 사이트로 연결하는 링크를 많이 포함시키는 것은 유명 검색 사이트들의 중요도만 상승시킬 뿐, 해당 웹 페이지의 중요도를 올리는 것에는 도움이 되지 않는다.

③ 적합도는 단어의 빈도나 웹 페이지의 글자 수를 반영할 뿐이며 검색 결과 역시 인덱스의 순서대로 노출되는 것이 아니다. 따라서 알파벳순으로 앞 순서에 있는 단어들을 웹 페이지 첫 부분에 많이 포함시키는 것은 적합도를 올리는 것과 관련이 없다.

④ 다른 많은 웹 페이지들이 링크하도록 하는 것은 중요도와 관련이 있으며 적합도와는 관련이 없다. 또한 전체 글자 수를 많게 하는 것은 적합도를 올리기 위한 원칙에 부합하지 않으므로 적절하지 않은 선지이다.

03

정답설명

형태쌤의 과외시간

이런 유형의 문제가 나올 때는 선지에 대한 판단부터 하기 전에 〈보기〉의 설명을 읽으면서 a~e의 중요도를 먼저 도출하는 것이 우선이다. 마음이 급한데 시간 낭비가 아니냐고? 장담하건대 이 과정만으로 선지 각각에 대해 고민할 시간이 절반 이상 줄어든다.

우선 **d와 e의 중요도는 16**으로 고정되어 있으니 생각할 필요가 없다. 화살표를 보았을 때 d, e와 링크를 통해 연결된 웹 페이지 a와 b 중 한 군데에서만 링크를 받는 페이지는 b이므로 먼저 계산하는 것이 편할 것이다. b는 e의 값 16을 다른 페이지와 나누지 않고 받되 댐핑 인자 0.5를 곱한 값이 적용되므로 **b의 값은 80이다.**

a와 c부터는 계산에 주의해야 한다. b의 값을 a와 c가 절반씩 나누어 받게 되므로, b의 값 절반인 4에 댐핑 인자 0.5를 다시 곱한 **2가 c의 값이다.** 그리고 a 역시 b에게서 2를 받으나 a는 d에서도 값을 받는다. d의 값 16에 0.5를 곱한 값 8을 합해야 하므로 **a의 값은 b에서 받은 값인 2와 d에서 받은 값 8을 더한 10**이 된다.

여기까지 정리하고 나면 ①, ②번 선지는 고민 없이 판단할 수 있다는 게 보일 것이다. 물론 ③, ④, ⑤번 선지의 경우 '링크가 끊어지면'과 '추가되면'이라는 조건을 추가로 제시하고 있으므로 다시 한번 계산을 해야 한다. 그러면 앞에서의 작업을 왜 한 거냐고? 첫째, 어차피 ①, ②번 선지의 판단을 위해서 했어야 하는 작업이기 때문이고, 둘째, 〈보기〉의 그림에 지문의 내용을 적용하는 연습을 한번 한 것만으로, 선지에서 제시하는 추가 조건을 반영해서 계산 결과를 바꾸는 속도가 훨씬 빨라지기 때문이다.

앞의 과정 없이 그 자리에서 ③, ④, ⑤번 선지를 판단하려고 하면 혼란에 빠짐과 동시에 스스로 계산을 정확히 한 것인지, 선지를 제대로 판단한 것인지 확신을 갖지 못한다. 시험장에서 자신의 판단에 확신을 갖지 못하는 순간 점수는 수직 하락한다.

시간 단축은 중요하다. 그러나 급한 마음에 해야 할 것을 건너뛰는 요령을 찾기보다, **해야 할 것을 우직하게 해내면서 갔을 때 정답인 경우가 많다.** 지문의 내용을 적용하는 연습을 한번 하는 것이 이 문제에서 시간을 더 낭비하지 않는 최선의 길이었던 셈이다.

⑤ e에서 c로의 링크가 추가되면 e에서 b와 c로 가는 값을 나누어야 한다. 그러면 b는 16의 절반인 8에 0.5를 곱한 4를 받게 되고, c도 마찬가지이다. 그런데 c는 b에서 오는 값도 같이 받는다. (여기서 또 흥분해서 b의 값 4에 그대로 0.5만 곱해서 c로 간다고 생각하면 안 된다.) b의 값 4는 a와 c에 절반씩 나누어지고 이에 0.5를 곱해야 하므로, b에서 c로 가는 값은 1이 된다. 따라서 c가 받는 값은 e에서 받은 값 4에 b에서 받은 값 1을 더한 5가 되므로 적절한 선지이다.

오답설명

① 〈보기〉의 원래 전제대로 계산한 값이 있으니 쉽게 판단할 수 있다. a의 중요도는 10이라는 것을 위에서 이미 도출했으므로 적절하지 않은 선지이다.

② a는 b와 d로부터 각각 2, 8의 값을 받아 10의 값을 가지므로 적절하지

않은 선지라는 것을 곧장 판단할 수 있다.

③ b에서 a로의 링크가 끊어지면 b는 e로부터 받는 값 8을 가지게 되고, c는 더 이상 a와 나누지 않고 b의 값을 그대로 받으므로 8에 0.5를 곱한 4가 된다. 그러므로 둘의 중요도는 같지 않다. b에서 a로의 링크가 없다면 e→b→c의 선형으로 링크가 이루어지니 당연히 b와 c의 중요도가 같을 수 없다고 계산 없이 판단할 수도 있을 것이다.

④ e에서 a로의 링크가 추가되면 e의 값을 a와 b가 나누어 가지게 된다. 그러면 16의 절반인 8에 0.5를 곱한 4를 a와 b가 받게 되고, b의 중요도는 4가 될 것이므로 적절하지 않은 선지이다.

04

정답설명

① ⓐ의 '넘다'는 '일정한 시간, 시기, 범위 따위에서 벗어나 지나다.'라는 뜻이다. 이와 가장 가까운 뜻으로 쓰인 선지는 '시간은 자정이 넘었다.'라는 표현을 사용한 ①이다.

오답설명

② '큰 산을 넘어서'의 '넘다'는 '높은 부분의 위를 지나가다.'라는 뜻으로 사용되었으므로 ⓐ의 '넘다'와는 다른 의미이다.

③ '국경선을 넘어서'의 '넘다'는 '경계를 건너 지나다.'라는 뜻으로 사용되었으므로 ⓐ의 '넘다'와는 다른 의미이다.

④ '어려운 고비를 넘었다'의 '넘다'는 '어려움이나 고비 따위를 겪어 지나다.'라는 뜻으로 사용되었으므로 ⓐ의 '넘다'와는 다른 의미이다.

⑤ '냄비에서 물이 넘어서'의 '넘다'는 '일정한 곳에 가득 차고 나머지가 밖으로 나오다.'라는 뜻으로 사용되었으므로 ⓐ의 '넘다'와는 다른 의미이다.

구조도 정답

① 순서
② 인덱스
③ 댐핑 인자
④ 동일
⑤ 웹 페이지의 수
⑥ 많이
⑦ 적을수록

지문분석

압전체

(①) : 1차 압전 효과와 2차 압전 효과가 모두 생기는 재료

1차 압전 효과 : 재료에 기계적 변형이 생기면 재료에 전압이 발생
2차 압전 효과 : 재료에 전압을 걸면 재료에 기계적 변형이 발생

수정 : 대표적인 (①)

특정 방향으로 절단 및 가공하여 납작한 원판 모양으로 만듦.
→ 원판의 양면에 전극을 만듦. → 전압을 가함. → 수정 진동

(②) : 전압의 주파수를 수정의 고유 주파수와 일치
→ 수정이 큰 폭으로 진동 → 진동을 측정하기 쉽게 만듦.

(③)

어떤 물체가 갖는 고유한 진동 주파수

같은 재료의 압전체라도 압전체의 모양과 크기에 따라 달라짐.

수정 진동자에 어떤 물질이 달라붙음. → 질량↑
→ 수정 진동자의 주파수 (④)

(⑤) : 주파수의 변화 정도를 측정된 질량으로 나눈 값

수정 진동자의 (⑤) 大
→ 기체 분자, DNA와 같은 미세 물질의 질량 측정 가능
(초정밀 저울)

수정 진동자로 특정 기체 농도 감지

수정 진동자를 특정 기체가 붙도록 처리
→ 특정 기체가 달라붙음.
→ 질량 변화 생김 → 수정 진동자의 주파수↓
→ 일정 시점이 되면 수정 진동자의 주파수 유지
(∵특정 기체가 일정량 이상 달라붙지 않기 때문)

(⑥) : 특정 기체가 얼마나 빨리 수정 진동자에 붙어서
주파수가 일정한 값이 되는가의 척도

농도에 대한 민감도 : 수정 진동자의 주파수 변화 정도 ÷ 농도

형태쌤 Comment

1문단에서 화제와 문제 상황을 제시하고 2문단에서는 개념을 제시하고 있다. 3문단에서는 중심 화제의 원리와 1문단에서 제시한 문제 상황의 해결을 보여 주고 있다. 4~5문단에서는 중심 화제를 다른 곳에 응용하는 방법에 대해 설명하고 있으므로 글의 구조는 간단하다.
대단한 증감/비례에 대해 묻는 문제가 출제되지는 않았으므로 원리에 대한 내용만 제대로 이해했다면 어렵지 않게 문제를 풀 수 있었을 것이다.

문제분석 **01-04번**

번호	정답	정답률 (%)	선지별 선택비율(%)				
			①	②	③	④	⑤
1	⑤	88	1	4	3	4	88
2	④	87	2	4	4	87	3
3	⑤	77	5	9	4	5	77
4	②	53	19	53	13	9	6

01

접근이 중요하다. '윗글에 대한 설명으로 가장 적절한 것'을 고르라는 문제는 지문의 중점적인 내용인 '화제'를 고르라는 것이다. 단순한 일치 문제를 풀듯이 선지를 보면서 지워나갈 생각을 하지 말고, 빠르게 화제에 해당하는 선지를 '찾으러' 가야 한다. 그래야 시험장에서 시간을 조금이라도 Save 할 수 있다.

정답설명

⑤ 1~2문단에서 일반 저울과 다르게 미세 물질의 질량을 재기 위해서는 압전 효과를 이용한 초정밀 저울이 사용됨을 알 수 있다. 3문단에서는 이러한 초정밀 저울의 작동 원리를 설명하고 있으며, 4~5문단에서는 초정밀 저울의 원리를 사용하여 기체 농도를 측정하는 방법을 소개하고 있으므로, 해당 선지의 내용이 윗글에 대한 설명으로 가장 적절하다.

오답설명

① 3문단을 통해 압전체 중 하나인 수정을 제작할 때 특정 방향으로 절단 및 가공하여 납작한 원판 모양으로 만들어야 하며, 압전체의 모양과 크기에 따라 고유 주파수가 달라지므로 이 점에 유의하여 제작해야 함을 짐작할 수 있다. 그러나 압전체의 제작 시 유의할 점을 나열하고 있지는 않다.

② 2문단에서 압전 효과의 개념을 정의하고 있으나, 압전체의 장단점을 분석하고 있지는 않다.

③ 2문단에서 압전 효과를 1차 압전 효과와 2차 압전 효과로 분류하고 있으나, 압전체는 두 압전 효과가 모두 생기는 재료를 의미하므로 압전 효과 분류에 따른 압전체의 구조를 비교할 수 없다.

④ 압전체의 유형에 대한 언급은 없으며, 초정밀 저울의 작동 과정을 단계별로 설명하고 있지도 않다.

02

정답설명

④ 3문단에서 '고유 주파수란 어떤 물체가 갖는 고유한 진동 주파수인데, 같은 재료의 압전체라도 압전체의 모양과 크기에 따라 달라진다.'라고 하였으므로 수정을 같은 방향으로 절단하더라도 크기가 다르면 고유 주파수가 다를 것임을 알 수 있다.

오답설명

① 2문단의 '두 압전 효과가 모두 생기는 재료를 압전체라 하며, 수정이 주로 쓰인다.'를 통해 수정 외에도 압전 효과를 보이는 재료가 존재함을 알 수 있다.

② 3문단에서 수정을 절단 및 가공하고, 이에 수정의 고유 주파수와 일치하는 전압을 가하여 수정 진동자를 만든다고 하였다. 또한 수정 진동자의 주파수는 매우 작은 질량 변화에도 민감하게 반응하므로 기체 분자나 DNA와 같은 미세한 물질의 질량을 측정할 수 있다고 하였으므로 적절하다.

③ 1문단의 '저울은 흔히 지렛대의 원리를 이용하거나 전기 저항 변화를 측정하여 질량을 잰다.'를 통해 알 수 있다.

⑤ 3문단의 '진동자에서 질량 민감도는 주파수의 변화 정도를 측정된 질량으로 나눈 값'을 통해 알 수 있다.

03

정답설명

⑤ 3문단의 '고유 주파수란 어떤 물체가 갖는 고유한 진동 주파수인데, 같은 재료의 압전체라도 압전체의 모양과 크기에 따라 달라진다.'를 통해 고유 주파수는 특정한 물체가 본래부터 가지고 있는 특유의 주파수이며, ㉠(수정 진동자)에 특정 주파수의 전압을 가하여도 고유 주파수의 값이 변하지는 않을 것임을 추론할 수 있다. 고유 주파수를 변동시킬 수 있는 것은 압전체의 모양과 크기이다.

오답설명

① ㉠은 압전체인 수정이 큰 폭으로 진동하도록 만든 것이다. 이때 2문단에 따르면 압전체는 1차 압전 효과와 2차 압전 효과가 모두 생기는 재료이므로 선지의 진술은 적절하다.

② 2문단에 따르면 전압에 의해 압전체와 같은 재료의 기계적 변형이 일어나는 것은 2차 압전 효과에 대한 설명이며, 압전체는 1, 2차 압전 효과가 모두 생기는 재료이므로 선지의 진술은 적절하다.

③ 3문단의 '압전체로 사용하는 수정은 특정 방향으로 절단 및 가공하여 납작한 원판 모양으로 만든다. 이후 원판의 양면에 전극을 만든 후'를 통해 알 수 있다.

④ 3문단의 '이때 전압의 주파수를 수정의 고유 주파수와 일치시켜 수정이 큰 폭으로 진동하도록 하여 진동을 측정하기 쉽게 만든 것이 수정 진동자이다.'를 통해 알 수 있다.

04

정답설명

② 4문단의 '수정 진동자를 특정 기체가 붙도록 처리하면, 여기에 특정 기체가 달라붙으며 질량 변화가 생겨 수정 진동자의 주파수는 감소한다.', '혼합 기체에서 특정 기체의 농도가 클수록 더 작은 주파수에서 주파수가 일정하게 유지된다.'를 통해 알코올 외의 기체가 더해져 질량이 증가하면 주파수의 값은 알코올만 붙었을 때보다 더 감소할 것임을 알 수 있다.

오답설명

① 5문단에 따르면 혼합 기체에서의 알코올 농도를 알기 위해서는 알코올만 있는 기체의 농도에 따른 수정 진동자의 주파수 변화와 알코올의 농도를 모르는 혼합 기체에서의 주파수 변화를 측정해야 한다. '고유 주파수'는 압전체가 가지고 있는 고유의 진동 주파수이므로, 이를 측정하는 것으로는 혼합 기체에서의 알코올 농도를 알 수 없다.

② 4문단에 따르면 A와 B에서 알코올이 달라붙도록 진동자를 처리한 것은 알코올의 농도를 알아내기 위함이다. 또한 3문단에 따르면 진동자를 최대한 큰 폭으로 진동할 수 있게 하기 위해서는 수정의 고유 주파수와 일치하는 전압을 가해야 하므로 선지의 진술은 적절하지 않다.

④ 마지막 문단에서 '수정 진동자의 주파수 변화 정도를 농도로 나누면 농도에 대한 민감도를 구할 수 있다.'라고 하였다. 즉 '농도에 대한 민감도 = 진동자의 주파수 변화 정도 / 농도'이다. 선지에서 A와 B에 달라붙은 알코올의 양은 동일하다고 하였으므로 '농도'는 고정 값이며, 변수는 '주파수 변화 정도'임을 알 수 있다. 이때 주파수 변화 정도는 분자에, 농도는 분모에 해당하므로 주파수 변화 정도가 크면 민감도가 더 큰 것이다. 따라서 주파수의 변화 정도가 더 큰 A가 알코올 농도에 대한 민감도가 더 클 것임을 알 수 있다.

⑤ 4문단의 '특정 기체가 얼마나 빨리 수정 진동자에 붙어서 주파수가 일정한 값이 되는가의 척도를 반응 시간이라 하는데'를 통해 A보다 B가 반응 시간이 짧음을 알 수 있다.

구조도 정답

① 압전체
② 수정 진동자
③ 고유 주파수
④ ↓(감소)
⑤ 질량 민감도
⑥ 반응 시간

12

IV. 기술
2024학년도 11월

지문분석

데이터의 특징 왜곡 문제

(①) : 데이터 값 누락

처리 방법

(②) : 평균, 중앙값, 최빈값 등 다른 값으로 (①) 채우는 방법

평균 : 데이터 값이 연속적 수치일 경우

중앙값 : 석차처럼 순위가 있는 값일 경우

최빈값 : 직업과 같이 문자인 경우

(③) : 유달리 크거나 작은 데이터 값

발생 이유

1) 데이터 수집 시 측정 오류 등에 의해 주로 발생
2) 정상적 데이터 → 데이터의 특징 왜곡하는 데이터 값 존재
⇒ 데이터 특징 하나의 수치로 나타내려면 대푯값으로 중앙값 주로 사용

(④) : 이상치를 포함하는 데이터에서 (⑤) 찾기

(⑤) : 평면상에 있는 대부분의 점들이 모여 있는 가상의 직선

(⑤)을 찾는 과정

(1) 두 점 무작위로 골라 정상치 집합 가정

(2) 두 점을 지나는 후보 직선 긋기

(3) 나머지 점들과 후보 직선 사이의 거리 구하기

(4) 거리가 허용 범위 이내인 점들 정상치 집합에 추가

정상치 집합의 점의 개수 > 문턱값
→ **최종 후보군에 후보 직선 넣기**
정상치 집합의 점의 개수 < 문턱값
→ **후보 직선 버리기**

(5) (1)~(4) 과정 반복하여 최종 후보군 구하기

(6) 최종 후보군에 포함된 직선 중 정상치 데이터 개수가 최대인 직선을 직선 L로 선택

⇒ 이상치가 있어도 직선 L 찾을 가능성 ↑

형태쌤 Comment

데이터의 특징을 왜곡하는 결측치와 이상치를 처리하는 방법에 대해 설명하는 지문이다. 늘 강조했던 출제 요소('문제-해결' 구조)만 잘 파악했다면 문제는 의외로 어렵지 않게 풀렸을 것이다.

문제분석 01-04번

번호	정답	정답률 (%)	선지별 선택비율(%)				
			①	②	③	④	⑤
1	③	86	2	2	86	5	5
2	①	76	76	3	4	7	10
3	⑤	47	5	9	9	30	47
4	②	92	2	92	3	2	1

01

정답설명

③ 3문단의 '정상적인 데이터라도 데이터의 특징을 왜곡하는 데이터 값이 있을 수 있다.'를 통해 데이터가 정상적으로 수집되었더라도 이상치가 존재할 수 있음을 알 수 있으므로 선지의 설명은 적절하지 않다.

오답설명

① 2문단의 '직업과 같이 문자인 경우에는 최빈값으로 결측치를 대체한다.'를 통해 데이터가 수치가 아닌 문자로 구성되어도 최빈값을 구할 수 있음을 알 수 있다.

② 4문단에 따르면 평면상에 있는 점들의 위치를 나타내는 데이터에서 대부분의 점들이 가상의 직선 주위에 모여 있다면 해당 직선은 데이터의 특징을 잘 나타낸다고 하였다. 이를 통해 데이터의 특징이 하나의 수치가 아닌 직선으로도 나타날 수 있음을 알 수 있다.

④ 2문단에 따르면 크기가 같은 값이 복수일 경우에도 순위를 매겨 중앙값을 찾을 수 있고, 중앙값은 결측치를 대체하는 값이므로 선지의 설명은 적절하다.

⑤ 3문단에 따르면 이상치는 데이터의 다른 값에 비해 유달리 크거나 작은 값이다. 데이터를 수집하는 과정에서 측정 오류가 발생한 값이라도 데이터의 다른 값에 비해 유달리 크거나 작은 값이 아니라면 해당 값이 이상치가 아닐 수 있음을 알 수 있다.

02

정답설명

① 2문단에 따르면 중앙값은 데이터를 크기순으로 정렬했을 때 중앙에 위치한 값이다. 극단에 있는 이상치가 데이터에 포함되더라도 순서를 매겨 중앙에 있는 값을 찾는 중앙값을 대푯값으로 설정한다면, 이상치의 값이 중앙값으로 선정된 수치 자체를 변화시키지는 못한다. 반면 평균은 데이터의 모든 값을 더한 후 이를 데이터의 개수로 나누는 값이므로 극단에 있는 이상치가 데이터에 포함된다면 평균 계산에 이상치가 직접적으로 반영되므로 데이터의 특성이 왜곡될 수 있다. 따라서 중앙값이 극단에 있는 이상치의 영향을 덜 받는다는 선지의 설명이 ⊙의 이유로 가장 적절하다.

오답설명

② 중앙값은 데이터를 크기순으로 정렬하여 중앙에 위치한 값을 찾는 것이

므로, 데이터를 나열할 때 이상치가 제외된다는 선지의 설명은 적절하지 않으며, ㉠의 이유와도 무관하다.

③ 데이터의 개수와 이상치의 개수의 상관 관계에 대한 내용은 지문에서 확인할 수 없으므로 적절하지 않다. 한편, 데이터의 개수가 많아질수록 더해야 하는 값이 많아지므로 평균을 구하기 어려울 수는 있지만 이 역시 ㉠의 이유와는 무관하다.

④ 이상치가 포함된 데이터라도 평균이나 중앙값을 구하는 방법 자체가 변화하는 것은 아니며, 데이터의 평균이나 중앙값을 구하는 방법의 복잡성을 비교하는 내용은 지문에서 확인할 수 없으므로 ㉠의 이유와 무관하다.

⑤ 평균은 데이터의 모든 값을 더한 후 이를 데이터의 개수로 나누는 값이므로 이상치의 포함 여부와 상관없이 데이터에 포함되지 않는 값일 수 있다. 한편, 2문단에 따르면 데이터의 개수가 짝수이면 중앙에 있는 두 값의 평균이 중앙값이 된다고 하였으므로, 이상치가 포함된 데이터의 개수가 짝수라면 중앙값이 데이터에 포함되어 있는 값이 아닐 수 있음을 알 수 있다. 따라서 해당 선지의 설명은 적절하지 않으며, ㉠의 이유와도 무관하다.

03

정답설명

⑤ 5문단에 따르면 A 기법에서는 두 점을 무작위로 골라 이 두 점을 지나는 후보 직선을 그어 나머지 점들과 후보 직선 사이의 거리를 구한다고 하였다. 그리고 이 거리가 허용 범위 이내인 점들을 정상치 집합에 추가하고, 정상치 집합의 점의 개수가 문턱값보다 많으면 후보 직선을 최종 후보군에 넣는다고 하였다. 따라서 후보 직선과 나머지 점과의 거리의 허용 범위가 넓게 설정된다면 후보 직선의 정상치 집합에 이상치가 포함될 수 있다. 한편, 〈보기〉에 따르면 B 기법에서는 후보 직선을 임의로 여러 개 가정한다고 하였으므로 후보 직선을 이루는 두 점에 이상치가 포함될 수 있다. 따라서 B 기법에서 후보 직선은 이상치를 지날 수 있다.

오답설명

① 5문단에 따르면 A 기법의 후보 직선은 무작위로 고른 두 점을 지나게 그은 직선이므로 최적의 직선을 찾기 위해 최대한 많은 점을 지나는 후보 직선을 가정한다고 보기 어렵다. 또한 〈보기〉의 B 기법에서는 후보 직선을 임의로 여러 개 가정한다고 하였을 뿐, 최적의 직선을 찾기 위해 최대한 많은 점을 지나는 후보 직선을 가정한다고 하지 않았으므로 선지의 설명은 적절하지 않다.

② 5문단에 따르면 A 기법은 이상치를 포함하는 데이터에서 두 점을 무작위로 골라 이 두 점을 지나는 후보 직선을 긋는다고 하였다. 후보 직선을 긋기 위해 고른 점이 이상치일 수도 있으므로, A 기법이 이상치를 제외하고 후보 직선을 가정한다는 선지의 설명은 적절하지 않다. 한편, 〈보기〉의 B 기법은 후보 직선을 임의로 가정한다고 하였다. B 기법에서 후보 직선을 가정할 때 이상치를 포함할 수도 있으므로, 이상치를 제외하는 과정이 없다고 볼 수 있다.

③ 5문단에 따르면 A 기법에서 최종적으로 선택하는 직선은 직선 L이다. 직선 L은 데이터의 특징을 잘 나타내는 선이므로 데이터의 특징을 왜곡

하는 이상치를 지나지 않을 것이다. 한편, 〈보기〉의 B 기법에서 최종적으로 선택한 직선 L은 이상치를 포함해서 찾다 보니 대부분 최적의 직선과 이상치 사이에 위치한 직선을 선택하게 된다고 하였다. 따라서 B 기법에서 선택한 직선이 이상치를 지난다는 선지의 설명은 적절하지 않다.

④ 5문단에 따르면 A 기법에서는 이상치 개수가 문턱값보다 적으면 후보 직선을 버리는 것이 아니라, 정상치 집합의 점의 개수가 문턱값보다 적을 경우 후보 직선을 버린다고 하였으므로 선지의 설명은 적절하지 않다. 한편, 〈보기〉의 B 기법에서는 이상치를 포함해서 직선을 찾는다고 하였으므로, 선택한 직선이 이상치를 포함할 수도 있음을 알 수 있다.

04

정답설명

② ⓑ의 '빠지다'는 '원래 있어야 할 것에서 모자라다.'라는 의미로 사용되었다. 따라서 '기입되어야 할 것이 기록에서 빠지다.'의 의미인 '누락되다'라는 단어로 대체할 수 있다.

오답설명

① ⓐ의 '나타내다'는 '어떤 일의 결과나 징후를 겉으로 드러내다.'라는 의미로 사용되었다. 따라서 '어떤 형상을 이루다.'의 의미인 '형성하다'라는 단어로 대체할 수 없다.

③ ⓒ의 '생기다'는 '없던 것이 새로 있게 되다.'라는 의미로 사용되었다. 따라서 '어떤 시기나 기회가 닥쳐오다.'의 의미인 '도래하다'라는 단어로 대체할 수 없다.

④ ⓓ의 '지나다'는 '어디를 거치어 가거나 오거나 하다.'라는 의미로 사용되었다. 따라서 '장애물에 빛이 비치거나 액체가 스미면서 통과하다.'의 의미인 '투과하다'라는 단어로 대체할 수 없다.

⑤ ⓔ의 '멀다'는 '거리가 많이 떨어져 있다.'라는 의미로 사용되었다. 따라서 '지내는 사이가 두텁지 아니하고 거리가 있어서 서먹서먹하다.'의 의미인 '소원하다'라는 단어로 대체할 수 없다.

구조도 정답

① 결측치
② 대체
③ 이상치
④ A 기법
⑤ 직선 L

나 없이

기출

풀지마라

나 없이

| 과외식 기출 분석서, 나기출 |

나 없이
기출
풀지마라

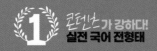

예술

지문분석

하이퍼리얼리즘

> 정의 : 현실에 존재하는 것을 실재라고 믿을 수 있도록 재현하는 유파

> 팝아트와 비교

공통점
1) 1960년대 미국에서 발달~현재까지 유행
2) 당시 (①   ) 일상의 모습 대상

차이점
1)(②) - 함축적 변형, 현실성 추구, 주로 인쇄 매체 활용
2) 하이퍼리얼리즘 - 정확하게 재현, 현실성+사실성 추구,
새로운 재료+기계적인 방식 사용

> 핸슨 「쇼핑 카트를 밀고 가는 여자」

물질적 풍요 속에 매몰된 현대인을 비판적 시각에서 표현

실물 주형 기법, 오브제 사용하여 (③) 높임

> 리얼리즘 미술의 목적

(④)을 포착하고 효과적으로 전달하는 것

형태쌤 Comment

필자의 관심사인 '하이퍼리얼리즘'을 '팝아트'와 비교해서 내용을 전개하고 있고, 그 사례를 후반부에 제시하고 있다. 독해의 핵심은 사례가 아닌, '비교를 통한 개념 제시' 부분이다. 공통점과 차이점을 잘 구분하면서 독해를 진행했다면, 간단하게 문제를 해결할 수 있는 지문이다.

문제분석 01-04번

번호	정답	정답률 (%)	선지별 선택비율(%)				
			①	②	③	④	⑤
1	①	90	90	2	3	1	4
2	⑤	86	3	1	7	3	86
3	③	84	2	4	84	5	5
4	②	88	2	88	6	2	2

01

정답설명

① 평가원에서는 집요하게 공통점·차이점 문제를 출제한다! 팝아트와 하이퍼리얼리즘의 경향, 특징에 대한 정보를 잘 구조화했다면 쉽게 풀 수 있는 문제이다. 2문단에서 팝아트와 하이퍼리얼리즘 모두 자본주의 사회의 일상을 대상으로 삼았다는 것을 알 수 있으니 명확한 정답 선지다.

오답설명

② 2문단에 의하면 팝아트는 대상을 함축적으로 변형하여 대상의 현실성을 추구하였고, 하이퍼리얼리즘은 대상을 정확하게 재현하여 대상의 현실성과 표현의 사실성을 모두 추구하였다.

③ 2문단을 보면, 하이퍼리얼리즘이 트롱프뢰유의 전통을 이은 것은 현실성이 아니라 표현의 사실성을 추구하기 위한 것임을 알 수 있다.

④ 2문단에 의하면 사실성을 추구한 것은 하이퍼리얼리즘이며, 하이퍼리얼리즘은 새로운 재료나 기계적인 방식을 적극 활용하였고 팝아트가 주로 인쇄 매체를 활용하였다.

⑤ 대상의 현실성과 표현의 사실성을 동시에 추구한 것은 하이퍼리얼리즘이며, 팝아트는 대상의 현실성만을 추구하였다.

02

정답설명

⑤ 사실 일치 수준의 문제다. 정·오답 모두 명확하게 드러난다. 3문단에 의하면 하이퍼리얼리즘의 대표적인 작가인 핸슨의 「쇼핑 카트를 밀고 가는 여자」는 물질적 풍요 속에 매몰된 현대인을 비판적 시각으로 표현한 작품이며, 상품이 가득한 쇼핑 카트는 현대인의 과잉 소비 성향을 드러낸 것이므로 합리적인 소비 성향을 반영하였다고 보기 어렵다.

오답설명

① 4문단을 보면 「쇼핑 카트를 밀고 가는 여자」는 실물 주형 기법으로 재현한 인체에 오브제를 덧붙이고 전시 받침대 없이 제작되어 실재하는 대상처럼 보이게 하였음을 알 수 있다.

② 4문단에 사람에게 직접 석고를 덧발라 형태를 뜨는 실물 주형 기법을 사용하여 사람의 형태와 크기를 똑같이 재현하였다는 내용이 명시되어 있다.

③ 3문단에서 욕망의 주체는 여자, 욕망의 객체는 상품이 가득한 쇼핑 카트라고 하였다. 또한 4문단에서 사람의 크기를 똑같이 재현하였으며 카트와 식료품을 그대로 사용하여 사실성을 높였다고 하였으므로 적절한 설명이다.

④ 4문단에서 합성수지, 폴리에스터, 유리 섬유 등을 사용하고 에어브러시로 채색하여 사람 피부의 질감과 색채를 똑같이 재현하였다고 하였다.

03

정답설명

③ 쿠넬리스는 「무제」에서 감상자가 체험을 통해 작품의 의미를 다양하게 만들 수 있도록 대상을 직접 제시하였다. 이를 통해 쿠넬리스는 실물 주형보다 대상을 그대로 제시하는 것이 더 효과적인 재현의 방법이라고 생각할 것임을 추론할 수 있다.

오답설명

① 〈보기〉에 의하면 청각, 후각 등 다양한 체험을 제시한 것은 핸슨이 아니라 쿠넬리스이므로 적절한 비평이 아니다.

② 3문단에 의하면 핸슨은 일상을 사실적으로 표현한 하이퍼리얼리즘의 대

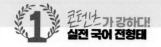
표적인 작가로, 미술의 대상을 일상적이고 평범한 것에서 찾았다. 또한 미술의 역사적·정치적 가치는 지문에서 언급된 바도 없고, 추론할 만한 근거도 없지.

④ 〈보기〉를 보면, 쿠넬리스는 작가에 의해서 작품의 의미가 만들어지는 것이 아니라 감상자가 실물을 직접 체험함으로써 의미를 만들도록 하였음을 알 수 있다.

⑤ 코수스는 「하나, 그리고 세 개의 의자」에서 의자뿐 아니라 의자의 사진, 의자의 언어적인 개념까지 배치하였지? 이로 미루어 보아, 대상을 재현할 때 대상의 이미지까지 제시한 코수스가 쿠넬리스에게 할 말은 아니구나.

04

정답설명

② ⓑ와 ②의 '들다'는 '어떤 범위나 기준, 또는 일정한 기간 안에 속하거나 포함되다.'의 의미로 사용되었다.

오답설명

① ⓐ의 '기대어'는 '남의 힘에 의지하다.'의 의미로, ①의 '기대어'는 '몸이나 물건을 무엇에 의지하면서 비스듬히 대다.'의 의미로 사용되었다.

③ ⓒ의 '이어'는 '끊어지지 않게 계속하다.'의 의미로, ③의 '이어'는 '뒤를 잇따르다.'의 뜻으로 사용되었다.

④ ⓓ의 '보면'은 '대상의 내용이나 상태를 알기 위하여 살피다.'의 의미로, ④의 '보는'은 '어떤 일을 맡아 하다.'의 의미로 사용되었다.

⑤ ⓔ의 '높였다'는 '품질, 수준, 능력, 가치 따위를 더 높은 수준으로 만들다.'라는 의미로, ⑤의 '높였다'는 '어떤 의견이 다른 의견보다 많고 우세하다.'의 의미인 '높다'의 사동형으로 사용되었다.

구조도 정답

① 자본주의 사회
② 팝아트
③ 사실성
④ 현실

지문분석

근대 도시에 대한 견해들

→ 생산학파의 견해

노동자는 착취당하는 동안 (①)를 상실하고 사물로 전락함

근대 도시는 쾌락과 환상이
끼어들지 못하는 거대한 생산 기계일 뿐

→ 소비학파의 견해

새로운 테크놀로지의 발달 → (②)이 충족된 미래에 대한 기대
→ 기대가 (③)유발 → 근대 소비 정신을 북돋움

→ 발터 벤야민의 견해

새로운 테크놀로지의 도입 → 노동 소외의 심화 인정
But 소비는 복합적인 체험을 가능하게 함

서로 다른 것 병치, 다양한 구경거리, 철도 여행, 아케이드 등 →
(④)체험 → 새로운 감성과 감각이 일깨워짐

근대 도시의 복합적 특성이
"(⑤)"라는 새로운 예술 형식에 드러남

필름이 일정한 속도로 흘러가면서 움직임을 만들어 냄
늑 공장의 컨베이어 벨트

(⑥)로 인한 노동 소외 현상이
영화 제작 과정에서도 드러남

예측 불가능한 이미지의 연쇄로 이루어짐
→ 근대 도시의 일상 체험과 유사

영화의 형식 원리는 정신적 충격을 발생시킴

(⑦)의 정상적 범위를 넘어선 체험 (시각적 무의식)
→ 일상적 공간에 대해 새로운 의미 발견

의의
: 생산학파와 소비학파를 포괄할 수 있는 이론적 단초 제공
→ 근대 도시에 대한 (⑧)인 시선을 바로잡는 데 도움

형태쌤 Comment

지문은 길지만 구조는 깔끔한 형태다. A 견해(생산학파)와 B 견해(소비학파)를 대조적으로 제시하고 있고, 이후에 C 견해(벤야민)를 통해 둘을 절충하고 있다. 각각의 입장을 정확하게 파악하고, 특히 C 견해와 기존 견해의 공통점과 차이점에 주목하며 독해를 진행하면 되겠다.

문제분석 01-06번

번호	정답	정답률 (%)	선지별 선택비율(%)				
			①	②	③	④	⑤
1	⑤	89	2	3	3	3	89
2	④	87	4	3	4	87	2
3	②	80	3	80	8	5	4
4	①	65	65	12	8	8	7
5	④	83	3	4	7	83	3
6	③	91	2	2	91	3	2

01

정답설명

⑤ 근대 도시의 삶의 양식에 대한 생산학파와 소비학파의 서로 다른 견해를 소개한 후, 근대 도시의 복합적 특성이 영화라는 새로운 영화 형식에 드러난다고 주장한 벤야민의 견해를 제시하고 있다.

오답설명

① 근대 도시의 삶의 양식에 대한 벤야민의 견해가 드러나지만, 영화를 유형별로 분류하고 있지는 않다.

② 근대 도시와 영화의 개념을 정의하지 않았다. 또한 마지막 문단의 '근대 도시와 영화의 체험에 대한 벤야민의 견해는 생산학파와 소비학파를 포괄할 수 있는 이론적 단초를 제공한다.'에서 벤야민의 견해의 의의를 밝히고 있지만, 한계를 지적하지는 않았다.

③ 지문에서 근대 도시의 기원과 영화의 탄생의 공통점과 차이점을 비교하는 부분을 제시하고 있지 않다.

④ 근대 도시의 복합적 특성에 따라 영화가 변화해 온 양상을 통시적으로 제시하지 않았으며, 벤야민의 주장을 비판하고 있지도 않다.

02

정답설명

④ 2문단의 '소비학파(ⓛ)는 근대 도시인이 내면세계를 상실한 사물로 전락한 것은 아니라고 하면서 생산학파를 비판하기 시작했다.', '캠벨은 새로운 테크놀로지의 발달 덕분에 이런 환상이 단순한 몽상이 아니라 실현 가능한 현실이 될 것이라는 기대를 불러일으킨다고 보았다.'에서 확인할 수 있다.

오답설명

① 1문단의 '근대 도시는 어떠한 쾌락과 환상도 끼어들지 못하는 거대한 생산 기계인 듯하다.'에서 '생산학파(㉠)'는 근대 도시인이 환상을 지닐 수 없다고 보았을 것임을 추측할 수 있다.

② 1문단에 따르면 ㉠은 근대 생산 체제에서의 노동자는 집단 규율에 맞춰 금욕 노동을 하는 사물로 전락한 존재라고 주장한다. 따라서 새로운 테크놀로지의 발달이 욕망과 충족의 간극을 해소할 것이라는 생각은 하지 않을 것이다.

③ 2문단에서 ⓒ은 근대 도시인의 미래에 욕망이 충족될 것이라는 기대가 쾌락을 유발하여 소비 정신을 북돋웠다고 평가하였다.

⑤ 1문단에서 ㉠은 집단 규율에 의해 노동자가 금욕 노동을 하는 유순한 몸이 된다는 주장을 하였다. 하지만 소비가 집단 규율을 완화하여 유순한 몸을 만든다는 입장은 제시되지 않았다. 또한, 2문단에 따르면 ⓒ은 근대인들이 욕망을 가지는 존재이고, 따라서 기대에 따른 쾌락을 유발하여 소비 정신도 가지게 되었다고 언급했을 뿐, 소비가 노동자에 대한 집단 규율을 완화하여 유순한 몸을 만든다고 보지는 않았다.

03
정답설명

② 4문단에서 영화의 '형식 원리'가 ㉮를 발생시킨다고 하였다.

오답설명

① 4문단의 '영화는 일종의 충격 체험을 통해 근대 도시인에게 새로운 감성과 감각을 불러일으키는 매체이기도 하다.'에서 확인할 수 있다.

③ 4문단의 '예측 불가능한 이미지의 연쇄로 이루어진 영화를 체험하는 것은 이질적인 대상들이 복잡하고 불규칙하게 뒤섞인 근대 도시의 일상 체험과 유사하다.'에서 확인할 수 있다.

④ 4문단의 '서로 다른 시·공간의 연결, 카메라가 움직일 때마다 변화하는 시점, 느린 화면과 빠른 화면의 교차 등 영화의 형식 원리는 정신적 충격을 발생시킨다.'에서 확인할 수 있다.

⑤ 4문단의 '영화는 보통 사람의 육안이라는 감각적 지각의 정상적 범위를 넘어선 체험을 가져다준다.'에서 확인할 수 있다.

04
정답설명

① 〈보기〉의 '이 영화는 억압의 대상이던 노동자를 생산의 주체이자 새로운 시대의 주인공으로 묘사한다.', '영화 속에서 주체적이고 자율적으로 영화를 제작하는 영화인의 모습을 보여 준다.'를 통해, 베르토프의 영화에서 보여 주고자 하는 것은 영화 제작 과정에서 소외된 영화인의 모습이 아님을 알 수 있다.

오답설명

② 1문단에 따르면 생산학파는 노동자를 '대규모 기계의 리듬에 맞추어 획일적으로 움직이는', '집단 규율에 맞춰 금욕 노동을 하는 유순한', '기계화된 노동으로 착취당하는 동안 감각과 감성으로 체험하는 내면세계를 상실하고 사물로 전락'한 존재로 묘사하였다. 하지만 베르토프의 영화에 등장하는 노동자의 모습은 '생산의 주체이자 새로운 시대의 주인공', '주체적이고 자율적으로 영화를 제작하는 영화인'이다.

③ 4문단에 따르면 벤야민은 영화의 형식 원리를 통한 충격 체험을 '시각적 무의식'이라고 표현하였다. 베르토프의 〈카메라를 든 사나이〉는 다중 화면, 화면 분할 등 다양한 형식 원리를 통해 도시의 일상적 공간을 새롭게 재구성하였으므로 시각적 무의식을 유발할 것이다.

④ 짧은 이미지들이 빠르게 교차하는 것은 예측 불가능한 이미지들의 연쇄를 보여 준다고 할 수 있다. 이는 4문단에 따르면 이질적인 대상들이 복잡하고 불규칙하게 뒤섞인 근대 도시의 일상 체험과 맞물려 관객으로 하여금 정신적 충격을 발생시킨다.

⑤ 〈카메라를 든 사나이〉에서는 영화를 보는 관객들의 모습을 장면으로 보여줌으로써 신기한 구경거리인 영화를 소비하는 근대 도시인의 모습을 보여 준다.

05
정답설명

④ 3문단의 '그는 새로운 테크놀로지의 도입이 노동의 소외를 심화한다는 점은 인정하였다.'를 통해 틀린 진술임을 확인할 수 있다.

오답설명

① 마지막 문단의 '벤야민이 말한 근대 도시는 착취의 사물 세계와 꿈의 주체 세계가 교차하는 복합 공간이다.'에서 확인할 수 있다.

② 3문단의 '소비 행위의 의미가 자본가에게 이윤을 가져다주는 구매 행위로 축소될 수는 없다고 생각했다. 소비는 그보다 더 복합적인 체험을 가져다주기 때문이다.'에서 확인할 수 있다.

③ 3문단의 '근대 도시에서는 옛것과 새것, 자연적인 것과 인공적인 것 등 서로 다른 것들이 병치되고 뒤섞이며 빠르게 흘러간다.'에서 확인할 수 있다.

⑤ 마지막 문단의 '벤야민은 근대 도시인이 사물화된 노동자이지만 그 자체로 내면세계를 지닌 꿈꾸는 자이기도 하다는 사실을 보여 준다.'에서 확인할 수 있다.

06
정답설명

③ '연상(聯想)하다'는 '하나의 관념이 다른 관념을 불러일으키다.'라는 의미이므로, ⓒ의 '떠올리다'와 바꿔 쓰기에 적절하다.

오답설명

① '봉합(縫合)하다'는 '수술을 하려고 절단한 자리나 외상(外傷)으로 갈라진 자리를 꿰매어 붙이다.'라는 의미이다.

② '보증(保證)하다'는 '어떤 사물이나 사람에 대하여 책임지고 틀림이 없음을 증명하다.'라는 의미이다.

④ '의지(依支)하다'는 '다른 것에 몸을 기대다.'라는 의미이다.

⑤ '개편(改編)하다'는 '책이나 과정 따위를 고쳐 다시 엮다.'라는 의미이다.

구조도 정답

① 내면세계　　② 욕망　　③ 쾌락
④ 충격　　⑤ 영화　　⑥ 분업화
⑦ 감각적 지각　　⑧ 일면적

지문분석

역사와 영화의 관계

> **역사학의 사료**
>
> 과거가 남긴 흔적 : 모두 (①)로 활용 O

> **영화를 통한 역사 서술**
>
> 시각 매체의 확장→영화를 사료로 파악하는 경향 등장
>
> 문헌 사료의 언어 : 상징적 기호
> ↔ 영화의 이미지
> : (②) 기호, 지표적 기호
> ∴ 언어적 서술의 호소력 < 영화적 서술의 호소력

> **역사와 영화의 관계**
>
> (③)
>
> 영화로 역사를 해석·평가
>
> 영화인이 자신의 시선을 서사와 표현 기법으로 녹여내어 역사 비평
>
> 개연적 역사 서술 방식(사실), 상상적 역사 서술 방식(사실+상상)
>
> (④)
>
> 영화에 담겨 있는 역사적 흔적과 맥락을 검토
>
> 영화 속 풍속, 생활상 등
> → 역사의 외연 확장, 대중의 무의식이나 이상 등 (⑤)를 끌어냄

> (⑥)
>
> 시대적 상황을 반영
>
> 사고방식과 언어, 물질문화, 풍속 등→동시대 현실 전달
>
> 역사적 서술 보완

> **영화의 대안적 역사 서술 가능성**
>
> 허구+역사적 사실→새로운 사료의 원천
>
> '(⑦)로부터의 역사' 형성에 기여
>
> 비공식적 사료를 토대로 영화를 만듦
>
> 주변화된 집단의 목소리를 표현함
>
> 공식 역사의 대척점에서 활동, 역사적 의식 형성 참여
> → 역사 서술의 한 (⑧)

형태쌤 Comment

융합 지문은 두 내용의 연결점에 신경을 써야 한다. 즉, 영화와 역사의 관계를 중심으로 글을 읽고, 영화가 어떻게 사료로서의 가치를 지니는지 파악했다면, 지문을 제대로 읽은 것이다.

문제분석 **01-06번**

번호	정답	정답률 (%)	선지별 선택비율(%)				
			①	②	③	④	⑤
1	④	89	3	4	2	89	2
2	③	86	1	4	86	3	6
3	①	66	66	7	6	17	4
4	⑤	83	2	4	7	4	83
5	②	74	4	74	9	7	6
6	④	93	1	1	4	93	1

01

정답설명

④ 영화가 새로운 사료의 원천이 될 수 있다는 점을 제시하여 사료로서의 특성을 제시하고, 역사적 의식 형성에 참여함으로써 대안적 역사 서술의 가능성을 갖고 있다는 점을 제시하고 있다.

오답설명

① 역사의 개념을 밝히지 않았고, 영화와 역사의 공통점과 차이점을 비교하지도 않았다. 2문단에서 사료의 유형을 제시하면서 영화와 '문헌 사료'의 차이점이 제시되었으나, '문헌 사료'는 역사학을 연구하는 자료로서 역사와 역사가를 매개하는 것일 뿐, 그 자체로 역사는 아니다.

② 영화의 변천 과정을 통시적으로 밝히지 않았다.

③ 역사에 대한 서로 다른 견해를 대조하여 영화의 한계를 비판하는 내용은 없다.

⑤ 다양한 영화의 유형이 드러나 있지 않고, 장단점 역시 없다.

02

정답설명

③ 1문단에서 '기존의 사료를 새로운 방향에서 파악'하는 것이 새로운 사료를 발굴하기 위한 노력으로 제시되었다.

오답설명

① 1문단을 보면, '평범한 사람들의 삶의 모습을 중점적인 주제로 다루었던 미시사 연구'에서 사료 발굴을 위한 노력의 일환으로 '일기, 편지' 등의 서사적 자료에 주목하였다. 이를 통해 개인적 기록 역시 사료로 활용될 수 있음을 알 수 있다.

② 1문단에서 역사가는 사료를 매개로 과거와 만난다고 하였으므로, 역사가가 활용하는 사료 중 하나인 공식적 문헌 사료 자체가 매개인 것이다.

④ 2문단에서 지시 대상에 대한 지표성이 강한 것은 문헌 사료의 언어가 아니라 영화의 이미지임을 확인할 수 있다.

⑤ 2문단에서 영화의 이미지는 지시 대상을 닮아 있다는 점에서 도상적 기호가 된다고 하였다. 상징적 기호는 문헌 사료의 언어에 해당한다.

03

정답설명

① ㉮는 허구의 이야기 안에 반영된 시대 상황을 파악하여 사료로 삼으려는 것이고, ㉯는 허구의 이야기를 활용하여 사료에 기반한 역사적 사실을 보완하는 것이다.
ㄱ. 허구의 이야기(판소리)에서 당시 시대 상황(음식 문화)을 파악하고자 하였으므로 ㉮에 해당한다.
ㄷ. 허구의 이야기(소설)에서 당시 시대 상황(상거래 관행)을 연구하고자 하였으므로 ㉮에 해당한다.
ㄹ. 허구의 이야기(설화집)를 통해 사료(사건 기록)에 기반한 역사적 사실(역사서)을 보완하고 있으므로 ㉯에 해당한다.

오답설명

ㄴ. 허구의 이야기와 무관한 사례다. 사료(경전의 일부)의 연구를 통해, 사료의 내용이 후대에 추가되었는지를 검토하는 것은 ㉮, ㉯와 무관하다.

04

정답설명

⑤ [A]는 역사의 대척점(반대 지점)에 있는 영화가, 허구에 역사적 사실을 담아냄으로써 새로운 사료의 원천이 될 뿐 아니라 대안적 역사 서술의 가능성까지 지니고 있다는 내용이다. '회고, 증언, 구전' 등의 비공식적 사료를 토대로 제작된 영화가, 주변화된 집단의 목소리를 표현함으로써 역사적 의식 형성에 참여할 수 있다는 것이다. 반면 ㉠은 자료의 진위에 대한 의심을 버리지 않고 확인하려는 입장이다. 따라서 [A]에 대해 '기억이나 구술 증언'의 진위 여부를 검증해야 한다는 ⑤와 같은 비판이 가능하다.

오답설명

①, ②, ③ 자료의 진위 여부에 대한 의심이 제시되어 있지 않으므로 ㉠의 입장이라고 볼 수 없다.
④ ㉠은 '자료'에 허구가 없는지 의심하고 확인해야 한다는 입장일 뿐, 역사 서술의 자세에 대해서는 언급하지 않았다. 사실 확인 작업을 마친 자료를 바탕으로 서술할 역사에 주관이 개입되어서는 안 된다는 입장인지는 알 수 없다.

05

정답설명

② 「서머스비」가 실화에 바탕을 둔 영화 「마르탱 게르의 귀향」을 가공의 인물과 사건으로 재구성했다는 것을 〈보기〉에서 확인할 수 있다. 그러나 「서머스비」는 미국 근대사를 긍정적으로 평가하려는 대중의 욕망이 담긴 영화이고, 3문단에서 영화 제작 당시의 대중이 공유하던 욕망을 파악함으로써 '영화에 대한 역사적 독해'가 이뤄질 수 있다고 하였으므로, 「서머스비」에 대해서도 영화에 대한 역사적 독해가 가능하다.

오답설명

① 〈보기〉에서 「서머스비」는 미국 근대사를 긍정적으로 평가하려는 대중의 욕망이 담겼다고 하였고, 3문단에서 역사가는 영화 제작 당시의 대중이 공유하던 욕망, 강박 등의 집단적 무의식을 파악할 수 있다고 하였으므로 적절한 이해이다.
③ 〈보기〉에서 「마르탱 게르의 귀향」이 실제 사건의 재판 기록을 토대로 제작되었음을 확인할 수 있다. 3문단에서 '역사에 대한 영화적 독해'는 영화인이 자기 나름의 시선을 서사와 표현 기법으로 녹여내는 것이라고 하였다.
④ 〈보기〉에서 「마르탱 게르의 귀향」이 역사적 고증에 바탕을 두고 당시 생활상의 재현에 치중했음을 알 수 있다. 3문단에서 역사를 소재로 한 역사 영화는 역사적 고증에 충실한 개연적 역사 서술 방식을 취할 수 있다고 하였다.
⑤ 〈보기〉에서 역사서 「마르탱 게르의 귀향」이 재판 기록 등을 근거로 출간되었음을 알 수 있다. 또한 1문단에서 '미시사 연구'가 평범한 사람들의 삶을 다루는 것이며, '서사적' 자료에 해당하는 '재판 기록'을 활용한다는 것을 알 수 있다.

06

정답설명

④ ⓓ의 '이루다'는 '어떤 대상이 일정한 상태나 결과를 생기게 하거나 일으키거나 만들다.'의 의미로 쓰였다. 따라서 '둘 이상의 사물이나 사람이 서로 관계를 맺어 하나가 되다.'의 의미인 '결합하다'와 바꿔 쓸 수 없다.

오답설명

① ⓐ의 '만나다'는 '둘이 서로 마주 보다.'의 의미로 쓰였으므로, '서로 얼굴을 마주 보고 대하다.'의 의미인 '대면하다'와 바꿔 쓸 수 있다.
② ⓑ의 '여겨지다'는 '마음속으로 그러하다고 인정되거나 생각되다.'의 의미이므로, '상태, 모양, 성질 따위가 그와 같다고 보거나 그렇다고 여기다'의 의미인 '간주되다'와 바꿔 쓸 수 있다.
③ ⓒ의 '나타나다'는 '어떤 새로운 현상이나 사물이 발생하거나 생겨나다.'의 의미로 쓰였으므로, '어떤 세력이나 현상이 새롭게 나타나다.'의 의미인 '대두하다'와 바꿔 쓸 수 있다.
⑤ ⓔ의 '펼치다'는 '펴서 드러내다.'의 의미로 쓰였으므로 '내용을 진전시켜 펴 나가다.'의 의미인 '전개하다'와 바꿔 쓸 수 있다.

구조도 정답

① 사료
② 도상적
③ 역사에 대한 영화적 독해
④ 영화에 대한 역사적 독해
⑤ 가려진 역사
⑥ 허구의 이야기
⑦ 아래
⑧ 주체

지문분석

(가) 예술의 정의

모방론 (아리스토텔레스)

예술 = 자연에 대한 (①)

재현의 투명성 이론 전제

18c 말 (②) 사조

모방 필수 X, 예술가의 (③) 중시

외부 세계 왜곡 허용

예술로 인정받기 위해 새로운 이론 필요

20c 초 표현론 (콜링우드)

예술의 조건 = 예술가의 마음

진정한 예술 작품 = (④)(물리적 소재 불필요)

20c 초 형식론 (벨)

외부 세계, 작가의 내면 < 작품 자체 고유 형식

예술 작품 = (⑤)을 통해 비평가들에게 미적 정서 유발하는 작품

20c 중반 예술 정의 불가론 (웨이츠)

「샘」과 일반 변기 문제 설명하고자 함

예술의 정의 이론 = 참·거짓 판별 불가능한 (⑥)의 형태

'예술의 정의' 논의는 불필요함

20c 중반 제도론 (디키)

「샘」과 일반 변기 문제 설명하고자 함

예술 작품 = 일정한 (⑦)를 거친 모든 것

(나) 예술 비평의 태도

(①) 비평 (텐)

비평의 기준과 근거

1) 작품 창작 당시의 환경, 정치·경제·(②) 상황
2) 작품이 사회에 미치는 효과
3) 작가의 (③)와 이념

→ 다수의 객관적 자료를 중심으로 비평

한계

작품 외적인 요소에 치중하여 작품의 핵심적 본질을 훼손할 우려

형식주의 비평 (프리드)

비평의 기준과 근거

작품의 (④)와 그 요소들 간 구조적 유기성의 분석

→ 조형 요소(선, 색, 형태 등) + 조형 원리(비례, 율동, 강조 등)로 비평

(⑤) 비평 (프랑스)

비평의 기준과 근거

모든 분석적 비평에 회의적, 예술은 어떤 규칙이나 객관적 자료로 판단 불가

→ 비평가가 (⑥)과 창의성을 가지고 비평

형태쌤 Comment

(가), (나) 모두 각 문단별 핵심 내용이 잘 정리되어 있다. 다만 6문항짜리 지문 답게 정보의 양이 매우 많을 뿐이다. 각 이론의 특징을 제대로 짚어 냈다면, 시간 이 다소 걸리더라도 문제는 다 맞힐 수 있었을 것이다.

문제분석 01-06번

번호	정답	정답률 (%)	선지별 선택비율(%)				
			①	②	③	④	⑤
1	④	57	4	5	13	57	21
2	①	82	82	4	3	4	7
3	①	53	53	6	8	19	14
4	②	69	5	69	17	5	4
5	③	78	2	5	78	12	3
6	③	88	3	3	88	3	3

01

정답설명

④ 정보들 간의 관계는 평가원에서 집요하게 출제하는 요소다. 지문에서 제시된 정보가 어떤 관계(문제/해결, 원인/결과, 유사/상반)인지 파악하 는 습관을 들여야 한다. (가)의 '그러나 예술가의 독창적인~미적 정서를 유발하는 작품을 예술 작품이라고 보았다.'와 '뒤샹이 변기를 가져다 전

시한~두 가지 대응 이론이 나타났다.', (나)의 '객관적 자료를 중심으로~비판을 받는다. 이러한 맥락주의 비평의 문제점을 극복하기 위한 방법으로는 형식주의 비평과 인상주의 비평이 있다.'에서 확인할 수 있다.

오답설명

① (가), (나) 모두 대립되는 관점이 제시되었다고 볼 수 있으나, 그 관점들이 수렴되어 가는 역사적 과정을 밝히지는 않았다.

② (가)는 허용할 여지가 있지만, (나)에서 이론들을 평가하여 종합적 결론을 도출하고 있지 않으므로 확실하게 지울 수 있다.

③ (가), (나) 모두 이론 간의 차이를 밝히고 있으나, 화제가 사회에 미치는 영향들을 분석하고 있지 않다.

⑤ (가)에서는 다양한 이론을 시대순으로 나열하고 있지만, (가), (나) 모두 '하나의 사례'를 중심으로 다양한 이론을 시대순으로 나열하고 있지 않다. 하나의 사례를 중심으로 한 다양한 이론을 시대순으로 나열하려면, '모나리자' 등 특정한 사례에 대한 다양한 이론을 시대순으로 제시해야 한다.

02

정답설명

① (가)의 2문단을 보면, 형식론은 비평가들에게 미적 정서를 유발할 수 있는 '의미 있는 형식'을 근거로 하여 예술 작품 여부를 판단하는 입장임을 알 수 있다.

오답설명

② (가)의 2문단에 있는 '예술 감각이 있는 비평가들만이 직관적으로 식별할 수 있고'를 통해, 직관적 식별의 주체가 '모든 관람객'이 아니라 '예술 감각이 있는 비평가'에 한정된다는 것을 알 수 있다.

③ (가)의 2문단에서 감정을 표현하는 정신적 대상을 예술 작품으로 보는 것은 콜링우드의 표현론임을 알 수 있다. 형식론은 작품 자체의 고유 형식을 중시하는 입장이다.

④ (가)의 2문단 '작가의 내면보다 작품 자체의 고유 형식을 중시하는 형식론'을 통해, 적절하지 않은 진술임을 알 수 있다.

⑤ (가)의 4문단에 설명된 제도론과 연관되는 설명이다. 다만 제도론에서는 '특정한 사회 제도에 속하는 모든 예술가와 비평가'가 아니라, '예술계라는 어떤 사회 제도에 속하는 한 사람 또는 여러 사람'에 의해 감상의 후보 자격을 수여받은 인공물을 예술 작품으로 규정한다.

03

정답설명

① 모방론자는 예술은 자연에 대한 모방이며, 대상과 그 대상의 재현이 닮은꼴이어야 한다고 생각하는 사람이다. 따라서 「샘」은 변기를 닮은 것이 아니라 변기 그 자체라는 점'을 들어 예술 작품의 필요충분조건을 갖추었다고 말하지는 않을 것이다. 오히려 「샘」에 모방이 전제되지 않았다는 점에서 「샘」을 예술 작품으로 인정하지 않는다고 할 것이다.

오답설명

② 낭만주의 예술가는 모방을 필수 조건으로 삼지 않으며, 예술가의 독창적인 감정 표현을 중시하는 사람이다. 따라서 감정 표현보다 대상의 재현에 치중하는 모방론자의 견해를 받아들이지 않을 것이다.

③ 표현론자는 진지한 관념이나 감정과 같은 예술가의 마음을 예술의 조건으로 규정하는 사람이다. 따라서 예술가의 독창적인 감정 표현을 중시하는 낭만주의 예술가의 작품을 인정할 것이다. 또한 (가)의 1~2문단의 '낭만주의 예술가의 작품을 예술로 인정해 줄 수 있는 새로운 이론이 필요했다.~표현론을 제시하여 이 문제를 해결하였다.'를 통해서도 이를 확인할 수 있다.

④ (가)의 3~4문단을 통해 제도론이 뒤샹의 「샘」과 관련하여 발생한 문제에 대응하기 위해 제시된 것임을 알 수 있다. 제도론자는 일정한 절차와 관례를 거치기만 하면 모두 예술 작품으로 볼 수 있다는 분류적 이론을 따르므로, 「샘」 외에 다른 변기들도 예술 작품이 될 수 있음을 인정할 것이다.

⑤ 예술 정의 불가론자는 예술의 정의에 대한 기존의 이론들이 참과 거짓을 판정할 수 없는 사이비 명제라는 견해를 갖고 있으며, 예술의 정의에 대한 논의 자체가 불필요하다고 주장한다. 따라서 예술가의 관념이나 감정을 예술 작품의 조건으로 규정하는 표현론자의 의견을 받아들이지 않을 것이다.

04

정답설명

② 여기서의 작품은 '신발' 자체가 아니라 '신발'을 그린 「그리움」이라는 작품이다. 따라서 '평범한 신발'이 특별한 것이 아니라 이 신발의 그림이 예술 작품인 것이다. 또한 디키의 관점에 따르면 신발의 원래 주인이 화가였다는 사실은 이 그림이 예술 작품이 되는 근거가 되지는 않으며, 어떤 사회 제도에 속하는 사람들에 의해 이 그림이 감상의 후보 자격을 받을 때 예술 작품이 되는 것이다.

오답설명

① 콜링우드는 표현론을 통해 진지한 관념이나 감정과 같은 예술가의 마음을 예술의 조건으로 규정하였다. 이 관점에 의하면, 화가 A가 낡은 신발을 그린 것은 아버지에 대한 그리움이 담긴 것이라 볼 수 있다.

③ 텐은 작가의 심리적 상태와 이념을 포함하여 가급적 많은 자료를 바탕으로 작품을 분석하고 해석하는 맥락주의 비평을 따른다. 그의 관점을 적용하여 그림을 분석하면, 아버지의 낡은 신발은 화가 A가 추구하는 예술가 정신의 상징이라고 볼 수 있다.

④ 프리드는 내용보다는 선, 색, 형태 등의 조형 요소를 기준으로 예술 작품의 우수성을 판단하는 형식주의 비평가이다. 그의 관점을 적용할 경우 팸플릿의 설명인 '작품 전체에 따뜻한 계열의 색이 주로 사용'되었다는 내용에서 따뜻한 계열의 색들을 유기적으로 구성한 점에 주목하여 작품의 우수성을 언급할 수 있다.

⑤ 프랑스는 작가의 의도나 그 밖의 외적인 요인들을 고려할 필요 없이 비평가의 자유 의지로 무한대의 상상력을 가지고 작품을 해석하고 판단하는 인상주의 비평가이다. 그의 관점을 적용하면, 비평하는 '나'의 느낌을 서술할 수 있다.

05

형태쌤의 과외시간

먼저 정리하고 가자.

A는 ⊙(맥락주의 비평)의 관점이므로, 예술 작품이 창작된 당시 예술가가 살던 시대의 환경, 정치·경제·문화적 상황, 작품이 사회에 미치는 효과 등을 예술 작품 비평의 중요한 근거로 삼는다. 또한 작가의 심리적 상태와 이념을 고려하여 작품을 분석하고 해석한다.

B는 ⓛ(인상주의 비평)의 관점이므로, 자신의 생각과 느낌에 대하여 자율성과 창의성을 가지고 비평하는 입장이다. 작가의 의도나 그 밖의 외적인 요인들을 고려할 필요 없이 비평가의 자유 의지로 무한대의 상상력을 가지고 작품을 해석하고 판단한다.

정답설명

③ B에서 '슬퍼 보이고'와 '고통을 호소하고'라고 서술한 것은 작가가 아니라 비평가의 생각과 느낌을 반영한 것이다. 작가의 심리적 상태를 고려하는 비평은 A의 관점에 가깝다.

오답설명

① A에서 '1937년'에 '게르니카'에서 발생한 사건을 언급한 것은 히틀러의 학살이라는 역사적 정보를 바탕으로 작품을 해석하기 위한 것이다.

② A는 작품이 사회에 미치는 효과 등을 예술 작품 비평의 중요한 근거로 삼는다. 따라서 A에서 비극적 참상을 '전 세계에 고발'하였다고 서술한 것은 작품이 사회에 미치는 효과를 드러내고자 한 것이다.

④ B에서 '우울한 색과 기괴한 형태'를 언급한 것은 작품을 감상하는 비평가의 주관적 인상을 반영하기 위한 것이다.

⑤ B에서 '희망을 갈구하는'이라고 서술한 것은 작품을 감상하는 데에 비평가의 자유로운 상상력이 반영된 것이다.

06

'동음이의어(同音異義語)'는 '소리는 같으나 뜻이 다른 단어'이다. 즉 의미상의 연관성은 전혀 없지만, 발음이 같은 단어를 말한다.

정답설명

③ ⓒ의 '이론(理論)'은 '사물의 이치나 지식 따위를 해명하기 위하여 논리적으로 정연하게 일반화한 명제의 체계.'라는 의미를 가진다. ③의 '이론(異論)'은 '달리 논함. 또는 다른 이론(理論)이나 의견.'이라는 의미로, ⓒ의 동음이의어이다.

오답설명

① ⓐ와 ①의 '전제(前提)'는 '어떠한 사물이나 현상을 이루기 위하여 먼저 내세우는 것.'의 의미로 쓰였다.

② ⓑ와 ②의 '시기(時期)'는 '어떤 일이나 현상이 진행되는 시점.'의 의미로 쓰였다.

④ ⓓ와 ④의 '근거(根據)'는 '어떤 일이나 의논, 의견에 그 근본이 됨. 또는 그런 까닭.'의 의미로 쓰였다.

⑤ ⓔ와 ⑤의 '시각(視角)'은 '사물을 관찰하고 파악하는 기본적인 자세.'의 의미로 쓰였다.

구조도 정답

(가)
① 모방
② 낭만주의
③ 독창적 감정 표현
④ 정신적 대상
⑤ 의미 있는 형식
⑥ 사이비 명제
⑦ 절차와 관례

(나)
① 맥락주의
② 문화적
③ 심리적 상태
④ 형식적 요소
⑤ 인상주의
⑥ 자율성

나 없이

기출

풀지마라

나 없이

| 과외식 기출 분석서, 나기출 |

나 없이
기출
풀지마라

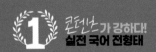

독서

01 VI. 독서
2022학년도 6월

지문분석

독서
↳ 특정 주제를 깊이 있게 (①)하기 위한 독서

지식을 습득하고 이를 비판적·종합적으로 탐구

과정

글의 (②) 파악 : 목차나 책 전체 훑기

필요한 부분 찾아 중점적으로 읽을 내용 선별

1) 글 표면 내용 정확하고 충분하게 읽기
2) 글 (③) 내용 추론하고 비판하며 읽기
3) 여러 관점을 비교하고 종합하며 읽기
⇒ 1), 2), 3)의 방법 적절히 조합해 선별한 내용 읽기

의미 구성

기존 배경지식과 새로운 지식 통합하여 의미 구성
→ 다른 사회 구성원들과의 (④)을 거쳐 재구성됨
∴ 개인적 차원뿐 아니라 사회적 차원에서도 이루어짐

기록의 역할 부각됨

읽은 내용의 망각 방지

비판과 토론의 자료 → (⑤)의 의미 구성에 기여

보고서, 논문, 단행본 등의 형태로 발전 → 공동체 (⑥)의 토대

강론과 기록을 권유했던 전통과 맥을 같이 함

형태쌤 Comment

길이가 짧아 어렵지 않게 읽을 수 있던 지문이었다. 〈보기〉와 비교하여 문제를 풀 때 지문에 나온 바를 명확하게 이해하고 풀었다면 헷갈리지 않고 답을 찾을 수 있었을 것이다.

문제분석 01-03번

번호	정답	정답률 (%)	선지별 선택비율(%)				
			①	②	③	④	⑤
1	⑤	94	1	1	1	3	94
2	①	60	60	1	7	13	19
3	③	95	1	1	95	1	2

01

정답설명

⑤ 특정 주제를 깊이 있게 탐구하기 위한 독서는 지식을 습득하고 이를 비판적·종합적으로 탐구하는 독서이다. 정서적 반응을 기준으로 글의 가치를 평가하며 읽는 것은 지문에서 설명하는 특정 주제를 깊이 있게 탐구하기 위한 독서의 방법으로 제시되지 않았으므로 적절하지 않다.

오답설명

① 1문단에서, 특정 주제를 깊이 있게 탐구하기 위한 독서의 방법으로 '글 표면에 드러난 내용을 정확하고 충분하게 읽기'가 제시되어 있다.
② 1문단에서, 특정 주제를 깊이 있게 탐구하기 위한 독서는 '목차나 책 전체를 훑어보아 글의 전체 구조를 파악'하는 것으로부터 출발한다고 하였으므로 적절하다.
③ 1문단에서, 특정 주제를 깊이 있게 탐구하기 위한 독서의 방법으로 '글 이면의 내용을 추론하고 비판하며 읽기'가 제시되어 있다.
④ 1문단에서, 특정 주제를 깊이 있게 탐구하기 위한 독서는 '필요한 부분을 찾아 중점적으로 읽을 내용을 선별하는 것'으로부터 출발한다고 하였으므로 적절하다.

02

정답설명

① 〈보기〉에서 말하는 '정신이 새어 나가고 성의가 흩어져 버리'는 것은 연속적으로 공부하지 않아 한 번이라도 맥이 끊어지게 될 때에 대한 우려이며, 이는 기록의 궁극적 목적이 망각의 방지에 있음을 시사하는 것이라고 볼 수 없으므로 적절하지 않다.

오답설명

② 〈보기〉에서 말하는 '학문의 깊은 뜻을 꿰뚫어' 보고자 하는 것은, 지식을 습득하고 이를 비판적·종합적으로 탐구하는 것으로 특정 주제를 깊이 있게 탐구하고자 하는 태도와 결을 같이한다고 볼 수 있다.
③ 〈보기〉에서 말하는 '읽은 것을 얼굴을 마주하고 강론하는 것'은, 3문단에서 제시된 '글을 읽고 의견을 주고받으며 토론하는 강론'에 해당하므로 다른 사회 구성원들과의 상호 작용으로 볼 수 있다.
④ 〈보기〉에서 말하는 '마음속의 생각'이나 '의문이 드는 부분'을 '강론' 또는 '기록'을 통해 공유하는 것은, 글을 읽고 개인의 머릿속에서 구성된 의미를 다른 사회 구성원들과의 상호 작용을 거쳐 재구성하는 사회적 차원의 의미 구성 과정에 해당하므로 적절하다.
⑤ 〈보기〉에서 말하는 '기록해서 벗에게 보내 자세히 살펴볼 수 있게 하는 것'은, 탐구 과정에서 개인적으로 구성한 의미를 기록하여 비판과 토론의 자료로서 사회적 차원의 의미 구성에 기여하는 것이므로 적절하다.

03

정답설명

③ 학생은 윗글을 '학교에서 보고서 작성을 위해 책을 읽고 친구들과 의문

점을 나누며 의논하는 경우'라는 학습 경험과 결부하여(연관시켜) 독서 활동의 의미를 확인하고 있다.

오답설명

① 학생은 독서에서 얻은 깨달음을 실천하려는 모습을 보이고 있지 않다.

② 학생은 모범적인 독서 태도를 발견하지 않았으며 반성하는 모습을 보이고 있지도 않다.

④ 학생은 알게 된 내용과 연관 지어 추가적인 독서 계획을 세우고 있지 않다.

⑤ 학생은 독서 경험을 떠올리고 있으나 이를 통해 지속적인 독서의 중요성을 인식하고 있지는 않다.

구조도 정답

① 탐구
② 전체 구조
③ 이면
④ 상호 작용
⑤ 사회적 차원
⑥ 지식 축적

02

2022학년도 9월

지문분석

독서 일지

→ 독서 목적 : 서양 미술 흐름의 이해

→ 선정한 책 : 곰브리치의 『서양 미술사』

→ 책 선정 고려 사항 : 자신의 지식수준

미술사에 대한 (①) 지식이 부족하면 이해가 어려운 경우
→ 미술에 대해 막 알아 가기 시작한 독자도 이해할 수 있다고
알려져 선택

→ **독서 방법**

1) 내용상 관련된 부분 비교하며 읽기
서론의 내용을 뒷부분과 비교하며 읽음 → (②)을 더 잘 이해할
수 있음

2) 책의 제목으로 내용 추측하며 읽기
이 책이 유럽만을 대상으로 삼고 있을 것임

3) 책의 (③)를 통해 책의 구성 파악하며 읽기
총 28장, 유럽+유럽 외의 지역도 대상으로 포함 → 방대한 내용

4) (④)에 따라 읽을 순서를 정하여 읽기
이전부터 (④)을 둔 유럽 르네상스에 대한 부분을 먼저 읽음

5) 제시된 자료·해설을 바탕으로 저자의 관점을 수용하며 읽기
자료가 풍부·어렵지X → 해설된 내용을 저자의 관점에 따라 수용

6) (⑤)을 고려하여 독서 계획을 세워서 읽기
전체 분량이 多 → 적정 (⑤)을 읽도록 계획을 세워 꾸준히 실천

형태쌤 Comment

독서 방법론을 학생이 쓴 독서 일지에 녹여낸 평이한 글이다. 최근 평가원은
1~3번에 독서 방법론에 관한 짧은 지문을 배치하고 있는데, 내용이 어렵지는 않
지만 발췌독을 하다가는 실수하기 십상이다. 따라서 주어진 지문을 빠르게 정독
한 뒤 선지와 대응시켜 무난하게 풀고 넘어가도록 하자.

문제분석 01-03번

번호	정답	정답률(%)	선지별 선택비율(%)				
			①	②	③	④	⑤
1	①	99	99	0	0	1	0
2	③	99	1	0	99	0	0
3	⑤	98	0	1	1	0	98

01

정답설명

① 1문단에서 '미술사를 다루고 있는 좋은 책이 많지만 학술적인 지식이
부족하면 이해하기 어려운 경우가 많다고 한다.'라고 하였고, 『서양 미
술사』라는 책이 '미술에 대해 막 알아 가기 시작한 나와 같은 독자도
이해할 수 있다고 알려'져 택했다는 점에서 학생이 책을 선정할 때 자
신의 지식수준을 고려했음을 확인할 수 있다.

오답설명

② 윗글에서 다수의 저자들이 『서양 미술사』 집필에 참여했음을 언급한 부
분은 찾아볼 수 없다.

③ 윗글에서 『서양 미술사』를 다양한 연령대의 독자에게서 추천받아 선택
했음을 언급한 부분은 찾아볼 수 없다.

④ 윗글에서 『서양 미술사』가 학생이 이전에 읽은 책과 연관된 내용을 담
고 있는 책인지에 대해 언급된 부분은 없다.

⑤ 윗글에서 『서양 미술사』가 최신의 학술 자료를 활용하여 믿을 만한 내
용을 담고 있는 책인지는 확인할 수 없다.

02

정답설명

③ 윗글에서 학생이 자신의 경험과 저자의 경험을 연관 지으며 『서양 미술
사』를 읽는 모습은 나타나지 않았다.

오답설명

① 2문단의 '저자는 27장에서도~저자의 관점을 더 잘 이해할 수 있었다.'
부분을 통해 확인할 수 있다.

② 3문단의 '책의 본문을 읽기 전에 목차를 살펴보니,~실험적 미술까지 다
루고 있었다.'를 통해 확인할 수 있다.

④ 4문단의 '물론 분량이~꾸준히 실천하다 보니' 부분에서 확인할 수 있다.

⑤ 3문단의 마지막 문장 '이전부터 관심을 두고 있었던~이 책을 읽어 나갔
다.' 부분에서 확인할 수 있다.

03

정답설명

⑤ 〈보기〉는 독자가 책의 내용을 무비판적으로 수용하기보다는, 자신의 주
관을 가지고 책의 내용을 판단하며 읽을 필요가 있음을 말하고 있다.
㉠은 학생이 책에 담긴 내용과 해설, 저자의 관점을 그대로 수용하며
만족하고 있음을 보여 주고 있으므로, 책의 내용을 그대로 받아들이기
보다는 자신의 관점을 바탕으로 저자의 관점을 판단하며 읽으라는 조언
이 가장 적절하다.

오답설명

① 〈보기〉는 책의 자료를 정리하는 기준에 대해 말하고 있지 않다.

② 〈보기〉는 책의 내용에 저자가 속한 사회·문화적 환경에서 비롯된 영향이 반영될 수밖에 없으므로 독자 자신의 주관을 가지고 책의 내용을 판단하며 읽어야 함을 말하는 것이지, 책이 유발한 사회·문화적 영향의 파악보다 책에 대한 다양한 해설을 찾아보는 것이 좋다는 내용이 아니다.

③ 〈보기〉는 예술 분야의 책을 읽을 때 저자만의 해설뿐만 아니라 다양한 해설이 있음을 염두에 두어 주관을 가지고 판단하며 읽어야 함을 말하고 있는 것이지, 한 분야를 집중적으로 다룬 책을 읽어야 한다는 내용이 아니다.

④ 〈보기〉는 책의 내용을 저자가 구성한 방식대로 읽어야 한다는 내용이 아니다.

구조도 정답

① 학술적인

② 저자의 관점

③ 목차

④ 관심

⑤ 분량

독서가 지닌 힘

제2차 세계 대전 당시의 사진 : 폐허 속에서도 (①)을 찾아 서가에 온 사람들

1) 독서 → (②)으로의 여행 : 자신을 살피고 돌아볼 계기 제공

책 → 인류의 지혜, 경험이 담긴 문화유산

(③)의 기회 제공 → 독자의 내면 성장, 삶 바꿈
└ 독서 = 자기 (③)의 행위, 사색하고 스스로 질문하는 시간
⇒ 폐허 속 서가를 찾은 사람들 :
현실 외면 X, 자기 삶에 대한 숙고의 시간 필요

2) 독서 → (④)로의 확장 : 현실을 인식, 당면한 문제 해결 방법 모색

책 → 세상에 대한 안목을 키우는 데 필요한 지식 담김

올바른 식견, 문제 해결 방법을 모색하도록 함 → 세상을 바꿈
└ 독서 = 정보 이해 + 문제 해결에 (⑤) 정보인지 판단·분석하는 시간
⇒ 폐허 속 서가를 찾은 사람 : (⑥)를 해결할 실마리 찾기 위함

 형태쌤 Comment

전쟁으로 인한 폐허 속에서도 책을 찾아 서가에 온 사람들의 사진을 화제로 제시하며 독서가 가진 힘과 위대함을 서술한 글이다. 최근 경향에 따라 '독서'에 관한 짧은 지문이 맨 앞에 배치된 것이지. 어렵지 않게 술술 읽히는 글이지만 그렇다고 해서 발췌독을 하는 것은 위험하다. 주어진 지문을 빠르게 정독한 뒤 바로 답을 체크하고 넘어갈 수 있도록 하자.

문제분석 01-03번

번호	정답	정답률 (%)	선지별 선택비율(%)				
			①	②	③	④	⑤
1	②	96	1	96	1	2	0
2	⑤	93	1	1	3	2	93
3	①	98	98	0	0	2	0

01

정답설명

② 2문단의 '이들이 책을 찾은 것도 혼란스러운 현실을 외면하려 한 것이 아니라 자신의 삶에 대한 숙고의 시간이 필요했기 때문이다.'와 3문단의 '서가 앞에 선 사람들도 시대적 과제를 해결할 실마리를 책에서 찾으려 했던 것이다.'를 통해, 독서는 현실로부터 도피하고, 현실을 외면하는 수단이 아니라 자신의 삶에 대한 숙고의 시간을 제공할 수 있으며 더 나아가 현실의 문제를 해결할 수 있는 실마리를 제공할 수 있음을 알 수 있다.

오답설명

① 2문단의 '책은 인류의 지혜와 경험이 담겨 있는 문화유산이며,'를 통해 확인할 수 있다.

③ 3문단에서 독자가 독서를 통해 '올바른 식견을 갖추고 당면한 문제를 해결할 방법을 모색하도록 함으로써 세상을 바꾼다.'라고 하면서 폐허 속의 서가 앞에 선 사람들도 '시대적 과제를 해결할 실마리를 책에서 찾으려 했던 것'이라고 설명하고 있으므로 적절하다.

④ 2문단에서 '자신을 살피고 돌아볼 계기를 제공함으로써 어떻게 살 것인가의 문제를 생각하게' 하는 독서를 설명하면서 폐허 속에서 서가 앞에 선 사람들이 책을 찾은 것도 '자신의 삶에 대한 숙고의 시간이 필요했기 때문'이라고 설명하고 있으므로 적절하다.

⑤ 3문단의 '책은 세상에 대한 안목을 키우는 데 필요한 지식을 담고 있으며,'를 통해 확인할 수 있다.

02

정답설명

⑤ ⓒ과 관련한 독서 방법으로 〈보기〉에서는 '각 관점들을 비교·대조하면서 정보의 타당성을 비판적으로 검토'해야 함을 제시하고 있다. 따라서 비판적 판단을 유보함으로써 타당성을 견고히 해야겠다는 반응은 적절하지 않다.

오답설명

① 〈보기〉에서, 해결하려는 문제와 관련해 관점이 다른 책들을 함께 읽을 때에는 '먼저 문제가 무엇인지를 명확히 하'여야 한다고 제시했으므로 적절한 선지이다.

② 〈보기〉에서, 문제와 관련된 서로 다른 관점의 책을 찾아 자신의 관점에서 각 관점들을 비교·대조하면서 정보의 타당성을 비판적으로 검토하며 읽어야 한다고 했으므로 적절한 선지이다.

③, ④ 〈보기〉에서, 문제의 해결을 위해 그와 관련된 서로 다른 관점이 담긴 책을 비교·대조하면서 비판적으로 검토하고 평가한 내용을 통합해야 한다고 하였고, 이를 통해 문제를 다각적·심층적으로 이해하게 됨으로써 생각을 발전시켜 관점을 재구성하게 되어 해법을 찾을 수 있다고 하였으므로 적절한 선지이다.

03

정답설명

① 학생은 내면의 성장을 위한 독서가 아닌 지식, 정보 습득 위주의 독서에만 집중했던 스스로를 반성하며, 윤동주 평전을 읽는 경험을 통해 스스로에게 질문을 던지며 자신에 대해 사색하는 시간의 소중함을 깨닫고 있다. 또, '오늘 나는~나에게로의 여행을 떠나 보려 한다.'를 통해 이러한 독서를 실천하려 하므로 적절한 선지이다.

오답설명

② 학생은 정보 습득을 위한 독서에 집중했던 독서 습관을 버리고 내면의 성장을 위한 자기 성찰의 독서 습관을 지니려는 노력을 보이고 있으므

로 적절하지 않은 선지이다.

③ 학생은 독서를 지속적으로 실천하지 못한 것에 대해 반성하는 것이 아
니라, 정보 습득 위주에 치중했던 독서 습관에 대해 반성하고 있으며
문제 해결을 위한 장기적인 독서 계획 또한 찾아볼 수 없다.

④ 내면적 성장을 위한 독서의 중요성은 인식하고 있으나, 다양한 매체를
활용한 독서의 방법을 제안하고 있지는 않다.

⑤ 학생은 독서를 통해 정보를 습득하고, 그를 통해 지식이 쌓이기만을 바
랐던 자신의 이전 독서 습관을 반성한 것이지 개인의 지적 성장에만 머
무는 개인적 독서의 한계를 지적한 것은 아니며, 타인과 경험을 공유하
는 독서 토론의 필요성을 강조하고 있지도 않다.

memo

구조도 정답

① 책

② 자기 내면

③ 성찰

④ 외부 세계

⑤ 타당한

⑥ 시대적 과제

04 VI. 독서
2023학년도 6월

지문분석

글 읽는 능력

- 글 읽기에 필요한 요소

  글자 읽기/요약/추론 등 (①), 어휘력, 읽기 흥미, 동기 등

  (②) 발달에 관한 연구

  어휘력이 높은 학생들과 낮은 학생들 간의 격차 점점 커짐

  어휘력 격차는 (③)과 관련, 커진 격차를 극복하는 데에 많은 노력 필요

- 매튜 효과 : 읽기 요소를 잘 갖춘 독자와 그렇지 않은 독자와의 차이 설명

  주로 (④)에서 사용되었으나 읽기에도 적용

  글 읽는 능력을 (⑤)로만 설명하는 데에는 문제가 있음

  - 읽기 요소들에서 항상 나타나는 것은 아님
  - 읽기 요소들은 상호 간에 영향을 미쳐 (⑤)와 다른 결과를 낳기도 함

  의의

  읽기 요소들이 글을 잘 읽도록 하는 중요한 동력임을 인식하게 함

 형태쌤 Comment

작년까지 독서론은 독서의 효용과 가치에 대한 가벼운 글이 제시되었고, 문제도 수월하였다. 하지만 이런 유형은 소재 제한으로 출제에 한계가 있다. 예전에 독서론이 잠시 나왔다가 사라진 이유도 이것 때문이다. 하지만 이번엔 독서 이론에 대한 글로 지문이 바뀌었다. 독서 이론에 대한 논문은 상당히 많기에 출제하기에도 수월하다. 다만 기존처럼 몸풀기용 지문이 아니기에, 아주 쉬운 비문학 한 지문을 만난 느낌으로 제대로 읽고 반응해야 한다.

문제분석 01-03번

번호	정답	정답률(%)	선지별 선택비율(%)				
			①	②	③	④	⑤
1	①	72	72	8	1	8	11
2	⑤	98	1	0	0	1	98
3	④	94	4	1	1	94	0

01

정답설명

① 1문단에서 '글자 읽기, 요약, 추론 등의 읽기 기능, 어휘력, 읽기 흥미나 동기 등이 필요하다.'라고 했으므로, 읽기 기능에는 '글자 읽기, 요약, 추론 등'이 포함됨을 알 수 있다. '어휘력, 읽기 흥미나 동기'는 읽기에 필요한 요소들로 읽기 기능과는 별개의 요소들이다.

오답설명

② 3문단에서 '읽기 요소를 잘 갖춘 독자는 점점 더 잘 읽게 되어~이를 매튜 효과로 설명하기도 한다.'라고 했으므로, 매튜 효과에 따르면 읽기 요소를 잘 갖출수록 더 잘 읽게 된다고 할 수 있다.

③ 3문단의 '매튜 효과란~이는 주로 사회학에서 사용되었으나'에서 확인할 수 있다.

④ 4문단에서 '읽기 요소들은 상호 간에 영향을 미쳐'라고 했으므로 읽기 요소는 다른 읽기 요소들에 영향을 미치기도 하는 것을 알 수 있다.

⑤ 5문단에서 '읽기를 매튜 효과로 설명하는 연구는~읽기 요소들이 글을 잘 읽도록 하는 중요한 동력임을 인식하게 하는 계기가 되었다.'라고 했으므로, 매튜 효과는 읽기 요소의 가치를 인식하게 했다고 할 수 있다.

02

정답설명

⑤ [A]에서 '어휘력 격차는 읽기의 양과 관련'되며, 어휘력이 높으면 더 많이 읽게 되고, 더 많이 읽을수록 어휘력이 높아진다고 했다. 반대로, 어휘력이 부족하면 적게 읽어 다시 어휘력이 부족하게 되는데 이렇게 누적된 격차는 극복하는 데에 많은 노력이 필요하게 된다고 하였다. 따라서 ㉠과 ㉡ 간의 어휘력 격차가 점점 커지는 것은 읽기 양의 차이가 누적되기 때문이라고 할 수 있다.

오답설명

① ㉠은 ㉡에 비해 읽기 양이 많고, 어휘력은 더 큰 폭으로 높아진다.

②, ③ 어휘력의 격차는 읽기 양의 차이가 누적됨에 따라 줄이기 어려워지므로, 시간이 지남에 따라 어휘력 격차가 더 커진다고 할 수 있다. 따라서 학년이 올라갈수록 어휘력 격차를 줄일 수 있는 가능성은 더 적어지고, ㉡은 ㉠에 비해 더 많은 노력을 해야 할 것이다.

④ ㉠과 ㉡ 간의 어휘력 격차가 커지는 것은 읽기 양의 차이가 누적되기 때문이지, 지능의 차이 때문은 아니다.

03

정답설명

④ 〈보기〉에서 '인간의 사고'는 '공동체 내 언어적 상호 작용에 의해 발달'하고, '읽기도 타인과 상호 작용함으로써' 발달한다고 했다. 이러한 〈보기〉의 관점에서 ⓐ를 뒷받침하려면 '상호 작용'과 관련된 내용이어야 하므로, '공동체', '상호 작용', '사회적'과 같은 단어들이 나와야 한다. 선지의 '공유', '사회적 환경'에서 〈보기〉의 관점을 읽어낼 수 있다.

오답설명

①, ②, ③, ⑤ 모두 '개인'과 관련된 내용이므로 적절하지 않다.

구조도 정답

① 읽기 기능   ② 어휘력   ③ 읽기의 양
④ 사회학   ⑤ 매튜 효과

05

2023학년도 9월

지문분석

눈동자 움직임 분석 방법

↳ 독서할 때 독자의 사고 과정을 밝힐 수 있는 방법

↳ **눈동자 움직임 연구**

　1) (①) : 눈동자를 단어에 멈춤 → 단어의 의미 이해

　중요, 생소한 단어 : 고정 시간, 고정 횟수↑

　2) (②) : 고정과 고정 사이에 일어남 → 단어의 의미 이해 X

　　– 짧은 도약 : 한 단어에서 다음 단어로 이동
　　– 긴 도약 : 단어를 건너뜀.
　　중요, 생소한 단어 연속 : 도약 방향이 글 진행 방향과 (③)인
　　경우도 있음. 도약 길이↓

↳ **눈동자 움직임 양상**

　독자의 (④)이 발달하면서 변화
　(④) 발달 : 고정 횟수와 고정 시간↓. 긴 도약↑

　학습 경험, 독서 경험↑ → 글 구조에 대한 지식, 아는 단어, 배경지식↑
　읽기 목적 분명하게 인식 → (⑤)를 정확하게 선택할 수 있게 됨.

형태쌤 Comment

　최근 독서론은 독서 이론에 대해 출제하는 경향을 보이는데, 독서 이론에 대한
개념은 매우 다양하므로 앞으로도 독서 이론에 대해 다룰 가능성이 높다.
　이번 독서론은 지문과 문제 모두 쉬운 편이었다. 다만 지문에서 고정과 도약의
횟수, 길이 등 개념과 증감에 대한 내용이 많이 나오는데 이를 잘 체크하고 읽었
다면 문제를 풀이하는 데 큰 어려움은 없었을 것이다. 쌤이 항상 말했던 것처럼
지문에 개념과 증감이 나온다면 이는 문제에 출제될 확률이 매우 높으니 제대로
확인하고 넘어가야 한다. 본격적인 비문학 지문을 풀기 전, 워밍업을 한다 생각
하고 독서론을 대하도록 하자.

문제분석　01-03번

번호	정답	정답률 (%)	선지별 선택비율(%)				
			①	②	③	④	⑤
1	①	96	96	1	1	1	1
2	④	92	1	4	1	92	2
3	①	89	89	2	2	5	2

01

정답설명

① 1문단에서 '사고 과정이 눈동자의 움직임에 반영된다'고 하였고, 2문단
에 따르면 글을 읽을 때 독자는 자신이 중요하다고 판단한 단어나 생소
하다고 생각한 단어를 중심으로 읽는데, 이때 독자의 눈동자는 고정과
도약을 보이므로 글을 읽을 때 눈동자의 움직임은 독자의 사고 과정에
영향을 받는다는 것을 알 수 있다.

오답설명

② 1문단에서 독자의 사고 과정을 밝힐 수 있는 방법 중 하나가 눈동자 움
직임 분석 방법이라고 언급하였으므로, 눈동자 움직임 분석 방법을 사
용하지 않으면 독자의 사고 과정을 밝힐 수 없는 것은 아니다.

③ 3문단에 따르면 독자는 글의 구조에 대한 지식, 아는 단어, 배경지식이
늘어나 읽기 능력이 발달하면 단어마다 눈동자를 고정하지 않게 된다고
하였다. 즉, 눈동자 움직임의 양상은 독자의 읽기 능력이 발달하면서 변
화한다.

④ 2문단에 따르면 독자가 생각하는 단어의 친숙함에 따라 눈동자의 고정
시간과 횟수, 도약의 길이와 방향이 달라지고, 3문단에 따르면 독자는
읽기 목적을 분명하게 인식하게 되면서 글에서 중요한 단어를 정확하게
선택할 수 있게 된다. 그러나 독자가 자신에게 친숙한 단어일수록 중요
하다고 판단하는 것은 아니다.

⑤ 2문단에 따르면 독자가 생각하는 단어의 중요도에 따라 눈동자의 고정
시간과 횟수, 도약의 길이와 방향이 다르다고 하였다.

02

정답설명

④ [A]에 따르면 독자가 중요하다고 생각하는 단어일수록 고정 시간이 길
고 고정 횟수가 많았다고 했으므로, 주제와 관련된 단어들을 읽을 때는
관련이 없는 단어들을 읽을 때보다 고정 시간이 길고 고정 횟수가 많았
을 것이다.

오답설명

① [A]에 따르면 중요하다고 생각한 단어에서는 고정이 일어났을 것이다.

② [A]에 따르면 도약이 관찰될 때는 건너뛴 단어의 의미 이해가 이루어지
지 않았다고 했으므로 적절하다.

③ [A]에 따르면 독자가 글의 진행 방향대로 읽어 가다가 되돌아와 다시
읽는 경우의 도약은 글의 진행 방향과는 다르게 나타났다고 했으므로,
글이 진행되는 방향과 반대 방향의 도약이 나타났을 것이다.

⑤ [A]에 따르면 독자가 중요하거나 생소하다고 생각한 단어일수록 고정
시간이 길었다고 했으므로 적절하다.

03

정답설명

① 글을 깊이 있게 이해하기 위해 꼼꼼히 읽을 때는 단어의 의미 이해를
위해 고정 횟수와 고정 시간이 늘어나고 도약은 적게 일어날 것이다.

오답설명

②, ③, ④ 3문단에 따르면 학습 경험과 독서 경험이 쌓이면서 글의 구조에
대한 지식과 아는 단어, 배경지식이 늘어나면 ㉠이 관찰된다.

⑤ 3문단에 따르면 읽기 목적을 분명하게 인식하게 되면서 글에서 중요한
단어를 정확하게 선택할 수 있게 되면 ㉠이 관찰된다.

구조도 정답

① 고정　　　　② 도약　　　　③ 반대
④ 읽기 능력　　⑤ 중요한 단어

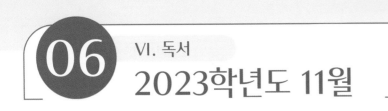

06 2023학년도 11월

지문분석

독서에서의 소통의 즐거움

→ 독서는 (①)와 간접적으로 대화하는 소통 행위.

→ 독자마다 다른 의미를 구성.

　　1) 독자의 배경 지식이나 관점 등의 (②) 요인.
　　2) 읽기 환경이나 과제 등의 (③) 요인.

→ 질문 제기

　　1) 독자가 (④)에서 답을 찾는 질문 제기.
　　2) 독자 (⑤)에게서 답을 찾는 질문 제기.

→ 독자는 다른 독자와 소통하는 즐거움을 경험할 수 ○
최근 소통 공간이 (⑥)으로 확대. → 소통하며 즐거움을 누리는 양상이 더 다양.

 형태쌤 Comment

2022학년도 수능 독서론과 마찬가지로, 2023학년도 수능 독서론도 지문이 길지 않았고 난도도 낮게 출제되었다.

문제분석　01-03번

번호	정답	정답률(%)	선지별 선택비율(%)				
			①	②	③	④	⑤
1	④	86	1	2	2	86	9
2	⑤	86	0	1	6	7	86
3	①	98	98	1	1	0	0

01

정답설명

④ 2문단의 '독자의 배경지식이나 관점 등의 독자 요인'에서 배경지식과 관점이 독자 요인임을 알 수 있다. 그리고 2문단의 '읽기 환경이나 과제 등의 상황 요인'에서 읽기 환경과 과제는 상황 요인임을 알 수 있다. 즉, ④번 선지는 상황 요인인 '읽기 환경, 과제'까지도 독자 요인에 포함했기 때문에 틀린 것이다.

오답설명

① 2문단의 '필자가 보여 주는 세계를 그대로 수용하지 않고 저마다 소통 과정에서 다른 의미를 구성할 수 있다.'에서 같은 책을 읽은 독자라도 서로 다른 의미를 구성할 수 있음을 알 수 있다.

② 4문단의 '다른 독자와 소통하는~독자는 자신의 인식을 심화·확장할 수 있다.'에서 다른 독자와의 소통이 독자가 인식의 폭을 확장하도록 돕는

다는 것을 알 수 있다.

③ 2문단의 '직접 경험하지 못했던 다양한 삶을~바라볼 수 있다.'에서 독자가 직접 경험해 보지 못했던 다양한 삶을 책의 필자를 매개로 접하게 됨을 알 수 있다.

⑤ 2문단의 '독서는 필자와 간접적으로~드러내고자 하는 사회나 시대를 경험한다.'에서 독자는 책을 읽을 때 자신이 속한 사회나 시대의 영향을 받으며 필자와 간접적으로 대화한다는 것을 알 수 있다.

02

정답설명

⑤ 〈보기〉의 ⓓ에 나타난 질문은 '독자 자신에게서 답을 찾는 질문'에 해당한다. 그리고 ⓔ에는 ⓓ의 질문에 대한 답을 자신(독자)의 경험에서 찾아내는 모습이 나타난다.

오답설명

① 〈보기〉의 ⓑ는 ⓐ에 대한 답을 '책에 명시된 내용'에서 찾아낸 것이므로, ⓑ에는 '독자 자신에게서 답을 찾는 질문'이 나타나지 않는다.

② 〈보기〉의 ⓒ에서 ⓐ에 대한 답을 '책의 내용들을 관계 지으며' 찾아내고 있음을 확인할 수 있다. 그리고 ⓓ에 나타난 질문은 '독자 자신에게서 답을 찾는 질문'에 해당한다.

③ 〈보기〉의 ⓐ에 나타난 질문은 '책에서 답을 찾는 질문'에 해당한다고 볼 수 있다. 그러나 ⓔ는 그에 대한 답이 아니라, '독자 자신에게서 답을 찾는 질문'에 대한 답을 '독자의 경험'에서 찾아낸 것이다.

④ 〈보기〉의 ⓑ는 질문으로 보기 어려우며, ⓐ에 나타난 질문에 대해 답을 찾아낸 것으로 볼 수 있다. 그리고 ⓒ에는 ⓑ가 아니라 ⓐ에 나타난 질문에 대해 '책의 내용들을 관계 지으며' 답을 찾아내는 모습이 나타나 있다.

03

정답설명

① '스스로 독서 계획을 세우고 자신에게 필요한 책을 찾아 개인적으로 읽는 과정'은 다른 독자와 소통하는 것이 아니라 개인적인 독서 활동에 해당한다.

오답설명

② 4문단의 '비슷한 해석에 서로 공감하며 기존 인식을 강화하거나 관점의 차이를 확인하고 기존 인식을 조정하는'을 통해 독자는 독서 모임에서 서로 다른 관점을 확인하고 자신의 관점을 조정하는 과정을 겪으며 다른 독자와 소통하는 즐거움을 경험할 수 있음을 알 수 있다.

③ 4문단에서 책과의 소통을 통해 개인적으로 형성한 의미를 독서 모임이나 독서 동아리에서 다른 독자들과 나누는 과정에서 독자는 자신의 인식을 심화·확장할 수 있다고 했다. 이를 통해, 개인적으로 형성한 의미를 독서 동아리를 통해 심화할 수 있음을 알 수 있다. 그리고 그 과정에서 다른 독자와 소통하는 즐거움을 경험할 수 있음을 알 수 있다.

④ 4문단의 '자신의 독서 경험을 담은 글이나 동영상을 생산·공유함으로써'에서 자신의 독서 경험을 담은 콘텐츠를 생산하고 공유하는 과정을

통해 다른 독자와 소통하는 즐거움을 경험할 수 있음을 알 수 있다.

⑤ 4문단의 '최근 소통 공간이 온라인으로 확대되면서'를 통해, 오프라인뿐
아니라 온라인 공간에서 해석을 나누는 과정에서도 다른 독자와 소통하
는 즐거움을 경험할 수 있음을 알 수 있다.

구조도 정답

① 필자
② 독자
③ 상황
④ 책
⑤ 자신
⑥ 온라인

지문분석

독서의 동기

└ 정의 : 독서를 이끌어 내고, 지속하는 힘

┌ **때문에 동기**

독서 행위를 하게 만든 이유

독서 이전 시점에 이미 발생한 사건이나 (①)

ex) 선물로 책을 받은 것

┌ (②) 동기

독서 행위의 결과로 달성하고자 하는 목적

독서 이후 시점의 상태에 대한 기대나 예측, 달성하지 못할 가능성 내포

ex) 친구와 책에 대해 대화를 나누는 것, 성취감이나 감동을 느끼는 것

┌ **독서 습관의 형성 과정**

'독서 행위 → 즐거움과 유익함 경험 → 다른 책을 더 읽고 싶다는 마음 → 새로운 독서 행위'의 선순환

독서의 즐거움과 유익함 : (③) 동기인 동시에 위하여 동기

선순환을 통해 독서 경험의 반복·심화로 (④) 형성

형태쌤 Comment

지문과 문제 모두 쉬운 편이었다. 지문에 제시된 독서 동기의 유형과 예시를 잘 체크하며 읽었다면 문제를 풀이하는 데 큰 어려움이 없었을 것이다.

문제분석 01-03번

번호	정답	정답률 (%)	선지별 선택비율(%)				
			①	②	③	④	⑤
1	②	97	1	97	1	1	0
2	⑤	97	1	1	1	0	97
3	①	98	98	0	1	1	0

01

정답설명

② 1문단을 보면 슈츠는 독서 동기를 '때문에 동기'와 '위하여 동기'라는 두 유형으로 제시했다고 나와 있다. 따라서 슈츠가 동기의 두 측면을 합쳐 하나의 유형으로 제시했다는 선지의 설명은 적절하지 않다.

오답설명

① 1문단의 '선생님의 권유나 친구의 추천, 자기 계발 등 우리가 독서를 하게 되는 동기는 다양하다.'에서 확인할 수 있다.

③ 3문단의 '독서 습관을 형성하려면~독서 행위를 시작하는 것과, 성공적인 독서 경험을 통해 독서 행위를 지속하는 것이 중요하다.'에서 확인할 수 있다.

④ 1문단의 '독서 동기는~독서의 시작과 지속이라는 두 측면이 포함되어 있다.'에서 확인할 수 있다.

⑤ 3문단에서 '때문에 동기'와 '위하여 동기'는 '독서 습관의 형성 과정을 설명하는 데 도움이 된다.'라고 설명하였으므로 선지의 설명은 적절하다.

02

정답설명

⑤ [A]에서 '위하여 동기'는 '독서 이후 시점의 상태에 대한 기대나 예측이라는 성격을 가지며, 달성하지 못할 가능성을 내포한다.'라고 하였다. ㉯의 독서 행위를 통해 철학 지식을 많이 알게 되는 것과 ㉰의 독서 행위를 통한 뿌듯함을 느끼는 것은 모두 독서 이후 시점의 상태에 대한 기대에 해당하므로 '위하여 동기'라고 할 수 있다.

오답설명

① ㉮는 독서 이전 시점에 부여받은 과제이므로, 독서 행위를 하게 만든 이유에 해당한다. 따라서 '위하여 동기'가 아닌 '때문에 동기'라고 할 수 있다.

② ㉯는 독서 행위를 통해 달성하고자 하는 목적에 해당하므로 '때문에 동기'가 아닌 '위하여 동기'라고 할 수 있다.

③ ㉮는 독서 이전 시점에 이미 발생하여 독서의 계기가 되었으므로 '때문에 동기'라고 할 수 있다. 하지만 ㉰는 독서 이후 시점의 상태에 대한 기대나 예측의 성격을 가지므로 '위하여 동기'라고 할 수 있다.

④ ㉮는 독서 이전 시점에 이미 발생한 사건에 해당하므로 '때문에 동기'라고 할 수 있다. 하지만 ㉰는 독서 이후 시점의 상태에 대한 기대나 예측

의 성격을 가지므로 '위하여 동기'라고 할 수 있다.

03

정답설명

① 3문단에서 '다른 책을 더 읽고 싶다는 마음이 들고~독서의 즐거움과 유익함은 새로운 독서 행위의 이유가 된다'라고 설명하고 있으므로, ㉠으로 시작해 ㉢을 경험하면 ㉠은 자연스럽게 사라지는 것이 아니라 반복될 것이다.

오답설명

② 3문단에서는 성공적인 독서 경험의 핵심을 '독서 행위를 통해 즐거움과 유익함을 경험하는 것'이라고 설명하고 있다. 따라서 ㉡으로 ㉢을 얻는 것이 성공적 독서 경험의 핵심이라는 선지의 설명은 적절하다.

③ 3문단에서는 독서 행위를 통해 즐거움과 유익함을 경험하게 되면 '다른 책을 더 읽고 싶다는 마음이 들고 그러한 마음은 새로운 독서 행위로 연결된다.'라고 설명하였다. 따라서 ㉢의 경험을 통하여 ㉠이 생기면 ㉡으로 이어질 수 있다는 선지의 설명은 적절하다.

④ 3문단에 따르면 독서 행위를 통해 즐거움과 유익함을 경험할 수 있다고 하였으므로, ㉢은 ㉡의 결과임을 확인할 수 있다. 또한 '독서의 즐거움과 유익함은 새로운 독서 행위의 이유가 된다'라고 설명하고 있으므로 ㉢은 새로운 ㉡의 목적이 될 수 있음을 확인할 수 있다.

⑤ 3문단에서 '이러한 선순환을 통해 독서 경험이 반복되고 심화'된다고 설명하고 있으므로 ㉠, ㉡, ㉢의 선순환을 통해 독서 경험이 반복되고 심화된다는 선지의 설명은 적절하다.

구조도 정답

① 경험
② 위하여
③ 때문에
④ 독서 습관

08

2024학년도 9월

지문분석

읽기 발달 연구

→ 대부분의 읽기 발달 연구 : 영·유아가 글자를 깨치기 이전에 읽기 발달이 진행된다고 봄.

→ 읽기 발달 단계 : 읽기 준비 → 글자를 익히고 소리 내어 읽기 → 의미를 이해하며 읽기 → (①)으로 읽기 → 다양한 관점으로 읽기 → 의미를 재구성하며 읽기

　　읽기 준비 단계 : 읽기의 기초가 형성되는 중요한 시기

　　이 시기 영·유아의 특징 : 글자의 형태에 익숙해짐, 글자와 소리의 (②) 어렴풋이 인식 → 글자가 뜻이 있고 음성으로 표현된다는 것을 알게 됨.

　　타인의 읽기 행위 관찰하고 글자에 대한 다양한 경험을 쌓으며 진행
　　ex) 글의 시작 부분, 글자를 읽는 방향, 책장을 넘기는 방식 등 학습, 읽어 주는 사람의 표정, 몸짓 기억해 모방

　　영향 관계 :
　　영·유아의 듣기·말하기·읽기·쓰기는 서로 (③)을 주며 발달
　　1) 책을 넘기며 중얼거리고 책 읽는 흉내 내는 것
　　2) 책 읽는 소리를 들으며 따라 말하는 것
　　3) 들은 단어나 구절을 사용해 문장을 지어 말하는 것
　　4) 읽어 주는 것을 들으며 그림이나 글자 형태로 끄적거리는 것

→ 읽기 발달은 글자를 깨치기 이전부터 점진적으로 진행 → 의사소통의 각 영역이 같이 발달할 수 있도록 자연스러운 지도가 (④)에 도움을 줌. ex) 책을 자주 읽어 주며 생각을 묻는 것

→ 읽기 준비 단계에서의 경험은 이후의 단계에 중요한 영향을 미침.

형태쌤 Comment

　지문과 문제 모두 어렵지 않은 편이었다. 지문에 제시된 읽기 발달 단계의 과정에서 '읽기 준비 단계'에 대한 특징을 잘 파악했다면 문제를 풀이하는 데 큰 어려움이 없었을 것이다. 다만 지문과 〈보기〉를 비교하는 문제에서 제시된 두 관점의 차이점을 명확히 구분하여 헷갈리지 않도록 주의하자.

문제분석　01-03번

번호	정답	정답률 (%)	선지별 선택비율(%)				
			①	②	③	④	⑤
1	②	97	1	97	1	0	1
2	③	98	0	0	98	1	1
3	③	95	1	1	95	1	2

01

정답설명

② 3문단에서 '의사소통의 각 영역인 듣기·말하기·읽기·쓰기는 서로 영향을 주며 함께 발달한다.'라고 설명하고 있으므로, 영·유아의 의사소통 각 영역이 상호 간의 작용 없이 발달한다는 선지의 설명은 적절하지 않다.

오답설명

① 1문단에서 읽기 발달 단계를 '읽기 준비', '글자를 익히고 소리 내어 읽기', '의미를 이해하며 읽기', '학습 목적으로 읽기', '다양한 관점으로 읽기', '의미를 재구성하며 읽기'의 순으로 나눈다고 설명하고 있다. 따라서 의미를 재구성하며 읽는 단계는 읽기 발달의 마지막 단계임을 확인할 수 있다.

③ 2문단에서 '영·유아는 글자를 깨치지는 못하더라도 글자의 형태에 익숙해지며, 글자와 소리의 대응 관계도 어렴풋이 알게 된다.'라고 설명하고 있다. 이를 통해 영·유아는 글자와 소리가 관계를 맺고 있다는 것을 막연하게 알게 됨을 확인할 수 있다.

④ 1문단에서 '읽기 행동의 특성이나 글에 대한 이해 수준 등에 따라 읽기 발달 단계를 위계화한다.'라고 설명하고 있다. 따라서 읽기 행동의 특성이나 글에 대한 이해 수준 등에 따라 읽기 발달의 단계를 나눈다는 내용을 확인할 수 있다.

⑤ 1문단에서 읽기 발달 단계를 '읽기 준비', '글자를 익히고 소리 내어 읽기', '의미를 이해하며 읽기', '학습 목적으로 읽기', '다양한 관점으로 읽기', '의미를 재구성하며 읽기'의 순으로 나눈다고 설명하고 있다. 따라서 글자를 습득하고 소리 내어 읽는 '글자를 익히고 소리 내어 읽기' 단계는 학습을 목적으로 읽는 '학습 목적으로 읽기' 단계에 선행함을 확인할 수 있다.

02

정답설명

③ 2문단에서 ㉠(읽기 준비 단계) 시기의 '영·유아는 글자를 깨치지는 못하더라도 글자의 형태에 익숙해지며, 글자와 소리의 대응 관계도 어렴풋이 알게 된다.'라고 설명하고 있다. 이는 글에 나타난 여러 단어의 뜻을 명확히 알고 소리 내어 글자를 읽는 행동이 관찰된다는 선지의 내용과 일치하지 않으므로 적절하지 않다.

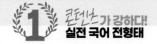
오답설명

① 3문단의 '책 읽는 소리를 들으며 따라 말하는 것, 들은 단어나 구절을 사용해 문장을 지어 말하는 것'에서 확인할 수 있다.
② 3문단의 '타인의 책 읽는 모습을 보며 글의 시작 부분, 글자를 읽는 방향, 책장을 넘기는 방식 등을 알게 된다.'에서 확인할 수 있다.
④ 3문단의 '읽어 주는 것을 들으며 그림이나 글자 형태로 끄적거리는 것'에서 확인할 수 있다.
⑤ 3문단의 '읽어 주는 사람의 표정이나 몸짓을 기억해 모방하기도 한다.'에서 확인할 수 있다.

03

정답설명

③ [A]에서 읽기 발달은 글자를 깨치기 이전부터 점진적으로 진행되는 것으로 설명하고 있다. 반면 〈보기〉에서는 읽기 발달을 '글자를 읽을 수 있는 기초 기능을 배운 후부터 시작되'는 것으로 설명한다. 따라서 글자과 읽기의 기초 기능을 배운 후부터 읽기 발달이 시작된다고 보는 것은 [A]와 달리 〈보기〉에서만 확인되는 주장이다.

오답설명

① [A]에서 '이 시기에 생활 속에서, 책을 자주 읽어 주며 생각을 묻는 등 의사소통의 각 영역이 같이 발달할 수 있도록 하는 자연스러운 지도가 읽기 발달에 도움을 준다.'라고 설명한다. 따라서 일상에서의 자연스러운 읽기 지도를 강조하는 내용은 〈보기〉가 아닌 [A]의 내용이므로 적절하지 않다.
② 〈보기〉에서는 '읽기 지도는 신체적, 정신적으로 어느 정도 성숙한 이후에 해야 한다. 그 전에는 읽기 지도를 하지 않는 것이 바람직하다.'라고 설명한다. 따라서 〈보기〉가 글자를 깨치기 전의 경험이 읽기 발달에 영향을 준다고 본다는 선지의 내용은 적절하지 않다.
④ [A]에서는 의사소통의 각 영역이 같이 발달할 수 있도록 하는 자연스러운 지도가 읽기 발달에 도움을 준다고 보았으며, 〈보기〉에서는 '듣기와 말하기를 먼저 가르친 후 읽기, 쓰기의 순으로 가르치는 것이 효과적'이라고 언급하고 있다. 따라서 [A]와 〈보기〉는 모두 읽기 이후에 쓰기를 가르쳐야 한다고 강조한다는 선지의 내용은 적절하지 않다.
⑤ 〈보기〉에서는 '읽기 지도는 신체적, 정신적으로 어느 정도 성숙한 이후에 해야 한다.'라고 설명한다. 이를 통해 성숙한 이후에 읽기를 가르치는 것을 효과적으로 본다는 것을 알 수 있다. 하지만 [A]에서는 '읽기 발달은 일정한 시기에 급격히 이루어지는 것이 아니라 글자를 깨치기 이전부터 점진적으로 진행된다.'라고 설명한다. 이를 통해 성숙한 이후에 읽기를 가르치는 것이 효과적이라고 보지는 않음을 알 수 있으므로 선지의 내용은 적절하지 않다.

구조도 정답

① 학습 목적   ② 대응 관계
③ 영향   ④ 읽기 발달

지문분석

독서에서의 초인지

↳ **독서**

독자가 목표한 결과에 도달하기 위해 글을 읽고 의미를 구성하는 인지 행위

↳ **독서에서의 초인지**

독자가 자신의 독서 행위에 대해 인지하는 것
자신의 독서 과정을 (①)하고 (②)하는 역할

↳ **1) (①) 과정에 동원**

가장 적절하다고 판단한 (③)을 사용하여 독서 진행
→ 전략이 효과적이고 문제가 없는지 평가하며 점검 및 해결

문제가 무엇인지 분명하지 않은 경우 :
독서 중 떠오르는 생각들 살펴보기 → 독서의 진행을 방해하는 생각들 분류
→ 문제점 파악

문제가 발생한 것을 독자 자신이 인지하지 못하는 경우 :
→ 독서 진행 중간중간에 이해한 내용을 정리하는 방법 사용

↳ **2) (②) 과정에 동원**

독서 목표를 고려하여 전략 판단 :
· 지금 사용하고 있는 전략을 계속 사용할 것인지
· 문제 해결을 위한 다른 전략에는 무엇이 있는지
· 각 전략의 특징과 사용 절차, 조건 등은 무엇인지
· 독자 자신이 사용할 수 있는 전략이 무엇인지
· 전략들의 적절한 적용 순서가 무엇인지
· 현재의 상황에서 최적의 전략이 무엇인지

↳ **선택한 전략을 수행하는 과정에서 독자는 초인지를 활용**
→ (①)과 (②)을 되풀이하며 (④)으로 의미 구성

형태쌤 Comment

독서론의 경우 지문과 선지의 정확한 일치를 요구하는 문항들이 자주 출제되기 때문에 지문이 쉽더라도 꼼꼼히 읽어야 한다. 지문에서 독자의 독서 행위 과정에 사용되는 초인지의 역할을 정확히 파악하고 읽었다면 문제를 풀이하는데 크게 어렵지 않았을 것이다.

문제분석 **01-03번**

번호	정답	정답률 (%)	선지별 선택비율(%)				
			①	②	③	④	⑤
1	⑤	97	1	1	0	1	97
2	③	95	1	0	95	3	1
3	①	94	94	0	2	3	1

01

정답설명

⑤ 3문단에서 독자는 문제를 해결하기 위해 전략의 사용 여부와 사용하고 있는 전략 이외의 다른 전략은 무엇이 있는지 알아야 한다고 하였다. 또한 '선택한 전략을 수행하는 과정에서 독자는 초인지를 활용하여 점검과 조정을 되풀이하며 능동적으로 의미를 구성해 간다.'라고 하였으므로, 새로 선택한 전략은 점검과 조정의 대상에서 제외할 필요가 있다는 선지의 내용은 적절하지 않다.

오답설명

① 3문단에서 '독서 목표를 고려하여, 독자는 지금 사용하고 있는 전략을 계속 사용할 것인지를 판단해야 한다.'라고 하였다. 따라서 독서 전략을 선택할 때 독서의 목표를 고려할 필요가 있다는 것을 알 수 있다.

② 3문단에서 '각 전략의 특징과 사용 절차, 조건 등은 무엇인지 알아야 한다.'라고 하였다. 따라서 독서 전략의 선택을 위해 개별 전략들에 대한 지식이 필요하다는 것을 알 수 있다.

③ 1문단에서 '독서는 독자가 목표한 결과에 도달하기 위해 글을 읽고 의미를 구성하는 인지 행위이다.'라고 하였다. 또한 성공적인 독서를 위해서는 '독자가 자신의 독서 행위에 대해 인지하는 것'인 초인지가 중요하다고 하였으므로 독자는 독서 목표를 달성하기 위해 자신의 독서 행위를 인지해야 한다는 것을 알 수 있다.

④ 3문단에서 문제를 해결하기 위해 '독자 자신이 사용할 수 있는 전략이 무엇인지'를 판단하여 전략을 선택해야 한다고 하였으므로 적절하다.

02

정답설명

③ [A]에서 '문제가 발생한 것을 독자 자신이 인지하지 못하는 경우'의 예로 '의도한 목표에 부합하지 않는 방법으로 읽기를 진행'하는 것이 제시되었다. 따라서 독서 진행 과정에서 문제가 없어 보이더라도 목표에 부합하지 않는 독서가 이루어질 수 있으므로 선지의 내용은 적절하다.

오답설명

① [A]의 '문제 발생 여부의 점검을 위해서는 독서 진행 중간중간에 이해한 내용을 정리하는 방법을 사용할 수 있다.'에서 확인할 수 있다. 따라서 독서 진행 중 이해한 내용을 정리하는 것은 독자 스스로 독서 진행 문제를 점검하는데 적합하므로 선지의 내용은 적절하지 않다.

② [A]에 따르면 독서 진행 중 독자가 자신이 얼마나 이해하고 있는지 파

악하지 못하는 것은 문제가 발생한 것을 독자 자신이 인지하지 못하는 경우이다. 따라서 독서 진행 중간에 내용을 정리하는 방법을 통해 문제 발생 여부를 점검해야 하므로 점검을 잠시 보류해야 한다는 선지의 내용은 적절하지 않다.

④ [A]에서 '독서 중에 떠오르는 생각들을 살펴보고 그중 독서의 진행을 방해하는 생각들을 분류해 보는 방법으로 문제점이 무엇인지 파악할 수 있다.'라고 하였다. 즉, 독서 중에 떠오르는 생각을 분류하는 것은 문제점을 파악하는 방법일 뿐, 독서 문제의 발생을 막지는 못하므로 선지의 내용은 적절하지 않다.

⑤ [A]에서 '초인지는 글을 읽기 시작한 후 지속적으로 이루어지는 점검 과정에 동원된다.'라고 하였으므로 초인지의 역할은 독서가 멈추지 않고 진행될 때에도 필요하다.

03

정답설명

① ⓐ에서 학생은 뜻을 모르는 용어가 처음 나왔을 때는 무시하고 읽었으나, 해당 용어가 다시 나오자 문맥을 통해 용어의 의미를 가정하고 읽는 새로운 전략을 사용하고자 한다. 이는 지금 사용하고 있는 전략을 계속 사용할 것인지를 판단한 것이 아니라, 문제 해결을 위한 다른 전략을 떠올리고 있는 것이므로 적절하지 않다.

오답설명

② ⓑ는 관련된 내용을 앞부분에서 다시 찾아 읽든가, 인터넷 자료를 검색해 보든가, 다른 책들을 찾아보는 것과 같이 문제 해결을 위해 선택할 수 있는 다른 전략에는 무엇이 있는지 떠올린 것이므로 적절하다.

③ ⓒ는 검색을 활용한 전략의 사용 조건을 확인한 것이므로 적절하다.

④ ⓓ는 검색, 앞부분 다시 읽기, 다른 책 찾아보기 등의 전략들의 적절한 적용 순서를 결정한 것이므로 적절하다.

⑤ ⓔ에서 학생은 해당 용어와 관련된 분야의 책을 찾아보는 것이 가장 좋을 것 같다는 생각을 하였다. 이는 현재 상황에서의 최적의 전략이 무엇인지 판단해 선택한 것이므로 적절하다.

구조도 정답

① 점검

② 조정

③ 독서 전략

④ 능동적

나 없이

기출

풀지마라

나 없이

나 없이

기출

풀지마라

나 없이